*De offerplaats*

# Tana French

## *De offerplaats*

SIJTHOFF

© 2007 Tana French

All rights reserved

© 2007 Nederlandse vertaling

Uitgeverij Luitingh~Sijthoff B.V., Amsterdam

Alle rechten voorbehouden

Oorspronkelijke titel: *In the Woods*

Vertaling: Marjolein van Velzen

Omslagontwerp: Pete Teboskins/Twizter.nl

Omslagfotografie: Arcangel/Image Store

ISBN 978 90 245 5922 0

NUR 332

www.boekenwereld.com

*Voor mijn vader, David French,*
*en mijn moeder, Elena Hvostoff-Lombardi*

'Zomaar een akelig zwart poedeltje, denk ik. Maar ik heb me wel altijd afgevraagd... Stel dat Hij het nu wél was geweest, en dat Hij besloten had dat ik niet de moeite waard was?'

TONY KUSHNER, A Bright Room Called Day

# PROLOOG

Stel je voor: een zomer die zó gejat kon zijn uit zo'n adolescentenfilm die zich afspeelt in een provincieplaats in de jaren vijftig. Hier geen subtiele Ierse seizoenen, afgestemd op de verfijnde smaak van connaisseurs, in aquareltinten binnen een mespuntje bewolking en streelregen; dit is een volbloedzomer, extravagant in een hete, zuivere kleur blauw. Deze zomer explodeert op de tong en smaakt naar de lange grassprieten tussen je tanden, naar je eigen verse zweet, naar kaakjes met boter erop, die door de gaatjes in de koek naar buiten puilt, en naar flessen rode picknicklimonade in de boomhut, die je eerst flink geschud hebt. Hij kriebelt op je huid met technicolor wind in je gezicht, lieveheersbeestpootjes over je arm; iedere ademteug vol pasgemaaid gras en opbollende was aan de lijn; hij klinkt en sprankelt van de vogelzang, bijen, blaadjes, stuiterballen en springtouwliedjes: *Een, twee, drie!* Aan deze zomer komt geen einde. Hij begint iedere dag opnieuw met een stortbui van softijsreclames en je liefste vriendinnetje dat aan de deur klopt, en eindigt met een lange, trage schemering en de silhouetten van moeders in deuropeningen die boven het gepiep van vleermuizen tussen de zwartkanten bomen uit roepen dat je binnen moet komen. Dit is Elckerzomer, uitgedost in zijn allerfraaiste kleed.

Stel je voor: een keurig rijtje huizen op een heuvel, slechts een paar kilometer van Dublin. Ooit, heeft de regering verklaard, wordt dit een gonzend wonder van voorstedelijke vitaliteit, dé oplossing voor flatneuroses en armoede en alle andere kwaden uit de grote stad; maar voorlopig is het niet meer dan een handjevol gekloonde twee-onder-een-kapwoningen, zo nieuw dat ze er wat geschrokken en onbeholpen bij liggen op hun heuvelflank. Terwijl de overheid zich in lyrische bewoordingen uit-liet over McDonald's en megabioscopen, pakte een paar jonge gezinnen – op de vlucht voor de achterbuurten en de houten pleehuisjes waarover niemand het had in het Ierland van de jaren zeventig, of gewoon belust op een huis zo dicht bij de ouderlijke woning als het salaris van een onder-wijzer of een buschauffeur maar toeliet – hun bezittingen in een stel vuil-niszakken en hobbelde over een zandpad met gras en madelieven in het midden naar hun gloednieuwe bestemming.

Dat was tien jaar geleden, en de vage stroboscoopgloed van super-markten en buurthuizen die onder de noemer 'infrastructuur' zouden worden aangelegd, heeft zich tot nu toe niet laten zien (bij tijd en wijle gaan onbeduidende politici in de Dáil tekeer over onfrisse onroerend-goedzaken, maar hun geweeklaag blijft onvermeld). De boeren zetten hun vee nog steeds te grazen in het land aan de overkant van de weg, en bij avond knipt er slechts een spaarzaam sterrenbeeld van lichten aan op de aangrenzende heuvels; achter de wijk, waar volgens de toenmalige plannen een winkelcentrum en een keurig parkje moesten verrijzen, ligt een paar hectare en wie weet hoevele eeuwen bos.

Kom dichterbij, achter de kinderen aan die over het dunne membraan van baksteen en mortel heen klauteren dat het bos op afstand van de nieuwbouw houdt. Hun lijfjes hebben die perfecte economie van wat nog komen zal; ze zijn zich niet van hun omgeving bewust en ze zijn ge-stroomlijnd als een stel lichtgewicht vliegmachines. Witte versieringen – een bliksemschicht, een ster, de letter A – flitsen op waar ze in een vorm geknipte pleisters hadden opgeplakt om de huid eromheen te laten brui-nen. Een banier van witblond haar waait op: één voet hier, knie op de muur, omhoogwerken, eroverheen, weg.

Het bos is een en al flikkering en gemurmel en illusie. De stilte is een pointillistische samenzwering van wel een miljoen miniatuurgeluiden – geritsel, gefladder, naamloze afgebroken kreten; de leegte zindert van ge-heim leven, krabbelt net buiten je ooghoek voorbij. Kijk uit: in die schuinhangende eik razen bijen af en aan; blijf even staan en draai een steen om: een geïrriteerd gewriemel van vreemdsoortige larven, en intus-sen cirkelt een rij mieren met serieuze bedoelingen rond je enkel om-hoog. In de torenruïne, ooit iemands burcht maar nu verlaten, schieten brandnetels zo dik als je pols tussen de stenen op en bij zonsopkomst bren-gen konijnen hun jongen vanuit de fundamenten hierheen om te spelen op de eeuwenoude graven.

De zomer is van deze drie kinderen. Ze kennen het bos zoals ze de microlandschappen van hun opengeschaafde knieën kennen; zet ze geblinddoekt in een dalletje of op een open plek en ze vinden de weg naar buiten zonder ook maar één misstap. Dit is hun terrein, en ze heersen er wild en vorstelijk als jonge dieren; ze klimmen in de bomen en spelen verstoppertje in de holtes, de godganse dag, en dan ook nog eens 's nachts in hun dromen.

Ze beleven legendes, logeerverhalen en nachtmerries waar hun ouders nooit over horen. Langs bijna onzichtbare paden die je in je eentje nooit zou vinden, soepel rond de afbrokkelende stenen muren, slepen ze kreten en schoenveters als komeetstaarten achter zich aan. En wie zit daar aan de oever met zijn handen in de wilgentakken te wachten, wiens gelach tuimelt en buitelt vanaf een tak hoog boven je hoofd, van wie is dat gezicht in het kreupelhout net buiten je gezichtsveld, opgebouwd uit licht en de schaduw van de blaadjes, in een flits ook weer verdwenen?

Deze kinderen zullen niet volwassen worden – deze zomer niet en ook een volgende zomer niet. Deze augustus zal hun niet vragen om te putten uit verborgen reserves aan kracht en moed wanneer ze de complexiteit van de volwassen wereld onder ogen moeten zien. Ze zullen niet droever maar wijzer uit die tijd van beproeving komen, vrienden voor het leven. Deze zomer stelt andere eisen.

# I

Je mag niet vergeten dat ik rechercheur ben. De relatie van rechercheurs met de waarheid is van het grootste belang, maar tegelijkertijd verwrongen; alsof hij het licht in fragmenten weerkaatst, als glasscherven. De waarheid is de kern van onze loopbaan, het eindspel van iedere zet die we doen, en we gaan erachteraan met strategieën die we moeizaam opbouwen uit leugens en halve waarheden en alle mogelijke vormen van bedrog. De waarheid is de begeerlijkste vrouw ter wereld, en wij zijn razend jaloerse minnaars die alle anderen werktuiglijk het recht ontzeggen ook maar een glimp van haar op te vangen. We bedriegen haar aan de lopende band, we brengen uren, ja zelfs hele dagen tot onze knieën in de leugens door, en dan komen we bij haar terug met de ultieme band van Möbius in onze minnaarshanden: maar dat deed ik toch alleen omdat ik zoveel van je hou!

Ik heb aanleg voor beeldspraak, vooral voor die van het goedkope, voor de hand liggende soort. Ik wil je geen rad voor ogen draaien door ons af te beelden als een stel *parfit gentil* ridders die in wambuis gehuld achter Jonkvrouwe Waarheid op haar witte ros aanjakkeren. Wat wij doen is grof, bot en gemeen. Een meisje geeft haar vriendje een alibi voor de avond waarop hij volgens ons een supermarkt heeft beroofd en de caissière neergestoken. Eerst flirt ik met haar en zeg dat ik wel begrijp dat iemand met zó'n vriendin lekker thuis zou willen zitten; ze heeft geblondeerd haar en een vettige huid, en de vlakke, misvormde trekken van generaties ondervoeding, en ik betrap me op de gedachte dat het, als ik haar vriendje was, een opluchting zou zijn om haar in te ruilen, al was het voor een harige celmaat met de bijnaam Scheermes. Dan zeg ik dat we gemarkeerde bankbiljetten uit de kassa in de zak van zijn chique witte joggingbroek hebben gevonden, en dat hij zegt dat zij die avond uit geweest is en dat ze hem bij thuiskomst dat geld heeft gegeven.

Dat doe ik zo overtuigend, met zo'n precair evenwicht tussen onbehagen en mededogen over het verraad van haar kerel, dat haar vertrouwen in vier met hem gedeelde jaren uiteindelijk als een zandkasteel ineenzijgt en ze te midden van tranen en snot het hele verhaal vertelt, vanaf het moment dat hij het huis uit liep tot aan de details van zijn seksuele tekortkomingen. Intussen zit de vent zelf met mijn partner in de verhoorkamer naast ons, waar hij niet verder komt dan: 'Rot op, ik zat thuis bij Jackie.' Dan geef ik haar een vriendelijk schouderklopje, een zakdoek en een kopje thee, en een verklaring om te ondertekenen.

Dit is mijn baan, en daar begin je niet aan – of als je er al aan begint, dan hou je het niet lang vol – zonder een zeker natuurlijk gevoel voor de prioriteiten en eisen van het werk. Wat ik je in feite wil zeggen voordat je aan mijn verhaal begint, is dit – twee dingen: ik ben verslaafd aan waarheid. En ik lieg.

Dit las ik in het dossier de dag na mijn beëdiging als inspecteur. Ik zal eindeloos op dit verhaal terug blijven komen, op vele verschillende manieren. Ziclig, misschien, maar het is wel míjn verhaal: dit is het enige verhaal in de hele wereld dat niemand anders ooit zal kunnen vertellen.

De middag van 14 augustus 1984 waren drie kinderen – Germaine (Jamie) Elinor Rowan, Adam Robert Ryan en Peter Joseph Savage, alle drie twaalf jaar oud – aan het spelen op de straat waar ze woonden, in het gehucht Knocknaree, graafschap Dublin. Het was een hete, heldere dag en een groot aantal inwoners zat in hun tuin. Vele getuigen zagen de kinderen vroeg of laat in de loop van die middag: ze gebruikten de muur aan het eind van de straat als evenwichtsbalk, ze schommelden in een opgehangen autoband.

Knocknaree was in die tijd dunbevolkt, en aan de wijk grensde een behoorlijk bos, gelegen achter een anderhalve meter hoge muur. Rond drie uur die middag zetten de drie kinderen hun fiets in de voortuin van de Savages neer en zeiden tegen Angela Savage – die in de tuin de was aan het ophangen was – dat ze in het bos gingen spelen. Dat deden ze wel vaker en ze kenden dat deel van het bos goed, dus mevrouw Savage was niet bang dat ze zouden verdwalen. Peter had een horloge, en ze zei dat hij om halfzeven thuis moest zijn voor het eten. Haar buurvrouw, Mary Therese

Corry, kon desgevraagd bevestigen dat dit gesprek had plaatsgevonden, en meerdere getuigen zagen de kinderen over de muur aan het eind van de weg klimmen en het bos in verdwijnen.

Toen Peter Savage om kwart voor zeven nog niet terug was, belde zijn moeder de moeders van de andere twee, in de veronderstelling dat hij bij een van hen thuis zat. Geen van de kinderen was thuisgekomen. Peter was normaal gesproken een gezeglijk kind, maar in dat stadium maakten de ouders zich nog geen zorgen; ze gingen ervan uit dat de kinderen zo in hun spel opgingen dat ze de tijd vergeten waren. Om ongeveer vijf voor zeven liep mevrouw Savage naar de bosrand, ging een eindje het bos in en riep de kinderen. Ze kreeg geen antwoord, en ze zag of hoorde niets wat erop wees dat er iemand in het bos was.

Ze ging terug naar huis om haar man Joseph en hun vier jongere kinderen te eten te geven. Na tafel gingen Joseph Savage en John Ryan, Adams vader, een eindje verder het bos in. Ze riepen de kinderen, maar ook zij kregen geen antwoord. Om vijf voor halfnegen, toen het donker begon te worden, begonnen de ouders zich zorgen te maken: misschien waren de kinderen verdwaald. Alicia Rowan (Germaines moeder, ongehuwd), die telefoon had, belde de politie.

Er werd een zoekactie op touw gezet. Intussen was er enige bezorgdheid ontstaan over de mogelijkheid dat de kinderen weggelopen zouden zijn. Miss Rowan had besloten Germaine naar kostschool in Dublin te sturen, waar ze dan door de week zou blijven. De weekends zou ze in Knocknaree doorbrengen. Over twee weken begon school, en alle drie waren ze erg overstuur geweest bij de gedachte dat ze van elkaar gescheiden zouden worden. Een snelle huiszoeking in de kamers van de kinderen wees echter uit dat er niets weg was: geen kleren, geen persoonlijke spullen, geen geld. Germaines spaarvarken, in de vorm van een Russisch baboesjkapoppetje, bevatte vijf pond vijfentachtig en was ongedeerd.

Om tien voor halfelf werd Adam Ryan diep in het bos, in een dichtbegroeid stuk, door een agent met een zaklamp gevonden. Hij stond met zijn rug en handpalmen tegen een dikke eikenboom aan, met zijn vingernagels zo diep in de bast gedrukt dat ze daarin afgebroken waren. Hij moest daar al een tijd zo gestaan hebben, maar hij had niet gereageerd op het geroep van de zoekenden. Hij werd naar het ziekenhuis gebracht. Het hondenteam werd erbij gehaald en traceerde de twee anderen tot een punt niet ver vanwaar Adam Ryan gevonden was, maar daar raakten de honden in de war en raakten het spoor bijster.

Toen ik gevonden werd, had ik een spijkershort aan, een wit katoenen T-shirt, witte katoenen sokken en witte sportschoenen met veters. De schoenen zaten onder het bloed, de sokken iets minder. Later bleek uit analyse van het vlekkenpatroon dat het bloed van binnen naar buiten door de schoenen heen gelekt was; het was in lagere concentraties van buiten naar binnen door de sokken heen gedrongen. Logische gevolgtrekking was dat de schoenen uit geweest waren en dat er bloed in gelopen was; even later, toen het bloed begon te stollen, waren de schoenen weer aan mijn voeten getrokken, waardoor er bloed op de sokken was gekomen. Het T-shirt had vier parallelle scheuren, van acht tot dertien centimeter lang, die schuin over de rug liepen, van het midden van het linkerschouderblad naar de rechterribben.

Ik was ongedeerd, afgezien van een paar kleine schrammen op mijn kuiten, splinters (die later afkomstig bleken te zijn van de eik) onder mijn nagels, en een diepe schaafwond op beide knieën, waarop al een korst begon te komen. Het was niet helemaal zeker of deze schaafwonden in het bos ontstaan waren of niet, want een jonger kind (Aideen Watkins, vijf) dat op straat had gespeeld, verklaarde dat ze me eerder die dag van een muurtje had zien vallen waarbij ik op mijn knieën beland was. Haar verhaal veranderde echter per keer dat het verteld werd en werd niet beschouwd als een betrouwbaar verslag. Verder was ik vrijwel catatonisch: bijna anderhalf etmaal lang maakte ik geen enkele beweging en ik bleef nog twee weken zwijgen. Toen ik uiteindelijk weer ging spreken, herinnerde ik me niets tussen het die middag van huis gaan en het onderzoek in het ziekenhuis.

Het bloed in mijn sokken en schoenen werd getest op bloedgroep – DNA-analyse behoorde in het Ierland van 1984 nog niet tot de mogelijkheden – en bleek type A positief te zijn. Mijn eigen bloed was ook van die bloedgroep; het werd echter onwaarschijnlijk geacht dat de schaafwonden op mijn knieën, hoe diep ook, zo erg gebloed hadden dat ze die doorweekte schoenen hadden veroorzaakt. Germaine Rowans bloed was twee jaar eerder getest in verband met een blindedarmoperatie, en uit de dossiers bleek ook zij A positief te hebben. Van Peter Savage waren geen gegevens bekend, maar hij kon de bron van de vlekken niet zijn: beide ouders bleken bloedgroep O te hebben, en hij kon dus niets anders hebben. Bij gebrek aan eenduidige identificatie konden de onderzoekers de mogelijkheid niet uitsluiten dat het bloed afkomstig was van een vierde aanwezige, of dat het afkomstig was van meerdere bronnen.

De zoekactie ging de hele nacht van 14 augustus en nog weken daarna door – ploegen vrijwilligers kamden de omringende velden en heuvels uit, zochten in ieder moeras en ieder ven, duikers speurden de rivier af die door het bos liep – zonder enig resultaat. Veertien maanden later vond Andrew Raftery, een buurtbewoner die zijn hond in het bos uitliet, een horloge in het kreupelhout, zo'n zeventig meter van de boom waar ik gevonden was. Het was een duidelijk herkenbaar horloge – op de wijzerplaat stond een afbeelding van een voetballer in actie, en de kleine wijzer eindigde in een voetbal. De heer en mevrouw Savage identificeerden het horloge als behorende aan hun zoon Peter. Mevrouw Savage bevestigde dat hij het de middag van zijn verdwijning gedragen had. De kunststof horlogeband leek met enige kracht van de metalen kast losgescheurd te zijn, mogelijk doordat het achter een laaghangende tak was blijven steken toen Peter tussen de bomen door holde. De technische recherche vond een aantal gedeeltelijke vingerafdrukken op de band en het horlogeglas, alle consistent met de afdrukken op Peters bezittingen.

Ondanks talrijke politieoproepen en een breed uitgemeten mediacampagne is er nooit enig spoor gevonden van Peter Savage en Germaine Rowan.

Ik ben bij de politie gegaan omdat ik rechercheur wilde worden bij Moordzaken. De tijd van mijn opleiding en de periode in uniform – Templemore College, eindeloze en ingewikkelde sportoefeningen, en daarna in een tekenfilmachtig lichtgevend geel jack ronddolen in provinciestadjes om te onderzoeken wie van de drie onverstaanbare jeugdvandalen de deur van Mrs. McSweeney's schuurtje had opengebroken – voelden aan als een gênante droom volgens een script van Ionesco, een saaiheidsproef die ik om de een of andere onbegrijpelijke bureaucratische reden moest doorstaan om mijn echte baan te verdienen. Ik denk nooit meer aan die jaren, en in mijn herinnering zijn ze ook niet bijzonder helder. Ik maakte er geen vrienden; mijn afstandelijke opstelling tegenover het hele proces voelde onbewust en onvermijdelijk aan, als de bijwerking van een kalmerend middel, maar de andere agenten vatten mijn houding op als welbewuste desinteresse, een bestudeerde minachting voor hun gedegen provinciale achtergrond en gedegen provinciale ambities. En misschien was dat ook zo. Kortgeleden vond ik een dagboekaantekening uit mijn opleidingstijd, waarin ik mijn studiegenoten beschrijf als 'een kudde door de mond ademende achtergebleven minkukels die rondwaden in een miasma van clichés, zo dik dat je het spek, de kapotgekookte kool, de koeienstront en de altaarkaarsen praktisch kunt ruiken'. Zelfs als we aannemen dat het een nare dag was, lijkt me dat dit wel een zeker gebrek aan respect toont voor cultuurverschillen.

Toen ik bij Moordzaken kwam, had ik mijn nieuwe werkkleding al bijna een jaar in mijn kast klaar hangen – pakken met een schitterende snit, van stoffen zo fijn dat ze onder je vingers leken te leven, overhemden met ragfijne blauwe of groene krijtstreepjes, konijnzachte kasjmieren sjaals. Ik hou van de onuitgesproken dresscode. Het was een van de eerste aspecten van dit werk dat me fascineerde – dat, en het geheime, functionele, korte taalgebruik: afdrukken, spoor, TR. In een van die Stephen King-achtige gehuchten waar ik na Templemore gestationeerd werd, vond een moord plaats: een geval van routinematig huiselijk geweld dat de verwachtingen van de dader zelf overtroffen had. Maar omdat de vorige vriendin van de man onder verdachte omstandigheden gestorven was, stuurde Moordzaken er een stel rechercheurs op af. De hele week van hun verblijf hield ik, wanneer ik maar achter mijn bureau zat, de koffieautomaat scherp in de gaten, zodat ik koffie kon gaan halen wanneer de rechercheurs dat ook deden. Dan goot ik zo langzaam mogelijk de melk in mijn beker, zodat ik kon luisteren naar de gestroomlijnde, brute cadans van hun gesprekken: wanneer het hoofdkantoor afkomt met de *tox*, wanneer het lab de sporen ID't. Ik ging weer roken, zodat ik hen naar het parkeerterrein kon volgen om een paar meter van hen vandaan te gaan staan paffen, waarbij ik niets ziend naar de lucht staarde en meeluisterde. Af en toe schonken ze me een ongerichte glimlach, de flits van een geoxideerde zippo, maar meteen daarna keerden ze me op subtiele wijze de rug toe en gingen ze verder met hun onnavolgbare multidimensionale strategische planning. Eerst moeke oppakken en hem een paar uur de tijd geven zich flink zorgen te maken over wat zij allemaal aan het ophoesten is, dan hem weer in de kladden grijpen. Organiseer een kamer voor een reconstructie, maar laat hem daar gewoon doorheen lopen, geef hem niet de tijd om goed te kijken.

In tegenstelling tot wat je nu misschien denkt, ben ik geen rechercheur geworden vanuit een soort misleide neiging om het raadsel uit mijn kinderjaren op te lossen. Ik heb het dossier eenmaal doorgenomen, die eerste dag, toen ik 's avonds laat in mijn eentje in de teamkamer zat, met mijn bureaulamp als de enige plas licht. (Vergeten namen fladderden als vleermuizen rond mijn hoofd en getuigden in verschoten handschrift dat Jamie haar moeder een schop had gegeven omdat ze niet naar kostschool wilde, dat er 's avonds 'gevaarlijk ogende' opgeschoten jongens rondhingen bij de bosrand, dat Peters moeder een keer een blauwe plek op haar wang had gehad.) Daarna heb ik er nooit meer naar omgekeken. Naar esoterische zaken verlangde ik, naar deze bijna-onzichtbare structuren als een soort brailleschrift – alleen voor ingewijden leesbaar. Het waren een soort volbloeden, die twee rechercheurs van Moordzaken die achterwaarts door het Land van Ooit reisden, een soort trapezeartiesten, scherp en glimmend. Ze speelden om de hoogste inzet, en ze waren experts in het spel.

Ik wist dat het wreed was wat ze deden. Mensen zijn ongetemd en meedogenloos; dit, dit kijken met koele, gerichte blik en deze fijnafstemming van de ene of de andere factor tot iemands fundamentele instinct voor zelfbehoud instort, is een bloedbad in zijn zuiverste, meest gepolijste en hoogst ontwikkelde vorm.

Al dagen voordat ze bij ons kwam werken, hadden we over Cassie gehoord, waarschijnlijk zelfs al voordat ze in dienst was. Onze tamtam werkt belachelijk goed, alsof er een netwerk van oude dametjes in de weer is. Moordzaken is een team dat onder hoge druk staat, en een klein team, met maar twintig permanente leden. Voeg één gram extra druk toe (iemand gaat weg, er komt iemand bij, te veel werk, te weinig werk) en er ontstaat een soort claustrofobische hysterie, vol gecompliceerde allianties en koortsige geruchten. Meestal hou ik me daar verre van, maar het gegons over Cassie Maddox was zo luid dat zelfs ik het niet kon missen.

Ten eerste was Cassie een vrouw, wat voor een zekere mate van gesublimeerde verontwaardiging zorgde. Ieder van ons is keurig getraind om vol afgrijzen te reageren op vooroordelen, maar we bezitten diepe, stugge aderen vol heimwee naar de jaren vijftig (zelfs mensen van mijn leeftijd; in grote delen van Ierland eindigden de jaren vijftig pas in 1995, toen we linea recta Thatchers jaren tachtig indoken), toen je een verdachte nog tot een bekentenis kon dwingen door te dreigen dat je het anders tegen zijn moeder zou zeggen, en toen de enige buitenlanders geneeskundestudenten waren en je werk de enige plek was waar je geen last had van wijvengezeur. Cassie was pas de vierde vrouw die bij Moordzaken was aangenomen, en minstens een van de andere was een gigantische vergissing geweest (een weloverwogen vergissing, volgens sommigen) die de geschiedenis ingegaan was als iemand die zichzelf en haar partner bijna van het leven had beroofd door een zenuwtoeval te krijgen en een klemgereden verdachte haar pistool naar het hoofd te smijten.

Verder was Cassie pas achtentwintig en nog maar een paar jaar klaar met de opleiding. Moordzaken is een eliteafdeling, waar niemand van onder de dertig wordt aangenomen tenzij hij een vader in de politiek heeft. Meestal werk je eerst een paar jaar als surveillant, dan help je overal waar klusjes te doen zijn, en daarna werk je je omhoog via minstens een of twee andere afdelingen. Cassie had er nog geen jaar op zitten bij Drugs. Volgens de geruchtenmachine sliep ze, onvermijdelijk uiteraard, met iemand met een hoge positie, of anders was ze iemands buitenechtelijke dochter of – iets origineler – had ze een hooggeplaatst iemand betrapt op het kopen van verdovende middelen en was deze baan de betaling voor haar stilzwijgen.

Ik zat niet met het idee van een Cassie Maddox. Ik zat nog maar een paar maanden bij Moordzaken, maar ik had nu al een hekel aan die neanderthaler-gesprekstoon, aan die concurrerende auto's en concurrerende aftershave en aan die subtiel vrouwonvriendelijke grapjes die we dan dus als 'ironisch' moesten opvatten, waardoor ik me altijd moest beheersen om niet uit te barsten in een lange, pedante verhandeling over de definitie van ironie. Over het geheel genomen, had ik liever vrouwen dan mannen. En verder had ik complexe, onuitgesproken onzekerheden over mijn eigen positie binnen het team. Ik was bijna eenendertig en had er twee jaar als surveillant op zitten, plus twee jaar bij Huiselijk Geweld, dus mijn aanstelling was gerechtvaardigder dan die van Cassie, maar soms kreeg ik de indruk dat de hoge omes ervan uitgingen dat ik een goed rechercheur was op die gedachteloze, voorgeprogrammeerde manier waarop sommige mannen ook aannemen dat een lange, slanke, blonde vrouw mooi is, ook als ze het gezicht van een hyperthyroïde kalkoen heeft. Dat komt doordat ik aan alle uiterlijke eisen voldoe: ik heb een keurig Engels spraakje, op het bekakte af; dat heb ik op kostschool als beschermende camouflage aangenomen en het duurt even voordat zo'n kolonisatie wegslijt. En hoewel de Ieren juichen voor ieder team dat tegen Engeland scoort en ik een stel pubs ken waar ik geen drankje kan bestellen zonder vrees voor een glas tegen mijn achterhoofd, nemen ze toch aan dat iemand met een chic spraakje intelligenter en hoger opgeleid is, en dat zo iemand vaker gelijk zal hebben. Bovendien ben ik lang en mager, met een bouw die er met het juiste pak slank en elegant uit kan zien, en redelijk knap, zij het niet overdreven verzorgd. Een castingbureau zou me waarschijnlijk als een goed rechercheur zien, waarschijnlijk van het briljante, buitenissige, eigenheimerige soort dat zijn nek onbevreesd uitsteekt en iedere week een arrestatie verricht.

Ik heb vrijwel niets gemeen met die omschrijving, maar ik wist niet zeker of dat de anderen was opgevallen. Soms, na te veel eenzame wodka, verzon ik een reeks levendige, paranoïde scenario's waarin de commissaris erachter kwam dat ik in wezen niets meer was dan de zoon van een ambtenaar uit Knocknaree en waarin ik vervolgens overgeplaatst werd naar Intellectueel Eigendom. Als Cassie Maddox erbij kwam, dacht ik, zouden mensen minder stilstaan bij een eventuele achterdocht jegens mij.

Toen ze eindelijk arriveerde, was ze in feite een soort anticlimax. Door de weelde aan geruchten had ik me een mentaal beeld gevormd van iemand op diezelfde tv-serieschaalgrootte, met benen tot híér en shampooreclamehaar en misschien zelfs een catsuit. Onze commissaris, O'Kelly, stelde haar tijdens de maandagochtendvergadering voor; ze stond op en maakte een paar standaardopmerkingen over hoe blij ze was om ons team te komen versterken en dat ze hoopte dat ze aan de hoge eisen zou kunnen voldoen; ze was amper meer dan gemiddeld lang en had een bos donkere krullen en een jongensachtige bouw met vierkante schouders. Mijn type was ze niet – ik heb altijd een voorkeur gehad voor meisjesachtige meisjes, leuke kleine vederlichte meisjes die ik met één arm kan optillen en rondzwieren. Maar ze had iets: misschien haar manier van staan, het gewicht op één heup, recht en ontspannen als een atleet; of misschien was het gewoon het mysterieuze aan haar.

'Ze zeggen dat haar familie bij de vrijmetselarij zit en dat ze het hele team zouden laten opdoeken als we haar niet aannamen,' zei Sam O'Neill achter me. Sam is een gedrongen, vrolijke, onverstoorbare gozer uit Galway. Ik had niet gedacht dat hij zo iemand zou zijn die zich liet meeslepen door de geruchtentsunami.

'O, kom nou toch,' zei ik, erin trappend. Sam grijnsde en schudde zijn hoofd naar me, en glipte langs me in de richting van een stoel. Ik ging weer naar Cassie staan kijken, die intussen was gaan zitten en één voet tegen de stoel voor haar had gezet, met haar notitieboekje op haar dijbeen gesteund.

Haar kleding was niet die van een rechercheur Moordzaken. Zodra je het plan opvat om hier te komen werken, leer je door osmose dat je geacht wordt er professioneel, intelligent en discreet duur uit te zien, met een sprankje originaliteit. Wij geven de belastingbetalers dat clichématige comfort waarvoor ze betalen. Het merendeel van onze kleren kopen we bij Brown Thomas oftewel BT, in de uitverkoop, en soms verschijnen we op het werk in gênant identieke accessoires. Tot dan toe was de idioot van het team een griezel met de naam Quigley geweest; hij klonk als een soort Daffy Duck met een Donegal-accent en hij droeg T-shirts met opschrift (MAD BASTARD) onder zijn pakken omdat hij dat gewaagd vond. Toen hij na verloop van tijd tot de ontdekking kwam dat niemand van ons geschokt was, of zelfs maar in de verste verte geïnteresseerd, vroeg hij zijn mammie om een dagje naar Dublin te komen en met hem te gaan winkelen bij BT.

Vanaf de eerste dag bracht ik Cassie in diezelfde categorie onder. Ze had een camouflagebroek aan met een wijnrode trui met mouwen die tot halverwege haar handen reikten, en onbehouwen gymschoenen. Dat leek me een bewuste keuze: kijk maar, ik ben te cool voor dat conventionele gedoe van jullie. Enerzijds wekte dat een zekere animositeit, maar anderzijds werd mijn aandacht voor haar erdoor aangewakkerd. Ik heb een kant die enorm wordt aangetrokken door vrouwen die me irriteren.

De daaropvolgende weken merkte ik niet veel van haar, behalve dan in de algemene zin waarin je een niet al te lelijke vrouw opmerkt in een omgeving met verder alleen mannen. Ze werd ingewerkt door Tom Costello, onze huisveteraan, en zelf werkte ik aan de zaak van een dakloze die doodgeknuppeld in een steeg gevonden was. Iets van het deprimerende, onverbiddelijke aroma van zijn leven was doorgesijpeld tot in zijn dood, en het was zo'n zaak die meteen al onbegonnen werk is – geen aanwijzingen, niemand die iets gezien had, niemand die iets gehoord had, degene die hem vermoord had was waarschijnlijk zo dronken of high dat hij zich de daad niet eens herinnerde – dus de hooggespannen verwachtingen van mijn sprankelende talenten begonnen iets te verleppen. Verder had ik Quigley als partner toegewezen gekregen, en dat werkte van geen kanten; zijn idee van humor was om grote delen van *Wallace & Gromit* na te spelen en dan een Woody Woodpecker-lachje te doen om aan te geven dat dit dus grappig was. Het begon tot me door te dringen dat ik niet met hem moest samenwerken omdat hij vriendelijk zou zijn tegen een nieuwkomer, maar omdat niemand anders hem wilde. Ik had niet de tijd of de energie om Cassie te leren kennen. Ik vraag me af hoe lang het zo verder had kunnen gaan. Zelfs op een kleine afdeling zijn er altijd mensen met wie je nooit verder komt dan een knikje en een glimlach in de gang, gewoonweg omdat je elkaar nooit ergens anders tegenkomt.

We raakten bevriend dankzij haar scooter, een slordig ogende room-witte Vespa uit 1981 die me op de een of andere manier, ondanks zijn status van klassieker, deed denken aan een vrolijke straathond met ergens iets van bordercollie in zijn stamboom. Ik noem hem de golfkar om Cassie te pesten, zij noemt mijn gehavende witte landrover de compensatiewagen, met af en toe een meelevende opmerking over mijn vriendinnen, of de Ecomobiel als ze een linkse bui had. De golfkar koos een smerig natte, winderige dag in september om vlak bij kantoor de geest te geven. Ik was op weg vanaf het parkeerterrein toen ik een druipnat meisje in een rood regenjack, iets als Kenny uit *South Park,* naast een druipnat scootertje zag staan brullen tegen een bus die haar zojuist van top tot teen nat gespat had. Ik stopte en riep vanuit het raampje: 'Kan ik je ergens mee helpen?'

Ze keek me aan en riep terug: 'Hoe kom je erbij?' en barstte toen, tot mijn complete verrassing, in lachen uit.

Een minuut of vijf lang probeerde ik de Vespa aan de praat te krijgen, en in die tijd werd ik verliefd op haar. Door die veel te grote regenjas leek ze een jaar of acht, alsof ze bijpassende laarsjes had moeten hebben met lieveheersbeestjes erop, en onder die rode capuchon had ze enorme bruine ogen en door de regen aan elkaar geplakte wimpers en een kittengezichtje. Ik wilde haar voor een laaiend houtvuur zachtjes afdrogen met een grote, zachte handdoek. Maar plotseling zei ze: 'Hier, laat mij maar – je moet weten hoe je dat dingetje moet omdraaien,' en trok ik één wenkbrauw op en antwoordde: 'Dat díngetje? Vrouwen...'

Meteen had ik spijt van mijn opmerking. Ik heb nooit talent gehad voor humor, en je wist maar nooit: voor hetzelfde geld was ze zo'n goed bedoelende, doorzanikende feministe geweest die me in de regen ging staan onderhouden over Amelia Earhart. Maar Cassie wierp me een weloverwogen zijdelingse blik toe, klemde haar handen met een natte klap ineen en zei op ademloze Marilyn Monroe-toon: 'Ooohh, ik heb altijd gedróómd van een ridder die in een witte landrover zou komen aanrijden om kleine ik te redden! Alleen was hij in mijn dromen altijd veel knapper.'

Wat ik zag, veranderde met een klik als een gedraaide caleidoscoop. Ik hield op met verliefd worden en vatte een immense sympathie voor haar op. Ik keek naar haar jack met capuchon en zei: 'O god, dadelijk schieten ze Kenny dood.' Toen tilde ik de golfkar in de landrover en bracht haar naar huis.

Ze had een studioappartement op de bovenste verdieping van een vervallen huis in Sandymount. Het was een rustige straat; het brede schuifraam gaf uitzicht over daken en daarachter over Sandymount Beach. Er hingen houten boekenplanken vol pockets, er stond een lage bank in een heftige tint turquoise en een grote futon met een patchwork sprei; snuisterijen of posters ontbraken, wel waren er een handvol schelpen en stenen en kastanjes op de vensterbank.

Ik herinner me niet veel details van die avond, en Cassie ook niet, zegt ze. Ik weet nog een paar dingen waar we het over gehad hebben, een paar doordringend scherpe beelden, maar ik kan bijna niets letterlijk herhalen. Dat vind ik vreemd en, in bepaalde stemmingen, behoorlijk magisch, bijna alsof de avond iets te maken had met die toestanden van veranderd bewustzijn die in de loop der eeuwen altijd zijn toegeschreven aan elfen of heksen of buitenaardse wezens, en waaruit niemand onveranderd terugkeert. Maar die verloren, liminale eilandjes in de tijd worden meestal in eenzaamheid doorgebracht; het idee van een gedeeld eiland in de tijd doet me denken aan tweelingen die in een zwaartekrachtvrije en woordeloze ruimte trage, blinde handen uitsteken.

Ik weet nog dat ik ben blijven eten – een bijna studentikoze maaltijd van verse spaghetti en saus uit een potje, met een grog uit porseleinen bekers. Ik weet nog dat Cassie een enorme kast opende die het grootste deel van een van de muren in beslag nam, om een handdoek te pakken waarmee ik mijn haar kon afdrogen. Iemand, waarschijnlijk zijzelf, had planken in de kast getimmerd. De planken hingen op onregelmatige hoogten, niet helemaal recht, en waren volgepakt met een grote verscheidenheid aan spullen. Ik kon het allemaal niet goed zien, maar ik ving een glimp op van emaillen steelpannen met scherven eraf, schriften met gemarmerde kaften, zachte truien in regenboogkleuren en stapels volgekrabbeld papier. Het leek wel iets uit zo'n oude illustratie van een huis in een sprookjesboek.

Ik weet nog dat ik na een tijd vroeg: 'Hoe ben jij nou eigenlijk bij ons op de afdeling terechtgekomen?' We hadden het erover gehad of ze al aan het wennen was, en ik dacht dat ik de vraag heel terloops gesteld had, maar ze keek me met een klein, ondeugend glimlachje aan alsof we aan het dammen waren en ze me had betrapt op een afleidingsmanoeuvre om een onhandige zet te verbergen.

'Als vrouw, bedoel je?'

'Nee, omdat je nog zo jong bent, bedoel ik,' zei ik, hoewel ik natuurlijk aan beide had zitten denken.

'Costello zei gisteren "knul" tegen me,' zei Cassie. '"Mooi werk, knul."
En daarna werd hij helemaal rood en begon hij te stotteren. Hij zal wel bang
geweest zijn dat ik hem voor de rechter zou slepen.'

'Het was eerder een compliment, denk ik,' opperde ik.

'Zo heb ik het ook opgevat. Diep in zijn hart is het een schat.' Ze nam
een sigaret tussen haar lippen en stak haar hand uit, en ik gooide mijn aansteker naar haar.

'Ik heb me laten vertellen dat je als undercover hoer hebt gewerkt en
dat je daar een van de hoge omes bent tegengekomen,' zei ik, maar ze reageerde niet en gooide alleen met een grijns de aansteker terug.

'Dat was dan zeker Quigley? Die heeft tegen mij gezegd dat jij een mol
van MI6 was.'

'Wát?' riep ik, hevig verontwaardigd en regelrecht mijn eigen val in lo-
pend. 'Quigley is een schijtluis.'

'Goh, vind je?' zei ze, en ze barstte in lachen uit. Even later lachte ik
met haar mee. Die mollentoestand zat me niet lekker – als iemand dat
echt geloofde, zouden ze me nooit meer iets vertellen. En dat ze me voor
een Engelsman aanzien, maakt me razend, hoewel ik ergens ook wel genoot van het absurde idee dat ik een soort James Bond zou zijn.

'Ik kom uit Dublin,' zei ik. 'En dat accent heb ik opgedaan op kostschool in Engeland. Dat weet die halvegare.' En dat was ook zo: de eerste
paar weken dat ik daar werkte, had hij zo eindeloos zitten zaniken wat een
Engelsman nou eigenlijk bij de Ierse politie deed – als een kind dat eindeloos aan je mouw hangt om 'Waarom? Waarom dan?' te vragen – dat ik
uiteindelijk had toegegeven en had verteld hoe ik aan die manier van
spreken kwam. Kennelijk had ik kortere woorden moeten gebruiken.

'Wat moet je in vredesnaam met hem?' vroeg Cassie.

'Langzaam gek worden,' antwoordde ik.

Iets, ik weet nog steeds niet wat, had kennelijk de doorslag gegeven.
Cassie leunde opzij, nam haar beker in haar andere hand (zij zweert dat
we tegen die tijd koffiedronken en beweert dat ik alleen maar dénk dat
het een grog was omdat we dat die winter zo vaak deden, maar ik weet
het zeker, ik herinner me de scherpe tandjes van een kruidnagel, de kruidige dampen) en trok haar trui omhoog tot vlak onder haar borst. Ik was
zo verbaasd dat het even duurde voordat ik besefte wat ze me liet zien:
een lang litteken, nog rood en dik en met sporen van hechtingen, dat
langs de kromming van een van haar ribben liep. 'Ik ben neergestoken,'
zei ze.

Het lag zo voor de hand dat ik me schaamde dat niemand er opgekomen was. Een rechercheur die tijdens het werk gewond raakt, mag kiezen waar hij of zij wil gaan werken. Ik nam aan dat we die mogelijkheid over het hoofd gezien hadden omdat de geruchtenmachine normaal gesproken zowat doorgebrand zou zijn bij het verhaal over een steekpartij. En hier hadden we niets over gehoord.

'Jezus,' zei ik. 'Hoe is dat gebeurd?'

'Ik zat undercover bij University College Dublin,' vertelde Cassie. Aha. Dat verklaarde zowel de outfits als het stilzwijgen – undercoveragenten nemen geheimhouding heel serieus. 'Zo komt het ook dat ik zo snel rechercheur geworden ben. Er was een groep aan het dealen op de campus, en Drugs wilde weten wie daarachter zat, dus hadden ze mensen nodig die voor studenten konden doorgaan. Ik ging erheen als vierdejaars psychologie. Voordat ik naar Templemore ging, had ik een paar jaar psychologie gedaan aan Trinity College, dus ik kende het jargon. En ik zie er jong uit.'

Dat was zo. Haar gezicht had een bijzonder soort helderheid dat ik nooit bij iemand anders gezien heb; haar huid leek geen poriën te hebben, een kinderhuidje, en in vergelijking met haar gezichtstrekken – brede mond, hoge, ronde jukbeenderen, wipneus, lange, gebogen wenkbrauwen zagen die van andere mensen er vaag en vlekkerig uit. Voor zover ik kon zien gebruikte ze nooit make-up, afgezien van een roodgetinte lipbalsem die naar kaneel rook en waardoor ze nog jonger leek. Niet veel mensen zouden haar als mooi beschouwd hebben, maar ik heb sowieso nogal een voorkeur voor het op maat gemaakte, ik heb het niet zo op merknamen, en ik keek liever naar haar dan naar die blonde boezemklonen die ik volgens de bladen zou moeten begeren – wat ik nogal een belediging van mijn goede smaak vind.

'En toen heeft iemand je verraden?'

'Néé,' zei ze verontwaardigd. 'Ik ontdekte wie de hoofddealer was, een hersendood rijkeluiszoontje uit Blackrock dat uiteraard economie studeerde. Maanden ben ik bezig geweest om vriendjes met hem te worden. Ik lachte om zijn flauwe grappen, ik las zijn essays voordat hij ze inleverde. En toen kwam ik met het voorstel dat ík misschien bij de meisjes zou kunnen dealen, dat ze het misschien minder eng zouden vinden om drugs te kopen van een vrouw dan van een man, snap je wel? Dat vond hij prima, alles ging fantastisch, ik begon te hinten dat het misschien eenvoudiger was als ik de leverancier zelf ontmoette in plaats van alles via hem te betrekken. Alleen begon Dealerboy toen zelf iets te veel van zijn eigen speed te snuiven – het was mei, de tentamenperiode kwam eraan. Hij werd paranoïde, was ervan overtuigd dat ik zijn business wilde overnemen en stak me neer.' Ze nam een slok van haar grog. 'Maar dat moet je niet tegen Quigley zeggen, hoor. De operatie is nog niet afgelopen, dus eigenlijk mag ik er niet over praten. Laat die stumper maar lekker in de waan.'

Stiekem was ik heel erg onder de indruk, niet zozeer van de steekpartij (tenslotte, hield ik mezelf voor, had ze niet iets bijzonder dappers of slims gedaan, ze was alleen niet snel genoeg weggedoken), maar van de duistere, adrenalinegestuurde gedachte aan undercoverwerk en van de volslagen onaangedane houding waarmee ze het verhaal vertelde. Ik had zelf zoveel moeite gedaan een air van onverschilligheid aan te kweken, dat ik de real thing meteen herkende.

'Jezus,' zei ik nogmaals. 'Ik neem aan dat hij het zwaar voor zijn kiezen gekregen heeft toen ze hem opgepakt hadden.' Zelf heb ik nooit een verdachte geslagen – dat is niet nodig, zolang je maar de indruk wekt dat je zó kunt gaan meppen – maar er zijn jongens die dat wel doen, en wie een collega neersteekt, kan rekenen op een paar blauwe plekken onderweg naar het bureau.

Ze trok geamuseerd een wenkbrauw op. 'Nee, hoor. Dat zou het eind van de hele operatie geweest zijn. Ze hebben hem nodig om bij de leverancier te komen; ze zijn gewoon opnieuw begonnen met een nieuwe undercover.'

'Maar wil je hem dan niet opgepakt hebben?' vroeg ik, gefrustreerd door haar kalmte en mijn eigen insluipende gevoel van naïviteit. 'Hij heeft je neergestoken.'

Cassie trok haar schouders op. 'Ach, als je erbij stilstaat had hij natuurlijk wel gelijk: ik deed alleen maar aardig om hem een loer te draaien. En hij was nou eenmaal zo gespannen als een veer. En zo doen gespannen drugsdealers.'

Daarna wordt mijn herinnering weer vaag. Ik weet dat ik, vastbesloten om op mijn beurt indruk op haar te maken maar zelf nooit neergestoken of betrokken geweest bij een schietpartij of wat dan ook, haar een lang en breed uitgesponnen en in grote lijnen waargebeurd verhaal vertelde over de keer dat ik iemand die met zijn baby van een flatgebouw af wilde springen, omlaag gepraat had. Dat was toen ik nog bij Huiselijk Geweld zat (volgens mij moet ik lichtelijk aangeschoten geweest zijn: ook daarom ben ik zo zeker dat we grogs dronken en geen koffie). Ik herinner me een gepassioneerd gesprek over Dylan Thomas, geloof ik, met Cassie druk gebarend op haar knieën op de bank, haar sigaret vergeten opbrandend in de asbak. Vol grappen, slim maar voorzichtig als twee behoedzaam om elkaar heen cirkelende kinderen, wachtten we na iedere opmerking af of we geen grenzen overschreden hadden, of we geen gevoelige snaren hadden geraakt. Ik herinner me vuurgloed en de Cowboy Junkies, en Cassie die meezong in een lieve, ruige ondertoon.

'Die drugs die je van Dealerboy kocht,' begon ik later. 'Verkocht je die ook echt door?'

Cassie was opgestaan om water op te zetten. 'Soms,' zei ze.

'Vond je dat niet erg?'

'Ik vond alles aan het undercoverwerk erg,' antwoordde Cassie. 'Alles.'

Toen we de volgende ochtend aan het werk gingen, waren we vrienden. Zo simpel was het: we plantten het zaad zonder erbij stil te staan, en toen we wakker werden, hadden we onze eigen privébonenstaak. Tijdens de pauze trok ik Cassies aandacht en mimede een sigaret, waarna we buiten in kleermakerszit aan beide uiteinden van een houten bank gingen zitten – net boekensteunen. Aan het eind van de dag wachtte ze me op, luidkeels haar beklag doend over hoeveel tijd het mij kostte om al mijn spullen bij elkaar te krijgen ('Alsof je met Paris Hilton op stap gaat. Vergeet je lipliner niet, liefje, anders moet de chauffeur daar speciaal voor terug en dat willen we toch zeker niet?') en vroeg ze halverwege de trap naar buiten 'Biertje?' Ik heb geen verklaring voor de alchemie die één avond omzette in het equivalent van jarenlange omgang. We spraken dezelfde taal, anders kan ik het niet zeggen; en dat was zo duidelijk dat we er niet eens verbaasd over waren.

Zodra zij door Costello voldoende ingewerkt was, gingen zij en ik samenwerken. O'Kelly probeerde nog even dwars te liggen – hij was niet zo te spreken over het feit dat twee beginnelingen samen in een team kwamen te zitten, en bovendien moest hij nu dus iets anders verzinnen voor Quigley – maar ik had, eerder door stom toeval dan door gedegen speurwerk, iemand gevonden die een ander had horen opscheppen dat hij die zwerver vermoord had. Ik kon dus wel een potje breken bij O'Kelly en daar maakte ik meteen gebruik van. Hij waarschuwde ons dat we de eenvoudigste zaken zouden krijgen, saaie klussen, 'niets waar echt rechercheurswerk aan te pas komt', en wij knikten gehoorzaam en bedankten hem nogmaals, ons bewust van het feit dat moordenaars zelden zo attent zijn om ervoor te zorgen dat de complexe zaken zo getimed worden dat ze bij het juiste team terechtkomen. Cassie verhuisde haar spullen naar het bureau naast het mijne, en Costello werd opgezadeld met Quigley en bleef ons nog wekenlang als een onrecht aangedane labrador verwijtende blikken toewerpen.

In de loop van de daaropvolgende jaren ontwikkelden we volgens mij een goede reputatie binnen de afdeling. We pikten de verdachte van de moord in de steeg op en ondervroegen hem zes uur achter elkaar – hoewel, als je iedere 'O, fuck, man' van de tape wist, houd je waarschijnlijk niet veel meer dan drie kwartier over – tot hij bekende. De dader was een junkie, ene Wayne ('Wayne,' zei ik tegen Cassie, toen we een Sprite voor hem waren gaan halen en keken hoe hij voor de spiegelruit aan zijn pukkels pulkte. 'Dan hadden zijn ouders toch net zo goed meteen bij zijn geboorte "Niemand in onze familie heeft ooit de middelbare school afgemaakt" op zijn voorhoofd kunnen tatoeëren?'). Hij had de junkie in elkaar geslagen, ene Baardaap-Eddie, omdat die zijn deken had gestolen. Nadat hij zijn verklaring had ondertekend, wilde Wayne weten of hij zijn deken terug kon krijgen. We droegen hem over aan de bewakers en vertelden hem dat zij verder voor hem zouden zorgen, en daarna gingen we met een fles champagne naar Cassie thuis, waar we tot zes uur de volgende ochtend bleven zitten praten. We kwamen te laat op het werk, met een schaapachtige blik en nog steeds lichtelijk boven ons theewater.

We doorliepen het voorspelbare proces waarbij Quigley en een stel anderen me uitgebreid aan de tand voelden over of wij het met elkaar deden en zo ja, of ze er wat van kon. Zodra duidelijk werd dat we het echt niet deden, gingen ze over op de mogelijkheid dat Cassie lesbisch zou zijn (ik heb haar altijd beschouwd als door en door vrouwelijk, maar ik zie wel in dat voor mensen met een bepaalde mentaliteit dat korte haar van haar, het gebrek aan make-up en die jongensbroeken tekens van Sapphische neigingen zouden kunnen zijn). Uiteindelijk kreeg Cassie daar genoeg van en hakte ze de knoop door door op de kerstborrel te verschijnen in een strapless zwartfluwelen cocktailjurk met een stoere, knappe rugbyspeler aan haar zijde. Gerry was haar achterneef en getrouwd, maar stelde zich zeer beschermend op tegenover haar en vond het absoluut geen probleem om haar een avond lang vol aanbidding aan te staren als dat haar carrière goeddeed.

Daarna verflauwden de geruchten en werden we min of meer aan ons lot overgelaten, wat ons prima uitkwam. Anders dan je zou denken, is Cassie geen uitgesproken sociaal iemand, en dat ben ik ook niet; ze is levendig, adrem, heeft gevoel voor humor en ze kan met iedereen gesprekken aanknopen, maar ze gaat liever met mij alleen om dan met een hele groep. Ik bleef regelmatig bij haar op de bank slapen. Ons succespercentage ging van goed naar beter; O'Kelly dreigde niet langer dat hij ons uit elkaar zou halen als we weer eens te laat waren met administratieve zaken. We waren erbij toen Wayne door de rechtbank schuldig werd bevonden aan doodslag ('O, fúck, man!'). Sam O'Neill tekende een schitterend karikatuurtje van ons tweeën als Mulder en Scully van de *X-Files,* (dat heb ik nog ergens), en Cassie plakte het op haar computer, naast een bumpersticker met het opschrift BAD COP! NO DOUGHNUT!

Achteraf bezien kwam Cassie wat mij betreft precies op het juiste moment. Mijn oogverblindende, onweerstaanbare visie van een buitenstaander op de afdeling Moordzaken had geen zaken bevat als Quigley, of roddel, of eindeloos in een kring ronddraaiende ondervragingen van junkies met een woordenschat van zes woorden en een accent als een tandartsboor. Ik had me een soort uitgerekte manier van leven in een staat van verruimd bewustzijn voorgesteld, waarbij alles wat kleinzielig was, weggebrand werd door een bereidheid waar de vonken vanaf schoten, en de werkelijkheid had me ontgoocheld achtergelaten als een kind dat een glinsterend kerstcadeautje uitpakt en daar dan een paar wollen sokken in aantreft. Als Cassie er niet geweest was, was ik waarschijnlijk veranderd in zo'n soort rechercheur als in *Law and Order,* die ene met die maagzweren, die denkt dat alles een complot van de overheid is.

# 2

We kregen de zaak-Devlin op een woensdagochtend in augustus. Volgens mijn aantekeningen was het elf uur achtenveertig, dus de anderen waren koffie aan het halen. Cassie en ik speelden Worms op mijn computer.

'Ha!' zei Cassie, en ze stuurde een van haar wormen met een baseballknuppel op de mijne af en gaf hem zo'n dreun dat hij van het klif viel. Mijn worm, Groundsweeper Willy, krijste 'Oeh, papkindje!' tegen me, op weg naar de oceaan.

'Dat heb ik expres laten gebeuren,' zei ik tegen Cassie.

'Tuurlijk,' antwoordde Cassie. 'Een echte vent laat zich niet verslaan door een meisje. Dat weet zelfs die worm: alleen iemand met ballen ter grootte van een rozijn, een testosteronvrije roomsoes, kan...'

'Gelukkig ben ik als man niet zo onzeker dat ik me ook maar in de verste verte bedreigd voel door...'

'Sst,' suste Cassie, en ze draaide mijn gezicht naar het beeldscherm. 'Braaf zo. Stil maar, ga maar lief met je worm zitten spelen. Iemand anders zal dat niet voor je doen.'

'Ik denk dat ik overplaatsing ga aanvragen, iets lekker rustigs, bijvoorbeeld ME,' merkte ik op.

'Bij ME hebben ze mensen met een snel reactievermogen nodig, lieverd,' zei Cassie. 'En als jij al een halfuur nodig hebt om te beslissen wat je gaat doen met een denkbeeldige worm, dan ben je niet echt geschikt om te beslissen over een stel gijzelaars.'

Op dat moment kwam O'Kelly de kamer in denderen en vroeg op

donderende toon: 'Waar is iedereen?' Cassie drukte snel op Alt-Tab; een van haar wormen heette O'Smelly en ze stuurde hem opzettelijk hopeloze situaties in om te zien hoe hij werd opgeblazen door exploderende schapen.

'Pauze,' zei ik.

'Stel archeologen heeft menselijke overblijfselen gevonden. Wie is er aan de beurt?'

'Wij nemen hem wel,' zei Cassie, terwijl ze met haar voet een trap tegen mijn stoel gaf zodat die van haar terugschoot naar haar eigen bureau.

'Hoezo wij?' vroeg ik. 'Kan de lijkschouwer zich daar niet mee bezighouden?'

Archeologen zijn wettelijk verplicht de politie erbij te halen als ze menselijke resten vinden op een diepte van minder dan drie meter onder het maaiveld. Dat is voor het geval dat een of ander genie op de gedachte komt een moord te verdoezelen door het lijk in een veertiende-eeuws graf onder te brengen en dan te hopen dat het voor middeleeuws kan doorgaan. Ik neem aan dat ze vinden dat wie zo ondernemend is om dieper te graven dan drie meter zonder op te vallen, enige coulantie verdient wegens ijver en vlijt. De uniformdienst en de lijkschouwer worden er regelmatig bij gehaald wanneer een skelet dankzij bezinking en erosie naar de oppervlakte komt, maar meestal is dat gewoon een formaliteit; het onderscheid tussen oude en nieuwe lijken is betrekkelijk eenvoudig te maken. Rechercheurs worden er alleen in uitzonderingsgevallen bij geroepen, meestal wanneer vlees en botten in het veen zo goed bewaard zijn gebleven dat het lijk er vers uitziet, met alle gevolgen van dien.

'Ditmaal niet,' zei O'Kelly. 'Dit zijn verse lijken. Jonge vrouwen, zo te zien moord. Uniform heeft naar ons gevraagd. Ze zitten in Knocknaree, dus jullie kunnen 's avonds gewoon naar huis.'

Er gebeurde iets vreemds met mijn ademhaling. Cassie hield op met spullen in haar tas proppen en ik voelde haar blik heel even mijn kant uit schieten. 'Sorry, sir, maar we kunnen er momenteel echt geen volledig moordonderzoek bij hebben. We zitten tot over onze oren in de zaak-McLoughlin en…'

'Daar had je anders helemaal geen last van toen je nog dacht dat het gewoon een middagje vrij was, Maddox,' zei O'Kelly. Om een aantal verbijsterend voorspelbare redenen heeft hij een hekel aan Cassie – aan haar sekse, haar kleren, haar leeftijd, haar semi-indrukwekkende staat van dienst – en van die voorspelbaarheid heeft ze veel meer last dan van zijn antipathie. 'Als je tijd had voor een dagje op het platteland, dan heb je ook tijd voor een serieus moordonderzoek. Technische recherche is al onderweg.' En met die woorden verdween hij.

'O, shit,' zei Cassie. 'O, shit, die ellendige rukker. Sorry, Ryan. Ik had er geen moment bij stilgestaan dat jij...'

'Laat maar, Cass,' zei ik. Een van de dingen die ik het meest aan haar waardeer, is dat ze weet wanneer ze haar snavel moet houden. Het was haar beurt om te rijden, maar ze koos mijn favoriete burgerauto – een Saab uit '98 die rijdt als een zonnetje – en gooide de sleutels naar mij over. In de auto haalde ze haar cd-houder uit haar tas en gaf hem aan mij; de chauffeur kiest de muziek, maar ik vergat regelmatig om iets mee te nemen. Ik koos het eerste wat volgens mij een beukende bas moest hebben en zette de cd keihard.

Sinds die zomer was ik niet meer in Knocknaree geweest. Een paar weken nadat Jamie naar kostschool gegaan zou zijn, ging ik zelf – maar niet naar dezelfde school. Ik ging naar Wiltshire, zo ver weg als mijn ouders maar betalen konden, en toen ik met de kerstvakantie naar huis kwam, woonden we in Leixlip, aan de andere kant van Dublin. Toen we eenmaal op de ringweg zaten, moest Cassie de kaart opvissen om de juiste afslag te zoeken, en daarna reden we over hobbelige landwegen met groene bermen, tussen woekerende heggen door die langs de portieren schraapten.

Uiteraard heb ik het altijd betreurd dat ik me niet kon herinneren wat daar in dat bos gebeurd was. De paar mensen die over de hele Knocknaree-toestand weten, stellen vroeg of laat steevast voor om hypnose-regressietherapie te proberen, maar om de een of andere reden vind ik dat een akelig idee. Ik koester een enorme argwaan tegen alles wat maar in de verte naar new age zweemt – niet vanwege de praktijken zelf, die voor zover ik op veilige afstand kan beoordelen waarschijnlijk best zinnig zijn, maar vanwege de mensen die zich ermee bezighouden, diezelfde mensen die je op feestjes altijd in een hoek drijven om je te vertellen hoe ze ontdekt hebben dat ze overlevers zijn en dat ze recht hebben op geluk. Ik maak me zorgen dat ik uit zo'n hypnose tevoorschijn zou komen met zo'n ietwat manische blik van zelfgenoegzame verlichting, als een zeventienjarige die voor het eerst iets heeft gelezen van Kerouac, en dat ik dan ook zou gaan staan preken tegen onbekenden in de kroeg.

De Knocknaree-site was een uitgestrekt veld op een flauwe helling. Al het gras en alle planten waren weggehaald en de kale aarde vertoonde een archeologisch handschrift: greppels, hopen zand, portakabins, verspreide fragmenten van een ruige stenen muur als de omtrekken van een of ander dolzinnig doolhof – waardoor het er allemaal surrealistisch, postnucleair, uitzag. Aan de ene kant werd het veld begrensd door een bosje met dicht opeen groeiende bomen, aan de andere door een muur waar keurige gevels overheen gluurden. Die muur liep van de bomen naar de weg. Bijna boven aan de heuvel, niet ver van de muur, was de technische recherche bezig, op een plek die was afgezet met blauw-wit gestreept politielint. Waarschijnlijk kende ik iedereen die daar aan het werk was, maar door de context werden ze vertaald – witte overals, bezige handen in handschoenen, naamloze, gevoelige instrumenten – in iets wat vreemd en griezelig en misschien zelfs een beetje CIA-achtig aandeed. De paar herkenbare voorwerpen stonden erbij als toonbeelden van soliditeit: een laag, witgekalkt huisje langs de rand van de weg met een zwart-witte sheepdog ervoor uitgestrekt, aan zijn trillende poten te zien in een droom verzonken; en een stenen toren, overgroeid met klimop die rimpelde als water in de wind. Vanaf de donkere rivier die door een hoek van het veld sneed, glinsterde het licht.

*hakken van de gymschoenen in de aarde van de oever geboord, bladschaduw rimpelend over een rood T-shirt, vishengels van stokken met touw, meppen naar muggen: stil! Je jaagt de vissen weg!...*

Dit veld lag waar twintig jaar geleden het bos was geweest. De boomsingel was alles wat ervan over was. Ik had in een van die huizen aan de andere kant van de muur gewoond.

Dit had ik niet verwacht. Ik kijk nooit naar het Ierse nieuws; dat vervaagt altijd tot een hoofdpijnverwekkende vlek identieke politici met moordenaarsogen die betekenisloze ruis uitstoten, zoiets als het gekwaak dat je krijgt als je een langspeelplaat op vijfenveertig toeren afspeelt. Ik hou me bij het buitenlandse nieuws, waar de afstand de zaken voldoende vereenvoudigt voor een prettige illusie dat er nog enig verschil is tussen de spelers. Via een soort osmose had ik wel vernomen dat er ergens in de buurt van Knocknaree een archeologische opgraving was, en dat daar enige controverse over bestond, maar de details of de exacte locatie waren me niet duidelijk. Dit had ik niet verwacht.

Ik parkeerde in een parkeerhaventje tegenover een groep portakabins, tussen de bestelwagen van het bureau en een grote zwarte Mercedes –

Cooper, de lijkschouwer. We stapten uit en ik bleef even staan om mijn wapen te controleren: schoon, geladen, pal erop. Ik draag een schouderholster; een andere manier voelt onprettig, opvallend als een legale vorm van potloodventen. Cassie trekt zich daar geen moer van aan: volgens haar is een stukje uiterlijk vertoon geen slechte zaak als je één tweeënzestig bent, vrouw, en jong. Vaak pakt dat verschil handig uit, omdat mensen niet weten wie ze het griezeligst moeten vinden, dat kleine meisje met de revolver of die grote vent die zo te zien ongewapend is, en die weifeling brengt hen uit hun evenwicht.

Cassie leunde tegen de auto en groef haar sigaretten uit haar tas op. 'Jij ook een?'

'Nee, dank je,' zei ik. Ik controleerde mijn holster, trok de banden strak, keek of er niets gedraaid zat. Mijn vingers voelden dik en onhandig aan, zonder relatie met mijn lichaam. Ik was bang dat Cassie zou opmerken dat de kans klein was dat de moordenaar zich achter een portakabin schuilhield en onder vuur genomen moest worden, wie het meisje ook geweest was en wanneer de moord ook plaatsgevonden had. Ze kantelde haar hoofd achterover en blies de rook omhoog naar de takken boven ons. Het was een doorsnee Ierse zomerdag, hinderlijk bedeesd, een en al zon en voortjagende wolken en een scherpe bries, maar klaar om ieder moment zonder enige moeite over te gaan in gutsende regen of blakerende zon of beide.

'Kom op,' zei ik. 'Laten we onze rol gaan spelen.' Cassie drukte haar sigaret uit op haar schoenzool en stak het stompje terug in het pak. We staken over.

Een man van middelbare leeftijd in een rafelende trui stond met een verloren blik in zijn ogen tussen de portakabins. Hij fleurde op toen hij ons zag.

'Recherche,' zei hij. 'U bent van de recherche, ja? Dr. Hunt... ik bedoel, Ian Hunt. Hoofdarcheoloog. Waar wilt u... eh, kantoor of het lijk of...? Ik weet niet hoe die dingen werken, ziet u. Protocollen en zo.' Hij was zo iemand die voor je geestesoog meteen in een stripfiguur verandert: haastig gekrabbelde vleugels, een snavel en ta-daa, daar had je een eigenwijze, academische versie van Woody Woodpecker.

'Mijn naam is Cassie Maddox, en dit is Rob Ryan,' zei Cassie. 'Zou een van uw collega's inspecteur Ryan misschien een rondleiding kunnen geven op de opgraving, en kunt u mij dan intussen het stoffelijk overschot laten zien?'

Trut, dacht ik. Ik voelde me gespannen als een veer en tegelijkertijd half verdoofd, alsof ik had geprobeerd mijn hoofd helder te krijgen met een enorme dosis cafeïne nadat ik verschrikkelijk stoned was geraakt; de lichte schittering van de fragmentjes mica in de omgewoelde bodem zagen er te fel uit, onecht en koortsachtig. Ik was niet in de stemming om beschermd te worden. Maar een van onze stilzwijgende gedragsregels, van Cassie en mij, is dat we elkaar, in gezelschap althans, niet tegenspreken. En soms maakt een van ons daar gebruik van.

'Eh... ja,' zei Hunt, terwijl hij ons vanachter zijn brillenglazen met knipperende ogen aankeek. Op de een of andere manier wekte hij de indruk van iemand die continu dingen laat vallen – geel notitiepapier, verfrommelde papieren zakdoeken, half uitgepakte keelpastilles – hoewel hij niets in zijn handen had. 'Ja, natuurlijk. Ze zijn allemaal... Ehm, meestal doen Mark en Damien de rondleidingen, maar Damien is... eh... Mark!' Dit laatste in de richting van de open deur van een portakabin.

Ik ving een glimp op van een stel mensen rond een kale tafel: legerjacks, boterhammen en dampende bekers, de vloer vol modderkluiten. Een van de jongens smeet een handvol kaarten op tafel en begon zich los te werken uit de wirwar van plastic stoelen.

'Ik had gezegd dat ze allemaal binnen moesten blijven,' zei Hunt. 'Ik wist niet of... Bewijsmateriaal. Voetafdrukken en... vezels.'

'Perfect, dr. Hunt,' zei Cassie. 'We zullen proberen de plek zo snel mogelijk vrij te geven, zodat u weer aan het werk kunt.'

'We hebben nog maar een paar weken,' zei de man in de deuropening van de portakabin. Hij was klein van stuk en tanig: een lichaamsbouw die onder een dikke trui bijna kinderlijk zou hebben aangedaan, maar hij had een T-shirt aan met een modderige legerbroek en Doc Martens, en de armen die onder zijn korte mouwen uitstaken, waren gespierd en pezig als die van een worstelaar.

'Dan kun je maar beter in beweging komen en mijn collega rondleiden,' zei Cassie.

'Mark,' zei Hunt. 'Mark, deze inspecteur moet kunnen rondkijken. Je weet wel, de gebruikelijke tour rond de hele site.'

Mark bleef nog even naar Cassie staan kijken en knikte toen; kennelijk was ze geslaagd voor een of andere geheimzinnige test. Hij liep op me af. Hij was ergens midden twintig, met een lange, blonde paardenstaart en een smal vossengezicht met heel groene, heel indringende ogen. Dat soort mannen – mannen die overduidelijk alleen geïnteresseerd zijn in wat zij van anderen vinden, niet wat anderen van hen vinden – bezorgen mij van jongs af aan een hevig onzeker gevoel. Ze hebben een soort gyroscopisch zelfvertrouwen waardoor ik me onhandig, onecht, ruggengraatloos voel: op de verkeerde plek en met de verkeerde kleren aan.

'Je kunt maar beter laarzen aantrekken,' zei hij tegen me, met een sardonische blik op mijn schoenen: als hij het niet gedacht had... Zijn stem had een harde, noordelijke klank. 'Extra laarzen staan in de schuur.'

'Ik red me zo wel,' zei ik. Ik had zo'n idee dat een archeologische opgraving greppels met minstens een halve meter modder moest bevatten, maar ik verdomde het om de hele ochtend achter die vent aan te hobbelen met de broekspijpen van mijn pak belachelijk weggepropt in andermans afgedankte laarzen. Ik wilde iets – een kop thee, een sigaret, iets wat een excuus bood om vijf minuten rustig te zitten nadenken over hoe ik dit moest aanpakken.

Mark trok een wenkbrauw op. 'Prima. Deze kant uit.'

Hij ging op weg, tussen de portakabins door, zonder te kijken of ik achter hem aan kwam. Onverwachts grijnsde Cassie naar me, een ondeugende, triomfantelijke grijns waardoor ik me iets beter voelde. Met mijn middelvinger maakte ik een krabgebaar over mijn wang naar haar.

Mark ging me voor over de opgraving, langs een smal pad tussen mysterieuze hoopjes aarde en stenen. Hij had de loop van iemand die aan vechtsporten doet, of van een stroper – lange, soepele passen. 'Middeleeuwse afvoergreppel,' zei hij, en hij wees. Een stel kraaien schoot weg van een verlaten kruiwagen vol zand, besloot dat wij geen kwaad konden en begon weer in de aarde te wroeten. 'En dat is een neolithische nederzetting. Hier wonen al vanaf het stenen tijdperk eigenlijk continu mensen. En nog steeds. Kijk eens, dat is een huisje uit de achttiende eeuw. Het was een van de plekken waar de Opstand uit 1798 is beraamd.' Hij keek naar me om, en ik voelde een absurde neiging om tekst en uitleg te geven over mijn accent en te vertellen dat ik niet alleen Iers was, maar dat ik nota bene hier om de hoek gewoond had. 'De man die er nu woont, stamt af van de man die het gebouwd heeft.'

We kwamen bij de stenen toren in het midden van de opgraving. Door openingen in de klimop waren pijlopeningen te zien, en aan één kant liep een stuk ingestorte muur omlaag. Het zag er vaag, frustrerend bekend uit, maar ik wist niet of dat nou kwam doordat ik het me echt herinnerde of doordat ik wist dat ik het me zou móéten herinneren.

Mark haalde een pakje tabak uit zijn camouflagebroek en begon een sigaret te rollen. Rond beide handen, onder aan zijn vingers, zat isolatietape gewikkeld. 'De Walsh-clan heeft deze toren in de veertiende eeuw gebouwd, en in de loop van de volgende eeuwen is er een kasteel bij gekomen,' zei hij. 'Dit hele land was van hen, van die heuvels daar,' – hij maakte een hoofdbeweging naar de horizon, hoge elkaar overlappende heuvels met een donslaag van donkere bomen – 'tot aan een bocht in de rivier daar achter die grijze boerderij. Het waren rebellen, guerrillastrijders. In de zeventiende eeuw reden ze geregeld Dublin binnen, helemaal tot aan de Britse kazerne in Rathmines. Ze grepen een paar geweren, maakten iedere soldaat die ze zagen een kopje kleiner en rosten er dan weer vandoor. Tegen de tijd dat de Britten zover waren dat ze achter hen aan konden, waren zij alweer bijna thuis.'

Hij vertelde het goed. Voor mijn geestesoog zag ik steigerende paarden, toortslicht en vervaarlijk lachen, de steeds snellere slag van de krijgstrommel. Over zijn schouder zag ik Cassie bij het politielint met Cooper staan praten en aantekeningen maken.

'Sorry dat ik je moet onderbreken,' zei ik, 'maar ik vrees dat ik geen tijd heb voor de volledige rondleiding. Ik heb alleen een soort globaal overzicht van de opgraving nodig.'

Mark likte aan zijn vloeitje, plakte zijn shagje vast en zocht zijn aansteker. 'Mij best,' zei hij, en hij begon om zich heen te wijzen. 'Neolithische nederzetting, ceremoniële steen bronzen tijdperk, rond huis ijzeren tijdperk, vikinghutten, veertiende-eeuwse boerenhoeve, zestiende-eeuws kasteel, achttiende-eeuwse cottage.' 'Ceremoniële steen bronzen tijdperk' was waar Cassie en de techneuten stonden.

'Wordt het hier 's nachts bewaakt?' vroeg ik.

Hij lachte. 'Nee. We doen de schuur met vondsten uiteraard wel op slot, en het kantoor, maar alles wat van echte waarde is, gaat meteen naar het hoofdkantoor. En een maand of twee geleden zijn we pas begonnen de gereedschapsschuur op slot te doen – we raakten gereedschap kwijt, en we merkten dat de boeren onze slangen hadden gebruikt om bij droog weer hun velden te sproeien. Meer niet. Waarom zouden we het bewaken? Over een maand is het sowieso allemaal weg, afgezien van dit hier.' Hij sloeg met zijn hand op de muur van de toren, en in de klimop boven ons hoofd maakte iets zich uit de voeten.

'Hoezo?' vroeg ik.

Hij staarde me aan; zijn blik had een indrukwekkend gehalte aan ongelovige minachting. 'Over een maand,' zei hij langzaam en duidelijk zodat het misschien tot me door zou dringen, 'komt de overheid deze hele site hier platwalsen om er een snelweg overheen te bouwen. Ze zijn zo vriendelijk geweest een kutterig verkeerseilandje over te laten voor de toren, zodat ze kunnen klaarkomen bij de gedachte hoeveel ze doen voor het behoud van ons cultureel erfgoed.'

Nu wist ik het weer: de snelweg. Ik had er iets over gezien op tv: een of andere kleurloze politicus was geschokt dat de archeologen de belastingbetaler miljoenen wilde laten ophoesten om nieuwe bouwtekeningen te maken. Waarschijnlijk had ik op dat moment weggezapt. 'We proberen u niet te lang op te houden,' zei ik. 'Die hond bij de boerderij, slaat die aan wanneer er hier mensen komen?'

Mark haalde zijn schouders op en nam een trek van zijn sigaret. 'Niet als wij het zijn, want ons kent hij. We geven hem eten en zo. Misschien als iemand te dicht bij huis komt, zeker 's nachts, maar waarschijnlijk niet als er iemand bij de muur staat. Buiten zijn territorium.'

'En auto's? Blaft hij daartegen?'

'Heeft hij tegen die van jullie geblaft? Het is een herder, geen waakhond.' Tussen zijn tanden door liet hij een dun sliertje rook naar buiten komen.

De moordenaar kon dus van alle kanten naar de opgraving gekomen zijn: via de weg, via het terrein, of zelfs langs de rivier als hij het zichzelf graag moeilijk maakte. 'Meer heb ik niet nodig,' zei ik. 'Bedankt voor je tijd. Als je dan nu bij de anderen wilt gaan zitten wachten, dan komen we jullie over een paar minuten vertellen wat we tot nu toe gevonden hebben.'

'Als je maar niet over dingen heen loopt die er archeologisch uitzien,' zei Mark, en hij beende terug naar de portakabins. Ik ging de heuvel op, naar het lijk.

De ceremoniële steen uit het bronzen tijdperk was een enorm, plat blok, ruim twee meter lang, een meter breed en een meter hoog, uit één rots gehouwen. Het veld eromheen was haastig weggebulldozerd – niet lang geleden, te voelen aan de manier waarop de bodem onder mijn voeten wegzakte – maar rond de steen was een soort terpje vrijgelaten, zodat hij op een eilandje leek te zweven te midden van de omgeploegde aarde. Bovenop flitste iets wit met blauws tussen de brandnetels en het hoge gras.

Het was Jamie niet. Dat had ik al wel zo'n beetje geweten – als er een kans was geweest dat dat wel zo was, dan was Cassie me dat wel komen vertellen – maar toch voelde ik mijn hele hoofd leeglopen. Dit meisje had lang, donker haar, een van haar vlechten was over haar gezicht gevallen. In eerste instantie was dat het enige wat me opviel, dat donkere haar. Het kwam niet eens bij me op dat Jamies lichaam niet in zo'n staat kon hebben verkeerd.

Ik was Cooper misgelopen; die liep alweer voorzichtig terug naar de weg en schudde bij iedere stap zijn voet: net een kat. Iemand van de technische recherche was foto's aan het maken, en een ander stond te zoeken naar vingerafdrukken; een eind verderop, bij de brancard, stond een handjevol agenten van de plaatselijke politie wat onrustig met de jongens van het mortuarium te praten. Het gras was bezaaid met driehoekige, genummerde bordjes. Cassie en Sophie Miller zaten op hun hurken bij de stenen tafel te kijken naar iets op de rand van de steen. Ik zag meteen dat het Sophie was; die kaarsrechte ruglijn pik je er overal uit. Sophie is mijn favoriet bij de technische recherche. Ze is slank en donker en beheerst, en bij haar doet die witte douchemuts eerder denken aan iemand die zich over de britsen van gewonde soldaten buigt en, met daverende kanonschoten op de achtergrond, kalmerende woordjes in hun oor fluistert en ze slokjes water uit een veldfles geeft. In werkelijkheid echter is ze snel en ongeduldig en kan ze iedereen, van hoofdcommissarissen tot openbare aanklagers, met een paar welgekozen woorden op zijn plek zetten. Ik hou wel van die discrepantie.

'Welke kant uit?' riep ik bij het lint. Je loopt niet zomaar een plaats delict op; dat doe je pas als de mensen van de sporendienst zeggen dat het mag.

'Ha, Rob,' brulde Sophie, terwijl ze overeind kwam en haar masker omlaag trok. 'Wacht even.'

Cassie stond als eerste naast me. 'Pas een dag of zo dood,' zei ze bijna onhoorbaar, voordat Sophie ons bereikt had. Ze zag wat bleekjes: dat overkomt de meesten van ons als het om kinderen gaat.

'Bedankt, Cass,' zei ik. 'Ha, Sophie.'

'Hallo Rob. Jullie zijn me nog een borrel schuldig.' We hadden haar een paar maanden geleden al beloofd haar te trakteren op een drankje als ze kans zag een bloedanalyse sneller dan normaal te laten uitvoeren, en sinds die tijd zeiden we regelmatig tegen elkaar dat we toch eens die borrel moesten gaan drinken – maar tot nu toe was het er niet van gekomen.

'Als je het ditmaal weer klaarspeelt, nemen we je ook nog eens mee uit eten,' zei ik. 'Wat hebben we hier?'

'Vrouwelijk, blank, tien à dertien,' zei Cassie. 'Geen papieren bij zich.

Wel een sleutel in haar zak, zo te zien een huissleutel, maar dat is het dan ook. Haar hoofd is ingeslagen, maar Cooper heeft petechiën gevonden en iets wat wel eens wurgtekens op haar hals konden zijn, dus we zullen tot de post moeten wachten voor de doodsoorzaak. Ze heeft al haar kleren aan, maar het ziet ernaar uit dat ze verkracht is. Dit is een hele vreemde zaak, Rob. Volgens Cooper moet ze zo'n anderhalf etmaal dood zijn, maar er zijn vrijwel geen sporen van insecten te zien, en ik zie niet in hoe de archeologen haar over het hoofd hebben kunnen zien als ze hier gisteren de hele dag gelegen heeft.'

'Dit is niet de primaire plaats delict?'

'Geen sprake van,' zei Sophie. 'Geen bloedspatten op de rots, zelfs geen bloed uit de hoofdwond. Ze is ergens anders vermoord, heeft daar waarschijnlijk ruim een dag gelegen en is toen gedumpt.'

'Nog wat gevonden?'

'Meer dan genoeg,' zei ze. 'Te veel. Zo te zien is dit een hangplek voor de plaatselijke jeugd. Peuken, bierblikjes, een stel colablikjes, kauwgum, resten van drie joints. Twee gebruikte condooms. Zodra je een verdachte hebt, kan het lab proberen een match te krijgen met al dit spul hier – wat een nachtmerrie wordt – maar eerlijk gezegd, volgens mij is dit gewoon het normale afval van een stel jongeren. Het wemelt van de voetsporen. Een haarspeldje. Dat was waarschijnlijk niet van haar – het zat hier aan de voet van die steen in de grond gestoken, en zo te zien zat het daar al een tijdje. Maar misschien kan het geen kwaad om dat na te gaan. Het lijkt me niet van een tiener afkomstig; het is zo'n plastic geval, met een plastic aardbei aan het einde, en die zie je meestal bij jongere kinderen.'

*blonde vleugel waait op*

Ik voelde me alsof ik plotseling steil naar achteren kantelde, ik moest me beheersen om niet mijn armen uit te slaan om in evenwicht te blijven. Aan de andere kant van Sophie hoorde ik Cassie snel zeggen: 'Waarschijnlijk niet van haar. Alles wat zij aanheeft is blauw en wit, tot en met het elastiek in haar haar. Dit was iemand die de zaken op elkaar afstemde. Maar dat gaan we na.'

'Gaat het?' vroeg Sophie mij.

'Prima,' zei ik. 'Ik ben gewoon aan koffie toe.' Het voordeel van het nieuwe, hippe, trendy Dublin met zijn dubbele-espressocultuur is dat je iedere vreemde opwelling kunt wijten aan de behoefte aan koffie. In het tijdperk van de thee had dat niet gewerkt, althans niet met eenzelfde geloofwaardigheid.

'Hij krijgt van mij een koffie-infuus voor z'n verjaardag,' zei Cassie. Zij vindt Sophie ook aardig. 'Zonder koffie is hij al helemáál niets waard. Vertel hem eens over die rots.'

'Ja, daar hebben we twee interessante dingen gevonden,' zei Sophie. 'Er ligt daar een steen, ongeveer zo groot,' – ze hield haar handen een centimeter of twintig uit elkaar – 'die volgens mij een van de wapens moet zijn. Hij lag in het gras bij de muur. Eén kant ervan zit helemaal onder het haar en bloed en botsplinters.'

'Vingerafdrukken?' vroeg ik.

'Nee. Een paar vegen, maar die zijn zo te zien afkomstig van handschoenen. Het interessante was de vindplaats – daar bij die muur; kan betekenen dat hij vanuit de woonwijk over de muur geklommen is, hoewel dat natuurlijk ook precies kan zijn wat hij ons wil laten denken – en het feit dat hij de moeite genomen heeft om die steen te dumpen. Je zou denken dat hij hem gewoon kon afspoelen en als tuinornament gebruiken, in plaats van die steen én het lijk mee te sjouwen.'

'Kan hij niet al in het gras gelegen hebben?' vroeg ik. 'Mogelijk heeft hij het lijk erop laten vallen, misschien toen hij haar de muur over hees.'

'Volgens mij niet,' zei Sophie. Ze stond bijna onmerkbaar met haar voeten te schuifelen in een poging mij in de richting van de stenen tafel te krijgen; ze wilde weer aan het werk. Ik wendde mijn blik af. Ik heb een sterke maag als het om lijken gaat, en ik nam aan dat ik wel erger gezien had – bijvoorbeeld die peuter die vorig jaar door zijn vader in elkaar getrapt was tot hij praktisch doormidden brak – maar toch voelde ik me raar, licht in het hoofd, alsof mijn ogen niet konden focussen op het beeld. Misschien heb ik echt koffie nodig, dacht ik.

'Hij lag met de bebloede kant naar onderen. En het gras eronder is nog groen; die steen heeft hier niet lang gelegen.'

'Bovendien bloedde ze niet meer tegen de tijd dat ze hierheen gebracht werd,' zei Cassie.

'O ja, dat is ook interessant,' zei Sophie. 'Kom hier eens kijken.'

Ik legde me bij het onvermijdelijke neer en dook onder het lint door. Sophies collega's keken even op en liepen bij de stenen tafel weg om ons meer ruimte te geven. Ze waren allebei nog heel jong, amper meer dan trainees, en plotseling besefte ik hoe wij er in hun ogen uit moesten zien: hoeveel ouder, hoe wakker, met hoeveel meer vertrouwen in de kunstjes en trucs van de volwassenheid. Dat kalmeerde me op de een of andere manier, het beeld van die twee inspecteurs van Moordzaken met hun ervaren gezichten waarop niets af te lezen viel, schouder aan schouder en in de pas op weg naar dit dode kind.

Ze lag met opgetrokken knieën op haar linkerzij, alsof ze onder het vredige geprevel van grotemensengesprekken op de bank in slaap gevallen was. Haar linkerarm hing over de rand van de rots, haar rechterarm lag over haar borst, de hand onder een vreemde hoek gebogen. Ze had een grijsblauwe legerbroek aan, van dat soort met zakken en ritsen op eigenaardige plaatsen, een wit T-shirt met een rij gestileerde korenbloemen op de voorkant, en witte gymschoenen. Cassie had gelijk: ze had niet zomaar wat aangetrokken: in de dikke vlecht die over haar wang lag, zat een elastiekje met een blauwzijden korenbloem. Ze was klein en heel tenger, maar waar een van haar broekspijpen omhooggeschoven was, zag haar kuit er strak en gespierd uit. Een jaar of tien, dertien leek me wel te kloppen: ze begon net borstjes te krijgen, nog amper zichtbaar onder de plooien van haar T-shirt. Haar neus en mond en de punten van haar voortanden zaten onder het aangekoekte bloed. De zachte, krullende lokken bij haar haargrens bewogen zachtjes in de wind.

Haar handen zaten in doorzichtige plastic zakken, die rond de pols waren vastgebonden. 'Zo te zien heeft ze zich verzet,' zei Sophie. 'Er zijn een paar nagels afgebroken. Ik denk niet dat we DNA zullen vinden onder de andere nagels, die zien er behoorlijk schoon uit, maar waarschijnlijk vinden we wel vezels en sporenmateriaal op haar kleren.'

Even had ik de duizeligmakende impuls om haar daar te laten liggen: om de handen van de techneuten weg te duwen, om naar de wachtende mensen van het mortuarium te brullen dat ze moesten oprotten. We hadden al genoeg van haar gevergd. Het enige wat ze nog had was haar dood, en die wilde ik haar laten, dat was wel het minste. Ik wilde haar in zachte dekens wikkelen, haar haar vol bloed uit haar gezicht strijken, een donsdek van vallende blaadjes en het geritsel van kleine diertjes tot aan haar kin trekken. Haar laten slapen, voorgoed weg laten varen op haar geheime ondergrondse rivier, terwijl ademende seizoenen paardenbloempluisjes en maanfasen en sneeuwvlokken boven haar hoofd sponnen. Ze had zo haar best gedaan om te leven.

'Zo'n T-shirt heb ik ook,' fluisterde Cassie bij mijn schouder. 'Kinderafdeling van Penney's.' Ik had het haar zien dragen, maar ik wist dat ze het nooit meer zou aantrekken. De herinnering aan dit beeld was onuitwisbaar.

'Dit wilde ik jullie laten zien,' zei Sophie op zakelijke toon. Sophie doet niet aan sentimentaliteit of aan grafhumor op een plaats delict. Ze zegt dat zoiets verspilde tijd is, tijd die besteed had moeten worden aan de zaak zelf. Wat ze in feite bedoelt, is dat dit soort gedrag iets voor stumpers is. Ze wees naar de rand van de steen. 'Wil je handschoenen aan?'

'Ik kom nergens aan,' zei ik en ik hurkte in het gras. Uit deze hoek zag ik dat een van de ogen van het meisje een eindje openstond, alsof ze maar deed alsof ze sliep, alsof ze ieder moment overeind kon springen om *Boe-oe! Was je geschrokken?* te roepen. Over haar onderarm baande een glanzend zwart torretje zich methodisch een weg.

Rond de bovenkant van de steen, een centimeter of vijf van de rand, was een groef uitgehouwen, zowat een vinger breed. De steen was door tijd en het weer uitgesleten tot hij glad was en bijna glansde, maar op één plek was de beitel van de maker uitgegleden en had hij een hap uit de wand van de groef genomen, zodat er een klein, puntig uitsteeksel was achtergebleven. Aan de onderkant daarvan zat een veeg van iets donkers, bijna zwarts.

'Dat heeft Helen hier gevonden,' zei Sophie. De vrouwelijke techneut keek op en glimlachte trots en verlegen naar me. 'We hebben een monster genomen, en het is bloed – ik laat je nog weten of het menselijk bloed is. Ik denk niet dat het iets te maken heeft met ons lijk; haar bloed was al opgedroogd tegen de tijd dat ze hier neergelegd werd, en ik neem sowieso aan dat dit jaren oud is. Het kan van een dier zijn, of van een of andere tienergrap of wat dan ook, maar wat het ook is, interessant is het altijd.'

Ik dacht aan de tere holte bij Jamies pols, aan het witte randje langs Peters bruine nek als hij net bij de kapper geweest was. Ik voelde Cassie niet naar me kijken. 'Ik zie niet in hoe dat hiermee te maken kan hebben,' zei ik. Ik stond op – het viel niet mee om op mijn hurken te blijven zitten zonder de stenen tafel aan te raken – en voelde het bloed naar mijn hoofd gutsen.

Voordat we bij de opgraving weggingen, ging ik op het richeltje boven het lijk van het meisje staan en draaide in een kring rond om een overzicht van de hele plaats delict en omgeving in mijn hoofd te prenten: greppels, huizen, akkers, toegang en hoeken en lijnen. Langs de muur van de woonwijk was een smalle rand bomen ongemoeid gelaten, waarschijnlijk om de esthetische gevoeligheden van de bewoners te beschermen tegen de ontegenzeglijk archeologische aanblik van het veld. Rond een van de bomen hing nog een stuk blauw plastic koord te bungelen, aan een hoge tak. Het was een rafelig, half vergaan stuk koord, dat sterk deed denken aan een sinister verleden – lynchpartijen, middernachtelijke zelfdoding – maar ik wist wat het was. Het was het overblijfsel van een schommel, gemaakt van een oude autoband.

Hoewel ik was gaan denken aan Knocknaree alsof het iets was wat een ander overkomen was, iemand die ik niet kende, was een deel van me hier nooit weggekomen. Terwijl ik bladen volkladderde met doelloze figuurtjes in Templemore, of uitgestrekt op Cassies futon lag, was dat onophoudelijke kind eindeloze rondjes blijven draaien op een schommel die van een oude autoband was gemaakt, over een muur achter Peters blonde hoofd aan geklommen en het bos in verdwenen met een flits van bruine benen en gelach.

Ooit had ik, net als de politie en de pers en mijn verbijsterde ouders, gedacht dat ik verlost was, het kind dat veilig thuis aangespoeld was op het getijde van een rare eb waarop Peter en Jamie weggevoerd waren. Maar nu dacht ik dat niet meer. Op wijzen die te donker en te cruciaal waren om als metaforen te dienen was ik dat bos niet uit gekomen.

# 3

Ik heb het nooit over die toestand in Knocknaree. Ik zie niet in waarom; dat zou maar leiden tot eindeloze onsmakelijke ondervragingen over mijn niet-bestaande herinneringen of tot meelevende en inaccurate speculaties over de staat van mijn psyche, en ook daar heb ik geen trek in. Mijn ouders weten het uiteraard, en Cassie, en een vriendje van me van kostschool – Charlie, tegenwoordig bankier in Londen, soms hebben we nog contact – en ene Gemma, die een tijdje mijn vriendin was, zo rond mijn negentiende. (Zij en ik brachten veel tijd door met te veel drinken, en bovendien was zij het intense type vol existentiële angsten en dacht ik dat de ervaring me interessanter zou doen lijken.) En verder niemand.

Toen ik naar kostschool ging, gaf ik daar mijn tweede voornaam op in plaats van mijn eerste, Adam. Ik weet niet meer of dat idee afkomstig was van mijn ouders of van mijzelf, maar volgens mij was het een goed plan. Er staan alleen al in het telefoonboek van Dublin vijf pagina's met Ryans, maar de naam Adam komt niet vaak voor, en de publiciteit was overweldigend (zelfs in Engeland: ik bladerde altijd stiekem de kranten door waarmee ik het vuur van de klasseoudsten moest aanmaken, scheurde eruit wat me van toepassing leek en leerde dat later in een toilethokje uit mijn hoofd voordat ik het doorspoelde). Vroeg of laat zou iemand het verband gelegd hebben. Maar nu is er geen schijn van kans dat inspecteur Rob met zijn Engelse accent ooit gekoppeld zou worden aan de kleine Adam Ryan uit Knocknaree.

Ik wist natuurlijk dat ik het tegen O'Kelly moest zeggen, nu ik werkte aan een zaak die wel eens verband kon houden met die andere, maar eerlijk gezegd heb ik daar geen seconde aan gedacht. Dan was ik meteen van de zaak gehaald – je mag nóóit werken aan een zaak waar je emotioneel bij betrokken zou kunnen zijn of raken – en hadden ze me waarschijnlijk opnieuw eindeloos aan de tand gevoeld over die dag in het bos, en ik zag niet in wat dat voor goeds kon doen voor de zaak of de samenleving in het algemeen. Ik heb nog levendige, akelige herinneringen aan de ondervragingen van die eerste keer: mannenstemmen met een ruwe ondertoon van gefrustreerdheid die zachtjes mekkeren aan de rand van mijn gehoor, terwijl in mijn hoofd witte wolken eindeloos dobberen over een enorme, blauwe hemel en de wind door een uitgestrekt grasveld zucht. Dat was het enige wat ik de eerste paar weken erna zag of hoorde. Ik herinner me niet dat ik er in die tijd iets over voelde, maar achteraf bezien was het een afgrijselijke gedachte – mijn hoofd schoongeveegd, vervangen door een testbeeld – en telkens wanneer de politie terugkwam om het nog eens te proberen, kwam het via een of ander associatieproces weer boven, sijpelde het via mijn achterhoofd naar binnen tot ik zo bang was dat ik in een mokkend stilzwijgen verviel. En ze bleven het maar proberen – eerst om de paar maanden, in de schoolvakanties, later eens per jaar of zo – maar ik kon ze nooit iets vertellen en tegen de tijd dat ik van school ging hielden ze er dan eindelijk mee op. Dat leek me een uitstekende beslissing en ik zag absoluut niet in welk doel gediend kon zijn als die beslissing nu ongedaan gemaakt werd.

En als ik heel eerlijk ben, moet ik bekennen dat het mijn ego en mijn gevoel voor het schilderachtige wel aansprak, het idee dat ik dit vreemde, geladen geheim onvermoed de hele zaak lang met me meedroeg. Ik neem aan dat het paste bij wat ik gedaan zou hebben als dit een filmrol was geweest.

Ik belde Vermiste personen, en daar kwamen ze bijna meteen met een naam aanzetten. Katharine Devlin, twaalf jaar oud, één meter vijfenveertig, tengere bouw, lang, donker haar, bruine ogen, vermist gemeld door Knocknaree Grove nummer 29 (plotseling herinnerde ik me dat: alle straten in de wijk heetten Knocknaree Grove en Close en Place en Lane, en de post werd bijna dagelijks verkeerd bezorgd) om kwart over tien de vorige ochtend, toen haar moeder haar wilde wakker maken en haar niet in bed aantrof. Vanaf twaalf jaar worden kinderen beschouwd als oud genoeg om serieus van huis weg te lopen, en ze was kennelijk uit vrije wil vertrokken, dus hadden ze haar bij Vermiste personen een dag de tijd gegeven om uit eigen beweging naar huis terug te keren voordat ze er de cavalerie bij riepen. Ze hadden het persbericht al klaarliggen, klaar om vóór het avondnieuws naar de media te sturen.

Ik was bijna overdreven opgelucht een naam te hebben, al stond de identiteit dan ook nog niet echt vast. Kennelijk had ik wel geweten dat een klein meisje – en dan vooral een gezond, keurig aangekleed klein meisje – op een klein eiland als Ierland niet zomaar plotseling dood kan zijn zonder dat iemand familie van haar blijkt te zijn; maar deze zaak had een aantal aspecten waarvan ik de zenuwen kreeg, en misschien had een bijgelovig deel van me geloofd dat dit kind naamloos zou blijven, alsof ze zo uit de lucht was komen vallen, en dat haar DNA hetzelfde zou blijken als het bloed op mijn schoenen en nog een stel andere *X-Files*-achtige zaken. Sophie gaf ons een foto van het meisje – een polaroid, onder de minst akelige hoek genomen, om aan de familie te laten zien – en we gingen terug naar de portakabins.

Toen we kwamen aanlopen, stak Hunt zijn hoofd naar buiten, zoals zo'n mannetje in een ouderwetse koekoeksklok. 'Hebben jullie… ehm, het is echt moord, nietwaar? Vreselijk. Dat arme kind.'

'We beschouwen de zaak voorlopig als verdacht,' zei ik. 'Wat we nu moeten doen, is even met uw team spreken. En daarna wil ik degene die het lijk gevonden heeft, graag zien. De anderen kunnen weer aan het werk, als ze maar buiten de grenzen van de plaats delict blijven. Hen spreken we later.'

'Hoe moet… is er iets om aan te geven waar… waar ze niet mogen komen? Politielint, of zo?'

'Ja, de plek is afgezet met lint,' zei ik. 'Zolang ze daarbuiten blijven, is er niets aan de hand.'

'We moeten u vragen of er iets is wat we kunnen gebruiken als plaatselijk kantoor,' zei Cassie. 'Voor de rest van de dag en indien mogelijk nog wat langer. Wat is de beste plek?'

'De schuur met de vondsten is het meest geschikt,' zei Mark, die zomaar voor onze neus stond. 'Het kantoor hebben we zelf nodig, en voor de rest is het overal een puinhoop.' Een blik door de openstaande deuren van de portakabins – lagen modder met eindeloze voetafdrukken, lage, ingezakte banken, wankele stapels landbouwgereedschap en fietsen en felgele vesten die me onaangenaam herinnerden aan mijn tijd in uniform – bevestigde dat beeld.

'Als er maar een tafel en een paar stoelen staan, zijn wij allang tevreden,' zei ik.

'De schuur,' zei Mark met een hoofdbeweging naar een van de porta-kabins.

'Wat is er mis met Damien?' vroeg Cassie aan Hunt.

Die knipperde hulpeloos met zijn ogen, en zijn mond zakte open in een karikatuur van verbazing. 'Wat... Damien wie?'

'Damien van uw team. Daarnet zei u dat Mark en Damien meestal de rondleidingen doen, maar dat Damien collega Ryan niet kon rondleiden. Waarom niet?'

'Damien is een van de mensen die het lijk gevonden hebben,' zei Mark, terwijl Hunt zich herstelde. 'Nogal een schok voor hem.'

'Damien... wat is zijn achternaam?' vroeg Cassie, terwijl ze in haar no-titieboekje schreef.

'Donnelly,' zei Hunt tevreden, nu hij zich eindelijk op vaste grond be-vond. 'Damien Donnelly.'

'En er was iemand bij hem toen hij het lijk vond?'

'Mel Jackson,' antwoordde Mark. 'Melanie.'

'Dan gaan we maar eens met die twee praten,' zei ik.

De archeologen zaten nog in hun geïmproviseerde kantine aan tafel. Ze waren met vijftien of twintig man; toen wij binnenkwamen, draaiden ze hun gezicht gespannen en gelijktijdig naar de deur, als die van jonge vogeltjes. Ze waren allemaal jong, begin twintig, en ze zagen er nog jon-ger uit door hun trendy studentenkleren en door een verwaaid soort on-schuld van buitenmensen, waarvan ik bijna zeker wist dat het een illusie was, maar die me deed denken aan kibboetsniks en de Waltons. De meis-jes droegen geen make-up en hadden hun haar in vlechten of staarten, eerder opgebonden voor het gemak dan om er leuk uit te zien; de jongens hadden stoppels en verbrande gezichten die aan het vervellen waren. Een van hen, met het onschuldige soort gezicht waar schooljuffrouwen nacht-merries van krijgen en een wollen muts op, was zich gaan vervelen en zat met een aansteker spul te smelten op een gebroken cd. Het resultaat (ver-bogen theelepel, munten, cellofaan van een pakje sigaretten, een stel chips) zag er verbazingwekkend mooi uit, een soort humorloze manifes-tatie van moderne stadskunst. In een van de hoeken stond een smerige magnetron, en een klein, ongepast deel van me wilde voorstellen om de cd daarin te stoppen en te zien wat er dan gebeuren zou.

Cassie en ik begonnen tegelijkertijd, maar zij hield meteen haar mond. Officieel was zij de eerste inspecteur, omdat zij degene was geweest die had gezegd dat wij de zaak op ons namen, maar zo hadden wij nooit gewerkt. De rest van de ploeg was eraan gewend geraakt om op het bord met het overzicht onder 'Eerste inspecteur' 'M & R' te zien staan. Ik had een plotselinge, hardnekkige aandrang om duidelijk te maken dat ik net zo capabel was als zij om dit onderzoek te leiden.

'Goedemorgen,' zei ik. De meesten van hen mompelden iets. 'Goedemiddag!' riep de jonge beeldhouwer luidkeels en opgewekt. En technisch gesproken klopte dat – ik vroeg me af op welk van de meisjes hij indruk probeerde te maken. 'Ik ben inspecteur Ryan, en dit is mijn collega Maddox. Zoals jullie weten, is er hier eerder vandaag het lijk van een jong meisje gevonden.'

Een van de mannen liet zijn adem in een korte stoot ontsnappen. Hij zat in een hoek, beschermd tussen twee meisjes ingeklemd, met een grote, dampende mok in zijn handen. Hij had korte, bruine krullen en een vriendelijk, open, sproeterig boybandgezicht. Ik wist bijna zeker dat dit Damien Donnelly moest zijn: de anderen leken onder de indruk (afgezien van de beeldhouwer), maar niet getraumatiseerd; deze man zag echter bleek onder zijn sproeten en hij hield zijn mok veel te stevig beet.

'We moeten ieder van u spreken,' zei ik. 'Blijft u alstublieft op de opgraving tot we daarmee klaar zijn. Misschien duurt het even voor we jullie weer allemaal bij elkaar krijgen, dus ik vraag om enig geduld mocht het wat later worden.'

'Zijn wij dan, zeg maar, verdacht?' wilde de beeldhouwer weten.

'Nee,' zei ik, 'maar we moeten erachter zien te komen of jullie relevante informatie hebben.'

'Ooohh,' zei hij, teleurgesteld, en hij zakte onderuit in zijn stoel. Hij begon een blokje chocola op de cd te smelten, ving Cassies blik op en borg de aansteker weg. In zekere zin was ik jaloers op hem: ikzelf heb vaak genoeg zo iemand willen zijn die alles, hoe afschuwelijker hoe beter, als een cool avontuur beschouwt.

'En nog iets,' zei ik. 'Er kunnen ieder moment verslaggevers komen aanzetten. Niet mee praten. Ik meen het. Wanneer jullie hun ook maar iets vertellen, al lijkt het nog zo onbetekenend, kan dat onze hele zaak in gevaar brengen. We laten onze kaartjes hier achter, voor het geval jullie later nog iets bedenken wat wij zouden moeten weten. Vragen?'

'Stel dat ze ons, zeg maar, een miljoen bieden?' wilde de beeldhouwer weten.

De schuur met de vondsten was minder indrukwekkend dan ik verwacht had. Hoewel Mark had gezegd dat ze de waardevolle spullen meteen afgevoerd hadden, had ik waarschijnlijk toch diep in mijn hart gerekend op gouden bokalen en skeletten en antieke munten. Maar nee: er stonden twee stoelen, een groot bureau vol vellen tekenpapier, en een onvoorstelbare hoeveelheid van wat eruitzag als potscherven, in plastic zakken en op van die geperforeerde metalen planken uit de doe-het-zelfzaak gepropt.

'Vondsten,' zei Hunt, en hij maakte een handgebaar naar de planken. 'Ik neem aan... Hoewel, nee, misschien volgende keer. Een paar fraaie spelfiches en kledinghaken.'

'Die zouden we een andere keer heel graag zien, dr. Hunt,' zei ik. 'Kunt u over een minuut of tien Damien Donnelly naar ons toe sturen?'

'Damien,' zei Hunt, en hij slenterde weg. Cassie deed de deur achter hem dicht. 'Hoe runt die vent in vredesnaam een complete opgraving?' merkte ik op. Ik begon de tekeningen weg te bergen: tere, fijn gearceerde potloodschetsen van een oude munt onder verschillende hoeken. De munt zelf, aan één kant scherp verbogen en vlekkerig van de aarde, lag midden op het bureau in een ziploc-zakje. Ik legde alles boven op een dossierkast.

'Door mensen aan te nemen als die Mark,' zei Cassie. 'Die is volgens mij meer dan georganiseerd. Wat was dat met die haarspeld?'

Ik vouwde de hoeken van de tekeningen samen. 'Volgens mij had Jamie Rowan er een in die er precies zo uitzag.'

'Ah,' zei ze. 'Ik vroeg het me al af. Stond dat in het dossier, weet je dat, of komt dat uit je herinnering?'

'Wat maakt dat nou uit?' Het kwam er eigenwijzer uit dan ik bedoeld had.

'Nou, als er verband is, dan mogen we dat niet bepaald vóór ons houden,' antwoordde Cassie, redelijk. 'Want we moeten Sophie bijvoorbeeld vragen om dat bloed te vergelijken met de monsters uit '84, en we zullen haar moeten vertellen waarom. Dan is het heel wat simpeler als het verband gewoon in het dossier staat.'

'Ik weet het bijna zeker,' zei ik. Het bureau wiebelde; Cassie nam een onbeschreven blad papier en vouwde dat op om de te korte poot mee vast te zetten. 'Ik zal het vanavond nagaan. Voor die tijd niets tegen Sophie zeggen, oké?'

'Prima,' zei Cassie. 'Als het er niet in staat, vinden we wel een manier.' Ze voelde nogmaals aan het bureau: beter. 'Rob, red jij het wel met deze zaak?'

Ik gaf geen antwoord. Door het raam zag ik de mensen van de lijkwagen het lichaam in plastic wikkelen, Sophie die erbij stond te wijzen en te gesticuleren. Ze hoefden zich niet eens schrap te zetten om de brancard op te tillen; hij zag er bijna gewichtloos uit toen ze hem wegdroegen naar de gereedstaande bestelwagen. De wind rammelde aan de ruit vlak voor mijn gezicht en ik draaide me als gestoken om. Plotseling had ik een hevige behoefte om 'Hou verdomme je bek' te brullen, of 'Zak er maar in met die moord, ik neem ontslag' of zoiets, iets roekeloos en onredelijks en theatraals. Maar Cassie stond tegen het bureau geleund met haar bruine ogen naar me te kijken zonder haar blik af te wenden, en ik heb altijd een uitstekend remsysteem gehad, een geschenk omdat ik telkens het anticlimactische verkies boven het onherroepelijke.

'Mij maakt het niet uit,' zei ik. 'Geef me maar een schop als ik te somber word.'

'Met alle plezier,' zei Cassie, en ze grijnsde naar me. 'Maar god, kijk eens naar al die spullen... ik hoop dat we de kans krijgen om hier serieus naar te kijken. Toen ik klein was, wilde ik archeoloog worden, heb ik je dat ooit verteld?'

'Een keer of -tig, meer niet,' zei ik.

'Gelukkig dan maar dat jij het geheugen van een goudvis hebt, nietwaar? Ik zat altijd in de achtertuin te spitten, maar het enige wat ik ooit gevonden heb was een porseleinen eendje met het snaveltje eraf.'

'Zo te zien had ik in mijn achtertuin moeten spitten,' merkte ik op. Normaal gesproken had ik een of andere opmerking gemaakt over dat het jammer was voor de archeologen maar dat de politie er wél bij voer, maar ik voelde me nog te gespannen en te ontheemd voor een normale dialoog; de woorden zouden heel verkeerd mijn strot uit gekomen zijn. 'Ik had de grootste particuliere schervencollectie ter wereld kunnen hebben.'

'Kijk, dat is een mooie openingszin,' zei Cassie, en ze groef haar notitieboekje op.

Damien kwam onhandig binnenlopen, met een plastic stoeltje aan een hand bungelend en zijn mok thee nog in de andere geklemd. 'Ik heb deze maar meegebracht,' zei hij, onzeker met de mok gebarend naar zijn stoel en de stoelen waar wij op zaten. 'Dr. Hunt zei dat u me wilde spreken?'

'Ja,' zei Cassie. 'Ik zou haast zeggen, grijp een stoel, maar dat heb je dus al gedaan.'

Het duurde even, en toen lachte hij bescheiden, waarbij hij ons aankeek om te zien of dat wel mocht. Hij ging zitten, wilde zijn mok op tafel zetten, bedacht zich en hield hem in zijn schoot, terwijl hij ons met grote, gehoorzame blauwe ogen aankeek. Dit was overduidelijk een geval voor Cassie. Hij zag eruit als iemand die het moederinstinct van vrouwen aanwakkerde; hij was toch al geschokt, en als hij nu door een man verhoord werd, zou hij waarschijnlijk in een staat raken waarin we niets meer aan hem hadden. Onopvallend pakte ik een pen.

'Luister,' zei Cassie geruststellend. 'Ik weet dat dit een vreselijke schok geweest moet zijn. Neem rustig de tijd om ons het hele verhaal te vertellen, wil je? Begin maar bij wat je vanochtend gedaan hebt voordat je naar de steen ging.'

Damien haalde diep adem en likte aan zijn lippen. 'We waren, eh, we waren bezig bij de middeleeuwse afvalgreppel. Mark wilde zien of we de lijn iets verder de opgraving in konden volgen. Ziet u, we zijn, ehm, bezig de losse eindjes zo'n beetje af te ronden. De hele opgraving is bijna voorbij, en...'

'Hoe lang heeft het hele project geduurd?' vroeg Cassie.

'Twee jaar, zeg maar, maar ik zit er pas sinds juni bij. Ik studeer nog.'

'Vroeger wilde ik ook archeoloog worden,' zei Cassie. Onder tafel gaf ik haar een duwtje met mijn voet; zij trapte keihard op de mijne. 'Hoe gaat het met de opgraving?'

Damiens gezicht klaarde op; hij leek wel verblind door plezier, tenzij verblindheid zijn normale gezichtsuitdrukking was. 'Echt ongelooflijk. Ik ben zo blij dat ik het gedaan heb.'

'En ik ben zo jaloers,' zei Cassie. 'Mogen mensen er ook, zeg maar, gewoon voor een weekje bij?'

'Maddox,' zei ik saai zakelijk, 'zou je het erg vinden om het niet nú over je nieuwe loopbaan te hebben?'

'Sor-ry,' zei Cassie, terwijl ze met haar ogen rolde en naar Damien grijnsde. Hij grijnsde terug, en je zag de band tussen hen groeien. Ik begon een vage, niet te rechtvaardigen antipathie tegen Damien op te vatten. Ik zag precies waarom Hunt hem had aangewezen om de rondleidingen te doen – hij was een pr-droom, een en al blauwe ogen en bescheidenheid – maar persoonlijk heb ik het niet zo op aanbiddelijke, hulpeloze mannen. Ik neem aan dat het dezelfde reactie is die Cassie vertoont als ze van die weerloze meisjes met kinderstemmetjes tegenkomt die zo'n beschermingsdrift oproepen bij mannen: een mengeling van afkeer, cynisme en afgunst. 'Oké,' zei ze. 'Dus toen ging je naar de steen...?'

'We moesten het gras en de aarde eromheen weghalen,' vertelde Damien. 'De rest was allemaal vorige week al met de bulldozer weggehaald, maar ze waren niet dicht bij de steen gekomen omdat ze niet wilden dat de bulldozer hem zou raken. Dus na de theepauze zei Mark dat Mel en ik daarheen moesten en het gras met de zeis weghalen, terwijl de anderen met de afvalgreppel bezig waren.'

'Hoe laat was dat?'

'Onze pauze is om kwart over elf voorbij.'

'En toen...?'

Hij slikte, nam een slok uit zijn beker. Cassie leunde bemoedigend voorover en wachtte.

'We... eh... Er lag iets op de steen. Ik dacht dat het een jasje of zo was, dus dat iemand zijn jasje daar had laten liggen. Ik zei, eh, ik zei: "Wat is dat nou?" en we gingen erheen en...' Hij keek omlaag, in zijn beker. Zijn handen trilden weer. 'Het was een mens. Ik dacht dat ze misschien, ehm, bewusteloos was of zo, dus schudde ik even aan haar arm en, eh... dat voelde raar aan. Koud, en... en stijf. En toen hield ik mijn hoofd bij haar gezicht om te kijken of ze ademde, maar ze ademde niet. Ik zag bloed, ze zat onder het bloed. Op haar gezicht. Dus toen wist ik dat ze dood was.' Hij slikte nogmaals.

'Het gaat geweldig,' zei Cassie vriendelijk. 'En wat heb je toen gedaan?'

'Mel zei: "O, mijn god," of iets in die trant. En toen zijn we teruggehold om het tegen dr. Hunt te zeggen. Die zei dat we allemaal de kantine in moesten.'

'Oké, Damien, nu moet je even heel goed nadenken,' zei Cassie. 'Heb je vandaag of de afgelopen paar dagen nog iets gezien wat je eigenaardig voorkwam, iets wat niet helemaal klopte?'

Hij keek voor zich uit, zijn lippen iets van elkaar; hij nam nog een slok thee. 'Ik denk dat je iets anders bedoelt, maar...'

'Alle beetjes helpen,' zei Cassie. 'Ook hele kleine dingen.'

'Oké.' Damien knikte ernstig. 'Oké, maandag na het werk stond ik bij de bushalte, daar bij de poort. En toen zag ik iemand de weg afkomen, de wijk in. Ik weet niet eens waarom hij me opviel, maar... Het leek wel of hij om zich heen keek voordat hij de wijk inging, alsof hij wilde weten of iemand hem in de gaten hield of zo.'

'Hoe laat was dat?' wilde Cassie weten.

'We stoppen om halfzes, dus het zal een uur of tien over half geweest zijn. En dat was nog iets. Ik bedoel, er is hier niets in de buurt waar je zonder auto kunt komen, behalve dan de winkel en de kroeg, en de winkel gaat om vijf uur dicht. Dus ik vroeg me af waar die vent vandaan kwam.'

'Hoe zag hij eruit?'

'Lang, zeg maar, zo'n beetje één tachtig. Ergens in de dertig, denk ik. Stevig. Volgens mij was hij kaal. Hij had een donkerblauw trainingspak aan.'

'Zou je samen met een tekenaar een portret van hem kunnen maken?'

Damien knipperde snel met zijn ogen en keek geschrokken. 'Eh… zo goed heb ik hem nou ook weer niet gezien. Kijk, hij liep op de weg, aan de andere kant van de wijk. Ik stond niet echt goed op te letten – volgens mij kan ik nooit…'

'Dat geeft niet,' zei Cassie. 'Maak je geen zorgen, Damien. Als je denkt dat je nog iets te vertellen hebt, dan laat je het ons weten, oké? En intussen doe je maar even rustig aan.'

We noteerden Damiens adres en telefoonnummer, gaven hem een kaartje (ik had hem met alle plezier ook een lolly gegeven omdat hij zo flink geweest was, maar die zitten bij ons niet in het assortiment) en stuurden hem terug naar de anderen, met de opdracht om Melanie Jackson hierheen te laten komen.

'Lief joch,' zei ik op neutrale toon.

'Ja,' zei Cassie droog. 'Als ik ooit een huisdier wil, dan hou ik hem in gedachten.'

Aan Mel hadden we heel wat meer. Ze was lang, mager en Schots, met gespierde bruine armen en zandkleurig haar in een slordige paardenstaart en ze zat erbij als een jongen, haar voeten stevig op de grond en een flink stuk uit elkaar geplant.

'Misschien weten jullie dit al, maar het meisje komt uit de wijk hier,' begon ze meteen. 'Of van ergens hier in de buurt.'

'Hoe weet je dat?' informeerde ik.

'De kinderen hier uit de buurt komen soms naar de opgraving. Er is hier niet veel anders voor ze te doen. Meestal willen ze weten of we nog schatten opgegraven hebben, of skeletten. Ik heb haar een paar keer gezien.'

'Wanneer was dat voor het laatst?'

'Een week of twee, drie geleden.'

'Was er iemand bij haar?'

Mel haalde haar schouders op. 'Niet dat ik me herinner. Een stel andere kinderen, neem ik aan.'

Ik vond haar aardig. Ze was geschokt, maar ze weigerde dat te laten zien; ze zat met een elastiekje te spelen en vlocht daar figuurtjes mee tussen haar eeltige vingers. In feite vertelde ze hetzelfde verhaal als Damien, maar met heel wat minder gesoebat.

'Aan het eind van de theepauze zei Mark dat ik het gras rond de stenen tafel moest wegmaaien, zodat we de onderkant konden bekijken. Damien zei dat hij meekwam – meestal werken wij niet in ons eentje, dat is saai. Halverwege de helling zagen we iets blauw met wits op de steen liggen. "Wat is dat nou?" zei Damien, en ik zei: "Het lijkt wel een jasje." Toen we dichterbij kwamen, zagen we dat het een kind was. Damien schudde aan haar arm en keek of ze nog ademde, maar je zag zo al dat ze dood was. Ik had nog nooit een lijk gezien, maar...' Ze beet op de binnenkant van haar wang en schudde haar hoofd. 'Wat een bullshit, vinden jullie ook niet, die opmerking van "O, ze lag erbij alsof ze gewoon een dutje deed"? Je zag het meteen.'

Tegenwoordig staan we te zelden stil bij de sterfelijkheid, behalve dan om daar hysterisch over te staan klapwieken met allerhande trendy vormen van fitness en vezelrijke voeding en nicotinepleisters. Ik dacht aan de negentiende-eeuwse vastberadenheid om de dood in gedachten te houden, aan de grafstenen die geen enkele concessie deden: 'Gedenk, pelgrim, terwijl ge voorbijloopt: zo gij nu zijt, zo was ik ooit. En zo ik nu ben, zult gij ooit zijn...' Tegenwoordig is de dood niet cool, ouderwets. In mijn optiek is het belangrijkste kenmerk van ons tijdperk dat we overal een draai aan geven; alles is tot gek makend toe op maat gesneden dankzij marktonderzoek; merken en producten vervaardigd volgens exacte specificaties; we zijn er zo aan gewend dat we dingen naar onze hand kunnen zetten, dat het een grof schandaal lijkt om de dood tegen te komen, waar geen enkele draai aan te geven valt, die altijd en eeuwig zichzelf is en blijft. Mel Jackson was door de vondst van het lijk dieper geschokt dan een fijnbesnaarde negentiende-eeuwse maagd.

'Als het lijk gisteren al op de steen gelegen had, had je het dan over het hoofd kunnen zien?' vroeg ik.

Mel keek met grote ogen op. 'O, shit – bedoel je dat het er de hele tijd dat wij hier waren al gelegen...?' Toen schudde ze haar hoofd. 'Nee. Mark en dr. Hunt zijn gisteren de hele opgraving over gelopen om een lijst te maken van wat er nog allemaal gebeuren moet. Dan hadden ze het... háár... gezien. Vanochtend hebben we het alleen niet gezien omdat we allemaal daarbeneden stonden, aan het eind van de greppel. Door de helling konden we de bovenkant van de steen niet zien.

Ze had niets vreemds gezien, geen onbekenden, ook die van Damien niet: 'Maar dat had sowieso niet gekund, want ik ga niet met de bus. De meesten van ons die niet in Dublin wonen, zitten in een huurhuis een paar kilometer hiervandaan. Mark en dr. Hunt hebben allebei een auto, dus die brengen ons daarheen. We rijden niet langs de wijk.'

Dat 'sowieso' vond ik interessant: het suggereerde dat Mel, net als ik, haar twijfels had over dat sinistere trainingspak. Damien leek me wel iemand die de idiootste dingen zou zeggen als hij dacht dat hij je daarmee een plezier deed. Ik wou dat ik eraan gedacht had om hem te vragen of die man soms ook schoenen met naaldhakken had gedragen.

Sophie en haar kleuterklas waren klaar met de offersteen en werkten nu in steeds bredere kringen naar buiten toe. Ik vertelde haar dat Damien Donnelly het lijk had aangeraakt en zich eroverheen gebukt had; we zouden zijn vingerafdrukken en haren moeten onderscheiden van die van de dader. 'Wat een idioot,' zei Sophie. 'Ik neem aan dat we nog blij mogen zijn dat hij zijn jas niet over haar heen gelegd heeft.' Ze zweette in haar overall. Achter haar rug scheurde haar jonge collega discreet een pagina uit zijn schetsboek en begon opnieuw.

We lieten de auto bij de opgraving staan en liepen via de weg terug naar de woonwijk (ergens in mijn spieren wist ik nog hoe het voelde om de muur over te klimmen: waar je je voet kon neerzetten, het schrapen van cement over mijn knie, de schok van het neerkomen). Cassie wilde naar de winkel; het was intussen ver na tweeën en wie weet hoe lang het nog kon duren voor we tijd zouden hebben om iets te eten. Cassie eet alsof ze nog in de groei is en slaat nooit een maaltijd over. Meestal vind ik dat geweldig – ik kan me echt ergeren aan van die vrouwen die van afgewogen porties sla leven – maar vandaag wilde ik de hele dag zo snel mogelijk kunnen afsluiten.

Ik bleef met een sigaret buiten staan wachten, maar Cassie kwam naar buiten met twee sandwiches in plastic en gaf er een aan mij. 'Hier.'

'Ik heb geen honger.'

'Opeten, Ryan. Ik draag je niet naar huis als je flauwvalt.' Ik ben nog nooit flauwgevallen, maar het gebeurt wel dat ik vergeet om te eten tot ik korzelig of vaag word.

'Ik zeg toch dat ik geen honger heb,' zei ik, en ik hoorde hoe zeurderig mijn stem klonk. Toch maakte ik het pakje open: Cassie had gelijk, het zou waarschijnlijk een lange dag worden. We gingen op de stoeprand zitten en ze haalde een fles lemon-cola uit haar tas. Officieel was het een sandwich met kip en van alles eromheen, maar hij smaakte voornamelijk naar plastic. De cola was warm en te zoet. Ik voelde me een beetje misselijk.

Ik wil niet de indruk wekken dat mijn leven verpest was door wat er in Knocknaree was gebeurd, dat ik twintig jaar lang als een soort tragische figuur met een drama in zijn verleden had rondgedobberd, terwijl ik droevig naar de wereld glimlachte vanachter een bitterzoete sluier van sigarettenrook en herinneringen. Knocknaree had me geen nachtmerries bezorgd, geen impotentie of pathologische angst voor bomen of iets anders van al dat fraais dat me in een tv-drama had kunnen leiden naar een therapeut en verlossing en een meer open relatie met mijn begripvolle maar machteloze echtgenote. Eerlijk gezegd gingen er soms maanden voorbij zonder dat ik eraan dacht. Soms stond er iets in de krant over iemand die vermist was en dan waren ze daar weer, Peter en Jamie, stralend op de voorpagina van een zondagbijlage, korrelige foto's die onheilspellend aandeden vanwege het voortgeschreden inzicht en de eindeloze herhaling, tussen verdwenen toeristen en weggelopen huisvrouwen in, te midden van de mythische, murmerende legers van Ierse verdoolden. Als ik zo'n artikel zag, merkte ik onaangedaan op dat mijn handen trilden en dat ik geen adem kreeg, maar dat was een zuiver lichamelijke reflex die sowieso maar een paar minuten duurde.

De hele toestand moest wel effect op me gehad hebben, nam ik aan, maar het leek me onmogelijk – en zinloos – om uit te zoeken wat dat effect dan precies was. Tenslotte was ik twaalf, een leeftijd waarop kinderen verbijsterd en amorf zijn, waarop ze in de loop van een nacht veranderen, hoe stabiel hun leven ook is; en een paar weken later ging ik naar kostschool, waar ik veel ergere, veel voor de hand liggender, trauma's opdeed. Het zou naïef en goedkoop zijn om mijn persoonlijkheid te ontrafelen, een draad tegen het licht te houden en uit te roepen: 'Goh, kijk nou eens, deze komt uit Knocknaree!' Maar daar hadden we het weer: volslagen onverwacht, tevreden en onwrikbaar midden in mijn leven opgedoken, en ik had geen flauw idee wat ik ermee aan moest.

'Dat arme kind,' zei Cassie plotseling, zomaar. 'Dat arme, arme stumpertje.'

Het huis van de familie Devlin was twee-onder-een-kap met een platte gevel en een grasveldje ervoor, net als alle andere huizen in de wijk. Alle buren hadden wanhopige pogingen gedaan om expressie te geven aan hun eigen persoonlijkheid: platgesnoeide struiken of geraniums of wat dan ook, maar de Devlins maaiden hun gras en lieten het daar verder bij, wat op zich al een teken van een zekere originaliteit was. Ze leefden halverwege de straat, vijf of zes blokken van de opgraving af; zo ver dat ze de politie, de technueten, de lijkwagen en alle vreselijke, efficiënte bezigheden hadden gemist waaraan ze meteen hadden kunnen zien wat ze moesten weten.

Toen Cassie aanbelde, werd de deur opengedaan door een man van een jaar of veertig. Hij was een halve kop kleiner dan ik, begon een buikje te krijgen en had keurig donker haar en enorme wallen onder zijn ogen. Hij had een trui en een kakibroek aan, en hield een kom cornflakes in zijn ene hand. Ik voelde de neiging hem te vertellen dat dat niet erg was, want ik wist al waar hij de komende paar maanden achter zou komen: in al je ellende blijft dit soort details je je leven lang bij, dat je cornflakes zat te eten toen de politie kwam vertellen dat je dochter dood was. Ik heb ooit een vrouw voor de rechtbank zien instorten. Ze moest zo hard huilen dat de zaak opgeschort moest worden en zij een kalmerende injectie kreeg, omdat haar vriend was doodgestoken terwijl zij op yogales was.

'Meneer Devlin?' begon Cassie. 'Ik ben inspecteur Maddox, en dit is mijn collega Ryan.'

Hij sperde zijn ogen open. 'Van Vermiste personen?' Er zat modder op zijn schoenen, en de zoom van zijn broek was nat. Hij moest ergens in een verkeerd veld naar zijn dochter hebben lopen zoeken, en was binnengekomen om iets te eten voordat hij weer op zoek ging, en weer en weer.

'Nee, niet echt,' zei Cassie voorzichtig. Meestal laat ik dit soort gesprekken aan haar over, niet uit lafheid maar omdat zij en ik allebei weten dat zij daar veel beter in is. 'Mogen we even binnenkomen?'

Hij keek met lege blik naar zijn kom met cornflakes en zette die toen met een onhandig gebaar op het haltafeltje. Er plensde wat melk over een stel sleutelbossen en een roze kindermutsje. 'Hoezo?' vroeg hij. De angst gaf zijn stem een agressief randje. 'Hebt u Katy gevonden?'

Ik hoorde iets, en keek over zijn schouder. Onder aan de trap stond een meisje zich met beide handen aan de leuning vast te houden. Ondanks de zonnige middag was het schemerig in huis, maar toch zag ik haar gezicht dat me aankeek met een schelle blik van iets als afgrijzen. Een onvoorstelbaar, wervelend moment lang wist ik dat ik een spook zag. Dit was ons slachtoffer: het dode meisje op de stenen tafel. Ik hoorde een brullend lawaai in mijn oren.

Een fractie van een seconde later schudde de wereld uiteraard weer recht. Het brullen nam af en ik besefte wat ik zag. We zouden Sophies polaroid niet nodig hebben. Cassie had haar ook gezien. 'We zijn nog niet zeker,' zei ze. 'Meneer Devlin, is dit Katy's zusje?'

'Jessica,' zei hij schor. Het meisje kroop dichterbij; zonder zijn blik van Cassies gezicht af te wenden stak Devlin een hand uit, greep haar schouder en trok haar naar de drempel. 'Een tweeling,' zei hij. 'Eeneiig. Is dit.. Hebt u... Hebt u iemand gevonden die er zo uitziet?' Jessica keek naar een plek tussen mij en Cassie in. Haar armen hingen slap langs haar lichaam, de handen onzichtbaar in de mouwen van een te grote trui.

'Meneer Devlin, nogmaals,' zei Cassie, 'we moeten echt even binnenkomen en u en uw vrouw onder vier ogen spreken.' Ze wierp een blik op Jessica. Devlin keek omlaag, zag zijn hand op haar schouder liggen en haalde die met een verbaasde blik weg. Hij bleef halverwege steken, alsof hij niet meer wist wat hij ermee moest.

Tegen die tijd wist hij het; natuurlijk wist hij het. Als ze levend gevonden was, dan hadden we dat meteen gezegd. Maar werktuiglijk deed hij een stap achteruit en maakte een vaag verwelkomend gebaar. We liepen de zitkamer in. Ik hoorde Devlin zeggen: 'Ga maar naar boven, naar tante Vera.' Toen liep hij achter ons aan naar binnen en deed de deur dicht.

Het vreselijke aan die zitkamer was hoe normaal het er allemaal uitzag, iets wat zó uit een tv-serie over wanhopige huisvrouwen kon komen. Vitrage, een gebloemd bankstel met van die losse hoesjes over de arm- en rugleuningen, een verzameling siertheepotten op een buffet, alles smetteloos gepoetst en gestoft: het leek allemaal – maar dat is altijd zo in de huizen van slachtoffers en zelfs op een plaats delict – veel te banaal voor een tragedie van deze omvang. De vrouw die in een fauteuil zat, paste bij de kamer: zwaar, solide en vormeloos, met een helm van gepermanent haar en grote, druilerige blauwe ogen. Van haar neus liepen diepe groeven naar haar mond.

'Margaret,' zei Devlin. 'Er zijn twee inspecteurs om ons te spreken.' Zijn stem klonk strak als een snaar, maar hij ging niet naar haar toe; hij bleef bij de bank staan, zijn vuisten gebald in de zakken van zijn wollen vest. 'Wat is er?' vroeg hij op hoge toon.

'Meneer en mevrouw Devlin,' begon Cassie. 'Er is geen gemakkelijke manier om dit te zeggen. Er is een lijk gevonden, het lijk van een klein meisje, hier op de archeologische opgraving naast uw woonwijk. Ik vrees dat het uw dochter Katharine is. Ik vind het heel erg.'

Margaret Devlin liet haar adem ontsnappen alsof ze die een tijdlang had zitten inhouden. Er begonnen tranen langs haar wangen te biggelen, maar ze leek er niets van te merken.

'Weet u dat zeker?' blafte Devlin met ogen als schoteltjes. 'Hoe weet u dat zo zeker?'

'Meneer Devlin,' zei Cassie vriendelijk, 'ik heb haar gezien. Ze lijkt sprekend op uw dochter Jessica. We komen u morgen vragen om naar haar te kijken, om haar identiteit te bevestigen, maar persoonlijk heb ik geen enkele twijfel. Ik vind het heel erg.'

Devlin draaide zich om naar het raam, wendde zich ervan af en drukte verloren, met een verwilderde blik, een pols tegen zijn mond. 'O god,' zei Margaret. 'O god, Jonathan...'

'Wat is er met haar gebeurd?' onderbrak Devlin haar bot. 'Hoe is ze... hoe...'

'Het ziet ernaar uit dat ze vermoord is, vrees ik,' zei Cassie.

Margaret verhief zich met trage onderwaterbewegingen uit haar fauteuil. 'Waar is ze?' De tranen stroomden nog over haar gezicht, maar haar stem klonk griezelig kalm, bijna energiek.

'Onze artsen zijn met haar bezig,' antwoordde Cassie vriendelijk. Als Katy op een andere manier aan haar einde was gekomen, hadden we hen naar haar toe kunnen brengen. Maar zoals het nu was, met haar hele schedel opengeramd, haar gezicht onder het bloed... Bij het post-mortem-onderzoek zouden ze in ieder geval die zinloze laag horror wegspoelen.

Margaret keek verbijsterd om zich heen en klopte werktuiglijk op de zakken van haar rok. 'Jonathan, ik ben mijn sleutels kwijt.'

'Mevrouw Devlin,' zei Cassie, terwijl ze een hand op haar arm legde. 'Ik ben bang dat we u nog niet naar Katy toe kunnen brengen. De dokters moeten haar eerst onderzoeken. We komen het zeggen zodra u naar haar toe kunt.'

Margaret trok haar arm los en liep in slow motion naar de deur, intussen met een onbeholpen gebaar de tranen van haar gezicht vegend. 'Katy. Waar is Katy?' Cassie wierp Jonathan over haar schouder een smekende blik toe, maar hij stond met beide handen tegen het raam geleund niets ziend naar buiten te kijken. Zijn ademhaling was te snel en te hard.

'Mevrouw Devlin, wacht even,' zei ik op dringende toon, terwijl ik probeerde me onopvallend tussen haar en de deur in te manoeuvreren.

'We brengen u zo gauw mogelijk naar Katy toe, dat beloof ik u, maar momenteel kan dat nog niet. Het kán gewoon niet.'

Met rode ogen en openhangende mond staarde ze me aan. 'Mijn kindje,' hijgde ze. Toen zakten haar schouders omlaag en begon ze met diepe, schorre, onbeheerste uithalen te huilen. Haar hoofd zakte omlaag en ze liet toe dat Cassie haar voorzichtig bij de schouders pakte en haar weer naar haar stoel bracht.

'Hoe is ze gestorven?' wilde Jonathan weten. Hij stond nog steeds strak uit het raam te kijken. De woorden klonken onscherp, alsof zijn lippen verdoofd waren. 'Op wat voor manier?'

'Dat weten we pas als de dokters haar onderzocht hebben,' antwoordde ik. 'We houden u op de hoogte van alle ontwikkelingen.'

Ik hoorde lichte voetstappen de trap afrennen; de deur vloog open en er stond een jong meisje op de drempel. Achter haar stond Jessica nog in de gang, met een lok haar in haar mond, naar ons te staren.

'Wat is er?' vroeg het meisje buiten adem. 'O, god... is het Katy?'

Niemand gaf antwoord. Margaret drukte een vuist tegen haar mond, zodat haar snikken in een vreselijk, verstikt geluid veranderden. Het meisje keek van de een naar de ander, haar lippen iets uiteen. Ze was lang en slank, met roodbruine krullen die over haar rug vielen, en het viel moeilijk te zeggen hoe oud ze was: een jaar of achttien, twintig misschien, maar ze was veel geroutineerder opgemaakt dan andere tieners die ik ooit gezien had, en ze droeg een dure zwarte broek, schoenen met hoge hakken en een witte bloes met een paarse zijden sjaal rond haar hals. Ze had een soort vitale, elektriserende aanwezigheid die de hele kamer vulde. In geen enkel opzicht paste zij bij de rest van het huis.

'Wat is er?' vroeg ze aan mij. Ze had een hoge, heldere en vérdragende stem, met een keurig accent dat niet aansloot bij Jonathan en Margarets provinciale manier van spreken. 'Wat is er aan de hand?'

'Rosalind,' zei Jonathan. Zijn stem klonk hees, en hij schraapte zijn keel. 'Ze hebben Katy gevonden. Ze is dood. Vermoord.'

Jessica maakte een zacht, woordeloos geluidje. Rosalind keek hem even aan; toen fladderden haar oogleden en stond ze op haar benen te zwaaien, een hand uitgestrekt naar de deurpost. Cassie sloeg een arm om haar middel en liep met haar naar de bank.

Rosalind legde haar hoofd tegen de kussens en schonk Cassie een zwakke, dankbare glimlach; Cassie glimlachte terug. 'Mag ik een glaasje water?' fluisterde ze.

'Ik haal het wel even,' zei ik. In de keuken – geboend linoleum, gelakte neo-rustieke tafel en stoelen – draaide ik de kraan open en keek snel om me heen. Niets opmerkelijks, behalve dan dat er in een van de bovenkastjes een voorraad vitaminepillen te vinden was, met, achterin, een enorme fles valium die volgens het etiket was voorgeschreven aan Margaret Devlin.

Rosalind nipte van het water en haalde een paar maal diep adem, een ranke hand op haar borstbeen gevlijd. 'Neem Jess mee naar boven,' zei Devlin tegen haar.

'Nee, ik wil liever blijven,' zei Rosalind, en ze tilde haar kin op. 'Katy was mijn zusje – wat er ook met haar gebeurd is, ik kan... ik kan het wel aanhoren. Het gaat alweer. Het spijt me dat ik zo... het gaat echt wel weer.'

'Wij hebben het liefst dat Rosalind en Jessica blijven, meneer Devlin,' zei ik. 'Misschien weten zij iets wat voor ons van nut kan zijn.'

'Katy en ik waren heel close,' zei Rosalind, terwijl ze naar me opkeek. Ze had de ogen van haar moeder, groot en blauw, met iets aflopende buitenhoeken. Ze keek over mijn schouder: 'O, Jessica,' zei ze, en ze strekte haar armen uit. 'Jessica, liefje, kom hier.' Jessica wrong zich langs me heen, met een flits van heldere ogen als een wild dier, en drukte zich tegen Rosalind op de bank aan.

'Het spijt me dat ik u op een moment als dit moet lastigvallen,' zei ik, 'maar we moeten u zo snel mogelijk een stel vragen stellen om ons te helpen degene te vinden die dit gedaan heeft. Kunt u nu praten, of zullen we over een paar uur terugkomen?'

Jonathan Devlin pakte een stoel van de eettafel, ramde die op de grond en ging erop zitten. Hij slikte moeizaam en zei: 'Doe nu maar. Vraag maar raak.'

Langzaam namen we de hele geschiedenis door. Ze hadden Katy maandagavond voor het laatst gezien. Toen had ze van vijf tot zeven balletles gehad in Stillorgan, een paar kilometer richting het centrum van Dublin. Rosalind had haar om kwart voor acht opgehaald bij de bushalte, en was met haar naar huis gelopen. ('Ze zei dat het reuzeleuk was geweest op les,' zei Rosalind met over haar ineengeklemde handen gebogen hoofd; er viel een gordijn van haar voor haar gezicht. 'Ze kon zo schitterend dansen... Ze was al aangenomen bij de Koninklijke Balletacademie, weet u. Ze zou over een paar weken vertrokken zijn...' Margaret snikte, en Jonathan greep krampachtig met beide handen de leuningen van zijn stoel vast.) Daarna waren Rosalind en Jessica naar tante Vera gegaan, een eindje verderop in de wijk, om bij hun nichtjes te logeren.

Katy had haar avondeten opgegeten – een geroosterde boterham met witte bonen in tomatensaus, en daarbij sinaasappelsap – en had daarna de hond van de buren uitgelaten: haar vakantiebaantje, om geld te verdienen voor de balletacademie. Ze was rond tien voor negen thuisgekomen, was in bad gegaan en had daarna met haar ouders tv-gekeken. Ze was om tien uur naar bed gegaan, haar gebruikelijke bedtijd 's zomers, en had nog even liggen lezen tot Margaret zei dat ze het licht uit moest doen. Jonathan en Margaret waren nog wat televisie blijven kijken en uiteindelijk kort voor middernacht naar bed gegaan. Op weg naar bed had Jonathan als altijd gecontroleerd of alles op slot zat: ramen, deuren, ketting op de voordeur.

Om halfacht de volgende ochtend was hij opgestaan om naar zijn werk te gaan – hij was hoofdkassier bij een bank – zonder Katy gezien te hebben. Hij zag dat de ketting van de deur was, maar hij nam aan dat Katy, die nogal matineus was, naar haar tante was gegaan om met haar zusjes en nichtjes te ontbijten. ('Dat doet ze wel eens,' vertelde Rosalind. 'Ze houdt van gebakken eieren en zo, en mam… tja, 's ochtends is mam nog te moe om dat soort ontbijt te maken.' Een vreselijk, hartverscheurend geluid van Margaret.) Alle meisjes hadden sleutels van de voordeur, zei Jonathan, gewoon voor het geval dát. Om tien voor halftien, toen Margaret op was en Katy wilde gaan wekken, was ze weg. Margaret had een tijdje gewacht, want net als Jonathan had ook zij aangenomen dat Katy vroeg wakker was geweest en naar haar tante was gegaan; en toen belde ze Vera, gewoon voor de zekerheid. Daarna had ze al Katy's vriendinnetjes gebeld, en uiteindelijk de politie.

Cassie en ik hingen met een onbehaaglijk gevoel op de rand van onze stoel. Margaret huilde, stilletjes maar onophoudelijk, en na een tijdje liep Jonathan de kamer uit en kwam terug met een doos tissues. Een klein wezentje, een soort vogelvrouwtje met uitpuilende ogen – tante Vera, nam ik aan – kwam op haar tenen de trap af en bleef een tijdje onzeker in de gang staan handenwringen voordat ze langzaam de keuken in verdween. Rosalind wreef over Jessica's slappe vingers.

Katy, zeiden ze, was een lief kind geweest. Niet dom, maar ook niet bijzonder goed op school, en met een passie voor ballet. Ze had een opvliegend karakter, zeiden ze, maar ze had de laatste tijd geen ruzie gehad met familie of vriendinnetjes. Ze gaven ons de namen van haar beste vriendinnen, zodat we daar navraag konden doen. Ze was nooit van huis weggelopen, niet één keer. Ze was de laatste tijd heel opgewekt geweest en ze verheugde zich op de balletacademie. Ze had nog geen belangstelling voor jongens, zei Jonathan: ze was tenslotte pas twaalf! Maar ik zag een plotselinge blik van Rosalind, eerst naar hem en toen naar mij, en ik nam me voor om haar nog even onder vier ogen te spreken.

'Meneer Devlin,' vroeg ik, 'wat voor band had u met Katy?'

Jonathan keek me niet-begrijpend aan. 'Waar wou je me van beschuldigen?' vroeg hij op bijna dreigende toon. Jessica barstte heel even in hoog, hysterisch keffend lachen uit, en ik schrok me een ongeluk. Rosalind klemde haar lippen opeen en keek haar zusje hoofdschuddend aan. Daarna klopte ze haar even op de schouder en glimlachte geruststellend naar haar. Jessica liet haar hoofd hangen en stak haar haar weer in haar mond.

'Niemand beschuldigt u waar dan ook van,' zei Cassie rustig, 'maar we moeten kunnen zeggen dat we iedere mogelijkheid nagegaan zijn. Als we ook maar íets nalaten, dan kan de verdediging dat aangrijpen als gerede twijfel als we hem eenmaal te pakken hebben – en dat gebeurt, dat kan ik u verzekeren. Ik weet dat het akelig moet zijn om antwoord te geven op deze vragen, maar ik kan u wel zeggen dat het nog veel akeliger zou zijn als de dader vrijspraak krijgt omdat wíj deze vragen niet wilden stellen.'

Jonathan haalde diep adem door zijn neus en ontspande iets. 'Mijn bánd met Katy was uitstekend,' zei hij. 'Ze vertelde me van alles. We konden het samen prima vinden. Katy… misschien was dat wel mijn lievelingetje.' Een krampachtige beweging van Jessica, een snelle blik van Rosalind. 'We hadden wel eens ruzie, dat hebben alle vaders en kinderen, maar ze was een prachtige dochter en een prachtige meid en ik hield van haar.' En nu brak zijn stem; hij gaf een ongeduldige ruk met zijn hoofd.

'En u, mevrouw Devlin?' vroeg Cassie.

Margaret zat met haar handen in haar schoot een tissue aan stukjes te scheuren; ze keek op, gehoorzaam als een kind. 'Natuurlijk zijn het allemaal schatten,' zei ze. Haar stem klonk dik en onvast. 'Katy was… een lieverd. Altijd een makkelijk kind geweest. Ik weet niet wat we zonder haar moeten.' Haar mond vertrok.

Geen van beiden stelden we Rosalind of Jessica een vraag. Kinderen zijn zelden eerlijk over hun broertjes en zusjes zolang hun ouders in de buurt zijn, en als een kind eenmaal gelogen heeft, vooral een kind dat zo jong en verward was als Jessica, haakt die leugen zich in de geest vast en verdwijnt de waarheid op de achtergrond. Later zouden we de Devlins toestemming vragen om Jessica in haar eentje te mogen spreken – en, mocht ze onder de achttien zijn, Rosalind ook. Ik had niet het gevoel dat dit gemakkelijk zou worden.

'Heeft een van u enig idee of er iemand is die Katy om wat voor reden dan ook kwaad zou willen doen?' vroeg ik.

Even bleef het stil. Toen schoof Jonathan zijn stoel achteruit en stond op. 'Jezus,' zei hij. Zijn hoofd zwenkte heen en weer als dat van een getergde stier. 'Die telefoontjes.'

'Telefoontjes?' herhaalde ik.

'Christus. Ik maak hem af. Zei u dat ze bij de opgraving is gevonden?'

'Meneer Devlin!' zei Cassie. 'Nu moet u even gaan zitten en ons over die telefoontjes vertellen.'

Langzaam richtte hij zijn blik op haar. Hij ging zitten, maar zijn blik was nog steeds afwezig en ik had durven wedden dat hij stilzwijgend bij zichzelf overlegde wat de beste manier was om achter de pleger van die telefoontjes aan te gaan. 'U weet dat er een snelweg over die opgraving heen komt te liggen, nietwaar?' vroeg hij. 'De meeste mensen hier zijn daartegen. Een paar hebben voornamelijk belangstelling voor de stijging van de huizenprijzen, omdat die weg vlak langs de wijk komt te liggen, maar de meesten van ons… Dit zou een stukje beschermd terrein moeten zijn. Het is uniek, en het is van ons. De regering heeft niet het recht om dat zomaar kapot te maken zonder ons ook maar íéts te vragen. Er is hier in Knocknaree een campagne gaande: Weg met de snelweg. Daar ben ik de voorzitter van: ik heb het verzonnen. Wij demonstreren bij overheidsgebouwen, we schrijven brieven aan politici – niet dat dat veel uithaalt.'

'Niet veel reactie?' vroeg ik. Hij kalmeerde door te praten over zijn zaak. En dat intrigeerde me: in eerste instantie had hij zo'n volgzaam mannetje geleken, helemaal niet iemand om een kruistocht te ontketenen, maar er zat kennelijk meer in hem dan je op het eerste gezicht zou denken.

'Ik dacht dat het gewoon de bureaucratie was – die houden niet van verandering. Maar door die telefoontjes begon ik me af te vragen… Het eerste kwam 's avonds laat. Een gozer die iets zei in de trant van: "Smerige inteeltkop, je hebt geen idee waar je mee bezig bent." Ik dacht dat hij een verkeerd nummer gedraaid had, hing op en ging weer naar bed. Pas na het tweede dacht ik er weer aan en begon ik het verband te zien.'

'Wanneer was dat eerste telefoontje?' vroeg ik. Cassie zat te schrijven.

Jonathan keek naar Margaret; die schudde haar hoofd en bette haar ogen. 'Ergens in april, eind april misschien. Het tweede was op drie juni, rond halfeen 's nachts – dat heb ik opgeschreven. Katy... wij hebben geen telefoon in de slaapkamer, het toestel hangt in de gang en Katy slaapt licht, had al aangenomen. Toen ze opgenomen had, had hij gezegd: "Ben jij de dochter van Devlin?" en toen zij zei dat ze Katy heette, had hij gezegd: "Katy, zeg maar tegen je vader dat hij met zijn smerige poten van die snelweg af moet blijven, want ik weet waar jullie wonen." Op dat punt pakte ik de telefoon van haar over, en zei hij iets in de trant van: "Lief dochtertje heb je daar, Devlin." Ik zei dat hij moest ophouden met bellen, en toen heb ik opgehangen.'

'Kunt u zich nog iets herinneren over de stem?' vroeg ik. 'Accent, leeftijd, wat dan ook? Klonk hij bekend, of helemaal niet?'

Jonathan slikte. Hij zat zich enorm te concentreren, hij klampte zich aan het onderwerp vast alsof het een reddingsboei was. 'Nee, hij deed me nergens aan denken. Niet jong. Eerder hoog dan laag. Een landelijk accent, maar niet iets wat ik kon plaatsen – niet uit Cork of uit het noorden, zo herkenbaar was het niet. Hij klonk... ik dacht dat hij misschien dronken was.'

'En is er verder nog gebeld?'

'Nog één keer, een paar weken geleden. Op dertien juli om twee uur 's nachts. Ik nam aan. Diezelfde vent zei: "Wat ben jij voor een..."' Hij keek even naar Jessica. Rosalind had een arm om haar heen geslagen en zat haar te wiegen, ondertussen sussende woordjes in haar oor fluisterend. '"Wat ben jij voor een kuttenkop dat je niet luistert, Devlin? Ik heb toch gezegd dat je met die poten van je van de snelweg af moest blijven. Hier krijg je spijt van. Ik weet waar ik jouw gezin vinden kan."'

'Hebt u dat aan de politie gemeld?' vroeg ik.

'Nee,' antwoordde hij bruusk. Ik wachtte of hij een reden zou geven, maar daar zag het niet naar uit.

'Was u dan niet bezorgd?'

'Eerlijk gezegd,' zei hij, en hij keek op met een angstaanjagende mengeling van ellende en uitdaging, 'was ik dolblij. Ik dacht dat het betekende dat we eindelijk ergens kwamen. Wie het ook was, hij zou niet de moeite genomen hebben om te bellen als de campagne niet gevaarlijk voor hem was. Maar nu...' Plotseling leunde hij naar me over en keek me strak aan, zijn vuisten tegen elkaar gedrukt. Ik moest me beheersen om niet terug te deinzen. 'Als jullie erachter komen wie dat was, dan moet je het zeggen.

Ik wil weten wie het was. Dat moet je beloven.'

'Meneer Devlin,' zei ik, 'ik beloof dat we er alles aan zullen doen om te achterhalen wie dat was, en of hij iets te maken heeft met Katy's dood, maar ik mag geen…'

'Katy was bang voor hem,' zei Jessica met een klein, schor stemmetje. Volgens mij schrokken we allemaal. Als een van de stoelen plotseling een bijdrage aan het gesprek had geleverd, had ik niet verbaasder kunnen zijn. Ik had me al zitten afvragen of ze misschien autistisch was, of gehandicapt of zo.

'O ja?' vroeg Cassie rustig. 'Wat zei ze dan?'

Jessica keek haar aan alsof ze een volslagen onbegrijpelijke vraag had gesteld. Haar blik begon weer weg te glijden: ze trok zich weer terug in haar privéwaas van ellende.

Cassie leunde naar haar over. 'Jessica,' zei ze zachtjes, 'was er verder nog iemand waar Katy bang voor was?'

Jessica's hoofd wiegelde even, en haar lippen bewogen. Een dun handje werd uitgestoken en greep een handvol stof van Cassies mouw.

'Is dit echt?' fluisterde ze.

'Ja, Jessica,' antwoordde Rosalind. Ze maakte Jessica's hand los en trok het kind dicht tegen zich aan, streelde over haar haar. 'Ja, Jessica, dit is echt.' Jessica keek met ongerichte blik onder haar arm uit, haar ogen wijd open en vaag.

Internet hadden ze niet, dus het kon geen chatroomidioot van de andere kant van de wereld geweest zijn. Ze hadden ook geen inbraakalarm, maar ik vroeg me af of dat relevant zou blijken: Katy was niet door een indringer van haar bed gelicht. We hadden haar volledig en zorgvuldig aangekleed gevonden – ja, ze zorgde er altijd voor dat alles op elkaar afgestemd was, beaamde Margaret; dat had ze van haar balletlerares, die ze aanbad – in gewone kleren. Ze had haar licht uitgedaan en gewacht tot haar ouders sliepen, en toen, in de loop van de nacht of in de vroege ochtend, was ze opgestaan, had zich aangekleed en was vertrokken. De voordeursleutel zat in haar zak: ze had verwacht dat ze terug zou komen.

Toch doorzochten we haar kamer, deels op zoek naar aanwijzingen waar ze heen gegaan kon zijn, deels vanwege de ellendige, voor de hand liggende mogelijkheid dat Jonathan of Margaret haar vermoord had en het zo had geregeld dat het leek alsof ze het huis levend verlaten had. Zij en Jessica hadden een kamer gedeeld. Het raam was te klein en de gloeilamp te zwak, wat nog verder bijdroeg aan het griezelige gevoel dat ik daar in huis kreeg. De muur aan Jessica's kant was, een beetje onwerkelijk, overdekt met zonnige, idyllische kunstreproducties: impressionistische picknicks, Rackham-elfjes, landschappen van de vrolijker stukken uit Tolkien ('Die heeft ze allemaal van mij,' zei Rosalind vanuit de deuropening, 'ja toch, lieverd?' Jessica knikte van ja in de richting van haar schoenen.) Katy's muur was geheel en al, en niet verbazend, gewijd aan ballet: foto's van Barisjnikov en Margot Fonteyn die eruitzagen alsof ze uit de tv-gids waren geknipt, een krantenfoto van Pavlova, de brief waarin stond dat ze was aangenomen bij de balletacademie; een heel behoorlijke potloodtekening van een danseresje, met het opschrift VOOR KATY, 21/03/03. HARTELIJK GEFELICITEERD! LIEFS, PAPA in de hoek van het kartonnen passe-partout gekrabbeld.

De witte pyjama die Katy maandag had gedragen, lag in een hoop op haar bed. Voor de zekerheid namen we hem mee, samen met de lakens en haar mobiele telefoon, die uitgeschakeld in haar nachtkastje lag. Ze had geen dagboek – 'Een tijdje geleden was ze ermee begonnen, maar na een paar maanden vond ze het niet leuk meer en was ze het dagboek zomaar "kwijt",' vertelde Rosalind, met het woord tussen aanhalingstekens en met een klein, droevig, begrijpend glimlachje in mijn richting, 'en daarna is het er nooit van gekomen om met een nieuw dagboek te beginnen' – maar we pakten schriften in, een oude huiswerkagenda, alles waar we maar iets aan hoopten te ontlenen. Beide meisjes hadden een klein houtlaminaat bureautje, en op dat van Katy stond een rond blikje met een massa haarelastieken; met een plotselinge schok herkende ik twee zijden korenbloemen.

'Jemig,' zei Cassie, toen we de wijk uit waren en weer op de weg zaten. Ze haalde haar handen door haar haar en maakte haar krullen in de war.

'Die naam heb ik niet eens zo heel lang geleden nog ergens zien staan,' zei ik. 'Jonathan Devlin. Zodra we terug zijn, halen we hem door de computer. Kijken of hij een strafblad heeft.'

'God, ik hoop bijna dat het zo simpel zal blijken,' zei Cassie. 'Er zit iets heel, heel erg fout bij die mensen.'

Ik was blij – opgelucht zelfs – dat ze dat gezegd had. Er zat mij een aantal dingen dwars over de Devlins: Jonathan en Margaret hadden elkaar met geen vinger aangeraakt, hadden elkaar amper aangekeken; waar je een gekrioel van nieuwsgierige of troostende buren zou verwachten, was hier alleen die schaduw van een tante Vera geweest; ieder lid van het huishouden leek van een volledig andere planeet te komen – maar ik was zo gespannen dat ik niet wist of ik mijn eigen indrukken mocht vertrouwen. Het was dus een hele geruststelling dat Cassie ook het gevoel had dat er iets mis was. Ik was niet aan het instorten, ik was niet gek aan het worden. Als ik eenmaal thuis was en een tijdje in mijn eentje over de hele toestand kon zitten nadenken, kwam alles weer goed. Dat wist ik. Maar bij die eerste glimp van Jessica had ik bijna een hartaanval gekregen, en het besef dat dit Katy's tweelingzusje was, was niet bepaald een geruststelling. Deze hele zaak bevatte te veel scheve, glibberige parallellen, en ik kon het ongemakkelijke gevoel niet afschudden dat dat op de een of andere manier de opzet was. Iedere samenloop van omstandigheden voelde aan als een door de zee verweerde fles die in het zand aan mijn voeten gedeponeerd werd, met mijn naam keurig in het glas gegraveerd en onder de kurk een boodschap in een of andere onontcijferbare, spottende code.

Toen ik voor het eerst naar kostschool ging, zei ik tegen mijn slaapzaalgenoten dat ik een tweelingbroer had. Mijn vader was een heel behoorlijke amateurfotograaf, en op een zaterdagmiddag die zomer, toen hij had gezien dat wij samen op Peters fiets een nieuwe stunt aan het uitproberen waren – zo hard mogelijk over hun kniehoge tuinmuur racen en dan van het eind afzeilen – liet hij het ons keer op keer doen, de halve middag lang, terwijl hij op zijn hurken in het gras zat en lenzen verwisselde, tot hij een hele rol zwart-witfilm had volgeschoten en de foto maakte die hij in gedachten had gehad. We zweven in de lucht: ik zit op het zadel en Peter zit met gespreide armen op het stuur. Allebei hebben we onze ogen stijf dichtgeknepen en onze mond wijd open (hoog, rauw jongensgekrijs) en ons haar wappert in een vurige halo om ons hoofd. Ik weet vrijwel zeker dat we meteen na de foto een rotsmak maakten en over het gras schoven, waardoor mijn moeder boos werd en mijn vader een standje gaf omdat hij ons aangemoedigd had. Hij had de foto zo genomen dat de grond niet te zien is en het lijkt of we vliegen, vrij van zwaartekracht tegen de hemel afgetekend.

Ik plakte de foto op een stuk karton en zette hem op mijn nachtkastje, waar we twee familiefoto's mochten hebben. De andere jongens vertelde ik gedetailleerde verhalen – sommige waar, andere verzonnen en waarschijnlijk volslagen ongeloofwaardig – over de avonturen die mijn tweelingbroer en ik tijdens de vakanties beleefden. Hij zat op een andere school, zei ik, een Ierse school; onze ouders hadden ergens gelezen dat het beter voor tweelingen was om ze uit elkaar te halen. Hij leerde paardrijden.

Tegen de tijd dat ik voor mijn tweede jaar terugkwam, had ik me gerealiseerd dat het een kwestie van tijd was voordat mijn tweelingverhaal me de vreselijkste problemen zou bezorgen (stel dat een klasgenoot mijn ouders tegen het lijf liep op sportdag, en dan vrolijk zou vragen waarom Peter niet meegekomen was), dus liet ik de foto thuis – als een smerig geheim weggestopt in een opening in mijn matras – en had ik het nooit meer over mijn broer, in de hoop dat de anderen dan zouden vergeten dat die er was. Toen ene Hull, het type dat in zijn vrije tijd de pootjes van kleine donzige diertjes aftrekt, mijn onbehagen bespeurde en zich in het onderwerp vastbeet, vertelde ik hem uiteindelijk dat mijn tweelingbroer die zomer uit het zadel gegooid en aan een hersenschudding overleden was. Een groot deel van dat jaar bracht ik in doodsangst door: als het gerucht over Ryans dode broer nu maar niet bij de docenten terechtkwam en via hen bij mijn ouders. Achteraf bezien zal dat best gebeurd zijn, en moeten de docenten, reeds op de hoogte van de Knocknaree-sage, besloten hebben zich gevoelig en begripvol op te stellen – ik kan het nog benauwd krijgen als ik eraan denk – en hadden ze het gerucht een natuurlijke dood laten sterven. Daar was ik goed mee weggekomen, denk ik: een paar jaar verder de jaren tachtig in en ik was waarschijnlijk bij een kinderpsycholoog terechtgekomen, waar ik mijn gevoelens zou moeten delen met een stel handpoppen.

Toch speet het me dat ik me van mijn tweelingbroer had moeten ontdoen. Het was een soort troost geweest, de wetenschap dat Peter in leven was en in tientallen hoofden op zijn paard rondreed. Als Jamie op de foto had gestaan, had ik ons waarschijnlijk tot drieling gebombardeerd. Dan was het veel moeilijker geweest om me er nog uit te draaien.

Tegen de tijd dat we terug waren bij de opgraving was de pers gearriveerd. Ik hing het standaardverhaal op (dat doe ík altijd, omdat ik meer van een verantwoordelijke volwassene heb dan Cassie): lichaam van een jong meisje, naam niet vrijgegeven tot alle familieleden zijn ingelicht, behandeld als dood onder verdachte omstandigheden, wie informatie heeft wordt verzocht contact op te nemen, geen commentaar geen commentaar geen commentaar.

'Was dit het werk van een satanische sekte?' vroeg een breed uitgevoerde vrouw in een weinig flatteus skipak, die we al eerder hadden gezien. Zij schreef voor zo'n zondagskrantje met een voorkeur voor quasi-grappige koppen in alternatieve spelling.

'We hebben geen enkele aanwijzing in die richting,' zei ik hautain. Die is er nooit. Moordlustige satanssekten zijn de inspecteursversie van de Verschrikkelijke Sneeuwman: niemand heeft hem ooit gezien en er is geen bewijs dat hij bestaat, maar één grote, vage voetstap en de pers verandert in een kwakend, schuimbekkend roedel. We moeten dus wel doen alsof we het idee tenminste een béétje serieus nemen.

'Maar ze is toch gevonden op een altaar dat door de druïden werd gebruikt voor mensenoffers?' wilde de vrouw weten.

'Geen commentaar,' antwoordde ik werktuiglijk. Ik had net beseft waar de stenen tafel me aan deed denken, die diepe groef langs de rand: de autopsietafels in het mortuarium, met een groef om het bloed af te voeren. Ik had me zozeer staan afvragen of ik dit beeld herkende uit 1984 dat het niet eens bij me opgekomen was dat ik het herkende van een paar maanden geleden. Jezus.

Uiteindelijk gaven de verslaggevers het op en begonnen weg te slenteren. Cassie had op de treden van onze schuur gezeten en had de zaken onopvallend in de gaten gehouden. Toen ze de dragonder op Mark af zag stevenen, die de kantine uit was gekomen op weg naar de wc-wagen, stond ze op en liep hun kant uit, ervoor zorgend dat Mark haar zag. Ik zag dat hij haar over de schouder van de verslaggever heen aankeek; even later schudde Cassie geamuseerd haar hoofd en liep bij het tweetal weg.

'Wat moest dat mens?' vroeg ik, terwijl ik de sleutel van de schuur uit mijn zak opdiepte.

'Hij houdt een hele verhandeling over de opgraving,' zei Cassie, terwijl ze met een grijns het stof van haar spijkerbroek klopte. 'Telkens wanneer zij iets over het lijk wil vragen, komt hij met: "Wacht even," en barst uit in een tirade over hoe de overheid de belangrijkste vondst sinds Toetanchamon wil platwalsen, of begint hij met een uitleg over Vikingnederzettingen. Ik zou best willen blijven kijken; volgens mij heeft ze eindelijk iemand getroffen die haar aankan.'

De rest van de archeologen had weinig aan het verhaal toe te voegen, behalve dat de beeldhouwer, die Sean heette, vond dat we de mogelijkheid van vampieren niet mochten uitvlakken. Hij bond behoorlijk in toen we hem de polaroidfoto lieten zien, maar hoewel hij, net als de anderen, Katy of mogelijkerwijs Jessica een paar maal had zien rondlopen – soms met andere kinderen van haar leeftijd, soms met een ouder meisje, Rosalind, aan de beschrijving te horen – had niemand gezien of er ooit een eigenaardig type naar haar had staan kijken. Er had überhaupt nooit iemand iets onheilspellends gezien, hoewel Mark daaraan toevoegde: 'Afgezien van politici die zich laten fotograferen bij hun cultureel erfgoed voordat ze dat te grabbel gooien. Wou je daar een beschrijving van?' En niemand herinnerde zich de Schaduwman met het trainingspak, wat mijn vermoeden versterkte dat het ofwel een doodnormale vent uit de buurt was geweest, ofwel Damiens denkbeeldige kameraad. Dat soort mensen heb je bij iedere soort onderzoek, mensen die enorme hoeveelheden tijd verdoen met hun dwangmatige neiging om te zeggen wat ze maar denken dat je horen wilt.

De archeologen uit Dublin – Damien, Sean en een handvol anderen – waren maandag- en dinsdagnacht stuk voor stuk thuis geweest, en de rest had in het huurhuis gezeten, een eindje van de opgraving vandaan. Hunt, die uiteraard behoorlijk lucide bleek over alles wat maar met archeologie te maken had, was met zijn vrouw thuis in Lucan geweest. Hij bevestigde het verhaal van de brede verslaggeefster dat de steen waarop Katy was neergelegd, een offertafel uit het bronzen tijdperk was. 'We weten niet zeker of het hier om mensen- of dierenoffers ging, uiteraard, hoewel de… ehm… de vórm wel degelijk suggereert dat hier mensenoffers gebracht moeten zijn. De juiste afmetingen, weet u. Een heel zeldzaam overblijfsel. Dat zou dan betekenen dat deze heuvel van immens religieus belang was in het bronzen tijdperk. Wat vreselijk jammer… van die weg.'

'Hebt u verder nog iets gevonden wat daarop kan wijzen?' vroeg ik. Als dat zo was, zou het maanden duren voordat we onze zaak konden losweken uit de pers-versus-new-ageverwikkelingen.

Hunt wierp me een gekwetste blik toe. 'Afwezigheid van bewijs is nog geen bewijs van afwezigheid,' meldde hij op verwijtende toon.

Dat was het laatste gesprek. Terwijl we onze spullen opborgen, klopte de mannelijke techneut aan de deur van de portakabin en stak zijn hoofd naar binnen. 'Eh,' begon hij. 'Hi. Ik moest van Sophie zeggen dat we hier klaar zijn voor vandaag, en dat er nog één ding is dat jullie moeten zien.'

Ze hadden de genummerde paaltjes ingepakt en de altaarsteen stond weer in zijn eentje op het veld. In eerste instantie zag de hele opgraving er verlaten uit; de verslaggevers hadden allang hun biezen gepakt, en op Hunt na waren alle archeologen naar huis toe. Hunt zelf was net bezig in te stappen in een bemodderde rode Ford Fiesta. Maar toen kwamen we van tussen de portakabins tevoorschijn en zag ik een flits van iets wits tussen de bomen. De vertrouwde, routineuze handelingen van de verhoren hadden me behoorlijk gekalmeerd (Cassie noemt deze inleidende gesprekken over achtergrondzaken de 'niks'-fase van een onderzoek: iedereen heeft niks gezien, niks gehoord en niks gedaan), maar toch voelde ik iets langs mijn ruggengraat zoeven toen we het bos instapten. Geen angst: meer iets als het plotselinge wakkere gevoel wanneer iemand je wekt door je naam te noemen, of wanneer een vleermuis net te hoog voorbijkrijst om hoorbaar te zijn. Het kreupelhout was dicht en zacht, dor blad van jaren zonk weg onder mijn voeten, en de bomen stonden zo dicht op elkaar dat het licht gefilterd werd tot een rusteloze groene gloed.

Op een open plek een meter of honderd verderop stonden Sophie en Helen op ons te wachten. 'Dit heb ik laten liggen zodat jullie er even naar kunnen kijken,' zei Sophie, 'maar ik wil het allemaal ingepakt hebben voordat het donker wordt. Ik ga niet die hele batterij lampen opstellen.'

Iemand had hier gekampeerd. Er was een plek ter grootte van een slaapzak ontdaan van scherpe takken, en de lagen dor blad waren platgedrukt. Een paar meter verderop waren de resten van een kampvuur te zien, in een brede kring van kale aarde. Cassie floot bewonderend.

'Is ze hier vermoord?' vroeg ik zonder veel hoop: als dat zo was, was Sophie ons meteen komen halen.

'Geen sprake van,' antwoordde ze. 'We hebben zorgvuldig gezocht, maar geen tekenen van een worsteling en geen druppeltje bloed – er ligt wel een grote vlek van het een of ander vlak bij het vuur, maar dat is geen bloed. Volgens mij ruikt het eerder naar rode wijn.'

'Dat is dan een dure kampeerder,' zei ik met opgetrokken wenkbrauwen. Ik had me een plattelandsversie van een dakloze voorgesteld, maar in Ierland betekent 'wino' iemand die aan de cider of de goedkope wodka is. Even vroeg ik me af of het een stelletje geweest kon zijn, mensen met een avontuurlijke inslag, of mensen die nergens anders heen konden, maar het platgedrukte stuk was amper groot genoeg voor één. 'Verder nog vondsten?'

'We nemen de as door voor het geval iemand kleren heeft zitten verbranden, maar mij lijkt het gewoon hout. We hebben laarsafdrukken, vijf peuken en dit.' Sophie gaf me een ziploc-zakje met een opschrift in viltstift. Ik hield het tegen het schemerige licht en Cassie kwam op haar tenen aanlopen om over mijn schouder te kijken: één enkele lange, blonde, golvende haar. 'Die lag vlak bij het vuur,' zei Sophie, met haar duim naar het betreffende bordje wijzend.

'Enig idee wanneer hier voor het laatst iemand gezeten heeft?' vroeg Cassie.

'De as is nog droog. Ik zal de recente regenval voor deze regio nagaan, maar waar ik woon heeft het maandagochtend vroeg geregend, en dat is maar drie kilometer hiervandaan. Zo te zien heeft hier gisteravond of eergisteravond iemand gekampeerd.'

'Mag ik die peuken eens zien?' vroeg ik.

'Met alle plezier,' zei Sophie. Ik pakte een masker en een pincet uit mijn tas en hurkte bij een van de bordjes niet ver van het vuur. De peuk was afkomstig van een shagje, dun gerold en bijna helemaal opgerookt; hier hadden we iemand die zuinig omging met zijn tabak.

'Mark Hanley rookt shag,' zei ik, terwijl ik overeind kwam. 'En heeft lang, blond haar.'

Cassie en ik keken elkaar aan. Het was al na zessen, ieder moment kon O'Kelly aan de lijn hangen om te horen hoe het ermee ging, en het gesprek dat we met Mark moesten voeren zou waarschijnlijk wel even duren – zelfs als we ervan uitgingen dat we te midden van al die kleine zijweggetjes het huis van de archeologen konden vinden.

'Laat maar, we spreken hem morgen wel,' zei Cassie. 'Ik wil op weg naar huis die balletlerares nog even spreken. En ik verga van de honger.'

'Alsof je een puppy hebt,' zei ik tegen Sophie. Helen wierp me een geschokte blik toe.

'Ja, maar wel van een duur ras,' zei Cassie opgewekt.

Toen we over het opgravingsterrein terug naar de auto liepen, (mijn schoenen zaten onder de modder, zoals Mark al gezegd had – in iedere kier en spleet zat roodbruine blubber; en het waren best mooie schoenen geweest – ik troostte me met de gedachte dat het schoeisel van de moordenaar er net zo aan toe moest zijn) keek ik om naar het bos en zag weer die witte flits: Sophie en Helen en de jongen, die stil en geconcentreerd, spookachtig, tussen de bomen door liepen.

# 4

Balletschool Cameron was gevestigd boven een videotheek in Stillorgan. Buiten op straat jakkerden drie jongens in ruimzittende broeken onder luid geschreeuw op skateboards over een laag muurtje, waar ze met plank en al afsprongen. De assistente – een bijzonder mooie jonge vrouw, Louise, in zwarte leotard, zwarte ballerina's en een zwarte cirkelrok tot op haar kuiten; Cassie wierp me een geamuseerde blik toe toen we achter haar aan de trap op liepen – liet ons binnen en vertelde dat Simone Cameron bijna klaar was met een les. We bleven op de overloop staan.

Cassie slenterde naar een kurken prikbord aan de muur, en ik keek om me heen. Er waren twee dansstudio's, met kleine patrijspoortjes in de deuren: in de ene studio deed Louise een stel peuters voor hoe je een vlinder of een vogel of zo moest uitbeelden, en in de andere stak een tiental meisjes in witte balletpakjes en roze maillots met een reeks sprongen en pirouettes twee aan twee de vloer over. Op een krakende oude platenspeler werd de 'Valse des fleurs' gespeeld. Voor zover ik kon bekijken was er, vriendelijk gezegd, een breed scala aan talent aanwezig. De vrouw die lesgaf, had wit haar in een strakke knot, maar haar lichaam was slank en recht als dat van een jonge atleet; ze had dezelfde zwarte outfit aan als Louise en ze had een stok in haar hand, waarmee ze tegen de enkels en schouders van de meisjes tikte om instructies te geven.

'Kijk hier eens,' zei Cassie op gedempte toon.

Het was een poster met een foto van Katy Devlin, hoewel het even duurde voor ik haar herkende. Ze had een doorzichtig wit jurkje aan en één been achter zich gestrekt in een moeiteloze, onmogelijke boog.

Daaronder stond met grote letters: STUUR KATY NAAR DE KONINKLIJKE BALLETACADEMIE! HELP HAAR ONS OP DE KAART TE ZETTEN! en daaronder de tijd en plaats voor een inzamelingsactie: Buurthuis Saint-Alban's, 20 juni om 19.00 uur – een dansavond verzorgd door leerlingen van balletschool Cameron – toegang 10/7 euro. De gehele opbrengst is bestemd voor Katy's lesgeld. Ik vroeg me af wat er nu met het geld zou gebeuren.

Onder de poster hing een krantenknipsel, met een kunstzinnige soft focus foto van Katy aan de barre; in de spiegel keken haar ogen met een leeftijdloze, geconcentreerde ernst naar de fotograaf. 'Danseresje uit Dublin slaat haar vleugels uit', The Irish Times, 23 juni: 'Natuurlijk zal ik mijn familie missen, maar ik verheug me er heel erg op,' aldus Katy. 'Al sinds mijn zesde wil ik ballerina worden. Ongelooflijk dat het nu echt gaat gebeuren. Soms als ik wakker word, denk ik dat ik het gedroomd heb.' Ongetwijfeld had het artikel ook weer schenkingen opgeleverd voor Katy's lesgeld – dat zouden we ook moeten natrekken – maar voor ons was het alleen maar nadelig: ook pedofielen lazen de krant, en het was een opvallende foto. Het veld aan mogelijke verdachten was zojuist uitgebreid tot vrijwel het hele land. Ik keek naar de andere berichtjes: een tutu te koop, maat 7-8; zijn er mensen uit Blackrock met belangstelling voor een carpool naar en van de middenklas?

De studiodeur ging open en er stroomde een vloedgolf aan krijsende, identiek geklede kleine meisjes langs ons heen, allemaal tegelijk pratend en duwend en gillend. 'Kan ik u ergens mee helpen?' vroeg Simone Cameron vanuit de deuropening.

Ze had een mooie stem, diep als die van een man zonder ook maar in het minst mannelijk te klinken, en ze was ouder dan ik had gedacht: ze had een mager gezicht met een diep, ingewikkeld patroon van rimpels. Ik nam aan dat ze ons aanzag voor ouders die kwamen informeren naar balletles voor onze dochter, en even was ik sterk in de verleiding om met die fantasie mee te gaan, te vragen naar lesgeld en roosters en dan weg te gaan, zodat zij haar illusie en haar sterpupil nog een tijdje kon koesteren.

'Mevrouw Cameron?'

'Simone, alstublieft,' zei ze. Ze had prachtige ogen, bijna goudkleurig, enorm, en met zware oogleden.

'Ik ben inspecteur Ryan, en dit is mijn collega Maddox,' zei ik voor de duizendste maal die dag. 'Zouden we u even kunnen spreken?'

Ze ging ons voor de studio in en zette drie stoelen in een hoek. Langs een van de lange wanden liep een enorme spiegel, met daarvoor drie barres op verschillende hoogtes, en vanuit mijn ooghoek bleef ik keer op keer mijn eigen bewegingen zien. Ik verschoof mijn stoel zo dat ik het spiegelbeeld niet meer zag.

Ik vertelde aan Simone over Katy – het was mijn beurt om dat te doen. Ik had waarschijnlijk tranen verwacht, maar ze huilde niet: haar hoofd dook ietsje tussen haar schouders en de rimpels in haar gezicht leken nog dieper te worden, maar dat was het.

'Katy was maandagavond bij u op les, nietwaar?' vroeg ik. 'Hoe gedroeg ze zich toen?'

Niet veel mensen kunnen een stilte laten voortduren, maar Simone Cameron beheerste die kunst: ze bleef roerloos zitten, een arm over de rugleuning van haar stoel geslagen, tot ze klaar was om antwoord te geven. Na een hele tijd zei ze: 'Eigenlijk net als altijd. Wat opgewonden – het duurde even voordat ze was gekalmeerd en zich kon concentreren – maar dat was begrijpelijk: over een paar weken zou ze naar de balletacademie gaan. Daar was ze in de loop van de zomer steeds opgewondener over geworden.' Ze wendde haar hoofd een beetje af. 'Gisteravond was ze niet op les, maar ik nam aan dat ze gewoon weer ziek was. Als ik haar ouders had gebeld…'

'Gisteravond was ze al niet meer in leven,' zei Cassie vriendelijk. 'U had niets kunnen doen.'

'Wéér ziek?' vroeg ik. 'Was ze dan de afgelopen tijd ziek geweest?'

Simone schudde haar hoofd. 'De laatste tijd niet, nee. Maar het is een teer poppetje.' Haar oogleden vielen even omlaag, zodat haar blik onzichtbaar werd: 'Wás een teer poppetje.' Toen keek ze me weer aan. 'Ik heb Katy nu zes jaar op les gehad. Een aantal jaren lang, zo vanaf haar negende, was ze heel vaak ziek. Haar zusje Jessica ook, maar bij haar waren het dan verkoudheden, een vastzittend hoestje – dat is denk ik gewoon een gevoelig kind. Katy kon tijdenlang last hebben van braken, diarree. Soms werd het zo erg dat ze naar het ziekenhuis moest. De artsen dachten dat het een vorm van chronische gastritis was. Ze zou afgelopen jaar al naar de Koninklijke Balletacademie gaan, maar tegen het eind van de zomer kreeg ze een acute aanval en moest ze geopereerd worden om te kijken wat er aan de hand was. Tegen de tijd dat ze hersteld was, kon ze de gemiste lessen al niet meer inhalen. Dus moest ze dit voorjaar opnieuw auditie doen.'

'Maar de afgelopen tijd waren die aanvallen dus niet meer voorgekomen?' vroeg ik. We moesten Katy's medisch dossier opvragen, en snel ook.

Simone glimlachte bij de herinnering. Het was een klein, hartverscheurend glimlachje, en haar blik dwaalde van ons af. 'Ik was bezorgd of ze de opleiding wel aankon, met haar gezondheid. Dansers kunnen zich niet permitteren te veel lessen te missen door ziekte. Toen Katy dit jaar opnieuw aangenomen werd, heb ik haar op een dag laten nablijven om haar te waarschuwen dat ze wel regelmatig naar de dokter moest blijven gaan om uit te zoeken wat er aan de hand was. Katy luisterde, en schudde daarna haar hoofd met de woorden – heel plechtig, als een soort belofte – "Ik word niet ziek meer." Ik probeerde haar ervan te overtuigen dat ze dit niet mocht negeren, dat haar carrière ervan kon afhangen, maar ze wilde er verder niets over zeggen. En ik moet zeggen, sinds die tijd is ze niet meer ziek geweest. Ik dacht dat ze er misschien gewoon overheen gegroeid was, maar de menselijke wil kan iets heel sterks zijn, en Katy heeft – had – een sterke wil.'

De andere klas ging uit; ik hoorde stemmen van ouders op de overloop en weer zo'n stortvloed van kleine voetjes en druk gepraat. 'Heeft Jessica ook bij u op les gezeten?' vroeg Cassie. 'En heeft zij ook auditie gedaan voor de Koninklijke Academie?'

In de vroegste stadia van een onderzoek kun je alleen maar proberen zo veel mogelijk te weten te komen over het leven van het slachtoffer, in de hoop dat er iets is waardoor de alarmbellen aan het rinkelen slaan – tenzij je natuurlijk al een voor de hand liggende verdachte hebt. Ik wist vrijwel zeker dat Cassie gelijk had, we moesten meer weten over de familie Devlin. En Simone Cameron wilde graag praten. Dat zien we vaker: mensen die wanhopig aan het praten blijven, want als ze daarmee ophouden, gaan wij weg en blijven ze alleen achter met wat er gebeurd is. We luisteren, we knikken, we tonen ons medeleven, en we onthouden alles wat ze zeggen.

'Alle drie de meisjes hebben vroeg of laat bij mij op les gezeten,' zei Simone. 'Jessica leek als klein meisje veelbelovend, en ze deed erg haar best. Maar toen ze groter werd, werd ze verschrikkelijk verlegen, zo erg dat individuele oefeningen een kwelling voor haar werden. Toen heb ik tegen haar ouders gezegd dat het beter was om haar van les te halen.'

'En Rosalind?' vroeg Cassie.

'Rosalind had enige aanleg, maar geen doorzettingsvermogen. Zij wilde meteen resultaat zien. Na een paar maanden is ze overgestapt op... vioolles, geloof ik. Volgens haar was dat de keuze van haar ouders, maar ik had de indruk dat ze ballet niet leuk meer vond. Dat zien we vaak genoeg bij jonge kinderen: als ze niet meteen heel goed zijn, en als ze gaan beseffen hoe zwaar het nog gaat worden, dan raken ze gefrustreerd en houden ermee op. Eerlijk gezegd zou geen van beiden geschikt geweest zijn voor de academie.'

'Maar Katy…' zei Cassie, vooroverleunend.

Simone keek haar een hele tijd aan. 'Katy was… *sérieuse*.'

Zo kwam haar stem aan die kenmerkende klank: ergens, heel diep weggestopt, zat nog een toetsje Frans dat haar intonatie kleur gaf. 'Serieus,' zei ik.

'Meer dan dat,' merkte Cassie op. Haar moeder was half Frans, en als kind had ze de zomervakantie bij haar grootouders in de Provence doorgebracht; ze zegt dat ze intussen het grootste deel van haar Frans verleerd is, maar ze verstaat het nog wel. 'Professioneel.'

Simone neeg haar hoofd. 'Ja. Zelfs het zware werk vond ze niet erg – niet alleen omdat dat resultaat opleverde, maar ze vond het gewoon prettig om te doen. Serieus danstalent komt niet vaak voor; het temperament om daar een carrière van te maken is nog veel zeldzamer. De combinatie…' Weer wendde ze haar blik af. 'Soms, als er 's avonds maar één studio in gebruik was, vroeg ze of zij in de andere mocht komen oefenen.'

Buiten begon het te schemeren; de kreten van de skateboarders zweefden omhoog, zwak en helder door het glas heen. Ik dacht aan Katy Devlin in haar eentje in de studio, met afstandelijke ernst in de spiegel kijkend tijdens haar trage pirouettes en passen; een sierlijk opgetilde voet, straatlantaarns die saffraankleurige vlakken op de vloer tekenden, Saties *Gnossiennes* op de krakende platenspeler. Simone leek zelf behoorlijk sérieuse, en ik vroeg me af hoe ze in vredesnaam hier terechtgekomen was, boven een videotheek en met de vettige stank van frituurvet die vanuit de snackbar daarnaast omhoogwoei, om kleine meisjes balletles te geven omdat hun moeders dat goed voor hun houding vonden of ingelijste foto's van hun kroost in tutu wilden. Plotseling realiseerde ik me wat Katy Devlin voor haar betekend moest hebben.

'Hoe vonden meneer en mevrouw Devlin het dat Katy naar de balletacademie ging?' informeerde Cassie.

'Dat juichten ze alleen maar toe,' antwoordde Simone zonder aarzeling. 'Dat was een opluchting, en eerlijk gezegd was ik ook wel wat verbaasd; niet iedere ouder is bereid om zo'n jong kind uit huis te laten gaan.

En de meesten zijn er, terecht, op tegen dat hun kind professioneel danser wordt. Vooral híj was er sterk voor dat ze ging. Volgens mij had hij een erg hechte band met haar. Ik had er bewondering voor dat hij wilde wat voor haar het beste was, hoewel dat betekende dat hij haar moest laten gaan.'

'En haar moeder?' vroeg Cassie. 'Was ze close met haar moeder?'

Simone schokschouderde even. 'Niet zo, denk ik. Mevrouw Devlin is... nogal vaag. Ze leek altijd volledig verbijsterd door al haar dochters. Volgens mij is ze misschien niet zo heel erg intelligent.'

'Heb u de afgelopen maanden onbekenden zien rondhangen?' vroeg ik. 'Mensen waarover u zich zorgen maakte?' Balletscholen en zwembaden en padvindershonken oefenen een magnetische aantrekkingskracht uit op pedofielen. Als iemand op zoek was geweest naar een slachtoffer, was dit de meest voor de hand liggende plek waar hij Katy gevonden kon hebben.

'Ik snap waar u heen wilt, maar nee. Daar zijn we altijd alert op. Een jaar of tien geleden zat er hier, een eindje de heuvel op, bij tijden een man die met een verrekijker naar de studio gluurde. We hebben een klacht ingediend bij de politie, maar die deed niets tot hij probeerde een van de meisjes over te halen bij hem in de auto te stappen. Vanaf dat moment letten we goed op.'

'Heeft er iemand abnormale belangstelling voor Katy getoond?'

Ze dacht even na en schudde toen haar hoofd. 'Nee. Iedereen had bewondering voor haar omdat ze zo mooi danste, en bij de inzamelingsactie hebben heel veel mensen een bijdrage geleverd, maar niemand in het bijzonder.'

'Waren er mensen jaloers op haar talent?'

Simone lachte even, een snelle, harde uitademing door haar neus. 'Het zijn hier geen podiumouders. De mensen hier willen dat hun dochter een beetje ballet leert, want dat vinden ze schattig; ze willen niet dat de meisjes daar een carrière van maken. Ik neem aan dat er wel een paar meisjes jaloers geweest zullen zijn, dat wel. Maar voldoende voor moord? Nee.'

Plotseling leek ze uitgeput. Haar elegante pose was onveranderd, maar haar blik werd glazig van vermoeidheid. 'Dank u voor uw tijd,' zei ik. 'Als we nieuwe vragen hebben, nemen we nogmaals contact met u op.'

'Heeft ze geleden?' vroeg Simone abrupt. Ze keek ons niet aan.

Ze was de eerste die die vraag stelde. Ik begon het standaard non-antwoord te geven: dat we de uitslag van de autopsie moesten afwachten, maar Cassie zei: 'Er zijn geen aanwijzingen in die richting. We weten nog niets zeker, maar het lijkt een snelle dood geweest te zijn.'

Met moeite draaide Simone haar hoofd om en keek Cassie aan. 'Dank u,' zei ze.

Ze stond niet op om ons uit te laten, en ik besefte dat dat kwam doordat ze niet zeker wist of haar knieën haar wel zouden dragen. Toen ik de deur dichttrok, ving ik door het ronde raampje een laatste glimp van haar op. Ze zat nog met rechte rug roerloos met haar handen in haar schoot gevouwen: een sprookjeskoningin, alleen in haar toren achtergelaten om te rouwen om haar verloren, door een heks gestolen prinses.

'"Ik word niet ziek meer,"' zei Cassie in de auto. 'En toen werd ze ook niet ziek meer.'

'Wilskracht, zoals Simone zei?'

'Kan natuurlijk.' Ze klonk niet overtuigd.

'Of misschien had ze zichzelf ziek gemaakt,' zei ik. 'Overgeven en diarree kun je makkelijk zelf veroorzaken. Misschien wilde ze aandacht, en had ze dat niet meer nodig toen ze eenmaal naar de academie ging. Toen kreeg ze meer dan genoeg aandacht zonder ziek te zijn – krantenartikelen, inzamelingsacties, noem maar op... geef me een peuk.'

'Juniorversie van Münchhausen-by-proxysyndroom?' Cassie reikte naar de achterbank, groef in de zakken van mijn jack en vond mijn sigaretten. Ik rook Marlboro; Cassie heeft geen bepaald merk, maar koopt meestal Lucky Strike Light, wat ik een meidensigaret vind. Ze stak er twee aan en gaf er een aan mij. 'Kunnen we ook de dossiers van die twee zusjes opvragen?'

'Lastig,' zei ik. 'Die leven nog, dus dan zit je met vertrouwelijkheid van gegevens. Als de ouders toestemming geven...' Ze schudde haar hoofd. 'Hoezo, waar zit jij aan te denken?'

Ze draaide haar raampje een eind open, en de wind blies haar pony opzij. 'Ik weet niet... dat tweelingzusje, Jessica – die geschrokken uitdrukking kan gewoon stress zijn omdat Katy weg is, maar dat kind is veel te mager. Ondanks die enorme trui kon je zien dat ze maar half zo zwaar is als Katy, en dat was ook al geen tientonner. En dan dat andere zusje... daar is ook iets vreemds mee.'

'Rosalind?' vroeg ik.

Er moet iets vreemds in mijn toon doorgeklonken hebben, want Cassie wierp me een zijdelingse blik toe. 'Je vond haar leuk.'

'Ja, best wel,' zei ik, defensief zonder te weten waarom. 'Mij leek het een aardig meisje. En heel beschermend tegenover Jessica. Mocht jij haar dan niet?'

'Wat maakt dat nou uit?' zei Cassie koeltjes en, naar mijn idee, een beetje oneerlijk. 'Of we haar nu leuk vinden of niet, ze heeft rare kleren aan, ze heeft te veel make-up op…'

'Dat meisje loopt er gewoon goed verzorgd bij, dat mág toch?'

'Kom op, Ryan, word nu eindelijk eens volwassen; je weet best wat ik bedoel. Ze glimlacht op heel verkeerde momenten, en zoals je gezien hebt had ze geen beha aan.' Dat was me inderdaad opgevallen, maar ik had me niet gerealiseerd dat Cassie het ook gezien had en die plagende opmerking irriteerde me. 'Misschien is ze inderdaad best een heel braaf meisje, maar het klopt van geen kanten.'

Ik zei niets. Cassie gooide de peuk van haar sigaret uit het raam en stak haar handen diep in haar zakken. Ze zat als een mokkende tiener onderuitgezakt op haar stoel. Ik deed de stadslichten aan en drukte het gaspedaal dieper in. Ik ergerde me aan haar en ik wist dat zij zich aan mij ergerde, en hoe dat nou zo gekomen was, wist ik niet.

Cassies mobiel rinkelde. 'O god, ook dat nog,' zei ze met een blik op het scherm. 'Ja, meneer… hallo?… Meneer…? Rottelefoons.' Ze hing op.

'Geen signaal?' vroeg ik kil.

'Prima signaal,' zei ze. 'Hij wilde gewoon weten hoe laat we terugkwamen en waarom het allemaal zo lang duurt, en daar had ik geen zin in.'

Meestal kan ik veel langer mokken dan Cassie, maar ik kon er niets aan doen: ik barstte in lachen uit. Even later begon zij ook te schateren.

'Luister,' zei ze. 'Ik wilde niet rot doen over Rosalind. Ik was eerder bezorgd.'

'Denk jij aan seksueel misbruik?' Ik besefte dat ik ergens in mijn achterhoofd met diezelfde gedachte had rondgelopen, maar het idee stond me zo tegen dat ik er niet aan had willen denken. Eén zusje overdreven seksueel, eentje met ernstig ondergewicht en eentje, na diverse onverklaarde ziektes, vermoord. Ik dacht aan Rosalinds hoofd, over dat van Jessica heen gebogen, en voelde een plotselinge, onwennige opwelling van beschermingsdrang. 'Die vader misbruikt zijn dochters. En Katy ging daarmee om door zichzelf misselijk te maken, uit zelfhaat of om de kans op misbruik te verkleinen. Als ze wordt toegelaten op de balletacademie, besluit ze dat ze voortaan gezond moet blijven en dat die cyclus moet stoppen; misschien gaat ze de confrontatie met de vader aan en dreigt ze alles te vertellen. Dus vermoordt hij haar.'

'Inderdaad, dat klinkt niet gek,' zei Cassie. Ze zat te kijken naar de bomen die langs de weg voorbijflitsten; ik zag alleen haar achterhoofd. 'Maar wat moeten we dan denken van die moeder – als blijft dat Cooper ongelijk had over verkrachting, natuurlijk. Een soort Münchhausen-by-proxysyndroom. Ze leek wel heel goed thuis in haar slachtofferrol, was dat jou ook opgevallen?'

Ja, dat was me opgevallen. In sommige opzichten krijgt het verdriet een gezicht dat uitdrukkingsvol en anoniem is als de maskers in een Griekse tragedie, maar in andere gevallen worden mensen erdoor herleid tot hun absolute kern (en dat is uiteraard de ware en ijzingwekkende reden waarom we proberen het gezin altijd zelf te vertellen over wat er gebeurd is, in plaats van dat aan de uniformdienst over te laten: niet om te tonen hoe erg wij het vinden, maar om te zien hoe ze reageren), en Cassie en ik hadden vaak genoeg slecht nieuws gebracht om te weten wat de meest voorkomende variaties waren. De meeste mensen zijn zo geschokt dat ze niet weten wat ze doen moeten, ze kunnen zich amper overeind houden, ze hebben geen idee hoe ze reageren moeten; tragedie is een onontgonnen terrein dat je zonder gids betreden moet, en ze moeten, stap voor verbijsterde stap, uitzoeken hoe je daardoorheen laveert. Margaret Devlin was helemaal niet verrast geweest; ze had zich er meteen bij neergelegd, alsof rouw haar normale geestestoestand was.

'Het is dus in feite hetzelfde patroon,' zei ik. 'Zij maakt een of alle meisjes ziek, en als Katy wordt toegelaten op de academie probeert ze haar zin door te drijven en dan wordt ze door haar moeder vermoord.'

'Dat zou kunnen verklaren waarom Rosalind zich kleedt als iemand van veertig,' zei Cassie. 'Proberen om volwassen te doen, om zich los te kunnen maken van haar moeder.'

Mijn mobiel ging over. 'O, fúck, man,' zeiden we in koor.

Ik herhaalde Cassies slechteverbindingsscenario en de rest van de rit stelden we een lijst op met mogelijke invalshoeken voor verhoor. O'Kelly is dol op lijstjes; een goede lijst zou hem meteen doen vergeten dat we hem niet teruggebeld hadden.

Wij werken vanuit Dublin Castle, en ondanks alle associaties met het koloniale tijdperk vind ik dit een van de sterkste punten van de baan. Vanbinnen zijn alle vertrekken liefdevol gerestaureerd zodat ze eruitzien als ieder ander kantoor in het hele land – halfhoge scheidingswanden, tl-buizen, kunststof vloerbedekking en muren in instellingskleuren – maar de buitenkant van de gebouwen was in de originele staat behouden, een monument: oude rode baksteen in ingewikkelde metselpatronen en marmer, met kantelen en torentjes en uitgesleten heiligenbeelden op onverwachte plekken. In de winter kon je je, als je op een mistige avond over de bestrating van kinderhoofdjes liep, een figuur in een roman van Dickens wanen – schimmige straatlantaarns met gouden licht en vreemde schaduwen, beierende kerkklokken in de nabijgelegen kathedralen, iedere voetstap afketsend op de duisternis; volgens Cassie kun je dan doen alsof je inspecteur Abberline bent, bezig met de Ripper-moorden. Ooit, op een schallend heldere decembernacht met volle maan, is ze de hele binnenplaats overgestoken in radslag.

Er scheen licht achter O'Kelly's raam, maar de rest van het gebouw was donker: het was al na zevenen, alle anderen waren naar huis. We slopen zo onhoorbaar mogelijk naar binnen. Cassie sloop op haar tenen naar de teamkamer om Mark en de Devlins op de computer op te zoeken, en ik ging naar de kelder, waar de oude dossiers liggen. Vroeger was het een wijnkelder, en het huisstijlteam is hier nog niet aan toe gekomen, dus het is er nog een en al flagstones en zuilen en gewelven. Cassie en ik hebben een stilzwijgende afspraak om daar ooit een keer met een stel kaarsen naartoe te gaan, ondanks de elektrische verlichting en in strijd met de veiligheidsvoorschriften, en daar een avond lang op zoek te gaan naar geheime gangen.

De kartonnen doos (Rowan G., Savage P., 33791/84) stond nog precies waar ik hem meer dan twee jaar geleden neergezet had; waarschijnlijk was er sinds die tijd niemand aangekomen. Ik haalde het dossier eruit en bladerde naar de verklaring die Vermiste personen van Jamies moeder had gekregen. En goddank, daar stond het: blond haar, bruine ogen, rood t-shirt, spijkershort, witte gymschoenen, rode haarspeldjes met plastic aardbeien erop.

Ik schoof het dossier onder mijn jasje voor het geval ik O'Kelly tegen het lijf zou lopen (er was geen enkele reden waarom ik dat dossier niet bij me zou hebben, vooral nu het verband met de zaak-Devlin vaststond, maar om de een of andere reden voelde ik me schuldig, betrapt, alsof ik me uit de voeten maakte met een of ander gênant kunstvoorwerp), en ging de trap op naar de teamkamer. Cassie zat achter haar computer; ze had het licht uit gelaten zodat O'Kelly haar niet zou opmerken.

'Niets te vinden over Mark,' zei ze. 'En ook niet over Margaret. Jonathan heeft één veroordeling, van afgelopen februari.'

'Kinderporno?'

'Jezus, Ryan. Doe niet zo melodramatisch. Nee, voor huisvredebreuk: hij was bezig met een protestactie tegen die snelweg, en daarbij kwam hij over een politiedemarcatie heen. Hij kreeg voor de rechtbank een boete van honderd euro en twintig uur dienstverlening, maar dat werd later veertig uur toen Devlin zei dat hij wat hem betrof nu juist was ópgepakt omdat hij de gemeenschap een dienst had verleend.'

Dus daar had ik Devlins naam niet zien staan: zoals ik al zei, ik had maar een heel vaag idee gehad van die controverse over de snelweg. Wel verklaarde het waarom hij de dreigtelefoontjes niet had gemeld. Wij konden in zijn ogen weinig van bondgenoten gehad hebben, vooral niet als het om die snelweg ging. 'Dat haarspeldje zit in het dossier,' zei ik.

'Mooi,' zei Cassie, met een vleugje van een vragende klank in haar stem. Ze zette de computer uit en draaide zich naar me om. 'Ben je blij?'

'Weet ik niet,' zei ik. Het was natuurlijk fijn om te weten dat ik niet gek aan het worden was, dat ik me geen dingen inbeeldde, maar nu vroeg ik me af of ik het me echt had herinnerd of alleen in het dossier had zien staan. Ik wist niet welke van die twee mogelijkheden me het minst aanstond, en ik wilde maar dat ik mijn mond had gehouden over dat ellendige speldje.

Cassie wachtte; in het avondlicht dat nog door het raam viel leken haar ogen enorm, ondoorzichtig en waakzaam. Ik wist dat ze me de kans gaf om 'Ach, dat haarspeldje. Kom op, we kunnen maar beter vergeten dat we dat ooit gevonden hebben' te zeggen. En zelfs nu is er de verleiding, hoe slap en nutteloos ook, om me af te vragen wat er gebeurd was als ik dat inderdaad gezegd had.

Maar het was laat, ik had een lange dag achter de rug, ik wilde naar huis en zo'n aanpak met zijden handschoentjes – ook als het Cassie betrof – had me altijd de kriebels bezorgd. De hele aanpak laten vallen leek me veel meer werk dan gewoon maar kijken wat er zou gebeuren. 'Bel jij Sophie over dat bloed?' vroeg ik. In die schemerige kamer leek het toegestaan om althans die zwakte toe te geven.

'Tuurlijk,' zei Cassie. 'Maar niet nu, oké? Laten we O'Kelly nu maar gaan bijpraten, voordat er ergens een ader knapt. Terwijl jij in de kelder zat, heeft hij me een sms gestuurd; ik wist niet eens dat hij dat kón, wist jij dat?'

Ik belde O'Kelly's toestel en zei dat we terug waren, waarop hij reageerde met: 'Dat werd verdomme ook tijd. Wat hebben jullie uitgespookt, ergens gestopt voor een vluggertje?' En daarna zei hij dat we linea recta naar zijn kantoor moesten.

Afgezien van O'Kelly's eigen stoel telde zijn kantoor maar één zitplaats, zo'n ergonomisch geval van namaakleer. Daaruit moet je concluderen dat je niet te veel tijd of ruimte in beslag mag nemen. Ik ging in de stoel zitten, en Cassie hees zich op een tafel achter me. O'Kelly wierp haar een geïrriteerde blik toe.

'Snel, mensen,' zei hij. 'Ik moet om acht uur ergens zijn.' Het jaar daarvoor had zijn vrouw hem verlaten; sinds die tijd hadden we via de roddelmachine een stel onbeholpen pogingen tot relaties vernomen, waaronder een spectaculair mislukte blind date waarbij de vrouw een voormalige prostituee bleek te zijn die hij in zijn dagen bij Zedenmisdrijven regelmatig had gearresteerd.

'Katharine Devlin, twaalf jaar oud,' zei ik.

'Dus de identiteit staat vast?'

'Negenennegentig procent,' zei ik. 'We halen morgen een van de ouders naar het mortuarium, als ze opgelapt is, maar Katy Devlin heeft een identieke tweelingzus en de overlevende zus is het sprekend evenbeeld van ons slachtoffer.'

'Aanwijzingen, verdachten?' beet hij ons toe. Hij had een behoorlijk mooie das om, klaar voor zijn afspraakje, en te veel aftershave; ik kon het merk niet plaatsen, maar het rook duur. 'Ik moet morgen een persconferentie geven. Zeg niet dat je niets hebt.'

'Haar schedel is ingeslagen en ze is gewurgd, waarschijnlijk ook verkracht,' zei Cassie. In het tl-licht had ze grauwe wallen onder haar ogen. Ze zag er te moe uit, en te jong om die woorden zo kalm uit te spreken. 'We weten het pas zeker na de autopsie, morgenochtend.'

'Mórgen pas? Verdomme!' riep O'Kelly verontwaardigd uit. 'Zeg dat die hufter van een Cooper hier prioriteit aan moet geven.'

'Hebben we al gedaan,' zei Cassie. 'Hij moest vanmiddag naar de rechtbank. Morgenochtend vroeg, meer kan hij niet doen.' (Cooper en O'Kelly hebben een bloedhekel aan elkaar; wat Cooper echt gezegd had, was: 'Wees zo vriendelijk om de heer O'Kelly uit te leggen dat zijn zaken niet de enige ter wereld zijn.') 'We hebben vier mogelijke benaderingen opgesteld, en...'

'Mooi, mooi zo,' zei O'Kelly, terwijl hij de ene bureaula na de andere opentrok op zoek naar een pen.

'Ten eerste is er de familie,' zei Cassie. 'U kent de statistieken: de meeste vermoorde kinderen zijn om het leven gebracht door hun eigen ouders.'

'En deze familie heeft iets eigenaardigs,' voegde ik daaraan toe. Dit was mijn tekst; we moesten onze bedoeling overbrengen voor het geval we wat armslag nodig hadden bij het onderzoek naar de Devlins, maar als Cassie dit had gezegd, was O'Kelly begonnen aan een lange, saaie, bittere tirade over vrouwelijke intuïtie. Maar intussen bespeelden we O'Kelly heel goed. Ons contrapunt was gepolijst tot de naadloosheid van een Beach Boys-harmonie – we voelen precies aan wanneer we van rol moeten wisselen en werper of achtervanger moeten spelen, *good cop/bad cop*, wanneer mijn koele afstandelijkheid een accent van ernst moet toevoegen aan Cassies opgewekte houding – en dat werkt zelfs tegen onze collega's. 'Ik kan er niet precies de vinger op leggen, maar in dat huis is iets aan de hand.'

'Nooit je intuïtie negeren,' zei O'Kelly. 'Gevaarlijk.' Cassies voet, die nonchalant hing te bungelen, duwde even tegen mijn rug.

'Ten tweede,' zei ze, 'mogen we de kans van een of andere sekte niet uitvlakken.'

'O, god, Maddox. Heeft er weer eens een artikel over satansaanbidding in de *Cosmo* gestaan?' O'Kelly debiteert zulke vreselijke clichés dat het in principe wel weer iets heeft. Ik vind die gewoonte van hem amusant of irritant of lichtelijk troostrijk, al naargelang mijn stemming, maar het voordeel is in ieder geval dat je je script van tevoren kunt opstellen.

'Mijzelf lijkt het ook pure waanzin,' zei ik, 'maar we hebben te maken met een vermoord meisje dat is gevonden op een offertafel. De verslaggevers vroegen er al naar. Dat moeten we meteen ontzenuwen.' Het valt uiteraard niet mee om te bewijzen dat iets niet bestaat, en als je zoiets beweert zonder serieuze bewijzen, komen er meteen allerhande complottheorieën opzetten, dus gooien we het over een andere boeg. We zouden een aantal uren lang zoeken naar de verschillen tussen Katy Devlins dood en de vermeende modus operandi van een hypothetische groep (geen aderlating, geen offerkleed, geen occulte symbolen, blablabla…) en dan zou O'Kelly, die gelukkig geen enkel gevoel voor het absurde heeft, dat allemaal voor de camera uitleggen.

'Pure tijdverspilling,' zei O'Kelly. 'Maar oké, doe maar. Praat met Zedendelicten, praat met de dominee, met wie dan ook, als het maar gebeurt. Wat is je derde punt?'

'Het derde,' zei Cassie, 'is een normale seksuele moord; een pedofiel die haar vermoord heeft om te voorkomen dat ze zou praten, of omdat moord er nu eenmaal bij hoort. En als het die kant uit gaat, dan gaan we nog eens kijken naar die twee kinderen die in 1984 uit Knocknaree verdwenen zijn. Zelfde leeftijd, zelfde plaats, en vlak naast het lichaam van ons slachtoffer hebben we een druppel oud bloed gevonden – het lab is momenteel aan het kijken of het overeenkomt met dat van de slachtoffers uit '84 – plus een haarspeldje dat overeenkomt met de beschrijving van het speldje dat het vermiste meisje in haar haar had. Er kán verband zijn.' Dit was ontegenzeglijk Cassies tekst. Ik lieg, zoals gezegd, behoorlijk goed, maar alleen al bij het horen van haar woorden begon mijn hart als een razende te bonken, en in veel opzichten merkt O'Kelly meer dan hij laat doorschemeren.

'Wat, een seksuele seriemoordenaar? Na twintig jaar? En hoe weet je trouwens van dat speldje?'

'U had toch gezegd dat we cold cases moesten doorlezen, meneer,' zei Cassie met een uitgestreken smoel. En dat was zo, dat had hij gezegd – volgens mij had hij dat bij een of ander seminar of misschien op tv gehoord – maar hij zei wel meer, en we hadden sowieso nooit tijd. 'En die vent kan wel het land uit geweest zijn, of misschien zat hij in de gevangenis, of misschien moordt hij alleen onder zware stress…'

'We staan allemaal onder zware stress,' zei O'Kelly. 'Een seriemoordenaar. Dat konden we er nog wel bij hebben. En verder?'

'De vierde benadering kon wel eens riskant worden,' zei Cassie. 'Jonathan Devlin, de vader, is de leider van die Weg-met-de-snelwegcampagne in Knocknaree. Kennelijk heeft hij daarmee een paar mensen op de tenen getrapt. Hij zegt dat hij de afgelopen maanden drie anonieme telefoontjes heeft gehad, waarbij zijn gezin werd bedreigd als hij zich niet zou terugtrekken. We zullen moeten uitzoeken wie er serieus belang bij heeft dat die snelweg door Knocknaree heen komt te liggen.'

'En dat betekent gekut met projectontwikkelaars en deelraden,' zei O'Kelly. 'Jezus.'

'We moeten zo veel mogelijk surveillanten hebben, meneer,' zei ik, 'en waarschijnlijk moeten we er nog iemand van Moordzaken bij hebben.'

'Dat zal best, ja. Neem Costello maar. Leg een briefje voor hem neer; hij is altijd vroeg op kantoor.'

'Nou, meneer,' zei ik, 'ik had O'Neill er graag bij.' Ik heb niets tegen Costello, maar ik wilde hem beslist niet op deze zaak hebben. Afgezien van het feit dat hij een zeurpiet is en deze zaak ook zonder hem al deprimerend genoeg was, is hij van het vasthoudende type; hij zou met een vlooienkam het oude dossier gaan zitten doorspitten om vervolgens op zoek te gaan naar Adam Ryan.

'Ik ga geen drie beginners op zo'n belangrijke zaak zetten. Jullie tweeën hebben de zaak alleen maar omdat jullie in de pauze naar pornosites zitten te surfen in plaats van lekker naar buiten te gaan zoals alle anderen doen.'

'O'Neill is niet echt een beginner, meneer. Hij zit al zeven jaar bij Moordzaken.'

'En we weten allemaal waarom,' merkte O'Kelly vals op. Sam was op zijn zevenentwintigste bij het team gekomen. Zijn oom zit ergens in de politiek, Redmond O'Neill, meestal als staatssecretaris van Justitie of Milieu of wat dan ook. Sam kan er goed tegen: hij is, van nature of uit eigen keuze, rustig, betrouwbaar, iedereens favoriete achtervanger, en daarop ketsen de meeste vals bedoelde opmerkingen af. Er wordt nog wel eens naar hem uitgehaald, maar dan meestal bespiegelend, zoals O'Kelly net gedaan had. Echt gemeen deden de mensen maar zelden.

'En daarom hebben we hem juist nodig,' zei ik. 'Als we onze neus in deelraadzaken gaan steken en dat soort dingen een beetje discreet willen aanpakken, dan hebben we iemand nodig met contact in die kringen.'

O'Kelly keek op de klok, wilde zijn spaarzame haar gladstrijken, maar bedacht zich. Het was twintig voor acht. Cassie sloeg haar benen over elkaar en leunde achterover op haar tafel. 'Het heeft allemaal zijn voors en tegens,' zei ze. 'Misschien moeten we het eerst hebben over...'

'Ach, doe ook maar, neem O'Neill maar,' zei O'Kelly geprikkeld. 'Als je de klus maar klaart. En kijk uit dat hij niemand tegen de haren in strijkt. Ik wil iedere ochtend een verslag op mijn bureau.' Hij stond op en begon papieren grofweg in stapeltjes te kloppen: we konden ervandoor.

Naar aanleiding van helemaal niets schoot er plotseling een vonk pure vreugde door me heen, vlijmscherp en gedestilleerd als de schok die heroïnegebruikers, neem ik aan, ervaren wanneer het spul in hun aderen komt. Het was mijn partner die op haar handen gesteund met een vloeiende beweging van de tafel af gleed; het was de snelle, geoefende beweging waarmee ik met één hand mijn notitieboekje dichtklapte; het was de commissaris die zich in zijn jasje wrong en zijn schouders onopvallend controleerde op roos; het was het schel verlichte kantoor met een stapel dikke mappen op een scheefgezakte stapel in de hoek en de avond die zich tegen het venster schurkte. Het was het besef, het altijd weer gloednieuwe besef, dat dit allemaal echt was en dat dit mijn leven was. Misschien zou Katy Devlin, als ze het tot hier toe gered had, zich ook zo gevoeld hebben over de blaren op haar tenen, de ontbijtbel die door de weergalmende gangen raasde. Misschien had zij, net als ik, prijs gesteld op de kleine details en ongemakjes. Misschien had ze daar nog meer van gehouden dan van de wonderen, want dit zijn de dingen waaraan je ziet dat je ergens thuishoort.

Ik herinner me dat moment omdat ik zulke momenten eerlijk gezegd zelden beleef. Ik ben niet goed in constateren wanneer ik gelukkig ben – behalve dan achteraf. Mijn talent, of mijn dodelijke fout, ligt in nostalgie. Ik ben wel eens beschuldigd van een streven naar perfectie, van een afwijzing van vervulde hartenwensen zodra ik zo dichtbij kom dat de mysterieuze impressionistische glans oplost in doodgewone stippen, maar de waarheid ligt minder simplistisch. Ik weet heel goed dat perfectie bestaat uit scherp gerande, losgebroken banaliteiten. Misschien zou je kunnen zeggen dat mijn ware zwakte een soort 'langzichtigheid' is: meestal zie ik het patroon pas op een afstand, en veel te laat.

# 5

We hadden geen van beiden zin in een biertje. Cassie belde Sophies mobiele nummer en draaide het verhaal af over hoe ze het haarspeldje had herkend dankzij haar encyclopedische kennis van oude zaken – ik kreeg het gevoel dat Sophie haar niet echt geloofde, maar dat het haar niet veel uitmaakte. Daarna ging zij naar huis om een rapport te typen voor O'Kelly, en ik ging naar huis met het oude dossier.

Ik woon in Monkstown, waar ik een kamer huur bij een onmogelijk mens, Heather, een vrouwelijke ambtenaar met een kinderstemmetje dat continu klinkt alsof ze ieder moment in tranen kan uitbarsten. Eerst vond ik dat aantrekkelijk; nu word ik er zenuwachtig van. Ik ben hier komen wonen omdat ik het fijn vond om vlak bij zee te wonen, omdat de huur betaalbaar was en omdat ik haar wel zag zitten (een meter vijftig, rank, enorme, blauwe ogen en haar tot op haar kont) en Hollywoodachtige fantasieën koesterde over hoe er tot ons beider verbazing een schitterende relatie zou opbloeien. Ik ben er blijven wonen uit puur gebrek aan daadkracht en omdat ik, tegen de tijd dat ik haar scala aan neuroses ontdekte, was gaan sparen voor een koopflat en de woonruimte bij haar was – zelfs toen we er allebei achter waren dat we geen tweede Harry en Sally zouden worden – de enige in de wijde omtrek van Dublin waar dat financieel haalbaar was.

Ik opende de voordeur, riep 'Hi' en liep recht op mijn kamer af. Maar Heather was me te snel af: met onvoorstelbare snelheid verscheen ze op de keukendrempel en vroeg met bevende stem: 'Ha Rob, heb je een goede dag gehad?' Soms zie ik voor mijn geestesoog hoe zij daar uur na uur in de keuken zit en de zoom van het tafellaken in perfecte plooitjes vouwt, klaar om op te springen en zich aan mij vast te klampen zodra ze de sleutel in het slot hoort.

'Prima,' zei ik en ik probeerde met lichaamstaal duidelijk te maken dat ik in gedachten al naar mijn kamer liep en de deur van het slot deed. (Een paar maanden nadat ik hier introk, heb ik een slot geïnstalleerd onder het mom dat ik wilde voorkomen dat hypothetische inbrekers er met vertrouwelijke dossiers vandoor zouden gaan.) 'En hoe is het met jou?'

'O, gaat wel,' zei Heather, terwijl ze haar roze fleece kamerjas dichter om zich heen trok. Die martelaarstoon betekende dat ik twee opties had: ik kon 'Mooi zo' zeggen, naar mijn kamer gaan en de deur dichttrekken; in dat geval zou zij nog dagen lopen mokken en met pannen lopen smijten om duidelijk te maken dat ik meelevender had moeten zijn; of ik kon vragen 'Is er iets?' waarna ik dan het volgende uur zou zitten luisteren naar een gedetailleerd verslag van alle misstappen van haar baas of haar neusbijholtes of wat haar die dag ook dwarszat.

Gelukkig heb ik een Optie C, hoewel die alleen in noodgevallen mag worden gebruikt. 'Weet je het zeker?' vroeg ik. 'Er heerst bij mij op kantoor een vreselijke griep, en volgens mij heb ik die ook te pakken. Ik hoop maar dat jij hem niet krijgt.'

'O, mijn god,' zei Heather. Haar stem steeg nog eens een octaaf en haar ogen werden nog groter. 'Rob, lieverd, ik wil niet onbeleefd lijken, maar dan kan ik maar beter bij je uit de buurt blijven. Je weet dat ik heel snel kouvat.'

'Dat begrijp ik,' zei ik geruststellend, en Heather verdween de keuken weer in, waarschijnlijk om enorme vitamine C-capsules en echinacea in te nemen boven op haar waanzinnig gezonde voeding. Ik ging mijn kamer in en trok de deur achter me dicht.

Ik schonk mezelf een borrel in – ik heb een fles wodka en een fles tonic achter mijn boekenrij staan om gezellige 'drankjes' met Heather te kunnen mijden – en opende het oude dossier op mijn bureau. Mijn kamer nodigt niet uit tot concentratie. Het hele gebouw heeft die goedkope, 'zuunige' uitstraling die je in zoveel nieuwe wijken in en rond Dublin aantreft – plafonds een kwart meter te laag, gevel plat en modderkleurig en verpletterend saai, slaapkamers beledigend klein alsof ze je nog eens met je neus op het feit willen drukken dat je je niet kunt veroorloven om al te kritisch te zijn – en de projectontwikkelaar had het nergens voor nodig gevonden om isolatiemateriaal aan ons te verspillen, dus iedere voetstap van boven of muziekkeuze van beneden davert door de hele flat heen. Ik weet meer dan nodig over de seksuele praktijken van mijn buren. In de loop van vier jaar ben ik er min of meer aan gewend, maar nog steeds vind ik de basisvoorzieningen beneden alle peil.

De inkt van de getuigenverklaringen was verkleurd en vlekkerig geworden, hier en daar bijna onleesbaar, en ik proefde een fijn stof dat opsteeg en op mijn lippen neersloeg. De twee rechercheurs die het onderzoek indertijd hadden geleid waren intussen met pensioen, maar ik noteerde hun namen – Kiernan en McCabe – voor het geval wij, of liever Cassie, hen vroeg of laat zouden moeten spreken.

Een van de meest verbijsterende aspecten aan de zaak, althans in moderne ogen, is hoe lang het duurde voordat de ouders zich zorgen begonnen te maken. Tegenwoordig hangen ze al aan de lijn zodra een kind zijn mobieltje niet opneemt; Vermiste personen raakt al niet eens meer onder de indruk, zoveel rapporten zijn er intussen al binnen over kinderen die op school moesten nablijven of die ergens een videospelletje zaten te doen. Het lijkt naïef om te zeggen dat de jaren tachtig een onschuldiger tijdperk waren, gezien alles wat we intussen weten over leraren en priesters en pastoors in afgelegen, eenzame delen van het land. Maar in die tijd waren dat nog ondenkbare geruchten die iemand anders betroffen; de mensen hielden met een hardnekkige en hartstochtelijke vasthoudendheid aan hun onschuld vast. Peters moeder had ons vanaf de rand van het bos geroepen, terwijl ze haar handen aan haar schort afveegde en ons aan ons fascinerende spel overliet om thuis voor het eten te gaan zorgen.

Ik vond Jonathan Devlin in de kantlijn van een onbelangrijke getuigenverklaring, halverwege de stapel. Mevrouw Pamela Fitzgerald van Knocknaree Drive nummer 27 – moest al oud zijn, te zien aan het krampachtige, krullerige handschrift – had de rechercheurs verteld dat er een groep onguur uitziende jongeren had rondgehangen bij de rand van het bos; rokend en drinkend en flikflooiend en soms vreselijk scheldend en vloekend tegen de voorbijgangers, en dat je tegenwoordig in je eigen buurt niet eens meer veilig over straat kon en dat ze maar eens een flinke draai om hun oren moesten krijgen. Kiernan of McCabe had een stel namen in de kantlijn geschreven: Cathal Mills, Shane Waters, Jonathan Devlin.

Ik bladerde door het dossier om te zien of een van hen ondervraagd was. Buiten de deur hoorde ik de ritmische, onveranderlijke geluiden van Heather, die haar dagelijkse avondritueel doornam: eindeloos gefoezel met reiniger, tonic, vochtinbrengende crème; daarna poetste ze haar tanden de voorgeschreven drie minuten en snoot een onverklaarbaar aantal malen haar neus. Klokslag vijf voor elf klopte ze op mijn deur en kirde op verlegen fluistertoon 'Nacht-nacht, Rob'. 'Slaap lekker,' riep ik terug, met een hoestbui aan het eind.

De drie getuigenverklaringen waren kort en vrijwel identiek, behalve de aantekeningen in de kantlijn dat Waters 'erg nerveus' en Mills 'oncoperatief' [sic] was. Devlin had geen opmerking gekregen. De middag van 14 augustus hadden ze hun uitkering gebeurd en waren ze met de bus naar de film in Stillorgan gegaan. Rond zeven waren ze teruggekomen naar Knocknaree — het was toch al te laat voor het eten — en waren ze tot middernacht gaan liggen hijsen in een akker achter het bos. Ja, ze hadden wel gezien dat er mensen ergens naar op zoek waren, maar toen waren ze gewoon achter een heg gaan liggen om onzichtbaar te blijven. Nee, ze hadden verder niets ongewoons gezien. Nee, ze hadden verder niemand gezien die kon bevestigen waar zij die dag geweest waren, maar Mills had aangeboden (waarschijnlijk sarcastisch bedoeld, maar ze hadden hem eraan gehouden) om met de rechercheurs naar het veld te gaan en de lege ciderblikjes te laten zien. Die bleken inderdaad op de vermelde plek te liggen. De jongeman die de kaartjes had verkocht bij de bioscoop in Stillorgan leek onder invloed van verboden middelen te verkeren en wist niet zeker of hij zich het drietal herinnerde, ook niet toen de rechercheurs zijn zakken doorzochten en hem streng toespraken over de nadelen van drugsgebruik.

Ik kreeg niet de indruk dat de 'jongeren' — ik háát dat woord — serieuze verdachten waren geweest. Het waren niet bepaald door de wol geverfde criminelen (ze kregen regelmatig een bekeuring wegens openbare dronkenschap en Shane Waters had op zijn veertiende zes maanden voorwaardelijk gehad wegens winkeldiefstal, maar dat was alles), en waarom zouden zij een stel twaalfjarigen willen laten verdwijnen? Ze waren gewoon ter plekke geweest, en lichtelijk suspect, dus hadden Kiernan en McCabe hen aan de tand gevoeld.

De motorploeg, hadden wij hen genoemd, hoewel ik niet eens weet of ze wel echt motorfietsen hadden; waarschijnlijk kleedden ze zich alleen alsóf: zwartleren jacks met open ritsen bij de polsen en afgezet met metalen knoppen; een stoppelbaard en lang haar. Hoge Doc Martens-laarzen, T-shirts met opschrift — METALLICA, ANTHRAX. Ik dacht dat ze zelf zo heetten, tot Peter me zei dat dat bands waren.

Ik heb geen idee wie Jonathan Devlin was geworden; ik zag geen enkel verband tussen de man met de droevige blik, het beginnende buikje en de kromme schouders van een bureauwerker, en de magere, vaag gefotografeerde, dreigende 'jongeren' in mijn geheugen. Ik had nooit meer aan hen gedacht. Volgens mij waren die motormuizen me in geen twintig jaar te binnen geschoten, en ik vond het bijzonder irritant dat ze desalniettemin al die tijd in mijn hoofd hadden zitten wachten op het juiste moment, om als een duveltje uit een doosje tevoorschijn te springen.

Een van hen droeg het hele jaar, zelfs als het regende, een zonnebril. Soms bood hij ons Juicy Fruit-kauwgum aan, die wij met gestrekte arm aannamen, al wisten we dat hij die had gestolen uit de winkel van Lowry. 'Kom niet bij die griezels in de buurt,' zei mijn moeder. 'Geen antwoord geven als ze je iets vragen.' Ze wilde niet zeggen waarom. Peter vroeg Metallica of we een trek van zijn sigaret mochten nemen, en hij liet ons zien hoe we hem moesten vasthouden en lachte toen we moesten hoesten. We stonden in de zon, net buiten handbereik, met uitgerekte nek te proberen mee te lezen in hun tijdschriften; Jamie zei dat er in een daarvan een blote dame stond. Metallica en Zonnebril knipten met plastic aanstekers en deden wedstrijdjes wie zijn vinger het langst boven de vlam kon houden. Als ze 's avonds weg waren, gingen wij erheen en roken aan de platgedrukte blikjes die ze in het stoffige gras hadden achtergelaten: zuur, verschaald, volwassen.

Ik werd wakker omdat er iemand onder mijn raam stond te gillen. Met een ruk ging ik rechtop zitten, mijn hart bonsde tegen mijn ribben. Ik had gedroomd, een ingewikkelde en koortsachtige droom waarin Cassie en ik in een drukke bar zaten en een vent met een tweed pet tegen haar begon te schreeuwen, en even dacht ik dat ik haar hoorde. Ik wist niet meteen waar ik was, er heerste die zware stilte van het holst van de nacht; en buiten gilde iemand keer op keer, een meisje of een kind.

Ik ging naar het raam en schoof voorzichtig het gordijn een centimeter open. Het complex waar ik woon bestaat uit vier identieke lage flats rond een vierkant grasveldje met een paar ijzeren bankjes, het soort groenvoorziening dat makelaars een 'recreatiegelegenheid' noemen, hoewel niemand er ooit gebruik van maakt (het stel op de begane grond had een paar keer langdurige borrels *al fresco* gehouden, maar de buurt had geklaagd over de herrie en de leiding had een narrig briefje opgehangen in de foyer). Vanwege de witte bewakingslichten baadde het gazon in een griezelig aandoende nachtgloed. Niemand te zien; de schaduwen in de hoeken vielen onder een zodanige hoek dat daar niemand verborgen kon zitten. Daar klonk de gil weer, hoog en ijzingwekkend en heel dichtbij. Er liep een prikkeling van primitieve oerangst over mijn ruggengraat. Huiverend in de koude lucht die van het glas afstraalde, bleef ik staan wachten. Na een paar minuten bewoog er iets in de schaduw, zwarter afgetekend tegen het zwart, maakte zich los en stapte het gras op: een enorme vos, gespannen en mager in zijn dunne zomervacht. Hij hief zijn kop en gilde nogmaals, en even dacht ik zijn wilde, onbekende geur te ruiken. Daarna draafde hij over het gras en verdween door de poort, soepel als een kat tussen de tralies door. Ik hoorde zijn kreten in het donker verdwijnen.

Ik was versuft en nog half in slaap, en bol van de resterende adrenaline. Ik had een smerige smaak in mijn mond en had behoefte aan iets kouds en zoets. Ik liep de keuken in op zoek naar sap. Net als ik heeft Heather wel eens moeite met slapen, en ik betrapte me erop dat ik bijna hoopte dat ze nog wakker zou zijn om te klagen over wat het ook was. Maar er scheen geen licht onder haar deur door. Ik schonk een glas van haar sinaasappelsap in en bleef een hele tijd, met het glas tegen mijn slaap gedrukt, voor de open koelkast staan wiegen in het flikkerende tl-licht.

De volgende ochtend goot het van de regen. Ik stuurde Cassie een sms om te zeggen dat ik haar kwam ophalen – de golfkar raakt als verlamd bij vochtig weer. Toen ik bij haar huis toeterde, rende ze naar buiten met een Paddington-duffel aan en een thermoskan koffie in haar hand.

'Goddank dat het gisteren niet zo hoosde,' zei ze. 'Dan hadden we geen bewijs gevonden.'

'Kijk hier eens naar,' zei ik en ik gaf haar de info over Jonathan Devlin.

Ze ging in kleermakerszit op de stoel naast me zitten lezen en gaf me bij tijden de thermosfles aan. 'Herinner jij je die gozers?' vroeg ze toen ze het verhaal uit had.

'Vaag. Niet heel goed, maar het was een klein buurtje en je kon ze amper over het hoofd zien. Zij waren de ruigste jongens van de buurt.'

'Had je de indruk dat ze gevaarlijk waren?'

Daar moest ik een tijdje over nadenken, terwijl we over Northumberland Road kropen. 'Hangt ervan af wat je bedoelt,' zei ik. 'We waren op onze hoede, maar dat kwam voornamelijk vanwege hun imago, niet omdat ze ons echt iets deden. Ik weet nog dat ze zelfs behoorlijk tolerant tegenover ons waren. Ik kan me niet indenken dat zij Peter en Jamie hebben laten verdwijnen.'

'En die meisjes? Wie waren dat? Zijn zij ook ondervraagd?'
'Wat voor meisjes?'
Cassie bladerde terug naar mevrouw Fitzgeralds verklaring. '"Flik-flooien," zei ze. Dan kun je volgens mij rustig aannemen dat daar meisjes bij betrokken waren.'
Dat was natuurlijk zo. Ik wist niet wat 'flikflooien' precies inhield, maar ik wist zeker dat het nogal wat commentaar opgeleverd zou hebben als Jonathan Devlin en zijn maten met elkaar geflikflooid hadden. 'Staat niets over in het dossier,' zei ik.
'En jij, weet jij er nog iets van?'
We zaten nog steeds op Northumberland Road. De regen sloeg met bakken tegelijk tegen de ruiten en het leek wel of we onder water zaten. Dublin is gebouwd voor voetgangers en rijtuigen, niet voor auto's; de hele stad zit vol smalle, slingerende middeleeuwse weggetjes en spitsuur duurt van zeven uur 's ochtends tot acht uur in de avond. Bij de eerste suggestie van slecht weer loopt de hele stad meteen en onherroepelijk vast. Ik wou dat we een briefje hadden achtergelaten voor Sam.
'Ik denk het wel,' zei ik na een tijdje. Het was eerder een indruk dan een herinnering: citroenzuurtjes met poeder erop, kuiltjes in wangen, een bloemig parfum. *Metallica en Sandra in een boom...* 'Ik denk dat een van hen Sandra heette.' Iets binnen in me kromp ineen bij de naam – zure smaak als angst of schaamte achter op mijn tong – maar ik kwam er niet achter waarom.
Sandra: rondborstig, met een maanvormig gezicht, gegiechel en strakke rokken die omhoogschoven als ze op de muur ging zitten. Ze kwam op ons heel volwassen en chic over; ze moet al wel zeventien geweest zijn, of achttien. Ze gaf ons zuurtjes uit een papieren zakje. Soms was er nog een meisje bij, lang, met grote tanden en een heleboel oorringen – Claire, misschien? Ciara? Sandra leerde Jamie hoe je mascara moest opdoen. Ze had een klein, hartvormig spiegeltje. Naderhand bleef Jamie maar met haar ogen knipperen, alsof die vreemd en zwaar aanvoelden. 'Wat zie je er mooi uit,' zei Peter. Later bedacht Jamie dat ze het een ramp vond. Ze waste het af in de rivier en poetste de pandaringen weg met de zoom van haar T-shirt.
'Groen,' zei Cassie zachtjes. Ik reed weer een paar meter verder.

We stopten bij een buurtwinkeltje en Cassie rende naar binnen om de kranten te halen, zodat we konden zien waarmee we te maken hadden. Op alle voorpagina's was Katy Devlin te zien, en ze leken zich allemaal te richten op het verband met de snelweg: 'Dochter van protestleider Knocknaree vermoord', dat soort koppen. De dikke roddelkrantverslaggeefster (die als kop 'slachtpartij op rituele offerplaats' had geproduceerd) had een paar zijdelingse verwijzingen naar ceremonieën van de druïden gemaakt maar verder geen uitgebreide satanistische verhalen; kennelijk wilde ze eerst eens afwachten uit welke hoek de wind zou waaien. Ik hoopte dat O'Kelly haar stevig de les zou lezen. Goddank had niemand het gehad over Peter en Jamie, maar ik wist dat dat een kwestie van tijd was.

We gaven de zaak-McLoughlin uit handen (de zaak waaraan we hadden gewerkt tot we deze kwestie kregen: twee afgrijselijk rijke jochies die een derde doodgeschopt hadden toen hij voordrong in de rij bij de taxistandplaats) aan Quigley en zijn gloednieuwe partner McCann, en gingen op zoek naar een projectkamer. Dat zijn hokjes van gasbeton, veel te klein en altijd overbezet, maar toch kregen we er een: kinderen krijgen altijd voorrang. Tegen die tijd was Sam gearriveerd – ook hij had vastgezeten in het verkeer; hij woont ergens in Westmeath, een paar uur buiten de stad, want dichterbij kan onze generatie geen huizen betalen – dus grepen we hem bij de kladden en vertelden hem het hele verhaal, inclusief de officiële versie van het haarspeldverslag, terwijl we ons in de projectkamer installeerden.

'O, jezus,' zei hij toen we uitgesproken waren. 'Zeg dat het niet de ouders waren.'

Iedere rechercheur heeft van die zaken die hij of zij bijna onverdraaglijk vindt, zaken waarbij het gebruikelijke schild van geoefende professionele afstandelijkheid bros en onbetrouwbaar wordt. Cassie (maar dat weet niemand) krijgt nachtmerries wanneer ze aan zaken met verkrachting en moord werkt; ikzelf krijg, niet heel origineel, de zenuwen van vermoorde kinderen en kennelijk geldt dat voor Sam bij moord binnen het gezin. Dit kon wel eens de ideale zaak voor ons alle drie worden.

'Geen idee,' zei Cassie rondom de dop van de markeerstift die ze tussen haar tanden had gestoken; ze was een tijdsschema van Katy's laatste dag op het whiteboard aan het noteren. 'Misschien krijgen we iets wanneer Cooper terugkomt met de resultaten van de autopsie, maar voorlopig is alles nog mogelijk.'

'Maar jij hoeft niet naar de ouders te kijken,' zei ik. Ik stond foto's van de plaats delict aan de andere kant van het bord te prikken. 'We willen graag dat jij de mogelijkheden van die snelwegtoestand onderzoekt, die telefoontjes naar Devlin, uitzoeken wie de eigenaar is van het land rond de opgraving, wie er serieus belang bij die snelweg heeft.'

'Is dit vanwege mijn oom?' vroeg Sam. Hij heeft een neiging tot directheid waarvan ik altijd weer sta te kijken, vooral voor een rechercheur.

Cassie spuugde de dop van de viltstift uit en draaide zich naar hem om. 'Ja,' zei ze. 'Heb je daar moeite mee?'

We wisten alle drie wat ze bedoelde. Ierse politiek is clan-gebonden, incestueus, ondoorzichtig en steels, onbegrijpelijk zelfs voor wie er binnenin zit. Voor een buitenstaander is er amper verschil tussen de twee grootste partijen, die identieke zelfgenoegzame punten uiterst rechts van het spectrum innemen, maar toch hebben veel mensen een emotionele band met de ene of de andere, afhankelijk van de kant waaraan hun overgrootvaders hebben gevochten tijdens de Burgeroorlog, of omdat papa zakendoet met de plaatselijke kandidaat en zegt dat dat een prima kerel is. Corruptie is vanzelfsprekend en wordt zelfs stilzwijgend bewonderd: de guerrillavoering van de gekoloniseerde naties zit ons nog steeds in het bloed en belastingontduiking en duistere zaakjes worden gezien als vormen van rebellie, net zoals we vroeger paarden en pootaardappelen verborgen voor de Britten.

En een enorm percentage van die corruptie is gecentreerd rond die Ierse oerpassie, dat cliché: land. Projectontwikkelaars en politici zijn van oudsher boezemvrienden, en aan vrijwel iedere grote onroerendgoedtransactie komen bruine enveloppen en onverklaarbare herverkavelingen en gecompliceerde overboekingen via buitenlandse rekeningen te pas. Het zou een wondertje zijn als er niet ten minste een paar gunsten tegenover vrienden met de Knocknaree-snelweg verweven waren. Als dat zo was, dan moest Redmond O'Neill daarvan weten, en dan zou hij beslist niet willen dat die aan het licht kwamen.

'Nee,' zei Sam meteen en zonder aarzelen. 'Geen probleem.' Cassie en ik moeten ongelovig gekeken hebben, want hij keek van de een naar de ander en barstte in lachen uit. 'Hoor eens, jongens, ik ken hem al mijn hele leven. Ik heb een paar jaar bij hem ingewoond toen ik pas in Dublin zat. Als hij met iets dubieus bezig was, dan zou ik dat weten. Hij is volkomen recht door zee, mijn oom. Hij zal ons helpen waar hij maar kan.'

'Perfect,' zei Cassie, en ze richtte haar aandacht weer op het tijdsschema. 'We eten bij mij. Kom om een uur of acht, dan kijken we wat iedereen heeft.' Ze vond een schone hoek van het whiteboard en tekende een routebeschrijving voor Sam, die nog nooit bij haar thuis geweest was.

Tegen de tijd dat de projectkamer ingericht was, begonnen de surveillanten binnen te komen. O'Kelly had er ons tientallen gegeven, en dat waren de besten van hun lichting: enthousiast, alert, met gladde wangen en gekleed op succes, in de rij om prima rechercheurs te worden zodra er ergens een plek vrijkwam. Ze trokken stoelen bij en pakten hun notitieboekjes, sloegen elkaar op de rug en praatten over zaken waar verder niemand iets van wist en kozen hun plek als kinderen op de eerste schooldag na de vakantie. Cassie en Sam en ik glimlachten en schudden handen en bedankten hen voor hun komst. Ik herkende een aantal van hen – een stille, donkere man uit Mayo: Sweeney, en een goed doorvoede man uit Cork zonder nek, O'Connor of O'Gorman of zo, die wraak nam voor het feit dat hij de orders moest opvolgen van niet-Corkenaren door onbegrijpelijke maar onmiskenbaar triomfantelijke opmerkingen te maken over de Gaelic voetbalfinale. Een groot aantal anderen kwam me bekend voor, maar de namen vlogen meteen mijn hoofd uit zodra ik hun hand geschud had, en de gezichten smolten samen tot één grote, gretige, intimiderende vlek.

Dit is altijd een van mijn favoriete momenten in een onderzoek geweest, het moment voordat de eerste briefing begint. Het doet me denken aan het geconcentreerde, intieme gonzen voordat het doek opgaat: het orkest is de instrumenten aan het stemmen, de dansers doen achter het podium hun laatste rek- en strekoefeningen, met gespitste oren wachtend op het moment dat ze hun sjaals en beenwarmers moeten afwerpen om in actie uit te barsten. Maar ik had nog nooit een onderzoek geleid dat hier qua omvang ook maar in de verste verte op leek, en ditmaal werd ik alleen maar zenuwachtig van het gevoel dat ik binnenkort 'op' moest. De projectkamer voelde te vol aan, al die gespannen energie, al die nieuwsgierige ogen op ons gericht. Ik herinnerde me hoe ik zelf naar mensen van Moordzaken placht te kijken, toen ik zelf nog surveillant was en bad om uitgeleend te worden voor dit soort zaken: het ontzag, de brandende, bijna ondraaglijke ambitie. Deze jongens – veel van hen waren ouder dan ik – leken een andere houding te hebben, een soort koele, onverholen vorsende blik. Ik heb nooit graag in het middelpunt van de belangstelling gestaan.

O'Kelly sloeg de deur achter zich dicht en meteen was het rumoer afgekapt. 'Juist, mensen,' zei hij in de stilte. 'Welkom bij Operatie Vestaalse maagd. Wat is dat trouwens?'

Hoofdkantoor kiest de namen van operaties. Die variëren nogal: sommige liggen voor de hand, andere zijn cryptisch en weer andere ronduit bizar. Kennelijk had het beeld van dat kleine, dode meisje op het oude altaar iemands culturele bagage losgetrild. 'Een offermaagd,' zei ik.

'Iets religieus,' zei Cassie.

'Jezus fuck,' zei O'Kelly. 'Willen ze soms de indruk wekken dat dit een of andere sektarische toestand geweest moet zijn? Wat lezen ze daar in godsnaam?'

Cassie gaf een korte samenvatting van de zaak en noemde heel terloops even het verband met 1984 – een niet erg voor de hand liggende toestand, iets wat ze in haar vrije tijd kon natrekken – en we deelden de taken uit: huis aan huis door de wijk, een telefoonlijn installeren en bemannen voor tipgevers, een lijst opstellen met alle zedendelinquenten in de buurt van Knocknaree, navragen bij de Britse politie en bij de havens en luchthavens om te zien of er de afgelopen paar dagen nog schimmige types naar Ierland waren gekomen, Katy's medische gegevens opvragen, en haar schooldossier, en een volledig antecedentenonderzoek instellen naar de Devlins. De surveillanten kwamen meteen in actie en Sam, Cassie en ik lieten hen aan het werk gaan en gingen kijken of Cooper al vorderingen maakte.

Meestal gaan wij niet kijken bij een autopsie. Iemand die op de plaats delict is geweest moet erheen, om te bevestigen dat dit inderdaad hetzelfde lijk is (het kómt voor: teenlabels verwisseld, een telefoontje van de patholoog-anatoom naar een verbijsterde rechercheur om te vertellen dat het slachtoffer is overleden aan leverkanker), maar meestal schuiven we dat af op de uniformdienst of op de technische recherche en nemen achteraf met Cooper alleen de aantekeningen en foto's door. Volgens de traditie moet je bij je eerste moordzaak de autopsie bijwonen, en hoewel dat waarschijnlijk is om je te overtuigen dat je nu een heel serieuze baan hebt, laat niemand zich daardoor in de luren leggen: dit is een inwijdingsritueel, waarbij je gedrag even fel bekritiseerd wordt als bij een primitieve stam. Ik ken een uitstekend rechercheur die, na vijftien jaar in actieve dienst, nog steeds bekendstaat als Speedy Gonzales vanwege de snelheid waarmee hij het mortuarium verliet toen de patholoog het brein van het slachtoffer uit de schedel lichtte.

Ik wist me zonder met mijn ogen te knipperen staande te houden bij mijn eerste autopsie (een minderjarige prostituee, magere armpjes vol blauwe plekken en naaldsporen), maar ik had geen enkele behoefte om de ervaring te herhalen. Ik ga alleen in die uitzonderlijke gevallen – ironisch gezien de meest slopende – die deze kleine offerdaad van devotie lijken te vergen. Ik denk niet dat iemand ooit werkelijk over die eerste keer heen komt; het heftige verzet van je geest wanneer de patholoog de hoofdhuid wegsnijdt en het gezicht van het slachtoffer wegvalt van de schedel, plooibaar en betekenisloos als een halloweenmasker.

Onze timing was niet helemaal perfect: Cooper kwam net met zijn groene operatiepak de snijzaal uit lopen. Tussen duim en wijsvinger hield hij een waterdichte jas een eindje van zich af. 'Mevrouw, meneer,' zei hij met opgetrokken wenkbrauwen. 'Wat een verrassing. Als u me had laten weten dat u wilde komen, had ik uiteraard gewacht tot het u uitkwam.'

Hij deed zo vervelend omdat we te laat kwamen voor de autopsie. Eerlijk is eerlijk: het was nog geen elf uur, maar Cooper begint tussen zes en zeven uur, gaat tegen drie à vier uur naar huis en pepert je dat maar al te graag in. Zijn assistenten hebben vanwege die houding een bloedhekel aan hem, maar dat maakt hem niet uit omdat hij aan de meesten van hen een even grote bloedhekel heeft. Cooper gaat prat op acute, onvoorspelbare antipathieën; voor zover wij tot nu toe hebben kunnen uitknobbelen heeft hij een hekel aan blonde vrouwen, mannen die klein van stuk zijn, iedereen met meer dan twee oorringen en mensen die te vaak 'zeg maar' zeggen, evenals diverse willekeurige lieden die onder geen van deze categorieën vallen. Gelukkig had hij besloten Cassie en mij te mogen – anders had hij ons teruggestuurd om te gaan zitten wachten tot hij de autopsieverslagen liet sturen (handgeschreven – Cooper schrijft al zijn verslagen in een kriebelig handschrift met vulpen, een idee dat ik ergens wel charmant vind maar dat ik niet zou durven uitproberen op onze eigen afdeling). Er zijn dagen waarop ik me in het geheim zorgen maak dat ik over een jaar of twintig wakker word en merk dat ik in Cooper veranderd ben.

'Wauw,' zei Sam in een poging zich geliefd te maken. 'Nu al klaar?' Cooper wierp hem een kille blik toe.

'Dr. Cooper, het spijt me dat we u zo overvallen op dit uur,' zei Cassie. 'Commissaris O'Kelly wilde een paar dingen doornemen, dus we konden moeilijk weg.' Ik knikte vermoeid en hief mijn ogen ten hemel.

'Ah, ja,' zei Cooper. Uit zijn toon klonk door dat hij het geen teken van goede smaak vond om O'Kelly's naam te noemen.

'Als u toevallig een momentje hebt,' begon ik, 'zou u ons dan willen bijpraten over de uitslag?'

'Uiteraard,' zei Cooper met een schier onhoorbare, lijdzame zucht. In feite vindt hij het, als iedere vakman, schitterend om met zijn werk te pronken. Hij hield de deur van de snijzaal voor ons open en ik werd getroffen door de geur: die unieke combinatie van dood en kou en isopropanol, waardoor je meteen, instinctief en iedere keer weer, terugdeinst.

In Dublin worden lijken naar het stedelijk mortuarium gebracht, maar Knocknaree valt buiten de stadsgrenzen; plattelandsslachtoffers worden simpelweg naar het dichtstbijzijnde ziekenhuis gebracht, en daar wordt de autopsie uitgevoerd. De omstandigheden waaronder dat gebeurt, variëren nogal. Deze zaal hier had geen ramen en zag er groezelig uit, met lagen vuil op de groene vloertegels en naamloze vlekken in de oude porseleinen wasbakken. Twee snijtafels waren de enige twee voorwerpen in de zaal die van na 1950 leken te dateren: fonkelend roestvast staal, licht dat van de gegroefde randen weerkaatste.

Katy Devlin lag naakt onder de genadeloze tl-lichten, te klein voor de tafel en op de een of andere manier veel doder dan ze gisteren geleken had. Ik dacht aan dat oude bijgeloof dat de ziel nog een paar dagen bij het lichaam rondzweeft, verbijsterd en onzeker. Ze zag grijs-wit, als iets uit Roswell, met donkere vlekken langs haar linkerflank. Coopers assistent had haar hoofdhuid alweer dichtgenaaid, goddank, en was bezig de y-incisie op haar torso dicht te naaien, grote, slordige steken met een naald ter grootte van een zeilmakersinstrument. Even voelde ik een irrationele steek van schuldgevoel dat ik te laat was, dat ik haar helemaal in haar eentje – ze was nog maar zo klein – deze laatste beproeving had laten doorstaan; we hadden er moeten zijn, er had iemand haar hand moeten vasthouden terwijl Coopers afstandelijke, gehandschoende vingers rondporden en sneden. Tot mijn verbazing sloeg Sam onopvallend een kruis.

'Blank, vrouwelijk geslacht, net in de puberteit,' zei Cooper, terwijl hij langs ons heen liep naar de tafel, waar hij de assistent wegwuifde. 'Twaalf jaar oud, heb ik me laten vertellen. Lengte en gewicht beide aan de lage kant, maar wel binnen de normale marges. Littekens van een chirurgische ingreep enige tijd geleden, misschien een kijkoperatie, laparotomie van de buikstreek. Geen zichtbare pathologie; voor zover ik kan bekijken is ze gezond aan haar einde gekomen, als u me die contradictio in terminis kunt vergeven.'

Als gehoorzame studenten kwamen we bij de tafel staan; onze voetstappen wierpen bescheiden, vlakke echo's tegen de betegelde muren. De assistent leunde met over elkaar geslagen armen tegen een van de wasbakken en ging onverstoorbaar op een stuk kauwgum staan kauwen. Eén tak van de y-incisie gaapte nog open, donker en ondenkbaar, de naald nonchalant door een huidflap gestoken om niet kwijt te raken.

'Enige kans op DNA?' vroeg ik.

'Eén stap tegelijk, graag,' zei Cooper wat geïrriteerd. 'Welnu. Ze heeft twee slagen tegen het hoofd gehad, beide ante mortem – vóór de dood,' voegde hij daar minzaam aan toe tegen Sam, die vriendelijk knikte. 'Beide slagen zijn toegebracht met een hard, ruw object met uitsteeksels maar zonder duidelijke randen, consistent met de steen die mevrouw Miller me ter inspectie heeft overhandigd. Eerst was er een lichte slag tegen het achterhoofd, niet ver van de kruin. Die leidde tot een kleine schaafwond met enige bloeding, maar geen barsten in de schedel.' Hij draaide Katy's hoofd opzij om de kleine buil te laten zien. Ze hadden het bloed van haar gezicht gewist om te kunnen controleren op wonden onder het bloed, maar er zaten nog vage strepen over haar wang.

'Dus misschien heeft ze de klap ontweken, of holde ze weg terwijl hij uithaalde,' zei Cassie.

Wij werken niet met profilers, van die forensisch psychologen die een profiel van de dader opstellen. Als we er echt een nodig hebben, halen we die uit Engeland, maar meestal vragen de jongens van Moordzaken Cassie, op dubieuze basis van het feit dat zij drieënhalf jaar psychologie heeft gestudeerd aan Trinity College. Dat zeggen we niet tegen O'Kelly – hij vindt profilers niet veel beter dan helderzienden, en laat slechts oogluikend toe dat wij met die jongens uit Engeland praten – maar volgens mij is ze er behoorlijk goed in, hoewel dat waarschijnlijk weinig te maken heeft met haar jaren Freud en rattenproeven. Ze komt altijd wel aanzetten met een paar bruikbare nieuwe gezichtspunten, en meestal blijkt ze behoorlijk dicht bij de waarheid te zitten.

Cooper dacht hier langdurig over na, om haar te straffen voor de onderbreking. Uiteindelijk schudde hij bedachtzaam zijn hoofd. 'Dat lijkt me niet waarschijnlijk. Als ze in beweging was geweest toen de dader deze klap uitdeelde, dan zou je een langere schaafwond verwachten, maar die was er niet. Die tweede klap daarentegen…' Hij kantelde Katy's hoofd opzij en tilde met één vinger haar haar op. Op haar linkerslaap was een stuk hoofdhuid kaalgeschoren en daar was een brede, rafelige rijtwond te zien, waar botsplinters uit naar buiten staken. Iemand, Sam of Cassie, slikte hoorbaar.

'Zoals u ziet,' zei Cooper, 'was die tweede slag krachtiger. Die landde net achter en boven het linkeroor, waardoor een schedelfractuur ontstond, gevolgd door een subduraal hematoom van aanzienlijke omvang. Hier en hier,' – hij wees met zijn vinger – 'ziet u die langgerekte schaafwond waarover ik het had: aan de proximale rand van het primaire impactpunt. Toen de klap viel, moet ze haar hoofd weggedraaid hebben, zodat het wapen even langs haar schedel schraapte voordat het met volle kracht trof. Ben ik duidelijk?'

We knikten. Ik keek even, stiekem, naar Sam en putte moed uit het feit dat ook hij zo te zien behoorlijk beroerd aan het worden was.

'Deze klap zou genoeg geweest zijn om binnen enkele uren de dood te veroorzaken. Het hematoom was echter amper gevorderd, dus kunnen we veilig stellen dat ze binnen korte tijd na deze verwonding aan andere oorzaken is overleden.'

'Kunt u zeggen of ze naar hem keek of haar gezicht van hem afgewend had?' vroeg Cassie.

'Het ziet ernaar uit dat ze op haar gezicht gelegen moet hebben toen de hardere klap viel: ze heeft hevig gebloed, en de stroom liep naar binnen over de linkerkant van haar gezicht, waar het een plas vormde rond de centrale lijn van neus en mond.'

Dat was goed nieuws, als ik die term überhaupt al mag gebruiken in deze context: dan moest er dus bloed liggen op de plaats delict, als we die ooit konden vinden. Verder betekende het dat we waarschijnlijk op zoek waren naar een linkshandige moordenaar, en hoewel dit geen Agatha Christie was en echte zaken zelden draaien om dat soort details, was iedere aanwijzing in dit stadium een stap in de juiste richting.

'Ze heeft zich verzet – vóór deze klap, moet ik daaraan toevoegen: daarna moet ze meteen bewusteloos zijn geweest. Ze heeft wonden aan haar handen en onderarmen – blauwe plekken, schrammen, drie gebroken vingernagels aan de rechterhand – waarschijnlijk door hetzelfde wapen veroorzaakt terwijl ze probeerde de slagen af te weren.' Hij tilde een van haar polsen op tussen duim en wijsvinger, en draaide haar arm om om ons de verwondingen te laten zien. Haar vingernagels waren kort afgeknipt en weggebracht voor analyse; op de rug van haar hand had ze een gestileerde bloem met een smiley in het midden, getekend met vervaagde viltstift. 'Verder heb ik kneuzingen rond de mond gevonden en tandafdrukken aan de binnenkant van haar lippen, consistent met de dader die een hand over haar mond perst.'

Buiten, verderop in de gang, protesteerde een vrouw met hoge stem over het een of ander; er sloeg een deur dicht. De lucht in de snijzaal voelde dik en te stil aan, moeilijk in te ademen. Cooper keek naar ons, maar niemand zei iets. Hij wist dat dit niet was wat we wilden horen. Bij dit soort zaken kun je maar één ding hopen, en dat is dat het slachtoffer geen moment geweten heeft wat haar overkwam.

'Toen ze bewusteloos was,' zei Cooper onaangedaan, 'is er een of andere stof, waarschijnlijk plastic, rond haar hals aangebracht en boven aan de ruggengraat aangedraaid.' Hij kantelde haar hoofd achterover: rond haar hals was een vage, brede streep te zien, met striae waar het plastic was opgefrommeld in plooien. 'Zoals u ziet is de ligatuur duidelijk afgetekend, vandaar mijn conclusie dat die pas is aangebracht toen ze bewegingsloos was. Ze vertoont geen tekenen van wurging, en het lijkt me onwaarschijnlijk dat de ligatuur strak genoeg was om de luchtwegen te blokkeren; maar de petechiën in haar ogen en op de oppervlakte van de longen duiden erop dat ze om het leven gekomen is door zuurstofgebrek. Mijn hypothese luidt dat er iets in de trant van een plastic zak over haar hoofd geschoven is, vastgedraaid onder aan de nek, en daar een paar minuten vastgehouden. Ze is om het leven gekomen door verstikking, met als complicatie het stompe trauma aan het hoofd.'

'Wacht eens even,' zei Cassie plotseling, 'dus ze ís helemaal niet verkracht?'

'Ah,' zei Cooper. 'Geduld, mevrouw Maddox; daar komen we nog. De verkrachting is post mortem uitgevoerd, en met behulp van een of ander instrument.' Hij zweeg, en stond even discreet te monkelen over het effect van zijn woorden.

'Post mortem?' zei ik. 'Weet u dat zeker?' Dit was uiteraard een opluchting, want hierdoor werden enkele van de ergste mentale beelden weggenomen; maar tegelijkertijd toonde het aan dat we hier te maken hadden met een wel héél zwaar gestoorde dader. Sams gezicht was in een onbewuste grimas vertrokken.

'Er zijn verse schaafwonden te zien aan de buitenzijde van de vagina en aan de eerste acht centimeter van de vaginawand, plus een nieuwe scheur in het hymen, maar er heeft geen bloeding plaatsgevonden, geen zwelling van het weefsel. Post mortem, geen twijfel mogelijk.' Ik voelde een collectieve, paniekerige afweerreactie – geen van ons wilde dit weten, de gedachte alleen al was obsceen – maar Cooper wierp ons een korte, geamuseerde blik toe en bleef staan waar hij stond, aan het hoofd van de tafel.

'Wat voor instrument,' vroeg Cassie. Ze stond geconcentreerd en uitdrukkingsloos naar de wurgplek op Katy's hals te kijken.

'In de vagina hebben we stukjes aarde en twee minieme houtsplinters gevonden, waarvan een hevig verkoold en de ander voorzien van wat een dunne laag transparante lak lijkt te zijn. Ik zou willen zeggen, iets wat ten minste tien centimeter lang was met een doorsnee van drie tot vijf centimeter, vervaardigd van hout met een dunne vernislaag, behoorlijk versleten, met een brandvlek en zonder scherpe randen – misschien een bezemsteel of iets in die trant. De schaafwonden bevonden zich op onderscheiden plekken en waren duidelijk afgebakend, wat wijst op één penetratie. Ik heb niets gevonden wat zou kunnen wijzen op geslachtelijke penetratie. Rectum en mond toonden geen tekenen van seksuele agressie.'

'Dus ook geen lichaamsvloeistoffen,' zei ik grimmig.

'En er leek geen bloed of huid onder haar nagels te zitten,' zei Cooper met een vage, pessimistische tevreden blik. 'De proeven zijn natuurlijk nog niet klaar, maar ik moet u nu alvast waarschuwen dat u niet te zeer mag hopen op de kans op DNA-monsters.'

'En u hebt ook de rest van het lichaam afgezocht naar sperma, nietwaar?' vroeg Cassie.

Cooper wierp haar een strenge blik toe en nam niet de moeite om te antwoorden. 'Na de dood,' zei hij, 'is ze in vrijwel dezelfde positie gelegd waarin we haar gevonden hebben, op haar linkerzij. Er was geen secundaire lijkstijfheid, wat erop wijst dat ze minstens twaalf uur in deze houding moet hebben gelegen. Het relatieve gebrek aan insectenactiviteit geeft mij de indruk dat ze de meeste tijd vóór ze ontdekt werd in een afgesloten ruimte heeft gelegen, of misschien strak opgerold in een lap stof. Dit komt uiteraard allemaal in mijn verslag te staan, maar voorlopig… zijn er nog vragen?'

We werden beleefd maar vastberaden weggestuurd. 'Nog nieuws over het tijdstip van overlijden?' vroeg ik.

'Door inspectie van de maagdarminhoud kan ik nu iets preciezer zijn dan ter plekke – als u het moment van de laatste maaltijd kunt bepalen. Ze had een paar minuten voor haar dood een chocoladekoekje gegeten, en vier tot zes uur daarvoor een volledige maaltijd – het verteringsproces was al behoorlijk vergevorderd, maar het moet iets met bonen geweest zijn.'

Brood met witte bonen in tomatensaus, om een uur of acht. Ze was ergens tussen middernacht en twee uur gestorven. Het koekje moet uit de keuken van de Devlins afkomstig geweest zijn, op weg naar buiten stiekem meegesnaaid, of van haar moordenaar.

'Binnen enkele minuten zijn ze hier met haar klaar,' zei Cooper. Met een tevreden, precieze beweging legde hij Katy's hoofd recht. 'Mocht u de familie willen inlichten.'

Eenmaal buiten op straat bleven we elkaar een tijdje aankijken. 'Dat had ik al een tijdje niet meer meegemaakt,' zei Sam met verstikte stem.

'En nu weet je ook weer waarom,' reageerde ik.

'Post mortem,' zei Cassie, terwijl ze met gefronste wenkbrauwen naar het gebouw keek. 'Waar was dat nou goed voor?'

Sam ging weg om meer uit te zoeken over de snelweg, en ik belde naar de projectkamer en zei dat twee van de surveillanten de familie Devlin naar het ziekenhuis moesten brengen. Cassie en ik hadden hun eerste, cruciale reactie op het nieuws al gezien, en hoefden (of wensten) die niet nogmaals mee te maken. Wel moesten we dringend zien dat we Mark Hanly te spreken kregen.

'Wil je hem naar het bureau halen?' vroeg ik in de auto. Er was geen reden waarom we Mark niet in de schuur met vondsten konden ondervragen, maar ik wilde hem buiten zijn eigen terrein op het onze hebben, deels uit onredelijke wraak over mijn verwoeste schoenen.

'O, ja,' zei Cassie. 'Hij zei toch dat ze nog maar een paar weken hadden? Als ik enige kijk op Mark heb, is de snelste manier om hem aan het praten te krijgen, zijn werkdag te verpesten.'

Tijdens de rit maakten we voor O'Kelly een fijne, lange lijst met redenen waarom we niet het gevoel hadden dat Knocknaree Voor Satan verantwoordelijk was voor Katy Devlins dood. 'Vergeet de "geen rituele positionering" niet,' zei ik. Ik zat weer achter het stuur; ik was nog zo gespannen als een veer en als ik niets anders te doen gehad had, had ik de hele weg terug naar Knocknaree zitten kettingroken.

'En geen... geslacht... vee,' zei Cassie, terwijl ze druk zat te schrijven.

'Dat gaat hij vast niet zeggen op de persconferentie. "We hebben geen geslachte kip gevonden."'

'Vijf euro dat hij het wel zegt? Zonder met zijn ogen te knipperen zelfs.'

Terwijl wij bij Cooper zaten, was het weer veranderd. De regen was voorbij en het wegdek lag al op te drogen in een warme, vriendelijke zon. De bomen rond het parkeerhaventje glinsterden van achtergebleven regendruppels, en toen we uitstapten, rook de lucht schoon, sprankelend van natte aarde en blad. Cassie trok haar trui uit en bond hem rond haar middel.

De archeologen hadden zich verspreid over de onderste helft van de opgraving en waren daar energiek in de weer met houwelen en spades en kruiwagens. Hun jacks hadden ze over de stenen gelegd en sommige jongens hadden hun T-shirts uitgetrokken. Er heerste, waarschijnlijk uit reactie op de schok en stilte van de vorige dag, een ietwat hilarische stemming. Er stond een gettoblaster die op volle kracht een nummer van de Scissor Sisters blèrde, en tussen de houweelslagen door brulden ze mee; een van de meisjes gebruikte haar spade als microfoon. Drie van hen hielden een watergevecht, krijsend en rondspringend met flessen en een tuinslang.

Mel hees een volle kruiwagen tegen een enorme berg aarde op, ving hem met een geroutineerd gebaar op haar heup op terwijl ze haar handen verplaatste om de wagen leeg te kiepen. Op weg omlaag kreeg ze een enorme plens water in haar gezicht. 'Stelletje klootviolen!' gilde ze, terwijl ze de kruiwagen liet vallen en achter het roodharige meisje met de tuinslang aan ging. Het roodharige meisje gilde op haar beurt en rende ervandoor, maar bleef met haar voet in een lus steken; Mel klemde haar in een houdgreep en lachend en sputterend worstelden ze om de slang, terwijl er brede bogen van water alle kanten uit vlogen.

'O, wauw,' riep een van de jongens. 'Lesboworstelen!'

'Waar is de camera?'

'Hé, is dat een zuigzoen bij je hals?' brulde het roodharige meisje. 'Jongens, Mel heeft een zuigzoen!' Een uitbarsting van gejoel en gelach.

'Rot op,' gilde Mel, knalrood en met een grijns van oor tot oor.

Mark riep iets op scherpe toon en ze brulden brutaal terug – 'Ooo, uitkijken, jongens!' – en gingen weer aan het werk, terwijl ze fonkelende waaiers van water uit hun haar schudden. Ik voelde een plotselinge, onverwachte steek van afgunst vanwege die onbekommerde vrijheid van het geschreeuw en gestoei, de bevredigende boog en dreun van de pikhouwelen, de modderige kleren die in de zon te drogen hingen terwijl ze aan het werk waren; de soepele, efficiënte zelfverzekerdheid. 'Geen slechte manier om je geld te verdienen,' zei Cassie, terwijl ze haar hoofd in haar nek legde en een glimlachje hemelwaarts stuurde.

De archeologen hadden ons gezien; een voor een lieten ze hun gereedschap zakken en keken ze omhoog, hun blote onderarmen voor hun gezicht gehouden om hun ogen te beschermen tegen de felle zon. Onder hun collectief, verbaasd toeziend oog baanden we ons een weg naar Mark. Mel stond met een verbaasde blik op vanuit een van de greppels, veegde het haar uit haar gezicht en liet een modderstreep achter; Damien, die te midden van zijn beschermende vrouwelijke falanx knielde, zag er nog steeds diepbedroefd en lichtelijk verlopen uit, maar beeldhouwer Sean fleurde op toen hij ons zag en wuifde met zijn spade. Mark leunde als een zwijgende oude bergbewoner op zijn pikhouweel en keek ons met een ondoorgrondelijke blik aan.

'Ja?'

'We zouden je graag even spreken,' zei ik.

'We zijn aan het werk. Kan het niet wachten tot de middagpauze?'

'Nee. Pak je spullen; we gaan naar het bureau.'

Zijn kaak verstrakte en even dacht ik dat hij zou weigeren, maar hij smeet de pikhouweel neer, veegde met zijn T-shirt zijn gezicht af en liep de heuvel op. 'Dag,' zei ik tegen de archeologen toen wij achter hem aan gingen. Zelfs Sean gaf geen antwoord.

In de auto haalde Mark zijn tabak tevoorschijn. 'Verboden te roken,' zei ik.

'Wel verdomme,' reageerde hij. 'Jullie roken allebei. Dat heb ik gisteren zelf gezien.'

'Politieauto's gelden als werkplek. En op een werkplek mag je niet roken.' Dat verzon ik niet eens zelf; er is een heel comité nodig om met dat soort onzin aan te komen.

'Ach, laat hem toch, Ryan. Laat hem een sigaret opsteken,' zei Cassie. En net iets te hard voegde ze daar in een terzijde aan toe: 'Dan hoeven we hem ook niet om de paar uur naar buiten te brengen voor een peuk.' Ik ving Marks verblufte blik op in de binnenspiegel. 'Draai je er voor mij ook eentje?' vroeg ze, terwijl ze zich omdraaide om tussen de voorstoelen door te kijken.

'Hoe lang gaat dit duren?' vroeg hij.

'Hangt ervan af,' antwoordde ik.

'Waarvan? Ik weet niet eens wat er aan de hand is.'

'Daar hebben we het straks over. En nou rustig, en steek er een op voordat ik van gedachten verander.'

'Hoe gaat het met de opgraving?' vroeg Cassie beleefd.

Een van Marks mondhoeken krulde zuur omhoog. 'Wat denk je zelf? We hebben vier weken de tijd voor het werk van een jaar. We hebben er notabene bulldozers op gezet.'

'En dat is niet zo goed?' vroeg ik.

Hij wierp me een minachtende blik toe. 'Zien we eruit als die kloothommels van *Time Team*?'

Ik wist niet goed wat ik daarop moest antwoorden, gezien het feit dat hij en zijn vrienden sprekend op de kloothommels van *Time Team* leken. Cassie zette de radio aan; Mark stak zijn sigaret op en blies vol walging een rumoerige stoot rook het raampje uit. Het beloofde een lange dag te worden.

Ik zei niet veel op de terugweg. Ik wist dat het goed mogelijk was dat Katy Devlins moordenaar op de achterbank van mijn auto zat, en ik wist niet goed wat ik daarbij voelde. In vele opzichten had ik natuurlijk graag gewild dat hij onze man was: hij had zich bijzonder irritant opgesteld, en als hij het was dan waren we van deze griezelige, riskante zaak af bijna voordat hij begonnen was. Het kon die middag al voorbij zijn; dan kon ik het oude dossier weer in de kelder opbergen – Mark, die in 1984 een jaar of vijf geweest moet zijn en ergens heel ver van Dublin woonde, was geen waarschijnlijke verdachte. O'Kelly zou me een schouderklopje geven, ik zou die halvegaren van die kloppartij bij de taxistandplaats weer van Quigley terugvragen en heel Knocknaree vergeten.

Maar op de een of andere manier voelde het helemaal niet goed aan. Deels vanwege de verpletterende, gênante anticlimax van het idee – ik had een groot deel van het afgelopen etmaal geprobeerd me schrap te zetten voor waar deze zaak me ook heen mocht voeren, en ik had me iets veel dramatischers voorgesteld dan één verhoor en een arrestatie. Maar er was meer aan de hand. Ik ben niet bijgelovig, maar als het telefoontje een paar minuten eerder of later was binnengekomen en als Cassie en ik niet net het spel Worms hadden ontdekt, of als we hadden willen roken, dan was deze zaak naar Costello gegaan, of naar iemand anders, maar van z'n levensdagen niet naar ons. En het leek onmogelijk dat zoiets krachtigs en zwaars toeval kon zijn. Ik had het gevoel dat de dingen in beweging kwamen, dat ze zich op onmerkbare maar cruciale wijze aan het herschikken waren, alsof er piepkleine radertjes begonnen te draaien. Diep in mijn hart denk ik, hoe ironisch dat ook lijken moge, dat ik ergens stond te popelen om te zien wat er nu zou gaan gebeuren.

# 6

Tegen de tijd dat we weer aan het werk gingen, had Cassie kans gezien de informatie los te weken dat bulldozers alleen in noodgevallen werden gebruikt omdat ze waardevol archeologisch materiaal vernielen, en dat *Time Team* een zielige amateuristische poging was, net als het uiteinde van het shagje dat Mark voor haar had gerold, wat betekende dat we indien nodig zonder huiszoekingsbevel zijn DNA konden vergelijken met dat van de peuken op de open plek. Het leed geen twijfel wie vandaag de good cop mocht spelen. Ik fouilleerde Mark, die dat met opeengeklemde kaken en hoofdschuddend onderging, en bracht hem naar een verhoorkamer, terwijl Cassie onze Knocknaree satansvrij-lijst op O'Kelly's bureau ging leggen.

We lieten Mark een paar minuten in zijn sop gaarkoken – hij hing onderuit op zijn stoel en trommelde met zijn wijsvingers een steeds geïrriteerder klinkend ritme op de tafel – voordat we weer naar binnen gingen. 'Zijn we weer,' zei Cassie vrolijk. 'Heb je zin in thee of koffie?'

'Nee, waar ik zín in heb, dat is om weer aan het werk te gaan.'

'Inspecteurs Maddox en Ryan, verhoor Mark Conor Hanly,' zei Cassie tegen de videocamera die hoog in een hoek hing. Mark draaide zich verbaasd en als gestoken om, grimaste even naar de camera en liet zich weer onderuitzakken.

Ik trok een stoel bij, en smeet zonder ernaar te kijken een stapel foto's van de plaats delict op tafel. 'Je hoeft niets te zeggen tenzij je dat zelf wilt, maar alles wát je zegt wordt genoteerd en kan tegen je gebruikt worden. Duidelijk?'

'Wat krijgen we... ben ik gearrestéérd?'

'Nee. Drink jij rode wijn?'

Hij wierp me een korte, sarcastische blik toe. 'Hoezo, heb je een fles open?'

'Waarom weiger je antwoord te geven?'

'Dat is mijn antwoord. Ik drink wat er toevallig in de buurt is. Hoezo?' Ik knikte bedachtzaam en schreef het op.

'Wat moet je met die tape?' vroeg Cassie nieuwsgierig, terwijl ze over de tafel heen leunde om naar de isolatietape te kijken die hij rond beide handen gewikkeld had.

'Tegen de blaren. Pleisters blijven niet zitten wanneer je in de regen met een pikhouweel aan het werk bent.'

'Kun je dan niet beter handschoenen aantrekken?'

'Sommige mensen doen dat, ja,' zei Mark. Uit zijn toon viel op te maken dat die mensen onvoldoende testosteron in hun donder hadden.

'Heb je er bezwaar tegen om ons te laten zien wat daaronder zit?' vroeg ik.

Hij wierp me een achterdochtige blik toe, maar wikkelde op zijn gemak de tape los en liet hem op tafel vallen. Met een sardonische grijns stak hij zijn handen op. 'En, wat vind je daarvan?'

Cassie leunde op haar armen voorover, keek goed en gebaarde dat hij zijn handen moest omdraaien. Ik zag geen schrammen of striemen van nagels, alleen op iedere vinger de resten van enorme blaren, half genezen. 'Jemig,' zei Cassie. 'Hoe ben je daaraan gekomen?'

Mark haalde zijn schouders op. 'Meestal heb ik eelt, maar ik heb een paar maanden niet gewerkt, ik was door m'n rug gegaan. Een tijdlang kon ik alleen vondsten catalogiseren. Toen zijn mijn handen zacht geworden. Dus toen ik weer aan het werk kon, kreeg ik dit.'

'Je zult wel tegen de muren opgegaan zijn toen je niet kon werken,' zei Cassie.

'Dat kun je wel zeggen,' beaamde Mark. 'Ellendig moment.'

Ik pakte de isolatietape tussen duim en wijsvinger en liet hem in de prullenmand vallen. 'Waar was je maandagnacht?' vroeg ik, achter Mark tegen de muur geleund.

'In het teamhuis. Dat hebben jullie gisteren ook al gevraagd.'

'Ben jij lid van Weg met de snelweg?' vroeg Cassie.

'Jazeker. Dat zijn de meesten van ons. Die Devlin kwam een tijdje geleden langs om leden te werven. Maar voor zover ik weet is dat nog niet verboden.'

'Dus je kent Jonathan Devlin?' vroeg ik.

'Dat zeg ik net. We zijn geen boezemvrienden, maar inderdaad, ik ken hem wel.'

Ik leunde over zijn schouder en nam het stapeltje foto's van de plaats delict door, net zo snel dat hij hier en daar een glimp opving zonder echt te kunnen kijken. Ik kwam bij een van de akeliger opnames en liet die voor zijn neus vallen. 'Maar gisteren zei je dat je haar niet kende.'

Mark hield de foto tussen zijn vingertoppen en bleef er een tijdje on-aangedaan naar zitten kijken. 'Ik zei dat ik haar wel eens bij de opgraving had zien rondhangen, maar ik wist niet hoe ze heette. En dat weet ik nóg niet. Moet dat dan?'

'Volgens mij wel, ja,' zei ik. 'Dat is Devlins dochter.'

Hij draaide zich snel om en keek me even met gefronste wenkbrauwen aan; daarna richtte hij zich weer op de foto. Even later schudde hij zijn hoofd. 'Nee. Ik heb een dochter van Devlin ontmoet bij een protestbij-eenkomst, nog in het voorjaar. Maar die was ouder. Rosemary of Rosa-leen of zo.'

'Wat was je indruk van haar?' vroeg Cassie.

Mark haalde zijn schouders op. 'Mooie meid. Praatte aan één stuk door. Ze stond bij de ledentafel, probeerde mensen over de streep te trek-ken, maar ik geloof niet dat ze er echt met hart en ziel bij betrokken was. Ze vond het spannender om gewoon wat te flirten. En we hebben haar sindsdien nooit meer gezien.'

'Je vond haar aantrekkelijk,' constateerde ik, terwijl ik naar de door-zichtige spiegelruit liep om te kijken of ik me wel goed geschoren had.

'Wel mooi, ja. Niet mijn type.'

'Maar het viel je op dat ze niet meer naar de protestbijeenkomsten kwam. Waarom keek je naar haar uit?'

Ik zag hem in het glas achterdochtig naar mijn achterhoofd kijken. Uiteindelijk schoof hij de foto opzij en leunde weer achterover in zijn stoel. Zijn kin stak uitdagend naar voren. 'Ik keek niet naar haar uit.'

'Heb je geprobeerd weer met haar in contact te komen?'

'Nee.'

'Hoe wist je dat het Devlins dochter was?'

'Dat weet ik niet meer.'

Ik begon me hier niet prettig bij te voelen. Mark was ongeduldig en boos, en hij kreeg een stortbui van vragen over zich heen waarin geen lijn te ontdekken was. Toch leek hij absoluut niet zenuwachtig of bang of wat dan ook; zijn voornaamste gevoel over de hele toestand leek irritatie te zijn. Kortom, hij gedroeg zich niet alsof hij schuldig was.

'Mark,' zei Cassie terwijl ze één voet onder zich optrok, 'wat is het echte verhaal achter de opgraving en die snelweg?'

Mark lachte even, een vreugdeloos snuiven. 'Dat is een prachtig verhaaltje voor het slapengaan. In 2000 werden de plannen van overheidswege bekendgemaakt. Iedereen wist dat hier heel wat archeologische vondsten te doen waren, dus kwam er een team voor een eerste onderzoek. Daaruit bleek dat het hier belangrijker was dan iemand had kunnen denken, en dat alleen een idioot erop zou gaan bouwen: de snelweg moest verlegd worden. De overheid vond dat heel interessant, vriendelijk dank, en ondernam helemaal niets. Er waren enorme ruzies voor nodig eer er toestemming kwam voor één enkele opgraving. Uiteindelijk gaven ze toe en zeiden ze oké, we mochten twee jaar opgraven – en er ligt daar voor minstens vijf jaar. Sindsdien vechten we uit alle macht, met duizenden mensen – petities, demonstraties, rechtszaken, noem maar op. En het maakt de overheid geen fuck uit.'

'Maar waarom dan niet?' vroeg Cassie. 'Waarom geven ze niet gewoon toe?'

Met een grimas trok hij zijn schouders op. 'Moet je mij niet vragen. Daar komen we later wel een keer achter, bij een of andere rechtszaak, vijf of misschien wel tien jaar na dato.'

'En dinsdagnacht?' vroeg ik. 'Waar zat jij toen?'

'In het teamhuis. Mag ik nu weg?'

'Dadelijk,' zei ik. 'Wanneer heb je voor het laatst een nacht doorgebracht op de opgraving?'

Zijn schouders verstrakten bijna onmerkbaar. 'Ik heb daar nooit overnacht,' zei hij even later.

'Niet zo mierenneukerig. In het bos náást de opgraving dan.'

'Wie zegt dat ik daar ooit geslapen heb?'

'Mark,' zei Cassie, plotseling en botweg, 'jij bent maandag- of dinsdagnacht in dat bos geweest. Indien nodig kunnen we dat met forensisch materiaal bewijzen, maar daarmee verspillen we dan heel wat tijd en geloof me, dan zorgen we ervoor dat er ook heel wat van de jouwe verspild wordt. Ik denk niet dat jij dat meisje vermoord hebt, maar we moeten weten wanneer jij in dat bos was, wat je daar deed en of je iets bruikbaars hebt gezien of gehoord. We kunnen dus de rest van de dag bezig blijven met dat uit je te trekken, of je kunt het gewoon ophoesten zodat je weer aan het werk kunt. Jij mag kiezen.'

'Wat voor bewijsmateriaal?' vroeg Mark sceptisch.

Cassie glimlachte ondeugend naar hem en haalde het shagje, keurig in een ziploc-zakje, uit haar tas. Ze wuifde ermee naar hem. 'DNA. Je hebt peuken laten liggen waar je geslapen had.'

'Jezus,' zei Mark, zonder zijn blik van het zakje af te wenden. Zo te zien was hij bij zichzelf aan het overleggen of hij nu razend was of niet.

'Ik doe gewoon m'n werk,' zei ze opgewekt, terwijl ze het zakje weer wegborg.

'Jezus,' zei hij nogmaals. Hij beet op zijn lip, maar kon een onwillige, halve glimlach niet onderdrukken. 'En daar ben ik dus regelrecht ingestonken. Petje af, mevrouw!'

'Dank u, meneer. Wat betreft dat slapen in het bos…'

Stilte. Uiteindelijk ging Mark verzitten, keek naar de klok aan de wand en slaakte een zucht. 'Ja. Ik heb daar wel eens overnacht.'

Ik liep om de tafel heen, ging zitten en opende mijn notitieboekje. 'Maandag of dinsdag? Of allebei?'

'Alleen maandag.'

'Hoe laat kwam je er aan?'

'Rond halfelf. Ik heb een vuurtje gestookt en ben gaan slapen toen dat zo'n beetje op was, om een uur of twee.'

'Doe je dat bij iedere opgraving?' vroeg Cassie. 'Of alleen bij Knocknaree?'

'Alleen bij Knocknaree.'

'Waarom?'

Mark keek naar zijn vingers, waarmee hij weer langzaam op tafel trommelde. Cassie en ik wachtten.

'Weten jullie wat dat betekent, Knocknaree?' vroeg hij uiteindelijk. 'Koningsheuvel. We weten niet van wanneer die naam dateert, maar we zijn redelijk zeker dat het geen politieke verwijzing is, maar een religieuze van vóór het christendom. We hebben geen bewijs dat er koningen begraven liggen of daar zelfs maar gewoond hebben, maar we hebben over het hele gebied verspreid massa's religieuze artefacten uit het bronzen tijdperk gevonden – die altaarsteen, votiefbeeldjes, een gouden offerbokaal, resten van dieroffers en misschien zelfs van mensenoffers. Dit was ooit een belangrijke religieuze plek van samenkomst, die heuvel.'

'Wie werd er aanbeden?'

Hij haalde zijn schouders op en trommelde wat harder. Ik kreeg zin om een hand over zijn vingers heen te klappen.

'Dus je hield de wacht,' zei Cassie zachtjes. Ze leunde nonchalant achterover in haar stoel, maar haar hele gezicht was alert en gespannen, op hem geconcentreerd.

Mark wiegelde even, onbehaaglijk, met zijn hoofd. 'Zoiets, ja.'

'Die wijn die daar gemorst is,' zei Cassie. Meteen keek hij op, maar even later wendde hij zijn blik af. 'Een plengoffer?'

'Hm-mm.'

'Even kijken of ik het allemaal nog volg,' onderbrak ik. 'Je besluit te gaan slapen op een paar meter van de plek waar vervolgens een klein meisje vermoord wordt, en dan moeten wij maar geloven dat je daar om religieuze redenen was.'

Plotseling stond hij in vuur en vlam, ging met een ruk vooroverzitten en priemde een vinger mijn kant uit. Voor ik me kon inhouden, had ik mijn gezicht al vertrokken. 'Hier, Ryan, en nou even luisteren. Ik geloof niet in de kerk, hoor je me? In niet één kerk. Religie is iets om mensen op hun plek te houden en om ze geld af te troggelen. Op mijn achttiende verjaardag heb ik mijn naam uit het kerkregister laten schrappen. En in de overheid geloof ik ook niet. Die is al net als de kerk: allemaal één pot nat. Andere woorden, zelfde doel: de armen onder de duim houden en de rijken vooruithelpen. Het enige waarin ík geloof, ligt daar in die opgraving.' Zijn samengeknepen ogen schoten vonken, ogen voor achter een geweer op een tot ondergang gedoemde barricade. 'Op die opgraving ligt meer om te aanbidden dan in welke klotekerk ter wereld ook. Het is heiligschennis dat ze daar een snelweg overheen willen aanleggen. Als ze Westminster Abbey zouden slopen om een parkeerterrein aan te leggen, zou jij het de mensen dan kwalijk nemen dat ze daar de wacht gaan houden? Nou? Doe dan ook niet zo neerbuigend als ík precies datzelfde doe.' Hij bleef me strak aankijken tot ik met mijn ogen knipperde, en smeet zich toen met over elkaar geslagen armen achterover in zijn stoel.

'Ik neem aan dat dit een ontkenning inhoudt? Je hebt dus niets te maken met de moord?' informeerde ik koeltjes, zodra ik zeker wist dat ik mijn stem weer onder controle had. Om de een of andere reden had die tirade me meer gedaan dan ik graag zou toegeven. Mark hief zijn blik naar het plafond.

'Mark,' zei Cassie. 'Ik weet precies wat je bedoelt. Ik denk er net zo over.' Hij wierp haar een lange, harde, groene blik toe, zonder zich te verroeren, maar uiteindelijk knikte hij. 'Maar je moet ook zien dat mijn collega Ryan ergens gelijk heeft: heel veel mensen zullen geen idee hebben waar jij het over hebt. Voor die mensen is dit allemaal wel heel erg verdacht. We moeten jou uit het onderzoek zien weg te krijgen.'

'Als ik daarvoor aan de leugendetector moet, prima. Maar ik wás er dinsdagnacht niet eens. Ik was er máándagnacht. Wat heeft dat er nou mee te maken?' Weer kreeg ik dat moedeloze gevoel. Tenzij hij hier heel wat beter in was dan ik dacht, nam hij aan dat Katy dinsdagnacht was overleden, de nacht voordat haar lichaam op de opgraving was opgedoken.

'Oké,' zei Cassie. 'Dat is duidelijk. Kun je bewijzen waar je was tussen het moment dat je dinsdag klaar was met werken en het moment dat je woensdag weer begon?'

Mark zoog zijn wangen naar binnen en pulkte aan een blaar, en plotseling besefte ik dat hij er gegeneerd uitzag; hij leek stukken jonger. 'Ja, dat kan ik. Ik ben naar huis gegaan, heb een douche genomen, met de anderen gegeten. Daarna zijn we met een paar blikjes bier in de tuin gaan zitten kaarten. Vraag maar aan de anderen.'

'En toen?' informeerde ik. 'Hoe laat ben je naar bed gegaan?'

'De meesten zijn rond een uur of één naar binnen gegaan.'

'En is er iemand die kan bevestigen waar jij na die tijd zat? Deel je een kamer met iemand anders?'

'Nee, ik heb een eigen kamer, omdat ik assistent-leider van de opgraving ben. Ik heb nog een tijdje in de tuin met Mel zitten praten. Tot aan het ontbijt.' Hij deed zijn best om het te doen klinken alsof hij het allemaal doodnormaal vond, maar die arrogante houding van hem was verdwenen; hij zag er ongemakkelijk uit, en leek geen dag ouder dan vijftien. Ik was graag in lachen uitgebarsten, en ik durfde Cassie niet aan te kijken.

'De hele nacht?' vroeg ik vals.

'Ja.'

'In de tuin? Werd dat niet een beetje frisjes?'

'Rond drie uur zijn we naar binnen gegaan. Daarna zijn we tot acht uur in mijn kamer geweest. Om acht uur staan wij op.'

'Nee maar,' zei ik suikerzoet. 'De meeste alibi's zijn niet half zo plezierig.' Hij wierp me een giftige blik toe.

'Even terug naar maandagnacht,' zei Cassie. 'Toen je in dat bos zat, heb je toen iets ongewoons gezien of gehoord?'

'Nee, maar het is er aardedonker – plattelandsdonker, niet van dat stadsdonker. Geen straatlantaarns, niets. Al had er iemand op drie meter afstand gestaan, ik had hem niet gezien. En misschien ook niet eens gehoord; het is daar sowieso geen moment stil.', Donker, en bosgeluiden: weer die rilling over mijn ruggengraat.

'Niet per se in het bos,' zei Cassie. 'Op de opgraving, of op de weg misschien? Was er nog iemand op pad na, zeg, halftwaalf?'

'Wacht eens even,' zei Mark plotseling, bijna onwillig. 'Op de opgraving. Daar was iemand.'

Cassie en ik zaten roerloos, maar ik voelde een vonk van alertheid overslaan. We hadden Mark al bijna als hopeloos opgegeven; we waren bijna zover dat we zijn alibi zouden controleren, een vraagteken achter zijn naam zouden zetten en hem naar zijn graafwerk terugsturen, althans voorlopig – in die hectische eerste dagen van een onderzoek moet je geen tijd verspillen aan zaken die niet hoogstnoodzakelijk zijn – maar nu had hij onze volledige aandacht weer.

'Kun je die persoon ook beschrijven?' vroeg ik.

Hij keek me met onverhulde antipathie aan. 'Ja. Hij leek sprekend op een zaklantaarn. Het was dón-ker!'

'Mark?' zei Cassie. 'Even vanaf het begin?'

'Er liep iemand met een zaklantaarn over het terrein heen, van de woonwijk naar de weg. Meer niet. Ik heb alleen het licht van die lantaarn gezien.'

'Hoe laat?'

'Ik heb niet op mijn horloge gekeken. Een uur of één? Of iets daarvoor?'

'Denk goed na. Kun je er iets over zeggen – misschien hoe lang die persoon was, te zien aan de hoek van de lantaarn?'

Met samengeknepen ogen zat hij na te denken. 'Nee. Hij leek me redelijk laag boven de grond, de lantaarn, maar in het donker is je gevoel voor perspectief ook niet alles. Hij liep behoorlijk langzaam, maar dat is niet gek; jullie hebben het daar gezien, het is een en al greppel en stukken muur.'

'Grote lantaarn, of klein?'

'Kleine lichtbundel, niet bijzonder sterk. Het was niet zo'n groot gevaarte met zo'n handvat. Gewoon een zaklampje.'

'Toen je hem voor het eerst zag,' zei Cassie, 'was hij bij de muur rond om de woonwijk. Bij welk deel, het verst van de weg af?'

'Daar ergens in de buurt, ja. Ik dacht dat hij uit de achterpoort was gekomen, of misschien over de muur.' De achterpoort van de wijk lag aan het eind van de straat waar de Devlins woonden, slechts drie huizen ervandaan. Hij kon Jonathan of Margaret gezien hebben, traag doordat ze een lijk bij zich hadden en op zoek waren naar een plek om dat achter te laten; of Katy, die in het donker op weg was naar een afspraakje, met niets anders dan een zaklamp bij zich, en een huissleutel die haar nooit meer naar huis zou kunnen helpen.

'En toen ging hij de weg op.'

Mark haalde zijn schouders op. 'Die kant ging hij op, ja. Diagonaal over de opgraving, maar ik heb niet gezien waar hij uitkwam. Tegen die tijd was hij achter de bomen verdwenen.'

'Denk jij dat, wie het ook was, jouw vuur gezien kan hebben?'

'Hoe moet ik dat nou weten?'

'Oké, Mark,' zei Cassie, 'dit is belangrijk. Heb je rond die tijd ook een auto voorbij zien komen? Of misschien een auto die op de weg stilstond?'

Mark nam er de tijd voor. 'Nee,' zei hij uiteindelijk en zonder aarzelen. 'Er zijn er een paar langsgekomen toen ik er net zat, maar na elven niets meer. Ze gaan hier vroeg naar bed; in de hele wijk brandde tegen middernacht geen enkel licht meer.'

Als hij ons de waarheid vertelde, had hij ons zojuist een enorme dienst bewezen. Zowel de plek waar de moord had plaatsgevonden als de secundaire locatie – waar Katy's lichaam tot dinsdag verborgen was geweest – lagen dus wel bijna zeker binnen loopafstand van de wijk, waarschijnlijk in de wijk zelf, en dat betekende dat niet langer de hele Ierse bevolking verdacht was. 'Weet je zeker dat het je opgevallen zou zijn als er een auto was langsgekomen?'

'Die lantaarn heb ik toch ook gezien?'

'Ja, maar daar denk je nu pas aan,' merkte ik op.

Hij trok één mondhoek op. 'Met mijn geheugen is anders niets mis. Ik wist alleen niet dat het belangrijk was. Tenslotte was dit maandagnacht, weet je nog? Ik heb niet eens echt opgelet. Ik dacht dat het gewoon iemand was die bij vrienden vandaan kwam of zo, of een van de plaatselijke jongeren met een afspraakje – soms hangen ze 's nachts op de opgraving rond. Maar goed, dat is niet mijn probleem. Ik heb geen last van ze.'

Op dat moment klopte Bernadette, de administratieve kracht van de afdeling, op de deur van de verhoorkamer. Toen ik opendeed, zei ze afkeurend: 'Inspecteur Ryan, er is iemand voor u aan de telefoon. Ik zei dat u niet gestoord mocht worden, maar volgens haar was het belangrijk.'

Bernadette werkt al zowat vierentwintig jaar bij Moordzaken, ze heeft nooit een andere baan gehad. Ze heeft het gezicht van een misnoegd buideldier, vijf kledingcombinaties (een voor iedere dag van de werkweek, wat handig is als je zo moe bent dat je niet meer weet wat voor dag het is) en, althans dat denken wij allemaal, ze koestert een hopeloze liefde voor O'Kelly. We hebben een doorlopende weddenschap wanneer die twee eindelijk bij elkaar komen.

'Ga je gang,' zei Cassie. 'Ik maak het hier wel af – Mark, nu hebben we alleen nog een verklaring van je nodig. En daarna kun je met ons mee terugrijden.'

'Ik neem de bus wel.'

'Nee, jij neemt geen bus,' zei ik. 'We moeten je alibi navragen bij Mel, en als jij haar eerst kunt spreken, dan is dat geen echte controle meer.'

'In godsnaam,' snauwde Mark, en hij liet zich met een dreun achterovervallen in zijn stoel. 'Zoiets verzín ik toch niet. Je kunt het iedereen vragen. Het hele team was op de hoogte voordat we zelfs maar opgestaan waren.'

'Maak je geen zorgen, doen we,' zei ik opgewekt, en ik liep weg.

Ik liep terug naar de projectkamer en wachtte tot Bernadette het gesprek doorgeschakeld had, waar ze beslist geen haast mee maakte, om me duidelijk te maken dat het niet tot haar taken behoorde om mij te komen zoeken. 'Ryan,' zei ik.

'Inspecteur Ryan?' Ze klonk ademloos en bedeesd, maar ik herkende de stem meteen. 'Met Rosalind. Rosalind Devlin.'

'Rosalind,' zei ik, terwijl ik mijn notitieboekje opensloeg en op zoek ging naar een pen. 'Hoe is het?'

'O, prima.' Een kort, broos lachje. 'Hoewel, eigenlijk niet. Ik ben kapot. Maar volgens mij verkeren we allemaal nog in shock. Het is nog niet echt doorgedrongen. Je kunt je gewoon niet voorstellen dat zoiets ooit echt zal gebeuren.'

'Nee,' zei ik vriendelijk. 'Ik weet hoe je je moet voelen. Kan ik iets voor je doen?'

'Ik vroeg me af... zou ik misschien een keer kunnen komen praten? Alleen als het niet te veel moeite is.' Op de achtergrond reed een auto voorbij; ze stond ergens buiten, met een mobieltje of in een cel.

'Natuurlijk. Vanmiddag?'

'Nee,' antwoordde ze haastig. 'Nee, niet vandaag. Want kijk, ze kunnen ieder moment terug zijn, ze zijn alleen maar naar… ze zijn gaan kijken naar…' Haar stem viel weg. 'Kan het morgen? Ergens in de middag?' 'Wanneer jou maar uitkomt,' zei ik. 'Weet je wat, ik geef je mijn mobiele nummer, oké? Dan kun je me bereiken wanneer dat maar nodig is. Bel morgen maar, dan praten we verder.'

Ze noteerde het nummer, binnensmonds de cijfers prevelend. 'Ik moet ophangen,' zei ze haastig. 'Dank u, inspecteur Ryan. Dank u heel erg.' En voordat ik afscheid kon nemen, was ze weg.

Ik keek naar binnen in de verhoorkamer: daar zat Mark te schrijven, en Cassie had hem aan het lachen gekregen. Ik tikte met mijn nagels tegen het glas. Marks hoofd kwam met een ruk omhoog, en Cassie wierp me een miniem glimlachje toe en schudde bijna onzichtbaar haar hoofd: kennelijk redden ze het prima zonder mij. Dat kwam mij, zoals je je kunt voorstellen, prima uit. Sophie zou zitten wachten op het bloedmonster dat we haar beloofd hadden; ik plakte een Post-it met 'Tot over 5 minuten' op de deur van de verhoorkamer en ging naar de kelder.

In de vroege jaren tachtig waren er nog geen verfijnde opslagprocedures, vooral niet voor cold cases. De doos met de dossiers van Peter en Jamie stond op een hoge plank en ik had hem nog nooit weggehaald, maar aan de bultige verschuivingen zag ik toen ik de bovenste dikke map gepakt had, dat er nog andere zaken in zaten; dat moest het bewijsmateriaal zijn dat Kiernan en McCabe en hun mensen verzameld hadden. Er waren nog vier dozen voor de zaak, maar daarop stonden in kinderlijk zorgvuldig handschrift teksten die erop wezen dat er 2) Formulieren, 3) Formulieren, 4) Getuigenverklaringen en 5) Aanwijzingen in zaten. Ik sjorde de belangrijkste doos van de plank af, waarbij een fontein van stof opsprong in het felle licht van de kale gloeilamp aan het plafond, en zette hem op de grond.

Hij zat halfvol plastic zakken met bewijsmateriaal, met een bontlaagje van dikke lagen stof waardoor de voorwerpen binnenin een vaag, sepiakleurig aanzien kregen, als mysterieuze artefacten die toevallig gevonden zijn in een kamer die eeuwenlang afgesloten is geweest. Ik trok ze er voorzichtig uit, een voor een, blies erop en legde ze in een rij op de flagstones.

Voor zo'n belangrijke zaak was er maar weinig gevonden. Een kinderhorloge, een glazen beker, een mat oranje Donkey Kongspel, alles overdekt met wat zo te zien vingerafdrukpoeder was. Diverse flarden sporenmateriaal, voornamelijk dor blad en stukken boombast. Een stel witte sportsokken met donkerbruine stippen, met keurige vierkante gaten waar iemand met een scheermes stukken uitgesneden had als monsters. Een groezelig wit T-shirt; een vaal spijkershort waarvan de onderrand begon te rafelen. En tot slot de gymschoenen, met hun kinderlijke slijtstrepen en stijve, zwarte, versterkte voering. Ze waren gewatteerd, maar het bloed was er bijna helemaal doorheen gesijpeld: op de buitenkant zaten donkere plekjes die vanuit de stikgaatjes uitwaaierden, spetters op de bovenkant en vaag bruine vlekken waar het bloed tot net onder het oppervlak was gekomen.

Ik had me hier behoorlijk schrap voor gezet. Waarschijnlijk had ik ergens het idee gehad dat de aanblik van het bewijsmateriaal een stortvloed aan herinneringen zou losmaken; ik had niet direct verwacht dat ik in foetushouding op de grond zou belanden, maar ik had niet voor niets een moment gekozen waarop de kans klein was dat ze me kwamen zoeken. Uiteindelijk bleek echter dat niets van al die spullen me ook maar in de verste verte bekend voorkwam – behalve dan, uitgerekend, Peters Donkey Kongspel, dat er waarschijnlijk alleen bij zat vanwege een vergelijking van de vingerafdrukken en dat een korte en tamelijk nutteloze herinnering omhooghaalde (Peter en ik op een door de zon beschenen vloerkleed, beiden met één knop in onze handen, geconcentreerd en elkaar met de ellebogen porrend, terwijl Jamie over onze schouders leunt en opgewonden instructies keft), zo intens dat ik het zakelijke, bazige knerpen en piepen van het spel bijna horen kon. De kleren deden me helemaal niets, hoewel ik wist dat ze van mij waren. Het leek ondenkbaar dat ik ooit op een morgen was opgestaan en die kleren had aangetrokken. Het enige wat ik zag was hoe zielig het allemaal was – het kleine T-shirt, het met balpen getekende gezichtje van Mickey Mouse op de teen van een van de schoenen. Twaalf had indertijd verschrikkelijk volwassen geleken.

Ik pakte de zak met het T-shirt tussen duim en wijsvinger en draaide hem om. Ik had gelezen dat er scheuren op de rug zaten, maar ik had ze nog nooit gezien, en op de een of andere manier vond ik die nog schokkender dan die afgrijselijke schoenen. Het had iets onnatuurlijks – die perfecte parallellen, de keurige, ondiepe bogen; een volslagen, onverzoenlijke onmogelijkheid. *Takken?* dacht ik, terwijl ik niets ziend naar de scheuren keek. Was ik uit een boom gesprongen, door de struiken heen gekropen, was ik op de een of andere manier met mijn T-shirt aan vier scherpe twijgen tegelijk blijven hangen? Mijn rug jeukte, net tussen de schouderbladen.

Plotseling wilde ik ergens anders zijn, en wel meteen. Het lage plafond drukte op me neer en de stoffige lucht leek haast geen zuurstof te bevatten; er heerste een deprimerende stilte: het enige geluid was af en toe een omineus gedaver in de muren als er buiten een bus voorbijreed. Ik smeet het spul zowat terug in de doos, hees die weer op zijn plank en greep de schoenen, die ik op de vloer had gezet, om ze naar Sophie te sturen.

En toen pas drong het tot me door, daar in die kille kelder, omringd door halfvergeten zaken en het zachte gekraak vanuit de doos toen de plastic zakjes weer op hun plek zakten: het feit dat ik iets meer dan levensgroots in beweging had gezet. Op de een of andere manier had ik zoveel aan mijn hoofd dat ik hier niet goed bij stilgestaan had. De oude zaak leek me zo'n privéaangelegenheid dat ik vergeten had dat dit wel eens gevolgen kon hebben voor de buitenwereld. Maar ik (waar had ik in godsnaam met mijn gedachten gezeten, vroeg ik me af) stond op het punt die schoenen naar de gonzende projectkamer te brengen, in een gewatteerde envelop te stoppen en die door een van de surveillanten naar Sophie te laten brengen.

Het zou vroeg of laat toch wel gebeurd zijn – zaken met vermiste kinderen worden nooit gesloten, het was gewoon een kwestie van tijd voordat iemand eraan dacht om de oude bewijzen nog eens met nieuwe technologie door te nemen. Maar als het lab kans zag DNA van de schoenen te krijgen, en vooral als dat op de een of andere manier overeenkwam met het bloed op de altaarsteen, dan was dit niet meer zomaar een kleine aanwijzing in de zaak-Devlin, een onwaarschijnlijke kans waaraan Cassie, Sophie en ik dachten; dan zou die oude zaak meteen heropend worden. Iedereen, vanaf O'Kelly omhoog, zou dit geweldige hightechbewijs tot cultstatus willen verheffen: de Gardaí geven nooit op, geen onopgeloste zaak wordt ooit gesloten, het publiek kan er gerust op zijn dat wij achter de schermen onze eigen raadselachtige weg gaan. De pers zou meteen boven op de kans springen dat er een kinderseriemoordenaar onder ons was. En dan zouden we de zaak verder moeten onderzoeken; dan hadden we DNA-monsters nodig van Peters ouders en Jamies moeder en – o god – van Adam Ryan. Ik keek naar de schoenen en zag plotseling voor mijn geestesoog een auto met kapotte remmen die een heuvel af komt zetten: eerst nog langzaam, onschadelijk en bijna komisch, maar algauw sneller en sneller tot hij verandert in een genadeloze slopersbal.

# 7

We brachten Mark terug naar de opgraving en lieten hem op de achterbank zitten somberen terwijl ik Mel ondervroeg en Cassie snel met de andere huisgenoten ging praten. Toen ik Mel vroeg wat ze dinsdagnacht gedaan had, kleurde ze zonnebrandrood en kon me niet aankijken, maar zei dat ze tot heel laat in de tuin met Mark had zitten praten, en dat ze uiteindelijk waren gaan kussen en de rest van de nacht in zijn kamer hadden doorgebracht. Hij was maar één keer weg geweest, hoogstens twee minuten, om naar de wc te gaan. 'We konden het altijd al prima vinden – de anderen zaten ons ermee te pesten. Waarschijnlijk stond het gewoon in de sterren geschreven.' Verder bevestigde ze dat Mark af en toe niet in huis sliep, en dat hij haar verteld had dat hij in het bos bij Knocknaree was gaan slapen: 'Maar ik weet niet of de anderen daarvan weten. Hij loopt er niet echt mee te koop.'

'Vind jij dat dan niet een beetje vreemd?'

Ze haalde onbeholpen haar schouders op en wreef over haar nek. 'Hij is nogal fanatiek. Dat is een van de dingen die ik zo leuk aan hem vind.' God, wat was ze nog jong. Ik voelde een plotselinge opwelling om haar op de schouder te kloppen en te waarschuwen om toch vooral veilig te vrijen.

De rest van de huisgenoten zei tegen Cassie dat Mark en Mel dinsdagavond als laatsten in de tuin waren geweest, dat ze de volgende ochtend samen uit hun kamer waren gekomen en dat iedereen het tweetal de eerste paar uur van die dag, tot Katy's lichaam gevonden werd, genadeloos had gepest. Ook zij zeiden dat Mark soms niet naar huis kwam, maar ze wisten niet waar hij dan heen ging. Hun versie van 'fanatiek' varieerde van 'een beetje vreemd' tot 'een absolute slavendrijver'.

Opnieuw kochten we sandwiches met plasticsmaak bij Lowry en gingen we op de lage muur zitten eten. Mark organiseerde een nieuwe activiteit voor de archeologen, en gebaarde met weidse militante rukken alsof hij het verkeer stond te regelen. Ik hoorde Sean luidkeels ergens over klagen, en de anderen die tegen hem brulden dat hij niet altijd zo moest zeuren en zijn snor niet zo moest drukken.

'Ik zweer het, Macker, als ik dat ding bij jou vind dan ram ik het zo ver je reet in...'

'Hé Sean, moet je soms ongesteld worden of zo?'

'Heb je al in je eigen reet gekeken?'

'Misschien heeft de politie het meegenomen, Sean. Hou jij je maar liever een tijdje gedeisd.'

'Aan het werk, Sean,' schreeuwde Mark overal bovenuit.

'Ik kán niet werken als ik mijn troffel niet heb, verdomme nog aan toe!'

'Leen er dan een.'

'Hier ligt er een,' gilde een van de anderen. Tollend vloog een troffel van hand tot hand, licht fonkelend op het blad, en Sean ving hem op en ging mokkend aan het werk.

'Als jij twaalf was,' zei Cassie, 'waarvoor zou jij dan in het holst van de nacht hierheen komen?'

Ik dacht aan de vage kring van gouden schijnsel die als een dwaallichtje tussen de doorgehakte boomwortels en scherven van oude muren door was geslopen; de zwijgende toekijker in het bos. 'Dat deden wij ook wel eens,' zei ik. 'Dan gingen we in onze boomhut slapen. Dit was allemaal bos, tot aan de weg.' Slaapzakken op ruwe planken, lantaarns tegen de stripboeken aan gedrukt. Geritsel en de lichtbundels die omhoogslipten en een paar gouden ogen vingen, die op maar een paar bomen afstand wild en glanzend heen en weer deinden; allemaal aan het gillen en Jamie die een overgebleven mandarijn afvuurde terwijl het gevaarte onder hevig geritsel wegsprong...

Cassie keek me over haar sapkartonnetje aan. 'Ja, maar jij was niet alleen. Waarvoor zou je hier in je eentje heen gaan?'

'Voor een afspraak. Of een weddenschap. Misschien om iets belangrijks op te halen dat ik hier had laten liggen. We praten met haar vriendjes, misschien dat ze iets tegen hen gezegd heeft.'

'Nee, dit was niet zomaar,' zei Cassie. De archeologen haden Scissor

Sisters weer opgezet en een van haar voeten bungelde afwezig op de maat mee. 'Zelfs als het de ouders niet waren. Deze gozer heeft niet gewoon het eerste het beste kwetsbare kind gegrepen. Hier zit heel wat planning achter. Hij wilde geen willekeurig kind vermoorden: het ging hem om Katy.'

'En als hij in het donker die altaarsteen kon vinden terwijl hij met een lijk liep te sjouwen,' zei ik, 'dan moet hij de omgeving behoorlijk goed kennen. Het lijkt er steeds meer op dat het iemand uit de buurt is.' Het bos lag vrolijk in de zon te sprankelen, een en al vogelzang en fluisterende blaadjes; ik voelde rijen en rijen identieke, keurige, onschuldige huisjes achter me staan. *Wat een ellende hier*, zei ik bijna, maar ik hield me in.

Na de lunch gingen we op zoek naar tante Vera en de nichtjes. Het was een hete, windstille middag, maar er heerste een griezelige, doodse leegte. Alle ramen zaten potdicht en er was geen kind te bekennen: die zaten allemaal binnen, verward en geprikkeld en veilig onder het toeziend oog van hun ouders, en probeerden het volwassen gefluister af te luisteren om erachter te komen wat er aan de hand was.

De Foleys waren geen charmant gezin. De vijftienjarige dochter verschanste zich in een fauteuil en sloeg haar armen over elkaar, zodat haar boezem werd opgestuwd alsof ze een matrone was; ze schonk ons een bleke, verveelde, hautaine blik. De tienjarige was net een stripfiguurtje van een big en zat met open mond kauwgum te kauwen; ze zat te wiebelen en te schurken op de bank en van tijd tot tijd stak ze haar tong met het stuk kauwgum erop uit, en slurpte het geheel dan weer naar binnen. Zelfs de jongste was zo'n griezelige peuter die eruitziet als een bonsai-volwassene. Hij had een bol, preuts gezichtje met een snavelneus en staarde me vanaf Vera's schoot vorsend en met getuite lippen aan om vervolgens zijn kin afkeurend terug te trekken in de plooien van zijn hals. Ik wist vrijwel zeker dat hij, als hij iets zei, de stem van een kettingroker zou hebben. Het rook er naar kool. Ik kon niet bevatten waarom Rosalind en Jessica hier regelmatig wilden komen, en het feit dat dat zo was, zat me niet lekker.

Maar met uitzondering van de peuter vertelden ze allemaal hetzelfde verhaal. Iedere paar weken of zo kwamen Rosalind en Jessica, en soms Katy ook, een nachtje logeren ('ik zou ze maar wat graag vaker over hebben, dat spreekt vanzelf,' zei Vera, terwijl ze gespannen aan een hoekje van een meubelhoes frunnikte, 'maar dat red ik niet, niet met mijn zenuwen, weet u'); soms, maar minder vaak, gingen Valerie en Sharon bij de

Devlins logeren. Niemand wist meer wiens idee deze ene logeerpartij was geweest, maar Vera meende zich te herinneren dat het Margarets voorstel was geweest. Maandagavond waren Rosalind en Jessica rond een uur of halfnegen aangekomen, hadden tv-gekeken en met de baby gespeeld (daar kon ik me niets bij voorstellen, het kind had de hele tijd dat wij daar waren geen vin verroerd dus dat moest zoiets geweest zijn als spelen met een aardappel), en waren rond elven naar bed gegaan: ze hadden samen op een logeerbed geslapen in de kamer van Valerie en Sharon.

En daar waren de problemen kennelijk begonnen: niet verbazend hadden ze het grootste deel van de nacht liggen kletsen en giechelen. 'En kijk, inspecteurs, het zijn lieve meiskes, daar niet van, maar soms beseft de jeugd niet hoe moeilijk ze het ons oudjes maken, nietwaar?' ratelde Vera zenuwachtig, terwijl ze het middelste kind in de ribben pookte tot het een eind verder weg schoof op de bank. 'Ik moest wel vijf keer naar hun kamer gaan om te zeggen dat het nu stil moest zijn – want ziet u, ik kan niet tegen herrie. Het zal gerust halfdrie geweest zijn, denkt u zich eens in, voordat ze dan eindelijk in slaap vielen. En tegen die tijd was ik natuurlijk zo gespannen als een veer, dat snapt u, dus moest ik uit bed om een kop thee te zetten. Al met al heb ik geen oog dichtgedaan. De volgende ochtend was ik kapot. En toen Margaret belde, nou, toen dachten we echt dat we gek werden, hè, meisjes? Maar ik had natuurlijk nooit gedacht... want ik dacht dat ze gewoon...' Ze drukte een mager, trillend handje tegen haar mond.

'Even terug naar de avond tevoren,' zei Cassie tegen het oudste kind. 'Waar hebben jullie het met de nichtjes over gehad?'

Het kind – Valerie, geloof ik – rolde met haar ogen en trok laatdunkend haar lip op om te tonen wat een domme vraag dat was. 'Van alles.'

'Hebben jullie het nog over Katy gehad?'

'Wéét ik toch niet! Het zal wel. Rosalind zei dat het zo knap was dat ze naar die balletschool ging. Ik snap niet wat daar nou zo bijzonder aan is.'

'En je oom en tante? Hebben jullie het daar nog over gehad?'

'Ja. Rosalind zei dat ze afschuwelijk tegen haar deden. Ze mocht nooit wat.'

Vera uitte een ademloze lach. 'O, kom nou, Valerie, zoiets moet je niet zeggen. Margaret en Jonathan zouden alles doen voor die meisjes, ze hebben zich kapotgewerkt om...'

'O ja? Dus daarom is Rosalind dan zeker weggelopen, omdat ze zo aardig voor haar waren!'

Cassie en ik veerden overeind bij deze onthulling, maar Vera was ons voor. 'Valerie! Wat zeg ik nou! Daar hebben we het niet over. Dat was allemaal een misverstand. Het was heel stout van Rosalind om haar ouders zo'n angst aan te jagen, maar dat is intussen allemaal vergeven en vergeten...'

We wachtten tot ze uitgerateld was. 'Waarom was Rosalind weggelopen?' vroeg ik aan Valerie.

Die schokte even met een schouder. 'Ze had er genoeg van dat haar vader haar altijd maar rondcommandeerde. Misschien had hij haar ook geslagen of zo.'

'Valerie! Inspecteurs, ik weet niet waar ze dit nu weer vandaan heeft. Jonathan zou zijn kinderen met geen vinger aanraken, echt niet. Rosalind is een gevoelig meiske, ze had ruzie gehad met haar pappie en hij had niet door hoe overstuur het kind was...'

Valerie leunde achterover en staarde me aan met een tevreden grijns die door haar professionele verveling heen scheen. Het middelste kind veegde haar neus af aan haar mouw en bekeek het resultaat belangstellend.

'Wanneer was dat?' vroeg Cassie.

'O, dat zou ik echt niet meer weten. Een hele tijd geleden – vorig jaar, als ik me niet vergis...'

'In mei,' zei Valerie. 'Afgelopen mei.'

'En hoe lang is ze weggebleven?'

'Iets van drie dagen. De politie is er nog bij geweest.'

'En waar was ze geweest, weet je dat ook?'

'Met een of andere man mee,' zei Valerie meesmuilend.

'Niét waar,' bitste Vera schel. 'Dat zegt ze alleen maar om haar arme moeder de stuipen op het lijf te jagen, God vergeve haar. Ze logeerde bij dat vriendinnetje van school, hoe heet ze ook weer, Karen. Na het weekend was ze weer thuis, niks aan de hand.'

'Zal wel,' zei Valerie, weer met zo'n schouderophalen.

'Honger,' verklaarde de peuter onomwonden. En ja: hij had een stem als een basfagot.

Dat verklaarde dan waarschijnlijk iets waar ik achterheen had willen gaan: waarom Vermiste personen zo snel had aangenomen dat Katy van huis weggelopen was. Twaalf is een grensgeval, en normaal gesproken hadden ze haar het voordeel van de twijfel gegund en waren meteen begonnen met de zoekacties en het mediavuurwerk in plaats van dat etmaal te wachten. Maar weglopen is iets wat in de familie zit: de jongere kinderen leren het van de oudere. Toen Vermiste personen het adres van de Devlins in hun systeem vonden, moeten ze Rosalinds escapade gevonden hebben en ervan uitgegaan zijn dat Katy haar voorbeeld had gevolgd en na een ruzie met haar ouders boos weggehold was naar een vriendinnetje; dat zij, net als Rosalind, terug zou zijn als ze weer bij zinnen was – niets aan de hand.

Vals genoeg was ik bijzonder blij dat Vera de hele maandagnacht geen oog had dichtgedaan. Hoewel het bijna té erg was om toe te geven, had ik mijn momenten van twijfel gehad over zowel Jessica als Rosalind. Jessica zag er niet erg sterk uit, maar wel degelijk mentaal labiel. Er zit een kern van waarheid in het cliché dat waanzin ongekende krachten geeft, en ze moest bijna zeker jaloers zijn geweest op alle adoratie die Katy ten deel viel. Rosalind was een nerveus meisje, bijzonder beschermend tegenover Jessica, en als Katy's succes Jessica steeds somberder had gemaakt... Ik wist dat Cassie zo'n beetje hetzelfde gedacht had, maar ook zij had er niets over gezegd. Om de een of andere reden had dat op mijn zenuwen gewerkt.

'Ik wil weten waarom Rosalind van huis weggelopen is,' zei ik, toen we het tuinpad van de Foleys afliepen. Het middelste kind drukte haar neus plat tegen de ruit van het woonkamerraam en trok gekke gezichten tegen ons.

'En waar ze gezeten heeft,' zei Cassie. 'Kun jij met haar praten? Ik denk dat jij meer uit haar krijgt dan ik.'

'Wat ik je nog wilde zeggen,' zei ik wat ongelukkig, 'is dat zij dat daarstraks aan de telefoon was. Morgenmiddag komt ze naar me toe. Ze zegt dat ze ergens over wil praten.'

Cassie had haar notitieboekje in haar tas staan proppen, maar draaide zich nu om en wierp me een ondoorgrondelijke blik toe. Even vroeg ik me af of ze zich gepikeerd voelde dat Rosalind naar mij gevraagd had en niet naar haar. We waren er beiden aan gewend dat Cassie bij families altijd de favoriet was, en ik voelde een onvolwassen, misselijke vonk van triomf: *Er is iemand die mij het leukst vindt, lekker puh.* Mijn relatie met Cassie heeft een broer-zustintje dat prima werkt, maar soms leidt het tot de rivaliteit die je nu eenmaal met je zus kunt hebben. Maar op dat moment zei ze: 'Perfect. Dan kun je dat weglopen ter sprake brengen zonder er al te veel nadruk op te leggen.'

Ze zwaaide haar tas op haar rug en we liepen de weg af. Met haar handen in haar zakken geduwd keek ze uit over de akkers, en ik kon niet zien of ze geïrriteerd was dat ik haar niets verteld had over Rosalinds telefoontje eerder die dag – wat ik eerlijk gezegd wel had moeten doen. Ik gaf haar een klein stootje met mijn elleboog. Even later boog ze haar been achter haar rug en gaf me een trap tegen mijn achterste.

De rest van de middag deden we een huis-aan-huis in de buurt. Huis-aanhuis is saai, ondankbaar werk en de surveillanten hadden het al gedaan, maar we wilden een indruk krijgen van wat de buren van de Devlins vonden. De algemene consensus was dat ze het een keurig gezin vonden, dat echter niet heel sociaal was; en dat viel niet echt goed in die omgeving. In een dorp ter grootte en met de gemiddelde sociale klasse van Knocknaree wordt iedere vorm van reserve beschouwd als een belediging, een halve stap verwijderd van de onvergeeflijke zonde van snobisme. Maar Katy zelf was anders: door haar plaats aan de Koninklijke Balletacademie was ze de trots van Knocknaree, hun eigen persoonlijke bezit. Zelfs de onmiskenbaar arme gezinnen hadden iemand naar de inzamelingsactie gestuurd, iedereen wilde vertellen hoe ze danste; een paar mensen moesten huilen. Een heleboel mensen waren aanhangers van Jonathans Weg met de snelweg-campagne, en zij keken ons zijdelings en wrokkig aan toen we naar hem informeerden. Een paar barstten er in verontwaardigde tirades uit dat hij de vooruitgang wilde tegenhouden en de economie ondermijnde, en die mensen kregen naast hun naam speciale sterretjes in mijn notitieboekje. De meeste mensen waren van mening dat Jessica ze niet allemaal op een rijtje had.

Toen we vroegen of ze nog iets verdachts hadden gezien, kwamen ze aanzetten met de gebruikelijke verzameling plaatselijke zotten – een oude man die tegen vuilnisbakken schreeuwde, twee veertienjarigen die de naam hadden katten te verzuipen in de rivier – en onbelangrijke langdurige vetes en onduidelijke onvredes. Een aantal mensen, geen van hen met enige bruikbare informatie, begon over de oude zaak; tot aan de opgraving en de snelweg en Katy was dit Knocknarees enige moment van roem geweest. Ik dacht dat ik een paar namen half herkende, een stel gezichten. Ik vergastte hen op mijn beste professionele neutrale blik.

Een uur of zo later kwamen we bij Knocknaree Drive nummer 27 en troffen daar mevrouw Pamela Fitzgerald aan – nog steeds, ongelooflijk, in uitstekende vorm. Mevrouw Fitzgerald was geweldig. Achtentachtig jaar oud, graatmager en halfblind, bijna dubbel gebogen zo krom; ze bood ons thee aan, negeerde onze weigering en schreeuwde vanuit de keuken naar ons terwijl ze een volgeladen, bevend blad klaarmaakte. Daarna wilde ze weten of we haar tasje hadden gevonden, dat een of andere straatjongen drie maanden geleden gestolen had, en waarom niet. Het was een bizarre ervaring om nadat ik haar verbleekte handschrift had gelezen in het dossier, haar nu te horen klagen over dikke enkels ('o, het is een kwelling, ik kan niet anders zeggen') en haar verontwaardigde weigering te horen toen ik had aangeboden om het dienblad naar binnen te dragen. Alsof Toetanchamon of Miss Piggy plotseling de kroeg in wandelden en begonnen te zaniken over de schuimkraag op het bier.

Ze kwam uit Dublin, vertelde ze ons – 'uit het centrum, niets meer en niets minder' – maar ze was zevenentwintig jaar geleden naar Knocknaree verhuisd toen haar man ('God hebbe zijn ziel') met pensioen was gegaan als treinmachinist. Sinds die tijd was Knocknaree haar microkosmos en ik had het idee dat ze ieder schandaal, iedere roddel uit de complete geschiedenis van de nederzetting kende. Uiteraard kende ze het gezin Devlin, waar ze grote waardering voor had: 'Ach, wat een leuk gezinnetje. Altijd een prima meid geweest, die Margaret Kelly, geen greintje zorg voor haar mama, behalve dan' – ze leunde naar Cassie over en liet haar stem dalen tot een samenzweerderig volume – 'behalve dan die keer dat ze zwanger bleek te zijn. En ik zal je wat zeggen, meiske, maar de regering en de kerk zitten er altijd maar op te hameren hoe vreselijk het toch is met al die tienerzwangerschappen, maar ik zeg, van tijd tot tijd kan dat helemaal geen kwaad. Die jongen van Devlin was altijd een beetje een wildebras, maar zodra hij dat meisje zwanger gemaakt had – nou, toen draaide hij om als een blad aan de boom. Hij zocht en vond een baan, en een huis, en ze hadden een prachtige bruiloft. Maar het is natuurlijk wel vreselijk wat er net met dat arme kind is gebeurd, moge ze in vrede rusten.'

Ze sloeg een kruisje en klopte me op de arm. 'En jij komt helemaal uit Engeland om uit te zoeken wie dat gedaan heeft? Is dat niet geweldig? God zegene je, knaap.'

'Ouwe ketter,' zei ik toen we eenmaal buiten stonden. Ik was enorm opgefleurd van het bezoek aan mevrouw Fitzgerald. 'Ik hoop dat ik nog zoveel pit heb tegen de tijd dat ik achtentachtig ben.'

We hielden er net voor zessen mee op en gingen naar de plaatselijke kroeg – Mooney's, vlak naast de winkel – om naar het nieuws te kijken.We hadden nog maar een klein deel van de wijk gedaan, maar we hadden een eerste indruk van de sfeer daar, en we hadden een lange dag achter de rug; de bespreking met Cooper leek wel twee etmalen geleden. Ik voelde een krankzinnige aandrang om door te lopen tot we bij mijn vroegere straat kwamen – kijken of Jamies moeder zou opendoen als we aanbelden, zien hoe Peters broers en zusjes er intussen uitzagen, wie er in mijn oude kamer sliep – maar ik wist dat dat geen goed idee zou zijn.

We hadden het goed getimed: op het moment dat ik met onze koffie naar het tafeltje kwam lopen, draaide de barkeeper het geluid van de tv harder en begon het nieuws, met een fanfare van synthesizermuziek. Het belangrijkste nieuws bestond uit berichten over Katy; de presentatoren in de studio keken toepasselijk ernstig, hun stem beefde aan het eind van iedere zin om aan te geven dat het hier om een tragedie ging. De kunstzinnige foto uit de *Irish Times* verscheen in een hoek van het scherm.

'Het meisje dat gisteren dood is gevonden op de omstreden locatie van de archeologische opgraving te Knocknaree blijkt de twaalfjarige Katharine Devlin te zijn,' las de presentator op. Ofwel de kleur van de televisie was niet goed afgesteld ofwel hij had te veel bruin opgesmeerd: zijn gezicht leek oranje en zijn oogwit was spookachtig wit. De oude mannen in de bar kwamen in beweging, tilden langzaam hun gezicht naar het scherm en zetten hun glas neer. 'Katharine was dinsdagochtend vroeg verdwenen uit de ouderlijke woning, niet ver van de plek waar ze gevonden is. De Gardaí heeft bevestigd dat het om een verdacht sterfgeval gaat en doet een oproep aan iedereen die informatie kan bieden, om zich te melden.' Het nummer van de lijn voor tipgevers verscheen op het scherm, witte letters op een blauwe balk. 'Een livereportage van onze verslaggeefster ter plekke, Orla Manahan.'

Cut naar een blond mens met bevroren haar en een overhangende neus, staand voor de altaarsteen die zelf niets leek te doen dat liveverslaggeving rechtvaardigde. Er lagen al enkele herdenkingstekens tegen de steen: bloemen in gekleurd cellofaan, een roze teddybeer. Op de achtergrond was nog een stuk politielint te zien dat Sophies team over het hoofd had gezien en dat nu verloren aan een boomstam hing te fladderen.

'Op deze plek is gisterochtend het lichaampje van Katy Devlin gevonden. Ondanks haar jeugdige leeftijd was Katy een bekende naam in de kleine, hechte gemeenschap van Knocknaree. Ze had zojuist een plek gekregen aan de prestigieuze Koninklijke Balletacademie, waar ze over slechts een paar weken met haar opleiding zou beginnen. De plaatselijke inwoners waren kapot van het nieuws over de tragische dood van dit meisje, dat de trots van de buurt was.'

Een bibberig beeld, uit de hand geschoten, van een oude vrouw met een gebloemde hoofddoek op de stoep voor de winkel van Lowry. 'O, vreselijk.' Een lange stilte terwijl ze hoofdschuddend en met bevende mond naar de grond keek; achter haar reed een man op een fiets voorbij, met open mond gapend naar de camera. 'Het is verschrikkelijk. We zijn met ons allen aan het bidden voor de familie. Hoe kón iemand nou zo'n prachtig klein meisje kwaad willen doen?' Een boos, onderdrukt gemompel van de oude mannen aan de bar.

Terug naar de blondine. 'Maar dit was niet de eerste gewelddadige dood in Knocknaree. Duizenden jaren geleden was deze steen' – ze maakte een weids gebaar met haar arm, als een makelaar die een volledig ingerichte keuken aanprijst – 'een ceremonieel altaar waar, volgens archeologen, de druïden mensenoffers brachten. De Gardaí heeft vanmiddag echter verklaard dat er geen bewijs is dat Katy's dood het werk was van een religieuze sekte.'

Over naar O'Kelly, die voor een imposant prikbord met het Garda-logo erop stond. Hij had een stuitend geruit jasje aan dat voor de camera leek te golven en te zwoegen alsof het een levend wezen was. Hij schraapte zijn keel en werkte onze complete lijst af, met niet-bestaande dode veestapel en al. Cassie stak zonder haar blik van het scherm af te wenden haar hand uit en ik gaf haar een briefje van vijf.

De oranje presentator. 'En Knocknaree kent nóg een mysterie. In 1984 verdwenen twee kinderen uit de buurt...' Het scherm werd gevuld met die veel te vaak getoonde schoolfoto's: Peter, die brutaal vanonder zijn pony naar de camera lachte, en Jamie – die foto's haatte – die de fotograaf een aarzelende halve glimlach schonk, alsof ze het alleen maar deed om de grote mensen een plezier te doen.

'Nou krijgen we het,' zei ik, met een poging om het licht en wrang te laten klinken.

Cassie nam een slok van haar koffie. 'Ga je het tegen O'Kelly zeggen?' vroeg ze.

Daar had ik op zitten wachten, en ik wist precies waarom ze dat moest vragen, maar toch trof het me onaangenaam. Ik keek even naar de mannen aan de bar: die staarden geconcentreerd naar het scherm. 'Nee,' zei ik. 'Nee, dan haalt hij me van de zaak. Ik wil deze zaak, Cassie.'

Ze knikte langzaam. 'Weet ik. Maar als hij er nou toch achter komt?'

Als hij erachter kwam, was er grote kans dat we beiden teruggingen naar uniform of dat we ten minste bij Moordzaken weg moesten. Ik had mijn best gedaan om daar niet aan te denken. 'Dat gebeurt niet,' zei ik. 'Hoe zou dat nou kunnen? En als het toch zover komt, zeggen we allebei dat jij nergens van wist.'

'Daar trapt hij nooit in. En bovendien, daar gaat het niet om.'

Wazige oude beelden van een agent met een hyperactieve Duitse herder die samen het bos in verdwenen. Een duiker die zich hoofdschuddend de rivier uit hees. 'Cassie,' zei ik, 'ik weet dat het veel gevraagd is. Maar ik smeek het je: ik móét dit doen. Ik zal het niet verkloten.'

Ik zag haar wimpers even bewegen en besefte dat mijn toon wanhopiger was geweest dan ik bedoeld had. 'We weten niet eens zeker of er wel een verband is,' zei ik, beheerster nu. 'En als dat er wél is, dan herinner ik me straks misschien iets wat van nut is voor het onderzoek. Alsjeblieft, Cass. Help me.'

Ze bleef een tijdje zwijgend van haar koffie zitten drinken en naar de tv zitten kijken. 'Is er ergens kans dat een vastberaden verslaggever…?'

'Nee,' zei ik op een toon die geen twijfel liet bestaan. Ik had hier, zoals je je kunt voorstellen, een hele tijd over nagedacht. Zelfs in het dossier stonden mijn nieuwe naam en mijn nieuwe school niet vermeld, en toen we verhuisden heeft mijn vader de politie het adres van mijn grootmoeder gegeven. Die overleed toen ik een jaar of twintig was, en vervolgens is haar huis verkocht. 'Mijn ouders hebben een geheim nummer en mijn nummer staat onder Heather Quinn…'

'En tegenwoordig heet je Rob. Volgens mij redden we het wel.'

Dat woordje 'we' en die praktische, nadenkende toon – alsof het gewoon een zoveelste routinematige complicatie was, van dezelfde categorie als een onwillige getuige of een op de vlucht geslagen verdachte – gaven me een warm gevoel. 'Als het allemaal verschrikkelijk fout loopt, mag jij de paparazzi wegmeppen,' zei ik.

'Cool. Ik ga alvast op karate.'

Op het scherm waren de oude beelden afgelopen, en bereidde de blondine zich voor op een grootse finale. '… Maar voorlopig kunnen de mensen van Knocknaree weinig anders doen dan afwachten… en hopen.' De camera bleef nog even hangen op de altaarsteen, en daarna gingen we terug naar de studio, waar de oranje presentator een verhaal ophing over de laatste ontwikkelingen in een of ander eindeloze, deprimerende rechtszaak.

We dumpten onze spullen bij Cassie en gingen naar het strand om een eind te wandelen. Sandymount heeft een prachtig strand. Op die zeldzame Ierse zomermiddagen is het al prachtig, met een brochureblauwe hemel en alle meisjes in hemdjes en met roodverbrande schouders, maar om de een of andere reden vind ik het het mooist op die door en door Ierse dagen wanneer de wind de regenspetters in je gezicht jaagt en alles vervaagt tot onduidelijke, puriteinse halftinten: grijswitte wolken, grijsgroene zee aan de horizon, een enorme vlakte bleekbruin zand met een rand van schelpenscherven, wijde, abstracte bogen matzilver waar het tij ongelijkmatig komt opzetten. Cassie had een grijsgroene ribbroek aan en haar grote, bruine jas, en haar neus werd rood in de wind. Een groot, serieus ogend meisje met een short en een baseballpetje – waarschijnlijk een Amerikaanse studente – jogde over het zand een eind voor ons uit; op de promenade zeulde een minderjarige moeder met een trainingspak een tweelingkinderwagen achter zich aan.

'Wat vind jij?' vroeg ik.

Van de zaak, bedoelde ik uiteraard, maar Cassie was in een energieke bui – zij genereert meer energie dan de meeste mensen, en ze had het grootste deel van de dag binnen gezeten. 'Nou ja, zeg? Een vrouw die vraagt wat een man denkt, is zowat het ergste op aarde, dat is een bezitterige en zielige vrouw en die man gaat er als een haas vandoor, maar als het andersom…'

'Gedraag je,' zei ik, terwijl ik haar capuchon over haar gezicht trok.

'Help! Ik word onderdrukt!' gilde ze door de stof heen. 'Bel de Commissie voor Gelijke Behandeling.' Het meisje met de kinderwagen wierp ons een zure blik toe.

'Je bent helemaal over je toeren,' zei ik tegen Cassie. 'Kalmeer, of je gaat zonder ijsje naar huis.'

Ze schudde de capuchon af en begon aan een lange reeks radslagen en handstand met overslag. Haar jas tuimelde rond haar schouders. Mijn eerste indruk van Cassie was, zo was tot mijn tevredenheid gebleken, precies goed geweest: als kind had ze acht jaar aan atletiek gedaan, en ze was kennelijk heel goed geweest. Ze was ermee opgehouden omdat ze geen plezier meer had in wedstrijden en eindeloos oefenen; het ging haar om de bewegingen zelf, om de strakke, gespannen, riskante geometrie ervan, en vijftien jaar na dato kent haar lichaam nog bijna alle sprongen. Toen ik haar ingehaald had, stond ze buiten adem het zand van haar handen te vegen.

'Opgeknapt?' vroeg ik.

'Stukken. Maar je vroeg...?'

'De zaak. Werk. Dood iemand.'

'Ah. Dat,' zei ze, meteen serieus. Ze trok haar jas recht en we liepen verder over het strand, half begraven schelpen omhoogwerkend met de neuzen van onze schoenen.

'Ik heb me lopen afvragen,' zei Cassie, 'wat voor kinderen die Peter Savage en Jamie Rowan waren.'

Ze keek naar een veerboot, klein en afgebakend als een stuk speelgoed, die vastberaden over de streep van de horizon kroop; haar gezicht, opgetild naar de zachte regen, stond onleesbaar. 'Hoezo?' vroeg ik.

'Weet ik niet. Zomaar.'

Ik moest een hele tijd nadenken over haar vraag. Mijn herinneringen aan hen waren uitgesleten door overmatig gebruik, vaal geworden als oude dia's, geprojecteerd op de muur van mijn geheugen: Jamie, die snel en zonder aarzelen een hoge boom in klom, Peters lach vanuit het *trompe-l'-oeil*-schijnsel van groen een eind verderop. Via een soort vertraagde omwenteling waren ze kinderen uit een spookachtig sprookjesboek geworden, mythes van een verloren beschaving; het was moeilijk te geloven dat ze ooit bestaan hadden, dat dit mijn vrienden waren geweest.

'In welk opzicht?' vroeg ik uiteindelijk en dom. 'Qua karakter, of hoe ze eruitzagen, of wat?'

Cassie haalde haar schouders op. 'Maakt niet uit.'

'Ze waren ongeveer even groot als ik,' zei ik. 'Gemiddelde lengte, denk ik, wat dat ook zijn moge. Ze waren allebei tenger. Jamie had witblond haar op kinlengte en een stomp neusje. Peter had lichtbruin haar, zo'n lange coupe die jongetjes hebben wanneer hun moeder hun haar knipt, en groene ogen. Ik denk dat hij heel knap geworden zou zijn.'

'En qua karakter?' Cassie keek naar me op; de wind drukte haar haar plat als een zeehondenvacht tegen haar gezicht. Af en toe steekt ze haar arm door de mijne tijdens de wandeling, maar ik wist dat ze dat ditmaal niet zou doen.

In mijn eerste jaar op kostschool dacht ik onophoudelijk aan ze. En aan niets anders. Ik had vreselijk, misselijkmakend heimwee, maar ik denk dat mijn ellende veel dieper ging dan normaal. Het was een onophoudelijke doodsstrijd, die me opslokte en verzwakte als kiespijn. Aan het begin van ieder trimester moest ik schoppend en brullend uit de auto gesleurd en naar binnen gedragen worden, terwijl mijn ouders wegreden. Je zou denken dat ik door zulk gedrag een ideaal mikpunt voor getreiter was, maar in feite lieten de anderen me strikt met rust. Ik neem aan dat ze inzagen dat zij niets konden doen waardoor ik me nog beroerder zou gaan voelen. Niet dat school nu de hel op aarde was of wat dan ook, het was zelfs best een goede school volgens mij – niet al te groot, op het platteland, met een ingewikkelde hiërarchie en een obsessie met punten scoren voor het huis waartoe je behoorde en diverse andere clichés – maar ik wilde maar één ding, en dat wilde ik met hart en ziel zoals ik nog nooit van mijn leven iets gewild had: naar huis.

Ik overleefde, zoals kinderen dat altijd en overal gedaan hebben, door me terug te trekken in mijn fantasie. Ik zat op wankele stoelen tijdens eindeloze bijeenkomsten en stelde me voor dat Jamie naast me zat te draaien op haar plek, ik stelde me haar tot in de kleinste details voor, de vorm van haar knieschijven, hoe ze haar hoofd hield. 's Nachts lag ik uren wakker, omgeven door jongens die lagen te snurken en te mompelen, en concentreerde me met iedere cel van mijn lichaam tot ik zonder enige twijfel zeker wist dat Peter in het bed naast het mijne zou liggen als ik mijn ogen opendeed. Ik stopte briefjes in limonadeflessen en gooide die in de rivier die langs het schoolterrein liep: 'Voor Peter en Jamie. Kom alsjeblieft terug. Liefs, Adam.' Want zie je, ik wist dat ik naar kostschool gestuurd was omdat zij verdwenen waren; en ik wist dat ik weer naar huis zou mogen als zij op een avond smerig, onder de brandnetelbulten en hongerig uit het bos kwamen hollen.

'Jamie was net een jongen,' zei ik. 'Heel verlegen tegenover vreemden, vooral grote mensen, maar fysiek nergens bang voor. Jullie zouden elkaar gemogen hebben.'

Cassie keek me van opzij met een grijns aan. 'In 1984 was ik pas tien, weet je nog? Jullie hadden me geen blik waardig gekeurd.'

Ik was 1984 gaan zien als een privéwereld die verder overal los van stond; het was schokkend om te beseffen dat Cassie daar ook geweest was, slechts een paar kilometer verderop. Op het moment dat Peter en Jamie verdwenen, had zij met haar vriendinnetjes gespeeld of op haar fietsje rondgereden of aan tafel gezeten, zich niet bewust van wat er aan het gebeuren was en van de lange, gecompliceerde paden die haar naar mij en naar Knocknaree zouden leiden. 'Natuurlijk hadden we je gezien,' zei ik. 'En dan hadden we gezegd: "Hier met dat lunchgeld, onderkruipseltje."'

'Dat doe je evengoed. Maar ga verder over Jamie.'

'Haar moeder was een soort hippie – lange, wijde rokken en lang haar, en Jamie kreeg yoghurt met tarwekiemen mee voor de middagpauze.'

'Getver,' zei Cassie. 'Ik wist niet eens dat je in de jaren tachtig tarwe-kiemen kon kopen. Als je dat al wilde.'

'Volgens mij was het een onwettig kind – Jamie, niet haar moeder. Van een vader was geen sprake. Eerst werd ze daar nog wel eens mee gepest, maar na een tijdje sloeg ze een van die ettertjes in elkaar. Daarna vroeg ik mijn moeder waar Jamies vader was, en volgens haar waren dat mijn zaken niet.' Ik had het ook aan Jamie gevraagd. Die had haar schouders opgehaald en 'Geen idee' gezegd.

'En Peter?'

'Peter was de leider,' zei ik. 'Altijd al, vanaf dat we heel klein waren. Hij kon met iedereen overweg, hij kletste ons altijd overal uit – niet dat hij nou zo'n betweterig type was, volgens mij niet, maar hij had een boel zelfvertrouwen en hij hield van mensen. En hij was aardig.'

Er woonde bij ons in de straat een jongetje, Willy Little. Die naam, Pikje Klein, had op zich al voor genoeg ellende kunnen zorgen – ik vraag me af wat zijn ouders in vredesnaam bezield had – maar daarbij had hij ook nog eens zo'n jampotjesbril en moest hij het hele jaar door dikke, handgebreide truien aan met konijntjes op de voorkant omdat hij geen sterke longen had. En hij begon het merendeel van zijn zinnen met 'Mijn moeder zegt…' Wij hadden hem ons leven lang onbekommerd gepest – de voor de hand liggende tekeningetjes op zijn schriften, vanuit een boom op zijn hoofd gespuugd, keutels van Peters konijn opgespaard en gezegd dat het chocoladerozijnen waren, dat soort dingen – maar de zomer dat we twaalf werden, haalde Peter ons over om daarmee op te houden. 'Het is niet eerlijk,' zei hij. 'Hij kan er niets aan doen.'

Jamie en ik zagen ergens wel in dat hij gelijk had, hoewel we redeneerden dat Willy prima in staat was geweest om te zeggen dat hij Bill heette en om op te houden te vertellen wat zijn moeder overal van vond. Ik voelde me zo schuldig dat ik hem de volgende keer dat ik hem zag de helft van mijn Mars aanbood, maar begrijpelijkerwijs wierp hij me een achterdochtige blik toe en ging er haastig vandoor. Afwezig vroeg ik me af wat Willy tegenwoordig deed. In de film zou hij intussen een Nobelprijswinnaar zijn, een genie, getrouwd met een topmodel; in werkelijkheid verdiende hij waarschijnlijk zijn geld als proefkonijn voor geneesmiddelen-experimenten en had hij nog steeds van die dikke truien aan.

'Dat kom je ook niet vaak tegen,' zei Cassie. 'De meeste kinderen zijn monsters op die leeftijd. Ik in ieder geval wel.'

'Volgens mij was Peter een ongewoon kind,' zei ik.

Ze bleef staan om een feloranje schelp op te rapen en te bestuderen. 'Er is een kans dat ze nog in leven zijn – toch?' Ze veegde de schelp schoon aan haar mouw en blies erop. 'Ergens.'

'Het zou natuurlijk kunnen,' zei ik. Peter en Jamie, ergens op de wereld, vlekken van gezichten die vervaagden in een enorme, zwalpende mensenmassa. Toen ik twaalf was, leek dat op de een of andere manier de ergste mogelijkheid: dat ze die dag gewoon weggehold waren, zonder achterom te kijken, en dat ze mij dus gewoon achtergelaten hadden. Nog steeds kijk ik automatisch naar hen uit als ik me in een grote menigte bevind – luchthavens, concerten, treinstations; het is intussen heel wat minder, maar als kind kreeg ik dan een soort paniekaanval en stond ik uiteindelijk van links naar rechts te draaien als een figuur in een tekenfilm, doodsbenauwd dat het ene gezicht dat ik niet zag, van een van hen beiden kon zijn. 'Maar ik denk van niet. Er was wel héél veel bloed.'

Cassie was bezig de schelp in haar zak te stoppen; ze keek heel even naar me op. 'De details ken ik niet.'

'Ik zal je het dossier geven,' zei ik. Het was irritant, maar het kostte me moeite om dat te zeggen. Alsof ik mijn dagboek uit handen gaf. 'Dan moet je zelf maar eens kijken wat je ervan vindt.'

De vloed was aan het opkomen. Het strand van Sandymount loopt zo geleidelijk af dat bij eb de zee bijna onzichtbaar is, een smalle, grijze rand in de verte, aan de horizon; maar de vloed komt duizelingwekkend snel opzetten, van alle kanten tegelijk, en soms raken mensen gestrand. Over een paar minuten zou het water tot aan onze voeten staan. 'We kunnen beter teruggaan,' zei Cassie. 'Sam komt eten, weet je nog?'

'O ja, dat is waar ook,' zei ik zonder veel enthousiasme. Ik vind Sam aardig – iedereen vindt hem aardig, behalve Cooper – maar ik wist niet of ik wel echt in de stemming was voor andere mensen. 'Waarom heb je hem uitgenodigd?'

'De zaak?' zei ze liefjes. 'Werk? Dood iemand?' Ik trok een raar smoel naar haar, en ze grijnsde terug.

De twee kleverige hummels in de kinderwagen ramden op elkaar in met felgekleurd speelgoed. 'Britney! Justin!' krijste de moeder boven hun gegil uit. 'Bekken dicht of ik sla ze dicht!' Ik sloeg een arm om Cassies hals en zag kans haar een veilig eind weg te trekken voordat we beiden in lachen uitbarstten.

Uiteindelijk wende ik trouwens toch nog, op kostschool. Toen mijn ouders me aan het begin van het tweede jaar naar school brachten (met mij huilend en smekend vastgeklemd aan de portierhendel terwijl de ontstemde huismeester me bij mijn middel oppakte en mijn vingers een voor een loswrikte) zag ik in dat ze me, wat ik ook deed of hoe ik ook smeekte, nooit meer naar huis zouden laten komen. Daarna hield ik op met heimwee hebben.

Ik had weinig keuze. Mijn niet-aflatende ellende in het eerste jaar had me bijna tot brekens toe uitgeput (ik was intussen al gewend aan de duizelingen bij het opstaan, momenten waarop ik me de naam van een klasgenoot of de route naar de eetzaal niet kon herinneren) en zelfs dertienjarige veerkracht heeft haar grenzen; als ik zo nog een paar maanden doorgegaan was, had ik waarschijnlijk een of andere gênante zenuwinzinking gekregen. Maar als het erom gaat, heb ik in feite een uitstekend werkend overlevingsinstinct. Die eerste nacht van mijn tweede jaar huilde ik mezelf in slaap, en toen ik de volgende ochtend wakker werd besloot ik nooit meer heimwee te hebben.

Daarna bleek het tot mijn verbazing helemaal niet moeilijk om gewend te raken. Zonder echt op te letten had ik al een groot deel van het bizarre schooljargon opgepikt (jongens in de onderbouw waren 'scrots', de docenten heetten 'macko's') en mijn accent verschoof binnen een week van Dublin Hill naar zuiver Engels. Charlie werd mijn vriend; hij zat bij aardrijkskunde naast me en hij had een rond, plechtig gezicht en een onweerstaanbare grinnik; toen we oud genoeg waren, deelden we samen een studeerkamer en de experimentele joints die hij van zijn broer in Cambridge kreeg. Ook hadden we lange, verwarde gesprekken vol verlangen over meisjes. Mijn schoolwerk was op zijn best middelmatig – ik had mezelf zo vastgebeten in het idee van school als een eeuwigdurend, onontkoombaar lot dat ik me daarna niets kon voorstellen. Het viel dus niet mee om me te herinneren waarom ik geacht werd mijn best te doen – maar ik bleek redelijk te kunnen zwemmen, goed genoeg voor het schoolteam, en daardoor kreeg ik heel wat meer respect van docenten en jongens dan ik met goede cijfers verworven zou hebben. In de vijfde klas werd ik zelfs klasseleerling; dat wijt ik, net als mijn aanstelling bij Moordzaken, aan het feit dat ik eruitzie alsof ik voor die rol geschapen ben.

Vaak ging ik in de vakanties bij Charlie thuis logeren in Herefordshire, waar ik leerde autorijden in zijn vaders oude Mercedes (hobbelige landweggetjes, de ramen wijd open, Bon Jovi loeihard uit de autoradio en wij beiden uit volle borst meebrullend) en verliefd werd op zijn zusters. Ik merkte dat ik geen uitgesproken aandrang meer had om naar huis te gaan. Het huis in Leixlip had bordkartonnen muren en het was donker en rook naar vocht, en mijn moeder had mijn spullen helemaal verkeerd neergezet in mijn nieuwe kamer; het maakte allemaal een onbeholpen en tijdelijke indruk, een soort haastig in elkaar geflanst onderkomen voor vluchtelingen, geen echt thuis. Alle andere jongens in de straat hadden gevaarlijk ogend haar en dreven onverstaanbaar de spot met mijn uitspraak.

Mijn ouders hadden de verandering opgemerkt, maar in plaats van dat ze blij waren dat ik eindelijk was gewend op school, zoals je zou verwachten, leken ze verbijsterd, zenuwachtig in de buurt van de onbekende, gesloten persoon die ik aan het worden was. Mijn moeder sloop op haar tenen door het huis en vroeg timide wat ik die avond zou willen eten, en mijn vader probeerde het met mannen-onder-elkaargesprekken die steevast verzandden in veel keel schrapen en krant ritselen zijnerzijds en een hol, passief stilzwijgen mijnerzijds. Rationeel gezien begreep ik dat ze me naar kostschool hadden gestuurd om me te beschermen tegen de niet-aflatende stromen journalisten en zinloze politieverhoren en nieuwsgierige klasgenoten, en was ik me ervan bewust dat dit waarschijnlijk een prima beslissing was geweest, maar ergens geloofde ik, onaantastbaar en woordeloos en misschien met een spoortje van gelijk, dat ze me weggestuurd hadden omdat ze bang voor me waren. Als een monsterlijk misvormd kind dat nooit had moeten leven, of een Siamese tweeling waarvan de andere helft onder het mes gestorven was, was ik – simpelweg door te overleven – een wonder der natuur geworden.

# 8

Sam arriveerde precies op tijd, uitgedost als een puber op zijn eerste af-spraakje – hij had zelfs (zij het tevergeefs) zijn haar platgedrukt met een krul in zijn nek – en met een fles wijn bij zich. 'Alsjeblieft,' zei hij tegen Cassie. 'Ik wist niet wat je zou maken, maar die man bij de slijterij zei dat dit wel zo'n beetje overal bij past.'

'Geweldig,' zei Cassie, terwijl ze de muziek zachter zette (Ricky Martin in het Spaans; ze heeft zo'n boppy mix die ze keihard aanzet als ze aan het koken is of het huishouden doet). Ze liep naar haar kleerkast op zoek naar iets wat als wijnglas dienst kon doen. 'Ik maak gewoon pasta, hoor. De kurkentrekker ligt in die la, daar. Rob, liever, je moet in die saus róé-ren, niet gewoon de lepel in de pan houden.'

'Luister even, Martha Stewart, kook jij of kook ik?'

'Zo te zien geen van beiden. Sam, wil jij wijn of moet jij nog rijden?'

'Maddox, het is tomaat uit blik met basilicum, niet bepaald haute cuisi-ne...'

'Hebben ze bij jou meteen bij de geboorte de smaakpapillen operatief verwijderd, of is dat gebrek aan raffinement iets aangeleerds? Wijn, Sam?'

Sam keek lichtelijk verwilderd. Soms vergeten Cassie en ik dat mensen zo op ons reageren, vooral wanneer we geen dienst hebben en in een goe-de stemming verkeren, zoals nu het geval was. Ik weet dat het vreemd klinkt, gezien wat we die hele dag gedaan hadden, maar in alle afdelingen met een hoog gehalte aan afgrijselijkheden – Moordzaken, Zedenmisdrij-ven, Huiselijk Geweld – leer je om de knop om te zetten, en anders vraag je overplaatsing naar Kunst en Antiek aan. Als je jezelf toestaat al te veel aan de slachtoffers te denken (waar dachten ze aan, die laatste seconden; alles wat ze nooit meer zullen doen; hun familie die er kapot van is), blijf je uiteindelijk zitten met een onopgeloste zaak en een zenuwinzinking. Ik had het uiteraard moeilijker dan anders met dat omzetten, maar het deed me goed om gewoon met Cassie in de keuken bezig te zijn en haar te pesten.

'Eh, ja, graag,' zei Sam. Hij keek wat ongelukkig om zich heen op zoek naar een plek om zijn jas op te hangen; Cassie pakte hem aan en dumpte hem op de futon. 'Mijn oom heeft een huis in Ballsbridge – ja, ja, ik weet het,' zei hij toen we hem beiden een gemaakt geïmponeerde blik toewierpen – 'en daar heb ik nog een sleutel van. Soms ga ik daar slapen als ik een paar glazen op heb.' Hij keek van Cassie naar mij alsof hij commentaar verwachtte.

'Mooi,' zei Cassie. Ze dook weer de kleerkast in en kwam tevoorschijn met een glazen beker waar NUTELLA op stond. 'Daar heb ik toch wel zo'n hekel aan, als sommigen drinken en anderen niet. Daar krijg je idiote gesprekken van. Wat heb jij trouwens met Cooper uitgespookt?'

Sam lachte, ontspande zich en ging op zoek naar de kurkentrekker. 'Ik zweer het je, dat was niet mijn schuld. Mijn eerste drie zaken kwamen alle drie klokslag vijf binnen; dus belde ik hem toen hij net thuiskwam.'

'O-oh,' zei Cassie. 'Foei toch, Sam.'

'Als het meezit zal hij ooit weer tegen je praten,' voegde ik daaraan toe.

'Die kans lijkt me gering,' zei Sam. 'Hij doet nog steeds alsof hij niet weet hoe ik heet. Hij noemt me Neary of O'Nolan – zelfs in het getuigenbankje. Het is een keer gebeurd dat hij me iedere keer dat hij het over mij had, een andere naam gaf. De rechter raakte zo verward dat hij de zaak uiteindelijk bijna nietig verklaarde. Goddank heeft hij een zwak voor jullie tweeën.'

'Ja, dat komt door Ryans decolleté,' zei Cassie, terwijl ze me met haar heup uit de weg duwde en een handvol zout in de pan met water keilde.

'Dan koop ik ook zo'n Wonderbra,' zei Sam. Behendig trok hij de kurk uit de fles, en hij duwde ons een glas in de hand. 'Proost, jongens. Bedankt voor de uitnodiging. Op een snelle oplossing zonder nare verrassingen.'

Na het eten gingen we aan de slag. Ik zette koffie, Sam hield vol dat hij de afwas wilde doen. Cassie had de autopsieaantekeningen en de foto's op haar salontafel uitgespreid, een oude houten kist die met bijenwas glim-

mend geboend was, en ze zat op de grond heen en weer te bladeren, terwijl ze met haar andere hand kersen uit de fruitschaal at. Ik kijk graag naar
Cassie wanneer die zich concentreert. Ze gaat dan volledig in haar onderwerp op, afwezig en zich als een kind onbewust van haar omgeving – ze
draait een vinger rond in een krul op haar achterhoofd, ze wringt haar benen in moeiteloos vreemde standen, ze rolt een pen rond in haar mond
om die er dan plotseling, prevelend, uit te halen.

'Terwijl wij wachten op de helderziende daarzo,' zei ik tegen Sam –
Cassie stak haar middelvinger naar me op zonder te kijken – 'hoe was
jouw dag?'

Sam stond met georganiseerde vrijgezellenbewegingen de borden af te
spoelen. 'Lang. Van die muzak tijdens het wachten, en eindeloze ambte-
naren die me vertellen dat ik iemand anders moet hebben en me op het
antwoordapparaat zetten. Het wordt niet zo makkelijk als het lijkt om erachter te komen van wie dat land is. Ik heb mijn oom gesproken en hem
gevraagd of dat initiatief van Weg met de snelweg enig effect had.'

'En?' vroeg ik, met een poging om niet al te cynisch te klinken. Ik had
niets tegen Redmond O'Neill in het bijzonder – ik had een vaag beeld
van een grote, rood aangelopen man met een bos zilvergrijs haar, maar
meer ook niet – maar ik koester wel een groot, algemeen wantrouwen tegen politici.

'Hij zei van niet. Eerlijk gezegd, zei hij, zijn ze alleen maar lastig.' Cassie keek met gefronste wenkbrauwen naar hem op. 'Ik herhaal alleen wat
híj zei. Ze zijn al een paar keer naar de rechtbank geweest om te proberen
die snelweg tegen te houden; ik moet nog natrekken wanneer precies,
maar volgens Red was dat eind april, begin juni en half juli. Dat klopt dan
met die telefoontjes naar Jonathan Devlin.'

'Kennelijk was er iemand die ze meer dan alleen maar lastig vond,'
merkte ik op.

'Die laatste keer, een paar weken geleden, kreeg Weg met de snelweg
een gerechtelijk bevel, maar volgens Red wordt dat in hoger beroep afgewezen. Hij maakt zich geen zorgen.'

'Nou, dat is fijn om te weten,' zei Cassie poeslief.

'Die snelweg brengt veel goeds, Cassie,' zei Sam vriendelijk. 'Nieuwe
huizen, nieuwe banen…'

'Dat zal best. Ik snap alleen niet wat het uitmaakt als die weg een paar
honderd meter verderop komt te liggen.'

Sam schudde zijn hoofd. 'Dat weet ik niet. Dat soort zaken kan ik niet volgen. Maar Red wel, en die zegt dat er grote behoefte is aan de snel-weg.'

Cassie deed haar mond open om nog iets te zeggen, maar ik zag de glinstering in haar ogen. 'Hou op met dat onvolwassen gedoe en maak een profiel,' zei ik tegen haar.

'Oké,' zei ze, terwijl wij met de koffie kwamen aanlopen. 'Het belang-rijkste lijkt me dat de dader dit niet met hart en ziel gedaan heeft.'

'Pardon?' zei ik. 'Maddox, hij heeft haar twee dreunen op haar hoofd gegeven en haar daarna gewurgd. Ze was heel, heel erg dood. Als hij nog getwijfeld had…'

'Nee, wacht even,' zei Sam. 'Dit wil ik horen.' Mijn taak bij de ama-teurprofilingsessies is om advocaat van de duivel te spelen, en Cassie is heel goed in staat om me het zwijgen op te leggen als ik al te enthousiast word, maar Sam heeft een aangeboren, ouderwets soort ridderlijkheid – bewonderenswaardig, maar tegelijkertijd ook ietwat irritant. Cassie wierp me een sluwe, zijdelingse blik toe en schonk hem een glimlach.

'Dank je, Sam. Zoals ik al zei, kijk eens naar die eerste klap. Dat was een tik, meer niet, amper genoeg om haar tegen de grond te werken, laat staan dat ze bewusteloos raakte. Ze had haar rug naar hem toe, ze bewoog niet, hij had haar schedel in kunnen slaan. Maar dat deed hij niet.'

'Hij wist niet hoeveel kracht daarvoor nodig was,' zei Sam. 'Zoiets had hij nog nooit gedaan.' Hij klonk ongelukkig. Het klinkt misschien stui-tend, maar vaak zien we het liefst dat de tekenen op een seriemoordenaar duiden. Dan zijn er namelijk andere zaken die we kunnen raadplegen, meer bewijsmateriaal om op te bouwen. Als deze vent voor het eerst had gemoord, dan was dit het enige wat we hadden.

'Cass?' vroeg ik. 'Denk jij dat dit zijn eerste keer was?' Terwijl ik het zei, besefte ik dat ik niet eens wist op wat voor antwoord ik hoopte.

Afwezig stak ze haar hand uit naar de kersen, haar blik nog op de aante-keningen gevestigd, maar ik zag haar wimpers even bewegen: ze wist wat ik bedoelde. 'Daar ben ik niet zeker van. Hij heeft het nog niet vaak ge-daan, of niet onlangs – anders was hij niet zo onzeker van zijn zaak ge-weest. Maar hij kan het best een- of tweemaal eerder gedaan hebben, een tijd geleden. Er kan verband zijn met die zaak uit '84.'

'Maar een seriemoordenaar neemt meestal geen twintig jaar vrij,' zei ik.

'Nou,' zei Cassie, 'misschien had hij er ditmaal niet zo'n zin in. Zij ver-zet zich, hij klapt een hand over haar mond, geeft haar nog een mep –

misschien terwijl ze probeert weg te kruipen of zo – en ditmaal slaat hij haar buiten westen. Maar in plaats van haar met die steen te blijven slaan – hoewel er een worsteling heeft plaatsgevonden en hij langzamerhand bol staat van de adrenaline – laat hij de steen vallen en wurgt haar. En niet eens met zijn blote handen, wat heel wat simpeler geweest zou zijn: nee, hij gebruikt een plastic zak en hij doet het van achteren, zodat hij haar gezicht niet hoeft te zien. Hij probeert afstand te houden van de misdaad, hij probeert het minder gewelddadig te maken. Zachtzinniger.'

Sam grimaste.

'Of hij wil er geen bende van maken,' zei ik.

'Oké, maar waarom begint hij dan met slaan? Waarom springt hij niet gewoon boven op haar en schuift die zak over haar hoofd? Volgens mij wilde hij haar buiten westen hebben omdat hij haar niet wilde zien lijden.'

'Misschien vertrouwde hij er niet op dat hij haar in zijn macht zou kunnen houden als hij haar niet meteen bewusteloos sloeg,' zei ik. 'Misschien is hij niet erg sterk – of misschien is het inderdaad een beginneling en weet hij niet wat er allemaal bij komt kijken.'

'Dat kan, ja. Of misschien van alle drie wat. Ik ben het met je eens dat we op zoek zijn naar iemand die geen strafblad heeft voor geweldsmisdrijven – iemand die zelfs op school niet vocht, die absoluut niet gezien wordt als fysiek agressief – en waarschijnlijk iemand die geen achtergrond van seksuele agressie heeft. Volgens mij was die verkrachting geen echt zedenmisdrijf.'

'Wat, omdat hij een voorwerp heeft gebruikt?' vroeg ik. 'Je weet dat sommigen hem niet omhoogkrijgen.' Sam knipperde verbijsterd met zijn ogen en nam een slok koffie om zijn verbazing te verhullen.

'Ja, maar dan was hij… grondiger te werk gegaan.' Alle drie vertrokken we ons gezicht. 'Te oordelen naar Coopers woorden was het een gebaar, meer niet: één stoot, geen sadisme, geen waanzin, een paar centimeter schuurplek, het hymen amper gescheurd. En het was post mortem.'

'Dat kan vrije keuze zijn. Necrofilie.'

'Jezus,' zei Sam, en hij zette zijn koffie neer.

Cassie zocht haar sigaretten, veranderde van gedachten en nam er een van mij – die zijn sterker. Haar gezicht, even onbewaakt terwijl ze het naar de vlam van de aansteker hield, stond moe en strak; ik vroeg me af of ze die nacht zou dromen van Katy Devlin, tegen de grond gewerkt zonder dat ze kon schreeuwen. 'Dan had hij haar daar langer gehouden. En, nogmaals, dan zouden er tekenen zijn van uitgebreidere seksuele agressie. Nee: hij wilde dit niet. Hij deed het omdat het moest.'

'Een zedenmisdrijf in scène zetten om ons te misleiden?'

Cassie schudde haar hoofd. 'Ik weet niet... als dat het was, dan zou je verwachten dat hij er meer van zou maken: haar uitkleden, haar met gespreide benen neerleggen. Nee, hij hijst haar broek weer op, ritst hem dicht... volgens mij moet het eerder iets in de trant van schizofrenie geweest zijn. Zulke mensen zijn bijna nooit gewelddadig, maar als je er een tegenkomt die met z'n medicatie is gestopt en net in een paranoïde fase zit, dan weet je het maar nooit. Hij kan om de een of andere reden gedacht hebben dat zij vermoord en verkracht moest worden, ook al vond hij dat vreselijk om te doen. Dat zou dan verklaren waarom hij probeerde haar geen pijn te doen, waarom hij een voorwerp gebruikte, waarom het niet meer sporen van een zedenmisdrijf had. Hij wilde haar niet bloot laten liggen, en hij wilde niet gezien worden als een verkrachter. Het zou zelfs verklaren waarom hij haar op het altaar achterliet.'

'Hoezo?' Ik nam het sigarettenpakje terug en hield het Sam voor, die eruitzag alsof hij er wel een kon gebruiken, maar Sam schudde zijn hoofd.

'Ik bedoel, hij kon haar in het bos gedumpt hebben, of waar dan ook, waar ze in geen tijden gevonden zou zijn. Of gewoon op de grond. Maar hij neemt de moeite om haar op dat altaar te leggen. Dat zou natuurlijk exhibitionisme kunnen zijn, maar dat denk ik niet: hij heeft haar niet in een spectaculaire houding neergelegd, maar op haar zij, zodat de hoofdwond verborgen was – ook daar probeerde hij zijn misdaad te minimaliseren. Volgens mij wilde hij haar met omzichtigheid en respect behandelen – haar uit de buurt van dieren houden, ervoor zorgen dat ze gauw gevonden zou worden.' Ze stak haar hand uit naar de asbak. 'Het goede nieuws is, als dit een psychiatrische patiënt is die aan het doordraaien is, dan moet hij redelijk eenvoudig te vinden zijn.'

'En de kans op een huurmoordenaar?' vroeg ik. 'Dat zou dan ook die weerzin verklaren. Iemand – misschien de mysterieuze beller – heeft hem aangenomen om de klus te klaren, maar dat wil nog niet zeggen dat hij het met plezier doet.'

'Nu je het zegt,' vond Cassie, 'past een huurmoordenaar – geen professional, maar een amateur die het geld hard nodig heeft – eigenlijk nog beter in het plaatje. Katy Devlin klonk als een behoorlijk aangepast kind, vind je ook niet, Rob?'

'Volgens mij moet dit het normaalste kind van dat hele gezin geweest zijn.'

'Ja, leek mij ook. Slim, gefocust, een sterke wil...'

'Niet het type om midden in de nacht met een vreemdeling mee te gaan.'

'Precies. Vooral niet met een vreemdeling die ze niet allemaal op een rijtje heeft. Iemand met schizofrenie die aan het instorten is kan waarschijnlijk niet normaal genoeg doen om haar zover te krijgen dat ze met hem meegaat. Waarschijnlijk is dit een presentabel iemand, aardig, goed met kinderen – iemand die ze al een tijdje kent. Iemand die ze vertrouwt. Iemand die niet gevaarlijk overkomt.'

'Het kan natuurlijk een vrouw geweest zijn,' zei ik. 'Hoe zwaar was Katy?'

Cassie bladerde door het dossier. 'Vijfendertig kilo. Afhankelijk van hoe ver ze gedragen is... ja, het had een vrouw kunnen zijn, maar dan wel een hele sterke vrouw. Sophie heeft geen sleepsporen gevonden. Zuiver statistisch gesproken zou ik het op een man willen houden.'

'Maar de ouders kunnen het niet gedaan hebben?' vroeg Sam hoopvol.

Ze trok een gezicht. 'Daar moeten we nog steeds rekening mee houden. Stel dat een van hen haar misbruikte en dat zij dreigde het te vertellen: dan kan ofwel de dader ofwel de andere ouder de gedachte gekregen hebben dat ze dood moest om het hele gezin te beschermen. Misschien hebben ze geprobeerd het op een verkrachting te laten lijken maar kregen ze het niet over hun hart om het grondig aan te pakken... In feite ben ik maar van één ding min of meer zeker, en dat is dat we niet op zoek zijn naar een psychopaat of een sadist. Onze man kon haar niet van haar menselijkheid ontdoen en vond het niet fijn om haar te zien lijden. We zijn op zoek naar iemand die dit eigenlijk niet wilde, iemand die het gevoel kreeg dat hij dit tegen wil en dank móést doen. Ik denk niet dat hij zich met het onderzoek bezig zal houden – hij kickt niet op al die aandacht, niets in die trant. En ik denk ook niet dat hij het binnenkort nog eens zal doen, tenzij hij zich op de een of andere manier bedreigd gaat voelen. En hij móét wel bijna hier uit de buurt komen. Een echte profiler kan waarschijnlijk stukken specifieker zijn, maar...'

'Maar jij hebt toch aan Trinity gestudeerd?' vroeg Sam.

Cassie schudde even haar hoofd en stak haar hand uit naar de kersen. 'Ik ben er in mijn vierde jaar mee opgehouden.'

'Waarom?'

Ze spuugde een kersenpit in haar hand en schonk Sam een glimlach die ik wel kende, een uitzonderlijk lieve glimlach die haar gezicht in zulke plooien trok dat je haar ogen niet meer zien kon. 'Omdat jullie toch zeker niet zonder mij kunnen?'

Ik had hem zo kunnen vertellen dat ze geen antwoord zou geven. Ik had haar die vraag in de loop der jaren een paar maal gesteld, en de antwoorden liepen uiteen van 'Er was niemand van jouw kaliber om te pesten' tot 'Het eten in de kantine was te smerig'. Cassie heeft altijd iets raadselachtigs gehad. Dat is een van de dingen die ik in haar waardeer, temeer daar het, paradoxaal, een eigenschap is die niet meteen in het oog springt. Een ongrijpbaarheid op zo'n hoog niveau dat ze bijna onzichtbaar wordt. Ze wekt de indruk verbluffend, bijna kinderlijk open te zijn – en dat is ze ook, voor zover je dat kunt zeggen: wat je ziet ís ook echt wat je krijgt. Maar wat je niet krijgt en wat je amper te zien krijgt: dat is de kant van Cassie die me altijd geboeid heeft. Na al die tijd wist ik dat er in haar hart kamers waren waarnaar ik nog nooit had kunnen gissen, laat staan dat ik daar binnen mocht gaan. Er waren vragen waarop ze geen antwoord gaf, onderwerpen die ze alleen in abstracte zin wilde bespreken. Als je probeerde haar klem te praten, sprong ze lachend weg, soepel als een kunstschaatser.

'Nou, je bent anders wel goed,' zei Sam. 'Met of zonder titel.'

Cassie trok één wenkbrauw op. 'Wacht eerst of ik gelijk krijg.'

'Waarom heeft hij haar een hele dag lang bij zich gehouden?' vroeg ik. Dat zat me al de hele tijd dwars: vanwege de voor de hand liggende afgrijselijke mogelijkheden, en vanwege een niet-aflatend vermoeden dat hij haar daar nog langer gehouden had, of misschien wel voorgoed, als er geen dringende reden was geweest om zich van haar te ontdoen. Misschien was zij dan even onhoorbaar en finaal verdwenen als Peter en Jamie.

'Als ik gelijk had over al die andere zaken, dat hij afstand wilde nemen van zijn daad, dan was dat niet omdat hij dat wilde. Hij had zo snel mogelijk van haar af gewild. Hij liet haar eerst liggen omdat hij niet anders kon.'

'Hij woont met één of meer mensen samen en hij moest wachten tot die uit de weg waren?'

'Misschien, ja. Maar ik vraag me af of de opgraving misschien geen toevallige keuze was. Misschien móést hij haar daar dumpen – omdat dat deel uitmaakt van zijn grotere plan, of omdat hij geen auto heeft en de opgraving de enige geschikte plek was. Dat zou dan aansluiten bij wat Mark zei, dat hij geen auto voorbij had zien komen. En het zou betekenen dat de plek waar ze vermoord is heel dichtbij moet liggen, waarschijnlijk een van de huizen aan die kant van de wijk. Misschien heeft hij maandag al geprobeerd haar te dumpen, maar toen zat Mark daar in het bos, met zijn kampvuur. De moordenaar kan hem gezien hebben en bang geworden zijn; hij moest Katy verbergen en het de volgende nacht opnieuw proberen.'

'Of híj was de moordenaar,' zei ik.

'Alibi voor dinsdagnacht.'

'Ja, van een meisje dat gek op hem is.'

'Mel is niet zomaar een dom blondje dat haar kerel door dik en dun steunt. Ze kan zelfstandig denken, en ze is heus wel slim genoeg om te beseffen hoe belangrijk dit is. Als Mark halverwege de pret uit bed gesprongen was voor een fijne lange wandeling, dan had zij dat echt wel gezegd.'

'Hij kan een handlanger gehad hebben. Mel of iemand anders.'

'En toen? Hebben ze het lijk verborgen op dat grazige heuveltje?'

'Maar wat kan zijn motief geweest zijn?' wilde Sam weten. Hij had kersen zitten eten terwijl hij vol belangstelling ons gesprek volgde.

'Zijn motief is dat hij behoorlijk gestoord is,' zei ik. 'Jij hebt hem niet gesproken. Over de meeste dingen doet hij volkomen normaal – normaal genoeg om een kind op haar gemak te stellen, Cass – maar zodra hij over die opgraving begint, als het over heiligschennis en religie gaat... De opgraving loopt gevaar vanwege die snelweg, misschien dacht hij dat een mooi mensenoffer, net als vroeger, de goden zou vermurwen zodat de plek gered werd. Als het om die opgraving gaat, is hij zo gek als een deur.'

'Als dit een heidens offer blijkt te zijn,' zei Sam, 'dan wil ik niet degene zijn die dat aan O'Kelly moet vertellen.'

'Dan stem ik ervoor dat we hem dat zelf tegen O'Kelly laten zeggen. En dan verkopen we kaartjes.'

'Mark is niet knetter,' zei Cassie zonder aarzelen.

'O, jazeker wel.'

'Nee, dat is hij níet. Zijn werk is zijn leven. Dat is niet knetter.'

'Je had ze moeten zien,' zei ik tegen Sam. 'Echt waar, het leek meer op een afspraakje dan op een verhoor. Maddox, die maar zat te knikken en met haar wimpers te werken. En ze zei dat ze precíes wist hoe hij zich voelde...'

'En dat is ook zo,' zei Cassie. Ze liet Coopers aantekeningen voor wat ze waren en hees zich de futon op. 'En ik heb niet met mijn wimpers zitten werken. Als ik dat doe, dan merk je dat echt wel.'

'Weet jij hoe hij zich voelt? Bid jij soms ook tot de Erfgoedgod?'

'Nee, halvegare. Hou je mond en luister. Ik heb een theorie ontwikkeld over Mark.' Ze schopte haar schoenen uit en trok haar voeten onder zich op.

'O, god,' zei ik. 'Sam, ik hoop dat je geen haast hebt.'

'Ik heb altijd tijd voor een fijne theorie,' zei Sam. 'Mag ik daar iets te drinken bij, als we klaar zijn met werken?'

'Verstandige zet,' zei ik.

Cassie gaf me een zet met haar voet. 'Ga eens een fles whiskey halen of zo.' Ik mepte haar voet weg en stond op. 'Oké,' begon ze, 'we moeten allemaal ergens in geloven, nietwaar?'

'Waarom?' wilde ik weten. Ik vond dit zowel intrigerend als licht verontrustend. Ik ben zelf niet gelovig, en voor zover ik wist was Cassie dat ook niet.

'O, omdat dat nou eenmaal zo is. Iedere samenleving die ooit op aarde bestaan heeft, kent een of ander geloof. Maar nu… Hoeveel mensen ken jij die nog echt christen zijn, dus niet alleen naar de kerk gaan maar écht christen, dat ze bijvoorbeeld proberen te leven zoals Jezus dat zou doen? En in politieke ideologieën kun je niet echt geloven. Onze regering heeft niet eens een ideologie, voor zover te zien is…'

'"Een envelopje onder de tafel door,"' zei ik over mijn schouder. 'Dat is toch ook een soort ideologie?'

'Hé,' zei Sam op milde toon.

'Sorry,' zei ik. 'Ik bedoelde niemand in het bijzonder.' Hij knikte.

'Ik ook niet, Sam,' zei Cassie. 'Ik bedoelde alleen dat er geen algemeen geldende filosofie lijkt te zijn. Dus moeten de mensen hun eigen geloof creëren.'

Ik had whiskey, cola, ijs en drie glazen gevonden en zag kans de complete buit in één keer naar de salontafel te transporteren. 'Wat, religie light bedoel je? Al die new-age-yuppies die aan tantra-seks doen en hun jeep fengshui'en?'

'Ja, die ook, maar ik zat te denken aan mensen die religie maken uit iets heel anders. Bijvoorbeeld geld – dat komt het dichtst bij wat onze overheid als ideologie beschouwt, en dan heb ik het niet over envelopjes onder de tafel door, Sam. Tegenwoordig is het niet zomaar "jammer" als je een slecht betaalde baan hebt, is dat jullie ook opgevallen? Het is onverantwoordelijk om weinig te verdienen: dan ben je geen goed lid van de samenleving, dan ben je heel erg stout omdat je geen groot huis hebt, geen spannende auto.'

'Maar als iemand om opslag vraagt,' zei ik terwijl ik een dreun gaf op de bak met ijsklontjes, 'dan ben je heel erg stout omdat je de winstmarge van je werkgever in gevaar brengt, na alles wat hij nota bene voor de samenleving heeft gedaan.'

'Precies. Als je niet rijk bent, dan ben je een lagere vorm van leven en moet je niet de euvele moed hebben om een behoorlijk salaris te eisen van mensen die dat wél zijn.'

'Nou, nou,' zei Sam. 'Zó erg is het nou ook weer niet.'

Er viel een korte, beleefde stilte. Ik raapte verdwaalde ijsklontjes van de tafel op. Sam heeft van nature nogal een optimistische inborst, maar hij komt dan ook uit het soort familie dat huizen heeft in Ballsbridge. Zijn standpunten over socio-economische zaken waren vertederend, maar konden niet echt als objectief worden beschouwd.

'De andere belangrijke religie van onze tijd,' zei Cassie, 'is het lijf. Al die betuttelende advertenties en nieuwsberichten over roken en drinken en fitness...'

Ik was whiskey aan het inschenken en keek naar Sam voor een teken wanneer hij genoeg had; hij tilde een hand op en glimlachte naar me toen ik hem het glas aangaf. 'Op zo'n moment krijg ik altijd zin om te zien hoeveel peuken ik tegelijk in mijn bek kan steken,' zei ik. Cassie had haar benen over de futon uitgestrekt. Ik schoof ze opzij zodat ik kon gaan zitten, legde ze over mijn knieën en begon haar glas in te schenken, met veel ijs en veel cola.

'Ik ook. Maar in die verslagen en zo wordt niet alleen gezegd dat zulke dingen ongezond zijn – ze impliceren dat roken en drinken en zo moreel verwerpelijk zijn. Alsof je in spiritueel opzicht een beter mens bent als je het juiste percentage lichaamsvet bezit en iedere dag een uur aan fitness doet. En dan die afschuwelijke, neerbuigende advertenties waarin roken niet zomaar dom is, maar ook duivels. Mensen hebben een morele code nodig om beslissingen te kunnen nemen. Al die bioyoghurtdeugdzaamheid en financiële zelfingenomenheid is gewoon een gat in de markt. Maar het probleem is dat het allemaal in omgekeerde richting werkt. Het is niet zo dat je doet wat goed is en dan maar hoopt dat dat iets oplevert; de moreel verantwoorde keuze is per definitie datgene wat het meeste oplevert.'

'Hé, drink eens door,' zei ik. Ze was goed warmgelopen en zat naar voren geleund te gesticuleren, haar glas vergeten in haar hand. 'Maar wat heeft dit met knettergekke Mark te maken?'

Cassie trok een gezicht en nam een slok. 'Luister: Mark gelooft in archeologie, in zijn erfgoed. Dat is zijn geloof. Geen abstracte verzameling principes, en het heeft niets te maken met zijn lijf of zijn bankrekening; het is een concreet onderdeel van zijn hele leven, iedere dag, of dat nou iets oplevert of niet. Daar lééft hij in. Dat is niet knetter, dat is gezond, en er is iets heel erg mis met een samenleving waarin mensen denken dat dat knetter is.'

'Maar die halvegare heeft een plengoffer gebracht aan een of andere godheid uit het bronzen tijdperk,' zei ik. 'Het lijkt me niet dat er iets mis met mij is als ik dat een beetje raar vind. Kom op, Sam, zeg ook eens wat.'

'Ik?' Sam zat achterovergeleund op de bank naar ons gesprek te luisteren en met de stapel schelpen en stenen op de vensterbank te spelen. 'Ach, hij is gewoon jong, denk ik. Hij moest eerst maar eens trouwen en een paar kinderen krijgen. Dan komt hij wel tot rust.'

Cassie en ik keken elkaar aan en barstten in lachen uit. 'Wat nou?' wilde Sam weten.

'Niets,' zei ik. 'Echt niet.'

'Ik zou jou en Mark wel eens samen willen zien na een paar glazen,' zei Cassie.

'O, ik zou hem zó bij zijn positieven hebben,' zei Sam sereen, waarop Cassie en ik opnieuw de slappe lach kregen. Ik leunde achterover op de futon en nam een slok. Het was een amusant gesprek. Het was een fijne avond, een blije avond; er tikte een zachte regen tegen de ruiten en op de achtergrond klonk Billie Holiday en ik was bij nader inzien blij dat Cassie Sam had uitgenodigd. Ik begon hem heel wat meer te waarderen. Iedereen, besloot ik, moest een Sam om zich heen hebben.

'Denk jij echt dat we Mark van de lijst kunnen schrappen?' vroeg ik aan Cassie.

Die nam een slok uit haar glas en zette het op haar buik neer. 'Ja, eerlijk gezegd wel,' zei ze. 'Ongeacht de vraag of hij knetter is. Zoals ik al zei, ik heb echt sterk het gevoel dat degene die dit gedaan heeft daar zelf niet zeker van was. En ik kan me niet voorstellen dat Mark zich ooit ergens niet zeker van zou voelen – althans, geen belangrijke dingen.'

'Wat een bofkont, die Mark,' zei Sam, en over de tafel heen glimlachte hij naar haar.

'Zeg,' vroeg Sam later, 'hoe hebben Cassie en jij elkaar ontmoet?' Hij leunde achterover op de bank en greep zijn glas.

'Wat?' zei ik. Het was een eigenaardige vraag, volkomen onverwacht, en eerlijk gezegd was ik half vergeten dat hij er was. Cassie heeft altijd prima drank in huis, zijdezachte Connemara-whiskey die naar turfrook smaakt, en we waren allemaal licht aangeschoten. Het gesprek begon stil te vallen zonder dat dat storend werkte. Sam had zitten kijken naar de titels van de gehavende boeken op de plank boven zijn hoofd; ik lag op de futon en dacht aan niets ingewikkelders dan de muziek. Cassie zat in de badkamer. 'O. Toen zij op de afdeling kwam werken. Haar scooter begaf het op een keer, en toen heb ik haar een lift gegeven.'

'Aha. Oké,' zei Sam. Hij zag er wat verhit uit, wat niets voor hem was. 'Dat dacht ik in het begin, dat je haar niet eerder gekend had. Maar daarna leek het wel of jullie elkaar al eeuwen kenden, dus vroeg ik me af of jullie vrienden van vroeger waren, of… je weet wel.'

'Dat horen we wel vaker,' zei ik. Er werd vaak gedacht dat wij neef en nicht waren of buurkinderen of zoiets, en dat vulde me altijd met een geheim, irrationeel geluksgevoel. 'We kunnen het gewoon goed vinden, denk ik.'

Sam knikte. 'Jij en Cassie,' zei hij, en hij schraapte zijn keel.

'Wat heb ik nou weer gedaan?' vroeg Cassie argwanend, terwijl ze mijn voeten opzijschoof en weer op haar plek ging zitten.

'God mag het weten,' zei ik.

'Ik vroeg gewoon aan Rob of jullie tweeën elkaar al kenden voordat jij bij Moordzaken kwam,' legde Sam uit. 'Van de studie of zo.'

'Ik heb niet gestudeerd,' zei ik. Ik had het gevoel dat ik wist wat hij me ging vragen. De meeste mensen doen dat vroeg of laat, maar ik had Sam niet ingeschat als nieuwsgierig en ik vroeg me af waarom hij dat eigenlijk wilde weten.

'Echt niet?' vroeg Sam, verbaasd maar met een poging om dat niet te laten merken. Kijk, dat bedoel ik nou met dat accent. 'Ik dacht Trinity, misschien, en dat jullie bij elkaar in het jaar zaten, of…'

'Nou, dan alleen van Adamswege,' zei Cassie neutraal, zodat we na een moment van ijzige stilte allebei in een hulpeloze, snuivende, onvolwassen giechelbui uitbarstten. Met een glimlach schudde Sam zijn hoofd.

'De een nog gekker dan de ander,' zei hij, en hij stond op om de asbak te legen.

Ik had Sam de waarheid verteld: ik heb niet gestudeerd. Op de een of andere wonderbaarlijke manier rolde ik door mijn eindexamen met een paar goede en een paar matige cijfers – genoeg om me ergens te kunnen inschrijven. Alleen had ik niet één formulier ingevuld. Ik zei dat ik een jaar bedenktijd nam, maar in feite wilde ik helemaal niets doen, absoluut niets, en dat dan zo lang mogelijk, misschien wel mijn leven lang.

Charlie ging naar Londen om economie te studeren, dus ging ik mee: ik hoefde of wenste nergens anders in het bijzonder te zijn. Zijn vader betaalde zijn deel van de huur voor een blinkend appartement met hardhouten parket en een conciërge, en ik kon mijn helft onmogelijk opbrengen. Dus nam ik een rattig studiootje in een bijna gevaarlijk deel van de stad en kreeg Charlie een onderhuurder, een Nederlandse uitwisselingsstudent die met Kerstmis naar huis zou gaan. Het plan was dat ik tegen die tijd een baan zou hebben zodat ik bij hem in kon trekken, maar al lang voor kerst werd duidelijk dat ik nergens heen ging – niet alleen vanwege het geld, maar omdat ik, tegen alle verwachting in, verliefd was geworden op mijn ellendige kamertje en mijn eenzame, dobberende, onhandige leven.

Na kostschool was de eenzaamheid bedwelmend. Mijn eerste nacht daar lag ik uren op mijn rug op de plakkerige vloerbedekking, in de modderige oranje plas stadslicht die door het raam kwam. Ik rook de zware currygeuren die door de gang spiraalden en ik hoorde twee mannen buiten in het Russisch tegen elkaar staan schreeuwen, terwijl in de verte iemand op stormachtige wijze flamboyante vioolmuziek stond te spelen. Langzaam drong het besef door dat er niemand in de hele wereld was die mij kon zien, of kon vragen wat ik aan het doen was of zeggen dat ik iets anders moest doen, en ik kreeg het gevoel dat mijn kamer zich ieder moment kon losmaken van het gebouw en als een lichtgevende zeepbel de nacht in kon drijven, zachtjes boven de daken en de rivier en de sterren uit dobberend.

Ik bleef er bijna twee jaar wonen. Het grootste deel van de tijd zat ik in de bijstand en soms, als ze moeilijk begonnen te doen of als ik geld nodig had om een meisje te versieren, werkte ik een paar weken bij een verhuisbedrijf of in de bouw. Charlie en ik waren, dat was onvermijdelijk, uit elkaar gegroeid – dat was, denk ik, begonnen bij zijn beleefde blik vol afgrijzen toen hij voor het eerst mijn kamer zag. Om de paar weken gingen we ergens een biertje drinken, en soms ging ik met hem en zijn nieuwe vrienden mee naar een feest (daar kwam ik de meeste meisjes tegen, onder wie de angstige Gemma met het drankprobleem). Het waren aardige types, zijn universiteitsvrienden, maar ze spraken een taal die ik niet kende en niet miste, vol inside jokes en afkortingen en schouderklopjes, en ik vond het moeilijk om mezelf tot aandacht te dwingen.

Wat ik die twee jaar nu precies deed, weet ik niet meer. Een groot deel van de tijd niets, denk ik. Ik weet dat dit een van de ondenkbare taboes van onze tijd is, maar ik had in mezelf een talent ontdekt voor een schitterende, schaamteloze luiheid, van het soort dat de meeste mensen na hun kinderjaren niet meer ervaren. Ik had een prisma uit een oude kroonluchter voor mijn raam hangen, en ik kon hele middagen op mijn bed liggen kijken naar de minieme regenboogsplintertjes die dat stukje glas door mijn kamer wierp.

Ik las veel. Dat heb ik altijd gedaan, maar die twee jaren stortte ik me met een sensueel, bijna erotisch genot op boeken. Ik ging naar de plaatselijke bibliotheek en haalde daar zo veel mogelijk vandaan, sloot mezelf in mijn kamer op en las een hele week onafgebroken door. Ik richtte me vooral op oude boeken; hoe ouder, hoe beter: Tolstoj, Edgar Allan Poe, tragedies uit de tijden van King James, een stoffige vertaling van Laclos... zodat het, als ik dan eindelijk duizelig en met mijn ogen knipperend weer boven kwam, dagen duurde voordat ik ophield te denken in die koele, gepolijste, kristalheldere ritmes.

Ik keek ook veel tv. In mijn tweede jaar daar raakte ik gefascineerd door het fenomeen van documentaires op de late avond over waargebeurde misdaden, voornamelijk op Discovery Channel: niet de misdaden zelf, maar de ingewikkelde structuren van de oplossingen. Ik ging helemaal op in de gespannen, onophoudelijke concentratie waarmee die mensen – scherpe FBI'ers uit Boston, rondbuikige sheriffs uit Texas – zorgvuldig draden lospeuterden en puzzelstukjes aan elkaar legden tot uiteindelijk alles op zijn plek viel en ze het toverwoord spraken, waarna het antwoord dan oprees en glanzend en onaantastbaar in de lucht voor hen kwam te hangen. Het leken wel tovenaars die een handvol flarden in een hoge hoed gooiden, er een tikje op gaven om er vervolgens onder trompetgeschal een perfecte, zijden banier uit te halen; alleen was dit wel duizendmaal beter, want de antwoorden waren echt en levend en er was (dacht ik) geen sprake van illusie.

Ik wist dat het in het echte leven niet zo ging, althans niet de hele tijd, maar het trof me als een adembenemend iets om een baan te hebben waar die mogelijkheid bestond. Toen Charlie zich verloofde en de bijstand me in diezelfde maand informeerde dat ze mensen zoals mij en die gozer die beneden was komen wonen (iemand die bij voorkeur naar beroerde rapmuziek luisterde) hard gingen aanpakken, leek het een voor de hand liggende reactie om terug te gaan naar Ierland, me aan te melden bij Templemore Training College en rechercheur te worden. Ik miste mijn kamer niet – waarschijnlijk begon ik me al een beetje te vervelen – maar ik herinner me die heerlijk relaxte twee jaar als een van de gelukkigste periodes van mijn leven.

Sam vertrok rond halftwaalf. Ballsbridge is maar een paar minuten lopen van Sandymount. Hij wierp me een snelle, vragende blik toe terwijl hij zijn jas aantrok. 'Welke kant moet jij uit?'

'Volgens mij heb jij de laatste bus gemist,' zei Cassie meteen. 'Als je wilt, mag je wel bij mij op de bank slapen.'

Ik had natuurlijk kunnen zeggen dat ik een taxi zou nemen, maar ik besloot dat Cassie waarschijnlijk gelijk had: Sam was geen Quigley en we zouden de volgende dag niet binnenkomen te midden van geginnegap en dubbelzinnige opmerkingen. 'Inderdaad, ja,' zei ik, terwijl ik op mijn horloge keek. 'Als dat kan?'

Als Sam al verbaasd was, liet hij daar niets van merken. 'Nou, tot morgen dan,' zei hij opgewekt. 'Slaap lekker.'

'Hij is verliefd op je,' zei ik tegen Cassie, toen hij weg was.

'God, wat ben jij voorspelbaar,' zei ze, terwijl ze in de kast groef op zoek naar het logeerdekbed en het T-shirt dat ik daar bewaar.

'"O, ik wil horen wat Cassie te zeggen heeft, o, Cassie wat ben je hier góéd in..."'

'Ryan, als God had gewild dat ik een afgrijselijk puberbroertje had, dan had Hij me er een gegeven. En dat Galway-accent van je lijkt nergens naar.'

'Ben jij ook verliefd op hem?'

'Als dat zo was, dan had ik mijn beroemde truc gedaan waarbij ik met mijn tong een knoop leg in een kersensteeltje.'

'Dat kun jij helemaal niet. Laat eens zien dan?'

'Dat was een gráp. Ga naar bed.'

We trokken de futon uit; Cassie deed haar leeslamp aan en ik knipte het plafondlicht uit, zodat de kamer klein en warm en vol schaduwen werd. Ze vond het enorme T-shirt waarin ze slaapt en ging ermee de badkamer in om zich om te kleden. Ik propte mijn sokken in mijn schoenen en schoof ze uit de weg onder de bank, kleedde me tot op mijn boxershort uit, trok mijn T-shirt aan en installeerde me onder het dekbed. We hadden in de loop der tijd een heuse routine ontwikkeld. Ik hoorde haar met water plenzen en half binnensmonds zingen, een of ander liedje in mineur, iets wat ik niet kende. 'Hartenvrouw krijgt zorgenaas, hier vandaag maar morgen weg…' Ze had te laag ingezet en de laagste noten verdwenen in een bromtoon.

'Denk jij echt zo over je werk?' vroeg ik toen ze de badkamer uit kwam (kleine blote voetjes, gladde kuiten, gespierd als die van een jongen). 'Zo gepassioneerd als Mark over de archeologie is?'

Die vraag had ik bewaard tot Sam weg was. Cassie wierp me een vragende, zijdelingse blik toe. 'Ik heb anders nooit drank op de vloer van de afdelingskamer gegoten. Echt niet.'

Ik wachtte. Ze stapte in bed en leunde op een elleboog, haar wang in haar hand; het schijnsel van haar leeslampje bezorgde haar een rand van licht, zodat ze wel doorschijnend leek, een meisje in een gebrandschilderd raam. Ik had geen idee wat ze zou antwoorden, zelfs nu Sam weg was, maar even later zei ze: 'Wij werken met de waarheid, we zoeken de waarheid. Dat is niet niks.'

Daar dacht ik over na. 'Is dat de reden waarom je niet van leugens houdt?' Dit is een van Cassies eigenaardigheden, heel vreemd voor een rechercheur. Ze laat dingen weg, ontwijkt vragen met een guitige blik of zo subtiel dat je amper merkt dat ze het doet, ze tovert de prachtigste zinnen uit haar hoge hoed, maar ik had nog nooit meegemaakt dat ze keihard loog, niet eens tegen een verdachte.

Ze schokschouderde. 'Ik ben niet heel goed in paradoxen.'

'Ik wel, geloof ik,' zei ik bedachtzaam.

Cassie liet zich op haar rug vallen en lachte. 'Dat zou je in een contactadvertentie moeten zetten. Man, een meter tachtig, goed in paradoxen…'

'Buitengewoon knappe verschijning…'

'Zoekt zijn eigen Britney voor…'

'Jasses!'

Ze trok onschuldig een wenkbrauw naar me op. 'Nee?'

'Waar zie je me voor aan? Britney is uitsluitend voor mensen met wansmaak. Nee, het moet mínstens Scarlett Johansson zijn.'

We lachten en nestelden ons onder ons dekbed. Ik zuchtte tevreden en plooide me rond de hobbels en bobbels van de bank; Cassie stak een arm uit en deed het licht uit. 'Welterusten.'

'Slaap lekker.'

Cassie slaapt licht en gemakkelijk als een kitten; na een paar seconden hoorde ik haar ademhaling trager en dieper worden, en steeds even stokken als teken dat ze sliep. Ik ben juist het tegengestelde: als ik eenmaal slaap is er een extra harde wekker of een trap tegen mijn schenen nodig om me wakker te krijgen, maar voor het zover is kan ik uren liggen draaien en woelen. Op de een of andere manier kom ik bij Cassie altijd gemakkelijker in slaap, ondanks de bobbelige, te korte bank en het humeurige tikken en kraken van een oud huis dat zich opmaakt voor de nacht. Zelfs nu, wanneer ik de slaap niet kan vatten, haal ik me die bank weer voor de geest: het zachte, oude flanel van het dekbedovertrek tegen mijn wang, een kruidige geur van grog in de lucht, het gemurmel van Cassie, die aan de andere kant van de kamer ligt te slapen.

Met veel lawaai kwamen een paar buren binnen, elkaar sissend tot stilte manend en giechelend, en gingen de flat beneden binnen; er filterden pieken van gesprekken en gelach door de vloer heen naar boven, vaag en gedempt. Ik stemde het ritme van mijn ademhaling af op dat van Cassie en voelde me prettig wegglijden in dromerige, onzinnige beelden – Sam legde uit hoe je een boot moet bouwen, en Cassie zat op een vensterbank tussen twee waterspuwers te lachen. De zee is een aantal straten verderop en ik had haar onmogelijk kunnen horen, maar toch dacht ik dat dat zo was.

# 9

Voor mijn gevoel lijkt het of we met ons drieën minstens een miljoen avonden bij Cassie thuis doorgebracht hebben. Het onderzoek duurde hoogstens een maand en ik weet zeker dat er dagen geweest moeten zijn dat een van ons ergens anders was; maar in de loop van de tijd hebben die avonden het hele seizoen voor me ingekleurd, als een briljante kleurstof die langzaam door het water wolkt. Het weer aarzelde tussen nazomer en vroeg, bitter najaar; de wind joelde door de zolderruimte en de regendruppels drongen door de kromgetrokken kozijnen heen en liepen langs de ruiten. Cassie maakte vuur in de haard en we spreidden onze aantekeningen op de grond uit en voetbalden onze theorieën heen en weer tot we om beurten voor het eten gingen zorgen – voornamelijk pastavariaties van Cassie, biefstukken van mij en verrassend exotische experimenten van Sam: goed gevulde taco's, iets Thais met een pittige pindasaus. We hadden wijn bij het eten en gingen daarna over op whiskey in verscheidene vormen. Zodra we aangeschoten begonnen te raken, pakten we de dossiers in, schopten we onze schoenen uit, zetten muziek op en gingen zitten kletsen.

Cassie is net als ik enig kind en we hingen beiden aan Sams lippen bij zijn verhalen over zijn kinderjaren: vier broertjes en drie zusjes in een oude witte boerenhoeve in Galway, die kilometers wijde spellen van cowboys en indianen speelden, en 's nachts naar buiten slopen om het spook van de molen te zien, met een grote, stille vader en een moeder die ovenwarm brood en tikken met de pollepel uitdeelde en bij iedere maaltijd de neuzen telde om zeker te zijn dat er niemand in de rivier was gevallen.

Cassies ouders zijn op haar vijfde bij een auto-ongeluk omgekomen, en ze is opgegroeid bij een vriendelijke oom en tante op leeftijd, in een half vervallen oud huis in Wicklow, mijlenver overal vandaan. Ze vertelt dat ze boeken uit hun bibliotheek las waarvoor ze nog veel te jong was: *De gouden tak*, Ovidius' *Metamorfosen*, *Madame Bovary*, dat ze vreselijk vond maar toch van begin tot eind uitlas. Dat deed ze opgekruld op een kussen in de vensterbank van de overloop, terwijl ze appels uit de tuin at en de regen zachtjes langs de ruiten droop. Ooit, zegt ze, was ze onder een oude, afzichtelijk lelijke kast gekropen en had daar een porseleinen schoteltje, een penny uit de tijd van George VI en twee brieven van een soldaat uit de Eerste Wereldoorlog gevonden, met een naam die niemand herkende, en met stukken erin die door de censuur onleesbaar gemaakt waren. Ik herinner me niet veel van voor mijn twaalfde, en daarna zijn mijn herinneringen voornamelijk in rijen gerangschikt: rijen grijswitte slaapzaalbedden, rijen echoënde, naar chloor stinkende koude douches, rijen jongens in archaïsch uniform die protestantse gezangen bulderden over plicht en volharding. Voor ons beiden waren Sams kinderjaren iets uit een sprookjesboek; we stelden ons die jaren voor in potloodtekeningen, met appelwangige kinderen met een lachende sheepdog die om hen heen sprong. 'Vertel nog eens van toen je klein was,' zei Cassie dan, terwijl ze zich op de futon nestelde en de mouwen van haar trui over haar handen trok om de hete grog te kunnen vasthouden.

In vele opzichten was Sam echter het vijfde rad aan de wagen bij dit soort gesprekken, en ergens was ik daar blij om. Cassie en ik hadden twee jaar gewerkt aan de opbouw van onze routine, ons ritme, onze subtiele privécodes en hints; Sam was hier alleen omdat wij dat goedvonden, en het leek niet meer dan eerlijk dat hij een bijrol bleef spelen: aanwezig, maar niet té. Dat leek hem nooit dwars te zitten. Hij strekte zich uit op de bank, kantelde zijn whiskeyglas naar het vuurschijnsel zodat er ambergele vlekken op zijn trui vielen, en keek glimlachend toe als Cassie en ik bakkeleiden over de aard van de Tijd, of over T.S. Eliot, of over wetenschappelijke verklaringen voor spoken. Puberale gesprekken ongetwijfeld, des te meer daar Cassie en ik de puber in elkaar wakker maakten ('Bijt me maar, Ryan,' zei zij dan, terwijl ze me over de futon heen met samengeknepen ogen aankeek, en dan greep ik haar arm en beet in haar pols tot ze om genade krijste), maar zulke gesprekken had ik in mijn jeugd nooit gevoerd, en ik genoot ervan, ik genoot van ieder moment.

Natuurlijk ben ik de zaken nu aan het romantiseren, dat is een onuitroei- bare neiging van me. Maar ik wil jullie geen rad voor ogen draaien: de avonden waren dan misschien gepofte kastanjes rond een gezellig turf- vuur, maar de dagen waren één onafgebroken grimmig, gespannen, frus- trerend gezwoeg. Officieel hadden we dienst van negen tot vijf, maar we waren iedere ochtend voor achten al aanwezig, gingen zelden voor acht uur weg, namen werk mee naar huis – vragenlijsten om met elkaar te ver- gelijken, getuigenverklaringen om door te lezen, rapporten die we nog moesten schrijven. Die etentjes van ons begonnen om negen, tien uur 's avonds; pas tegen middernacht hielden we op met praten over het werk, en tegen tweeën waren we zo'n beetje ontspannen genoeg om te gaan slapen. We ontwikkelden een heftige, ongezonde band met cafeïne en vergaten hoe het was om niet uitgeput te zijn. Die eerste vrijdagavond zei een gloednieuwe surveillant, Corry, 'Tot maandag, jongens,' waarop er een sardonisch gelach opging, hij op zijn rug geklopt werd en O'Kelly hem een humorloos 'Nee, Hoeheetjeookweer, tot morgenochtend acht uur en waag het niet om te laat te komen,' toebeet.

Rosalind Devlin was me die eerste vrijdag niet komen spreken. Rond vijf uur, nerveus van het wachten en onverklaarbaar bezorgd dat haar iets overkomen kon zijn, belde ik haar mobiel. Geen antwoord. Ze zat bij haar familie, hield ik me voor. Ze hielp met de begrafenisvoorbereidin- gen of ze lette op Jessica of ze zat in haar kamer te huilen; maar dat onge- makkelijke gevoel bleef bij me, klein en scherp als een kiezel in mijn schoen.

Die zondag gingen we naar Katy's begrafenis, Cassie en Sam en ik. Dat gezegde dat moordenaars onweerstaanbaar naar het graf gelokt wor- den is voornamelijk legende, maar het was natuurlijk altijd het proberen waard, en O'Kelly had gezegd dat we moesten gaan omdat dat goede re- clame was. De kerk was in de jaren zeventig gebouwd, toen beton nog een artistiek statement was en toen Knocknaree ieder moment kon gaan uitgroeien tot een metropolis; hij was enorm, en kil en lelijk, met klunzi- ge half abstracte kruiswegstaties en echo's die ongelukkig opkropen naar het schuin geplaatste betonnen dak. We stonden met onze beste onop- vallende donkere kleren aan achterin, en we keken hoe de kerk volliep: boeren met platte pet in de hand, oude vrouwen met hoofddoeken, trendy tieners die blasé probeerden te kijken. Het witte kistje, met zijn gouden randen een angstaanjagend beeld, stond voor het altaar. Rosalind struikelde met schokkende schouders het middenpad op, ondersteund door Margaret aan haar ene en tante Vera aan haar andere kant. Daarachter, met glazige blik, Jonathan, die door Jessica naar de voorste rij geleid werd.

Kaarsen sputterden in een onophoudelijke tocht en het rook er naar vocht en wierook en dode bloemen. Ik voelde me licht in het hoofd – ik was vergeten te ontbijten – en de hele scène had meer van een ingelijste herinnering. Het duurde even eer ik besefte dat dat inderdaad het geval was: hier had ik twaalf jaar lang iedere zondag de mis bijgewoond, waarschijnlijk had ik tijdens de begrafenisdienst voor Peter en Jamie in een van die goedkope houten banken gezeten. Cassie blies onopvallend op haar handen om ze te warmen.

De priester was heel jong en plechtstatig en probeerde uit alle macht om de gelegenheid eer aan te doen met zijn frêle seminariearsenaal aan clichés. Een koor van bleke kleine meisjes in schooluniform – Katy's klasgenootjes, ik herkende een paar gezichtjes – dromde schouder aan schouder bijeen en deed samen met de liturgiebladen. De gezangen waren gekozen vanwege hun troostgevende inhoud, maar hun stemmetjes waren dun en onzeker en een paar meisjes barstten keer op keer in tranen uit. 'Weest niet bevreesd, ik ga u altijd voor; kom, volg mij…' Simone Cameron ving mijn blik op toen ze terugliep na de communie en knikte even naar me; haar gouden ogen waren bloeddoorlopen en monsterlijk. De familie vluchtte een voor een de bank uit en legde memento's op de kist: een boek van Margaret, een speelgoeddier (een rode kater?) van Jessica, en van Jonathan de potloodtekening die boven Katy's bed had gehangen. Tot slot knielde Rosalind en legde een paar kleine roze balletschoentjes, samengebonden met hun eigen linten, op de deksel. Ze streelde de schoentjes even, boog haar hoofd over de kist en snikte het uit, haar donkere pijpenkrullen over het wit en goud heen getuimeld. Ergens op de voorste bank ging een zwak, onmenselijk gehuil op.

Buiten was de hemel grijswit en geselde de wind de blaadjes van de bomen op het kerkhof. Er hingen verslaggevers over het hek, met camera's die in snelle salvo's vuurden. We vonden een onopvallend hoekje en speurden de omgeving en de menigte af, maar niemand deed bij ons een alarmbel overgaan – niet dat we daar verbaasd over waren. 'Wat een opkomst,' zei Sam stil. Hij was de enige van ons die ter communie was gegaan. 'Laten we morgen de foto's van een paar van die lui opvragen, kijken of er iemand bij is die er niet zou moeten zijn.'

'Hij is er niet,' zei Cassie. Ze groef haar handen diep in de zakken van haar jas. 'Niet tenzij het moet. Die vent leest de kranten niet eens. Hij verandert van onderwerp als iemand erover begint.'

Rosalind, die met een zakdoek tegen haar mond gedrukt langzaam de kerktreden afdaalde, hief haar hoofd op en zag ons. Ze schudde de behulpzame armen af en rende over het gras heen, haar lange, zwarte jurk fladderend in de wind. 'Inspecteur Ryan...' Ze pakte mijn hand tussen de hare en hief een betraand gezichtje naar me op. 'Ik kan er niet meer tegen. U móét hem vangen, de man die mijn zusje dit aangedaan heeft.'

'Rosalind!' riep Jonathan ergens, schor, maar ze wendde haar blik niet af. Haar handen hadden lange vingers en waren zacht en ijzig koud. 'We doen alles wat in onze macht ligt,' zei ik. 'Kom je morgen met me praten?'

'Ik zal het proberen. Het spijt me van vrijdag, maar ik kon niet...' Ze keek snel over haar schouder. 'Ik kon niet weg. Vind hem, alstublieft, inspecteur, alstublieft...'

Ik voelde het gesputter van de camera's eerder dan ik het hoorde. Een van de foto's – Rosalinds angstige, naar mij opgeheven profiel en een weinig flatterende opname van mij met mijn mond open – haalde de volgende ochtend de voorpagina van een boulevardblad met daaronder het bijschrift 'Gerechtigheid voor mijn zusje' in koeienletters. Daar heeft Quigley me een hele week mee gepest.

De eerste twee weken van Operatie Vestaalse maagd deden we alles wat je maar verzinnen kunt, álles. Samen met de surveillanten en de plaatselijke uniformdienst praatten we met iedereen die binnen een straal van zes kilometer van Knocknaree woonde en iedereen die Katy ooit gekend had. Er leefde één patiënt met de diagnose schizofrenie in de buurt, maar die had nog nooit een vlieg kwaad gedaan, ook niet op momenten dat hij met zijn medicatie was opgehouden, wat hij al in geen drie jaar gedaan had. We controleerden iedere rouwkaart die de Devlins kregen en traceerden iedereen die had bijgedragen aan Katy's lesgeld voor de balletacademie, en we lieten bewakers in de gaten houden wie er bloemen op de altaarsteen kwamen leggen.

We ondervroegen Katy's beste vriendinnen – Christina Murphy, Elisabeth McGinnis, Marianne Casey: dappere kleine meisjes, beverig en met rode ogen, zonder enige bruikbare informatie maar toch verontrustend. Ik heb een hekel aan mensen die verzuchten hoe snel kinderen tegenwoordig opgroeien (tenslotte hadden mijn grootouders op hun zestiende al een volledige baan, en volgens mij is dat heel wat volwassener dan alle denkbare bodypiercings bij elkaar), maar toch: Katy's vriendinnen hadden een evenwichtige, volwassen kijk op de buitenwereld; iets heel anders dan de blije, dierlijke vergetelheid waarin ikzelf op die leeftijd rondwalste. 'We vroegen ons af of Jessica misschien een leerprobleem had,' zei Christina, op de toon van een dertigjarige, 'maar we wilden er niet naar vragen. Heeft... ik bedoel, is Katy vermoord door een pedofiel?'

Het antwoord op die vraag leek nee te zijn. Ondanks Cassies opvatting dat dit geen echte verkrachting was geweest, trokken we iedere veroordeelde verkrachter in zuid-Dublin na, plus een heel stel die we nooit hadden kunnen veroordelen, en we brachten uren door met de mannen die de ondankbare taak hebben pedofielen online te traceren en klem te zetten. De man met wie we het meest praatten, was ene Carl. Jong en mager, met een gerimpeld bleek gezicht; hij vertelde ons dat hij na acht maanden al overwoog om ontslag te nemen: hij had twee kinderen van nog geen zeven, zei hij, en hij kon niet meer op dezelfde manier naar ze kijken – hij voelde zich te smerig om ze voor het slapengaan te omhelzen na een dag vol van dat soort werk.

Het netwerk, zoals Carl het noemde, gonsde van de speculaties en opwinding over Katy Devlin – ik zal je de details besparen – en we lazen honderden pagina's transcripten van chats, berichten uit een duistere en vreemde wereld, maar het leverde allemaal niets op. Een van de gozers leek iets te veel inlevingsvermogen te hebben in Katy's moordenaar ('Volgens mij HIELD hij gewoon TE VEEL VAN HAAR zij begreep dat niet dus toen raakte hij OVERSTUUR'), maar op het moment dat zij doodging was hij online geweest, verdiept in een debat over de relatieve fysieke voordelen van Oost-Aziatische versus Europese kleine meisjes. Die avond zopen Cassie en ik ons een stuk in de kraag.

Sophies ploeg speurde het hele huis van de Devlins met een vlooienkam af, naar eigen zeggen op zoek naar vezels en zo, om mensen te kunnen uitsluiten, maar ze meldden ons dat ze geen bloedvlekken hadden gevonden, en niets wat overeenkwam met Coopers beschrijving van het verkrachtingswapen. Ik liet de financiële gegevens opvragen: de Devlins leefden bescheiden (één vakantie met het hele gezin, naar Kreta, vier jaar terug met een lening van de kredietunie; Katy's balletlessen en Rosalinds viool; een Toyota uit '99) en hadden bijna geen spaargeld, maar ook geen schulden. De hypotheek was bijna afgelost en ze hadden geen achterstallige betalingen op hun telefoonrekening. Geen verdachte activiteiten bij de bankrekening en geen verzekeringspolis op Katy's leven; er was niets.

De tiplijn kreeg een recordaantal telefoontjes, waarvan een onvoorstelbaar percentage volkomen onbruikbaar was: mensen met buren die er raar uitzagen en geen lid wilden worden van de buurtraad; mensen die duistere types hadden zien rondhangen aan de andere kant van het land; de gebruikelijke idioten die visioenen van de moord hadden gehad; en andere idioten die langdradig vertelden dat dit Gods straf was voor onze zondige samenleving. Cassie en ik waren een hele ochtend bezig met een gozer die belde om te zeggen dat God Katy had gestraft omdat ze zich onzedelijk had vertoond aan duizenden lezers van de *Irish Times*, door zich te laten fotograferen in haar balletpakje. We hadden onze hoop op hem gevestigd – hij wilde niet met Cassie praten omdat vrouwen helemaal niet moesten werken en omdat haar spijkerbroek ook onzedelijk was (de objectieve norm voor vrouwelijke zedelijkheid, liet hij mij op gepassioneerde toon weten, was Onze-Lieve-Vrouwe van Fatima). Maar zijn alibi was vlekkeloos: hij had maandagavond straalbezopen doorgebracht in het minuscule rosse buurtje achter Baggot Street, waar hij hel en verdoemenis had gepredikt tegen de hoeren en de nummerborden van de klanten had genoteerd tot hij door de pooiers met geweld was verwijderd, waarop hij opnieuw begon tot de politie hem uiteindelijk in een cel had gesmeten, waar hij tot een uur of vier zijn roes had uitgeslapen. Dat gebeurde kennelijk om de paar weken; iedereen wist hoe het ging en bevestigde het verhaal met alle genoegen, ondanks een paar snijdende opmerkingen over de mogelijke seksuele neigingen van onze man.

Het waren vreemde weken, weken die uit het lood geslagen leken te zijn. Ook na al die tijd vind ik het nog steeds moeilijk om die periode te beschrijven. Er gebeurden zoveel kleine dingetjes, dingen die op dat moment onbeduidend leken en loshangend als de stapel voorwerpen in een of ander raar gezelschapsspel: gezichten en zinnen en zitkamers en telefoontjes, allemaal vermengd tot één grote stroboscooplichtveeg. Pas veel later, in het verschaalde, kille licht van het inzicht achteraf, rezen die kleine dingetjes op en schikten ze zich netjes op hun plek, zodat ze het patroon vormden dat we de hele tijd al hadden moeten zien.

En het was een martelende periode, die eerste fase van Operatie Vestaalse maagd. We schoten, hoewel we dat zelfs tegenover onszelf niet wilden toegeven, absoluut niet op. Iedere aanwijzing die ik vond, leidde naar een doodlopend punt; O'Kelly gaf ons eindeloze, enerverende, gesticulerende speeches over dat we dit beslist niet onopgelost mochten laten en wanneer het moeilijk wordt, moet je de schouders er nog eens extra onder zetten; de kranten schreeuwden om gerechtigheid en printten fotomontages van hoe Peter en Jamie er tegenwoordig uitgezien zouden hebben met belabberd haar. Ik was nog nooit van mijn leven zo gespannen geweest.

Maar misschien vind ik het diep in mijn hart zo moeilijk om over die weken te praten omdat ik ze – ondanks alles, en hoewel ik weet dat dit een sentiment is dat ik me niet kan veroorloven – nog steeds mis.

Kleine dingetjes. We vroegen uiteraard meteen Katy's medisch dossier op. Zij en Jessica waren een paar weken te vroeg geboren, maar Katy had zich daar goed van hersteld, en tot ze achteneenhalf was, had ze alleen de gebruikelijke kinderziektes gehad. Toen begon ze plotseling misselijk te worden. Maagkrampen, projectielbraken, dagen achtereen diarree; één keer belandde ze binnen een maand drie keer op de Eerste Hulp. Een jaar geleden, na een uitzonderlijk hevige aanval, hadden de artsen een verkennende laparotomie uitgevoerd – de ingreep die Cooper had gezien, de ingreep waardoor ze niet naar de balletacademie had gekund. De diagnose luidde 'idiopathische pseudo-obstructie van de darm, met atypisch gebrek aan distensie'. Tussen de regels door las ik dat ze verder alles nagegaan waren en dat ze geen enkel idee hadden wat er mis was met dit kind.

'Münchhausen-by-proxysyndroom?' vroeg ik aan Cassie, die over mijn schouder stond mee te lezen, haar armen over elkaar geslagen op de rugleuning van mijn stoel. Zij en ik en Sam hadden een hoek van de projectkamer geconfisqueerd, zo ver mogelijk van de tiplijn, waar we iets van privacy konden hebben zolang we niet te hard praatten.

Ze trok haar schouders op en vertrok haar gezicht. 'Kan. Maar het past niet helemaal in het beeld. De meeste moeders van Münchhausen-patiëntjes hebben een achtergrond met iets vaag medisch: ziekenverzorgster, dat soort dingen.' Volgens haar antecedenten was Margaret op haar vijftiende van school gegaan en was ze in Jacobs' koekjesfabriek gaan werken tot ze trouwde. 'En controleer die ziekenhuisdossiers eens: de helft van de keren is het niet eens Margaret die Katy naar het ziekenhuis brengt. Het is Jonathan, Rosalind, Vera, een keer een onderwijzer… voor een moeder met Münchhausen gaat het juist om de aandacht en het medeleven van de artsen en verpleegkundigen. Ze zou echt niet iemand anders in het middelpunt van de belangstelling laten staan.'

'Dus Margaret kan het niet zijn?'

Cassie zuchtte. 'Ze past niet echt in het profiel, maar dat zegt ook niet alles. Ik wou dat we de dossiers van de andere meisjes konden inzien. Die moeders richten zich meestal niet op één kind terwijl ze de anderen met rust laten. Ze gaan van kind naar kind om geen argwaan te wekken, of ze beginnen met de oudste en gaan dan naar de volgende als de oudste groot genoeg wordt om dwars te liggen. Als het Margaret is, dan moet er in de dossiers van de andere twee ook iets vreemds staan, bijvoorbeeld dit voorjaar toen Katy niet meer ziek werd. Is Jessica toen ziek geworden? Laten we de ouders vragen of we ze mogen inzien.'

'Nee,' zei ik. Alle surveillanten leken tegelijk door elkaar heen te praten en het lawaai daalde als een dichte mist over mijn brein; ik kon me niet concentreren. 'Tot nu toe weten de Devlins niet dat ze verdacht zijn. Dat hou ik liever zo, althans tot we echt iets hebben. Als we nu gaan vragen naar de medische dossiers van Rosalind en Jessica, dan krijgen ze iets door.'

'Ja, maar wanneer hebben we echt iets?' merkte Cassie op. Ze keek naar de papieren die op tafel uitgespreid lagen, de rotzooi van geprinte koppen en kriebelig handschrift en vegen van het kopieerapparaat; naar het witte bord, dat al was opgebloeid tot een veelkleurige mengeling van namen, telefoonnummers, pijlen, vraagtekens en onderstrepingen.

'Tja,' luidde mijn antwoord.

De schoolgegevens van de meisjes hadden diezelfde dubbelzinnige, spottende kwaliteit. Katy was niet dom maar ook niet heel goed, ze haalde voornamelijk redelijke cijfers, met een onvoldoende voor Iers en topcijfers voor gymnastiek; geen gedragsproblemen afgezien van een neiging om te praten tijdens de les, geen probleempunten afgezien van de absenties. Rosalind was intelligenter maar ook onbetrouwbaarder: hele rijen topcijfers, onderbroken door klompjes matige cijfers en onvoldoendes en gefrustreerde opmerkingen van leraren dat ze niet haar best deed en spijbelde. Jessica's dossier was het dikst – dat verbaasde ons niet. Ze had in het remedialklasje gezeten tot zij en Katy negen waren, maar kennelijk had Jonathan de welzijnscommissie aan het hoofd gezeurd tot er een aantal tests was gedaan: haar IQ lag ergens tussen de 90 en de 105 en er waren geen neurologische problemen. 'Niet-specifieke leerachterstand met problemen binnen het autistisch spectrum' volgens het dossier.

'Wat denk jij?' vroeg ik aan Cassie.

'Ik denk dat die hele familie steeds vreemder wordt. Hieraan te zien zou je zeggen dat als er eentje misbruikt wordt, dat Jessica dat is. Volkomen normaal kind tot haar zevende, en dan gaan haar cijfers en haar sociale vaardigheden plotseling pijlsnel achteruit. Dat is veel te laat voor beginnend autisme, maar wel een klassieke reactie op een of andere vorm van chronisch misbruik. En Rosalind – al dat gezweef tussen hoog en laag kan gewoon een gevolg zijn van puberale stemmingswisselingen, maar het kan ook een reactie zijn op een eigenaardige thuissituatie. De enige die er goed uit komt – althans, in psychologisch opzicht – is Katy.'

In mijn ooghoek doemde iets donkers op, en ik draaide me als gestoken om, zodat mijn pen over de vloer ratelde. 'Ho,' zei Sam, geschrokken. 'Ik ben het maar.'

'Jezus,' zei ik. Mijn hart bonkte. Cassies blik aan de andere kant van de tafel verried niets. Ik raapte mijn pen op. 'Ik wist niet dat jij er ook was. Wat ben je wijzer geworden?'

'De telefoonrekening van de Devlins,' zei Sam, met een grote stapel papieren in iedere hand. 'Uitgaand en inkomend.' Hij legde de twee bundels op tafel en schikte de hoeken keurig recht. Hij had de nummers een kleurcode gegeven; de pagina's waren gestreept met nette lijnen markeerstift.

'Hoe lang?' vroeg Cassie. Ze leunde over de tafel heen en bekeek de pagina's ondersteboven.

'Sinds maart.'

'Is dat alles? Van zes maanden?'

Dat was het eerste wat mij ook opviel: hoe dun de stapeltjes waren. Een gezin van vijf personen met drie opgroeiende dochters: dan had de lijn toch zeker non-stop bezet moeten zijn, zo'n huishouden waar altijd wel iemand staat te gillen dat iemand anders nú moet ophangen. Ik dacht aan de onderwaterstilte in huis op de dag dat Katy was gevonden, met tante Vera die rondhing in de hal. 'Ja, inderdaad,' zei Sam. 'Misschien bellen ze mobiel.'

'Misschien,' beaamde Cassie. Ze klonk niet overtuigd. Dat was ik ook niet: bijna zonder uitzondering geldt de regel dat er iets heel erg mis is als een gezin zich zo afsluit van de buitenwereld. 'Maar mobiel bellen is duur. En er zijn twee telefoons daar in huis, een in de garderobe beneden en een op de overloop boven, en die heeft een snoer dat zo lang is dat je er de slaapkamer mee in kunt. Voor de privacy hoef je geen mobiel te nemen.'

De bellijsten van Katy's mobiel hadden we al doorgenomen. Daar kreeg ze geld voor, tien euro beltegoed om de twee weken. Dat had ze voornamelijk gebruikt om haar vriendinnetjes te sms'en, we hadden lange, cryptisch afgekorte gesprekken gereconstrueerd over huiswerk, schoolroddels, *American Idol*; niet één onbekend nummer, niet één bericht waarbij onze alarmbellen gingen rinkelen.

'Wat is die markeerstift?' vroeg ik.

'Ik heb alle bekende nummers nagetrokken en geprobeerd de gesprekken op gezinslid te sorteren. Zo te zien belde Katy het meest: al die nummers in geel zijn vriendinnen van haar.' Ik bladerde door de stapel. De gele markeerstift besloeg ten minste de helft van de gebelde nummers. 'Blauw is voor Margarets zusters – een in Kilkenny en Vera een eindje verderop in de wijk. Groen is Jonathans zus in Athlone, het verpleegtehuis waar oma woont, en medeleden van Weg met de snelweg. Dat paars is Rosalinds vriendin Karen Daly, waar ze gelogeerd heeft toen ze weggelopen was. Daarna beginnen de telefoontjes tussen die twee af te nemen. Ik zou denken dat Karen niet bepaald blij was dat ze midden in de familietoestanden gedumpt werd, maar het rare is dat ze Rosalind nog weken daarna belde. Alleen belde Rosalind haar nooit terug.'

'Misschien mocht dat niet van haar ouders,' zei ik. Misschien kwam het nog doordat ik zo van Sam geschrokken was, maar mijn hart ging nog steeds als een razende tekeer en ik had een scherpe, dierlijke smaak van gevaar in mijn mond.

Sam knikte. 'Misschien zagen die ouders Karen als een slechte invloed. Maar goed, dat zijn dus alle telefoontjes, behalve een stel van een telefoonbedrijf dat probeerde hen naar een andere provider te krijgen – en deze drie.' Hij spreidde de pagina's met inkomende gesprekken uit: drie strepen roze markeerstift. 'Data, tijden en lengte komen overeen met wat Devlin verteld heeft. En allemaal vanuit telefooncellen.'

'Verdomme,' zei Cassie.

'Waar?' vroeg ik.

'Centrum. De eerste bij de havens, de tweede op O'Connell Street. De derde ligt halverwege, ook niet ver van de havens.'

'Met andere woorden,' zei ik, 'onze beller komt niet uit de wijk zelf, het is niet iemand die misschien doodongerust is over de waarde van zijn huis.'

'Lijkt me niet, nee. Gezien de tijden belt hij op weg naar huis van de pub. Ik neem aan dat iemand uit Knocknaree ook in Dublin naar de kroeg kan, maar het lijkt me niet waarschijnlijk, niet iets wat je regelmatig doet. Ik zal het laten controleren, maar voorlopig denk ik dat dit iemand is met zakelijk belang bij de snelweg, geen persoonlijk belang. Ik wed dat hij ergens in de buurt van de haven woont.'

'Onze moordenaar komt vrijwel zeker uit de buurt,' zei Cassie.

Sam knikte. 'Mijn jongen kan echter iemand ter plekke hebben aangenomen voor de klus. Dat zou ikzelf doen.' Cassie ving mijn blik op: de gedachte dat Sam in alle ernst op zoek zou gaan naar een huurmoordenaar was onweerstaanbaar. 'Zodra ik erachter ben van wie dat land is, zal ik kijken of er iemand heeft gepraat met mensen uit Knocknaree.'

'Hoe staat het daarmee?' vroeg ik.

'Ja, jazeker,' zei Sam opgewekt en vaag. 'Wordt aan gewerkt.'

'Wacht eens even,' zei Cassie plotseling. 'Wie heeft Jessica gebeld?'

'Niemand,' zei Sam, 'voor zover ik zien kan.' En hij klopte de papieren weer behoedzaam tot een stapeltje en nam ze mee.

Dat was allemaal op maandag, bijna een week na Katy's dood. In die week had noch Jonathan, noch Margaret Devlin gebeld om te vragen hoe het met het onderzoek ging. Niet dat ik me daarover beklaagde – sommige families bellen vier- of vijfmaal per dag, wanhopig wachtend op antwoord, en er zijn maar weinig dingen hartverscheurender dan te moeten vertellen dat we nog niets weten – maar toch: ook dat was een klein, verontrustend dingetje in een zaak die toch al veel te vol zat met verontrustende zaken.

Uiteindelijk kwam Rosalind dinsdag tussen de middag naar het bureau. Geen telefoontje, geen afspraak, alleen Bernadette, die me met enige afkeur in haar stem meldde dat er een jonge vrouw was die me wilde spreken. Maar ik wist dat zij het was, en het feit dat ze zomaar kwam opdagen had iets van wanhoop, van clandestiene urgentie. Ik liet alles uit mijn handen vallen en ging naar beneden, zonder te letten op de vragend opgetrokken wenkbrauwen van Cassie en Sam.

Rosalind stond bij de balie te wachten. Ze had een smaragdgroene sjaal strak rond haar bovenlijf geslagen; haar gezicht, afgewend om uit het raam te kijken, stond droevig en afstandelijk. Ze was te jong om zich ervan bewust te zijn, maar het was een prachtig plaatje: de val van haar kastanjebruine krullen en die felgroene sjaal tegen een achtergrond van door de zon beschenen baksteen en natuursteen van de binnenplaats. Als je de streng functionele entree van het gebouw wegdacht, kon het een scène op een prerafaëlitische ansichtkaart zijn.

'Rosalind,' zei ik.

Ze draaide zich om en bracht een hand naar haar hart. 'O, inspecteur Ryan! U laat me schrikken... Dank u dat u even tijd voor me maakt.'

'Mijn genoegen,' zei ik. 'Kom mee naar boven, dan kunnen we daar praten.'

'Weet u het zeker? Ik wil u niet tot last zijn. Als u het te druk hebt, moet u het gewoon zeggen, dan ga ik weer.'

'Absoluut geen last. Wil je een kop thee? Koffie?'

'Koffie lijkt me heerlijk. Maar moeten we binnen blijven? Het is zo'n prachtige dag, en ik heb een beetje last van claustrofobie – dat zeg ik niet graag tegen mensen, maar... Kunnen we niet naar buiten gaan?'

Standaardprocedure was dat niet. Maar, redeneerde ik: ze was geen verdachte, misschien niet eens getuige. 'Tuurlijk,' zei ik. 'Momentje,' en ik rende naar boven voor de koffie. Ik had vergeten te vragen of ze er suiker en melk in wilde, dus deed ik er wat melk in en stopte ik twee zakjes suiker in mijn zak, voor het geval dát.

'Alsjeblieft,' zei ik beneden tegen Rosalind. 'Zullen we ergens in de tuin gaan zitten?'

Ze nam een slok koffie en probeerde een uitdrukking van afkeer te verbergen. 'Weet ik, hij is niet te drinken,' zei ik.

'Nee, nee, dat is het niet. Alleen... eh, meestal drink ik hem zonder melk, maar...'

'Oeps,' zei ik. 'Sorry. Zal ik een andere voor je halen?'

'O, nee! Nee, dat is nergens voor nodig, inspecteur Ryan, echt niet – ik kan heel best zonder koffie. Neemt u deze maar. Ik wil u helemaal geen last bezorgen, het is al zo aardig dat u me te woord wilt staan, u moet geen moeite doen om...' Ze praatte te snel, te hoog en te veel, haar handen fladderden door de lucht en ze keek me te lang zonder knipperen aan, alsof ze onder hypnose was. Ze was bloednerveus, en probeerde dat uit alle macht te verbergen.

'Helemaal geen moeite,' zei ik vriendelijk. 'Weet je wat: we zoeken een rustig plekje om te zitten, en dan ga ik een nieuwe kop koffie voor je halen. Het blijft natuurlijk smerige koffie, maar dan is hij tenminste zwart. Wat vind je daarvan?' Rosalind glimlachte dankbaar naar me, en even had ik het verbluffte gevoel dat dit simpele, vriendelijke gebaar haar bijna tot tranen toe geroerd had.

We vonden een bank in het park, in de tuin; er kwetterden en ritselden vogeltjes in de heggen – soms schoten ze naar buiten om een strijd aan te binden met weggegooide broodkorsten op het gras. Ik liet Rosalind daar zitten en ging weer naar binnen voor de koffie. Ik nam er de tijd voor, om haar de kans te geven om zich te herstellen, maar toen ik terugkwam zat ze nog steeds op het puntje van de bank op haar lip te bijten en bloemblaadjes van een madeliefje af te plukken.

'Dank u,' zei ze. Ze nam de koffie aan en probeerde naar me te glimlachen. Ik ging naast haar zitten. 'Inspecteur Ryan, hebt u... weet u al wie mijn zusje vermoord heeft?'

'Nog niet,' zei ik. 'Maar we zijn ook nog niet lang bezig. Ik beloof je dat we alles doen wat in ons vermogen ligt.'

'Ik weet dat u hem te pakken krijgt, inspecteur Ryan. Dat wist ik zodra ik u zag. Een eerste indruk zegt mij altijd meteen heel veel; soms word ik er zelf wel eens bang van, hoe vaak ik gelijk heb. En ik wist meteen dat u degene was die we nodig hadden.'

Ze keek naar me op met een groot, onwankelbaar vertrouwen in haar blik. Ik voelde me gevleid, uiteraard, maar tegelijkertijd voelde ik me bijzonder ongemakkelijk bij zoveel vertrouwen. Ze wist het zo zeker, en ze was zo hopeloos kwetsbaar; en hoewel je altijd probeert om niet zo te denken, wist ik dat de kans bestond dat deze zaak nooit opgelost zou worden. En ik wist precies wat dat met haar zou doen.

'Ik heb over u gedroomd,' zei Rosalind, en ze keek blozend naar de grond. 'De nacht na Katy's begrafenis. Ik had sinds haar verdwijning amper een uur per nacht geslapen, moet u weten. Ik was... o, ik was wanhopig. Maar toen ik u die dag zag... toen bedacht ik dat ik de hoop niet op moest geven. Die nacht droomde ik dat u bij ons aanklopte en dat u me vertelde dat u de man te pakken had die dit had gedaan. Hij zat in de patrouillewagen achter u, en u zei dat hij nooit meer iemand kwaad zou doen.'

'Rosalind,' zei ik. Hier kon ik niet tegen. 'We doen ons best, en we geven het niet op. Maar je moet wel bedenken dat het wel eens heel lang kan gaan duren.'

Ze schudde haar hoofd. 'U vindt hem,' zei ze, en meer niet.

Ik liet het er maar bij. 'Je wilde iets met me bespreken, zei je?'

'Ja.' Ze haalde diep adem. 'Wat is er met mijn zusje gebeurd, inspecteur Ryan? Wat is er precies gebeurd?'

Haar ogen stonden wijd open en gespannen, en ik wist niet goed hoe ik dit moest aanpakken: als ik het haar vertelde, zou ze dan instorten, huilen, gillen? Het hele park zat vol spraakzaam kantoorpersoneel met lunchpauze. 'Het lijkt me beter dat je ouders je dat vertellen,' zei ik.

'Ik ben achttien, hoor. U hoeft hun geen toestemming te vragen om mij te spreken.'

'Maar toch.'

Rosalind beet op haar onderlip. 'Ik heb het thuis gevraagd. Hij… ze… ze zeiden dat ik erover op moest houden.'

Er racete iets door me heen – woede, alarmbellen, medelijden, ik weet niet wat. 'Rosalind,' zei ik, zachtjes en vriendelijk, 'is alles thuis in orde?'

Haar hoofd vloog omhoog, haar mond open in een kleine o. 'Ja,' zei ze, met een onzeker stemmetje. 'Natuurlijk.'

'Weet je dat zeker?'

'U bent heel vriendelijk,' zei ze beverig. 'U bent zo aardig voor me. Het is… het gaat allemaal prima.'

'Zou je niet liever met mijn partner praten?'

'Nee,' zei ze meteen, en in haar stem klonk iets van afkeuring door. 'Ik wilde met u praten omdat…' Ze draaide de koffiebeker om en om in haar handen. 'Ik had de indruk dat het u echt iets kon schelen, inspecteur Ryan. Van Katy. Uw partner leek het niet zo heel veel uit te maken, maar u… u bent anders.'

'Natuurlijk is dit voor ons allebei belangrijk,' zei ik. Ik wilde een geruststellende arm om haar heen slaan, mijn hand op de hare leggen of zo, maar ik ben nooit zo goed geweest in dat soort dingen.

'Ja, dat snap ik. Maar uw partner…' Ze schonk me een verontschuldigend glimlachje. 'Ik ben een beetje bang voor haar, geloof ik. Omdat ze zo agressief is.'

'Mijn partner?' zei ik verbijsterd. 'Inspecteur Maddox?' Cassie is altijd degene geweest met de reputatie dat zij goed is met de gezinnen. Ik verstijf, ik sta met mijn mond vol tanden, maar zij weet altijd wat ze zeggen moet, ze lijkt altijd precies de juiste toon te treffen. Van sommige families krijgt ze nog steeds droevige, dappere, dankbare kerstkaartjes.

Rosalinds handen fladderden hulpeloos door de lucht. 'O, inspecteur Ryan, dat bedoel ik niet verkeerd. Agressief is juist goed, toch – vooral in uw werk? En ik ben waarschijnlijk ook veel te gevoelig. Maar de manier waarop ze al die vragen op mijn ouders afvuurde – ik weet dat ze die vragen moest stellen, maar zoals ze dat deed, zo koud… Jessica was er helemaal overstuur van. En ze glimlachte naar mij alsof het allemaal… Katy's dood was geen gráp, inspecteur Ryan.'

'Verre van een grap,' zei ik. In gedachten ging ik terug naar dat afschuwelijke gesprek bij de Devlins thuis. Ik probeerde te achterhalen wat Cassie had gedaan om dit meisje zo op de kast te jagen. Het enige wat ik kon verzinnen was dat ze bemoedigend had geglimlacht naar Rosalind, toen ze haar op de bank neerzette. Achteraf bezien was dat misschien niet helemaal gepast geweest, hoewel het niet erg genoeg was voor een dergelijke reactie. In shock en verdriet willen mensen nog wel eens vreemd, onlogisch reageren, maar dit was zulk gespannen en nerveus gedrag dat het mijn gevoel alleen nog maar versterkte dat er iets mis was in dat huishouden. 'Sorry als je de indruk gekregen hebt...'

'Nee, o nee, u niet – u was geweldig. En ik weet dat inspecteur Maddox het niet zo... zo bot bedoeld had. Echt waar, dat snap ik. De meeste mensen die agressief overkomen proberen alleen maar stoer te doen, niet-waar? Ze willen gewoon niet onzeker overkomen, of zwak, of zoiets. Diep in hun hart zijn ze niet echt wrééd.'

'Nee,' zei ik. 'Dat denk ik niet.' Het viel me zwaar om Cassie als zwak te zien; maar goed, ik had haar ook nooit als agressief gezien. Met een plotseling gevoel van onbehagen besefte ik dat ik onmogelijk kon zeggen wat voor indruk Cassie op andere mensen maakte. Het was een beetje alsof je moet zeggen of je eigen zus mooi is of zo: ik kon over haar niet objectiever oordelen dan over mezelf.

'Heb ik u nu beledigd?' Rosalind keek nerveus naar me op en frunnikte aan een pijpenkrul. 'Ja, ik zie het aan u. Sorry, sorry... ik zeg altijd precies het verkeerde. Zodra ik mijn mond opendoe komt er iets stoms uit, en ik kán maar niet leren om...'

'Nee,' zei ik. 'Niks aan de hand. Ik ben helemaal niet beledigd.'

'Jawel. Ik zie het aan u.' Ze trok haar sjaal dichter om haar schouders en trok haar haar eronder vandaan, haar gezicht strak en gesloten.

Ik wist dat ik waarschijnlijk geen tweede kans kreeg als ik haar nu kwijtraakte. 'Eerlijk niet,' zei ik. 'Ik zat alleen te denken aan wat je zei. Dat had je heel goed gezien.'

Zonder me aan te kijken bleef ze zitten spelen met de franje van haar sjaal. 'Maar is zij dan niet uw vriendin?'

'Inspecteur Maddox? Nee, nee, nee,' zei ik. 'Niets in die richting.'

'Maar ik dacht, te zien aan hoe ze...' Ze sloeg een hand voor haar mond. 'O, nou doe ik het weer! Stóp, Rosalind!'

Ik barstte in lachen uit; ik kon er niets aan doen, we deden allebei zo ons best. 'Kom op,' zei ik. 'Even diep ademhalen en dan beginnen we opnieuw.'

Langzaam liet ze zich onderuitzakken. 'Dank u, inspecteur Ryan.

Maar... wilt u me dan nu vertellen wat er met Katy is gebeurd? Ik blijf het me maar voorstellen, ziet u... Ik kan er niet langer tegen, ik móét het weten.'

En dus vertelde ik het haar – wat kon ik anders? Ze viel niet flauw, ze werd niet hysterisch, ze barstte niet eens in tranen uit. Ze bleef zwijgend zitten luisteren, haar blik – blauwe ogen, de kleur van vale spijkerstof – strak op de mijne gevestigd. Toen ik klaar was, bracht ze haar vingers naar haar lippen en bleef tegen de zon in zitten kijken, naar het overzichtelijke patroon van de hagen, naar het kantoorpersoneel met hun plastic boterhammentrommels en hun geroddel. Onbeholpen klopte ik haar op de schouder. De sjaal bleek bij aanraking van goedkope stof gemaakt te zijn, prikkelig en synthetisch, en dat raakte me in mijn hart, zo pathetisch vond ik het. Ik wilde iets zeggen, iets wijs en dieps over hoe maar weinig manieren van sterven zo erg zijn als de marteling van degene die achterblijft, iets wat ze zich zou herinneren als ze alleen was en niet kon slapen en verbijsterd in haar kamertje lag, maar ik kon de woorden niet vinden.

'Ik vind het zo erg,' zei ik.

'Dus ze is niet verkracht?'

Haar stem had een vlakke, holle klank. 'Drink je koffie op,' zei ik, vanuit een of ander vaag idee dat warme dranken goed waren bij shock.

'Nee, nee...' Ze maakte een afwezig handgebaar. 'Zeg nou. Ze was dus niet verkracht?'

'Niet echt, nee. En ze was op dat moment al dood, weet je. Ze heeft er niets van gevoeld.'

'Heeft ze niet erg geleden?'

'Amper. Ze was bijna meteen bewusteloos.'

Plotseling boog Rosalind haar hoofd over haar koffiekop en zag ik haar lippen beven. 'Ik vind het zo vreselijk, inspecteur Ryan. Ik heb het gevoel dat ik haar beter had moeten beschermen.'

'Maar jij wist het niet.'

'Maar ik had het móéten weten. Ik had dáár moeten zijn, niet gezellig bij mijn nichtjes. Wat voor zus ben ik nou?'

'Jij bent niet verantwoordelijk voor Katy's dood,' zei ik onomwonden. 'Zo te horen ben jij een fantastische zus voor haar geweest. Je had niets kunnen doen.'

'Maar...' Ze zweeg en schudde haar hoofd.

'Maar wat?'

'O... ik had het moeten weten. Gewoon. Laat maar.' Tussen haar haarlokken door glimlachte ze voorzichtig. 'Dank u wel dat u het verteld hebt.'

'En nu ik,' zei ik. 'Mag ik je een paar dingen vragen?'

Ze keek ongerust, maar haalde diep adem en knikte.

'Je vader zei dat Katy nog geen belangstelling had voor jongens,' zei ik. 'Klopt dat?'

Haar mond ging open en weer dicht. 'Weet ik niet,' zei ze met een klein stemmetje.

'Rosalind, ik weet dat dit niet gemakkelijk is. Maar als het zo was, dan moeten wij dat weten.'

'Katy was mijn zusje, inspecteur Ryan. Ik wil niet... ik wil geen lelijke dingen over haar zeggen.'

'Dat snap ik,' zei ik vriendelijk. 'Maar de grootste dienst die je haar nu kunt bewijzen is mij alles te vertellen wat mij kan helpen om de moordenaar te vinden.'

Na een tijd slaakte ze een zucht, een bevende, kleine ademtocht. 'Ja,' zei ze. 'Katy vond jongens leuk. Ik weet niet om wie het precies ging, maar ik hoorde dat zij en haar vriendinnetjes elkaar aan het plagen waren – over vriendjes, u weet wel, en met wie ze gezoend hadden...'

Het idee van zoenende twaalfjarigen verbaasde me, tot ik me Katy's vriendinnetjes herinnerde, die vroegwijze, onthutsende kleine meisjes. Misschien waren Peter en Jamie en ik gewoon een beetje achtergebleven geweest. 'Weet je dat zeker? Je vader was nogal stellig.'

'Mijn vader...' Er verscheen een smal fronslijntje tussen Rosalinds wenkbrauwen. 'Mijn vader aanbad Katy. En zij... zij maakte daar soms misbruik van. Ze vertelde hem niet altijd de waarheid. Daar werd ik altijd heel verdrietig van.'

'Oké,' zei ik. 'Oké, dat begrijp ik. Goed dat je dat verteld hebt.' Ze knikte, niet meer dan een hele kleine beweging van haar hoofd. 'Ik moet je nog één ding vragen. In mei ben jij weggelopen, geloof ik?'

De frons verdiepte zich. 'Ik ben niet bepaald weggelopen, inspecteur Ryan. Ik ben geen kind meer. Ik ben een weekend bij een vriendin gaan logeren.'

'Wie was dat?'

'Karen Daly. U kunt haar vragen, als u wilt. Ik kan u haar nummer geven.'

'Dat hoeft niet,' zei ik dubbelzinnig. We hadden Karen al gesproken – een timide, bleek meisje, helemaal niet wat ik verwacht had als vriendin van Rosalind – en zij had bevestigd dat Rosalind het hele weekend bij haar was geweest. Maar ik heb nogal een goede neus voor bedrog, en ik wist vrijwel zeker dat Karen mij niet alles verteld had. 'Je nichtje dacht dat je misschien bij een vriendje was geweest.'

Rosalinds mond verstrakte tot een geïrriteerde streep. 'Valerie houdt er onfrisse gedachten op na. Ik weet dat heel veel meisjes dat soort dingen doen, maar zo ben ik niet.'

'Nee,' zei ik. 'Zo ben jij niet. Maar je ouders wisten niet waar je was?'

'Nee. Dat wisten ze niet.'

'Waarom niet?'

'Ik had gewoon geen zin om het te zeggen,' zei ze op scherpe toon. En toen keek ze naar me op en zuchtte, terwijl haar gezicht zich ontspande. 'O, inspecteur Ryan, hebt u nooit het gevoel dat… dat u even weg moet? Van alles weg? Omdat het gewoon even allemaal te veel wordt?'

'Jazeker,' zei ik. 'Nou en of. Dus dat weekend weg was niet omdat er thuis iets ergs was gebeurd? We hadden gehoord dat je ruzie had gehad met je vader…'

Rosalinds gezicht betrok en ze wendde haar blik af. Ik wachtte. Na een tijdje schudde ze haar hoofd. 'Nee, ik… dat was het niet.'

Mijn alarmbellen begonnen weer te rinkelen, maar haar stem klonk gespannen en ik wilde haar niet opjagen, nog niet. Nú vraag ik me natuurlijk af of ik dat wél had moeten doen, maar ik zie niet dat het uiteindelijk enig verschil uitgemaakt zou hebben.

'Ik weet dat je het momenteel heel zwaar hebt,' zei ik, 'maar loop alsjeblieft niet nog een keer weg, wil je? Als het je allemaal te veel wordt, of als je zomaar wilt praten, bel Slachtofferhulp dan, of bel mij – je hebt mijn mobiele nummer, geloof ik? Ik zal alles doen wat ik maar kan om te helpen.'

Rosalind knikte. 'Dank u, inspecteur Ryan. Ik zal eraan denken.' Maar haar gezicht stond betrokken en mat, en ik had het gevoel dat ik haar op de een of andere duistere maar cruciale manier in de steek gelaten had.

Cassie stond in de teamkamer getuigenverklaringen te kopiëren. 'Wie was dat?'

'Rosalind Devlin.'

'Huh,' zei Cassie. 'Wat had ze te zeggen?'

Om de een of andere reden had ik geen zin om daar alles over te vertellen. 'Niet veel. Maar wat haar vader ook dacht, Katy was wel degelijk geïnteresseerd in jongens. Rosalind wist geen namen; we moeten nog een keer met haar vriendinnetjes gaan praten en zien of die ons iets meer kunnen vertellen. En verder zei ze dat Katy leugens vertelde. Maar goed, dat doen de meeste kinderen.'

'En verder nog iets?'

'Niet echt.'

Met een blad papier in de hand draaide Cassie zich om en keek me lang, met een ondoorgrondelijke blik, aan. Toen zei ze: 'Met jou praat ze tenminste. Je moet contact met haar houden, misschien gaat ze na een tijdje meer vertellen.'

'Ik heb haar gevraagd of er thuis iets mis is,' zei ik met een licht schuldig gevoel. 'Ze zei van niet, maar ik geloof haar niet.'

'Hmm,' zei Cassie en ze ging verder met kopiëren.

Maar toen we de volgende dag opnieuw met Christina en Marianne en Beth gingen praten, hielden ze alle drie voet bij stuk: Katy had geen vriendjes gehad en was niet op iemand in het bijzonder verliefd. 'We pestten haar wel eens over jongens,' zei Beth, 'maar niet echt, weet u wel? Gewoon voor de lol.' Beth had rood haar en was een vrolijk ogend meisje, dat al extravagante rondingen begon te vertonen, en als haar ogen zich met tranen vulden leek ze daar zelf volledig verbijsterd over, alsof huilen iets tot dan toe onbekends was. Ze tastte rond in de mouw van haar trui en haalde er een rafelig papieren zakdoekje uit.

'Maar misschien heeft ze het ons niet verteld,' zei Marianne, de rustigste van het stel, een bleke fee van een meisje, half verscholen in haar funky tienerkleren. 'Katy zegt... Katy zei nooit veel over dat soort dingen. Zoals die eerste keer dat ze had voorgedanst voor die balletacademie – dat hoorden we pas toen ze aangenomen was, weet je nog?'

'Eh, hallóó-ho, dat is wel wat anders, hoor,' zei Christina, maar ook zij had gehuild en met haar verstopte neus had ze niet veel gezag in haar stem. 'Een vriendje hadden we niet echt over het hoofd kunnen zien.'

De surveillanten zouden iedere jongen in de wijk en in Katy's klas uiteraard opnieuw aan de tand voelen, voor het geval dat, maar ik besefte dat dit in zeker opzicht precies geweest was wat ik verwacht had. Deze zaak had iets van een eindeloos, gek makend kaartspelletje: ik wist dat er ergens een oplossing was, vrijwel onder mijn neus zelfs, maar er was met de kaarten gerommeld en ze werden te snel uitgedeeld: iedere kaart die ik omdraaide, bleek waardeloos.

Sophie belde toen we uit Knocknaree wegreden om te zeggen dat de test-uitslagen er waren. Ze liep ergens, ik hoorde haar mobiel bewegen en het snelle, vastberaden klikken van haar hakken.

'Ik heb de uitslagen van het meisje Devlin,' zei ze. 'Het lab heeft een achterstand van zes weken en je weet hoe ze zijn, maar ik heb ze zover ge-kregen dat dit geval boven op de stapel kwam. Ik moest praktisch met de hoofdgriezel slapen voordat hij ertoe bereid was.'

Mijn hartslag versnelde. 'Fantastisch, Sophie,' zei ik. 'We staan nog meer bij je in het krijt.' Cassie keek vanachter het stuur opzij en ik mime-de: 'Uitslag.'

'Geen drank of drugs, geen medicijnen. Ze zat onder het sporenmate-riaal: voornamelijk buitenspul zoals zand, stuifmeel, het gebruikelijke. Het komt allemaal overeen met de bodemsamenstelling rond Knockna-ree – en nu komt het goede nieuws: zelfs het spul dat in haar zakken zat en aan het bloed kleefde. Spul dat dus niet zomaar op de dumpplek boven op haar terechtgekomen is. Volgens het lab groeit er in dat bos een of andere superzeldzame plant die nergens anders in de buurt voorkomt – die plan-tengriezel was er kennelijk helemaal opgewonden van – en het stuifmeel kan onmogelijk meer dan een kilometer, anderhalve kilometer, weg-waaien. Het ziet ernaar uit dat ze de hele tijd in Knocknaree is geweest.'

'Dat klopt met wat we al hadden,' zei ik. 'Nu het góéde nieuws, graag.'

Sophie snoof. 'Dit wás het goede nieuws. Met die voetafdrukken ko-men we nergens: de helft ervan is van de archeologen, en de rest is zo vaag dat we er niets aan hebben. Praktisch alle vezels komen overeen met spul dat we bij haar thuis gevonden hebben; een handvol ongeïdentificeerde, maar niets duidelijks. Eén haar op het T-shirt komt overeen met die hal-vegare die haar gevonden heeft, twee van de moeder – een op de broek, een op een sok, en waarschijnlijk doet de moeder de was, dus dat zegt niet veel.'

'En DNA? Of vingerafdrukken of zo?'

'Ha,' zei Sophie. Ze at iets knapperigs, waarschijnlijk chips – Sophie leeft voornamelijk op junkfood. 'Een paar gedeeltelijke afdrukken, maar die zijn van een rubberhandschoen – wat een verrassing. Dus ook geen opperhuid. En geen sperma en geen speeksel, en geen bloed dat niet van het kind zelf is.'

'Geweldig,' zei ik, en de moed zonk me langzaam in de schoenen. Ik was er weer met open ogen ingelopen, ik had hoop gekoesterd en nu voelde ik me bedrogen en stom.

'Afgezien van die ene vlek die Helen had gevonden. Daar hebben ze een bloedgroep van: A positief. En jouw slachtoffer is O negatief.'

Ze zweeg even terwijl ze een nieuwe hap chips nam, en mijn maag voerde een ingewikkelde manoeuvre uit. 'Wat?' blafte ze toen ik niets zei. 'Dat wilde je toch weten? Net als het bloed van die oude zaak. Oké, het is nog niet zeker, maar het is wel een verband.'

'Ja,' zei ik. Ik voelde Cassie luisteren; ik keerde haar mijn schouder toe.

'Fantastisch. Bedankt, Sophie.'

'We hebben de monsters en die schoenen naar het lab gestuurd voor DNA-proeven,' zei Sophie, 'maar als ik jou was zou ik er niet al te vast op rekenen. Ik wil wedden dat er niets van over is. Wie slaat er nou ook bloed op in een kelder?'

Bij stilzwijgende afspraak groef Cassie de oude zaak weer op, terwijl ik me op de Devlins concentreerde. McCabe was een paar jaar geleden overleden (hartaanval), maar Kiernan zocht ze op. Die was intussen met pensioen en woonde in Laytown, een forensendorpje aan de kust. Hij was in de zeventig, met een blozend, vrolijk gezicht en de ontspannen slordige lichaamsbouw van een rugbyspeler die er niets meer aan doet, maar hij nam Cassie mee op een lange wandeling langs het brede, verlaten strand, en vertelde haar wat hij zich herinnerde van de Knocknaree-zaak. Hij leek gelukkig, zei Cassie die avond, terwijl ze het vuur aanmaakte en ik mosterd op ciabattabroodjes smeerde en Sam wijn inschonk. Kiernan deed aan houtbewerking, er zat zaagsel op zijn zachte, sleetse broek. Zijn vrouw had een sjaal om zijn nek gewikkeld en hem op de wang gekust toen hij naar buiten ging.

Maar hij herinnerde zich de zaak tot in de kleinste details. In de hele, korte, ongeorganiseerde geschiedenis van Ierland als natie waren er maar een handvol kinderen vermist geraakt die ook inderdaad vermist gebleven waren, en Kiernan had nooit kunnen vergeten dat de zaak van twee van die verdwenen kinderen hem in handen was gekomen en dat hij er niets van gemaakt had. De zoekactie, had hij Cassie verteld (op een licht verdedigende toon, zei ze, alsof hij dit gesprek talloze malen in zijn hoofd had gevoerd) was iets enorms geweest: honden, helikopters, duikers; politiemensen en vrijwilligers hadden van 's ochtends vroeg tot 's avonds laat kilometers bos, heuvels en velden in alle richtingen uitgekamd; ze hadden aanwijzingen naar Belfast en Kerry en zelfs naar Birmingham gevolgd; en die hele tijd had een zeurende fluisterstem in Kiernans oor geklonken, dat ze op de verkeerde plekken zochten, dat het antwoord de hele tijd al vlak voor hun neus lag.

'Wat denkt hij ervan?' vroeg Sam.

Ik mikte de laatste biefstuk op een broodje en deelde de borden rond. 'Later,' zei Cassie tegen Sam. 'Eet eerst lekker je bord leeg. Hoe vaak doet Ryan iets waar je echt waardering voor kunt hebben?'

'Je hebt het hier tegen twee getalenteerde mannen,' zei ik tegen haar. 'Wij kunnen eten én luisteren. Tegelijkertijd!' Het was uiteraard fijn geweest om het verhaal eerst onder vier ogen te horen, maar tegen de tijd dat Cassie terug was uit Laytown was het daar te laat voor geweest. De gedachte alleen al had me de eetlust benomen; het verhaal zelf zou niet veel meer uitmaken. Bovendien hadden we het altijd over de zaak terwijl we zaten te eten, en als het aan mij lag zou vandaag niet veel anders gaan. Sam lijkt zich volledig onbewust van wat er onderhuids gaande is, maar soms vraag ik me af of iemand echt zó volledig onschuldig kan zijn.

'Toe maar,' zei Cassie. 'Oké dan,' – haar blik ging even naar mij; ik keek weg – 'volgens Kiernan zijn ze nooit uit Knocknaree weg geweest. Ik weet niet of jullie dit nog weten, maar er was nog een derde kind...' Ze leunde opzij om in haar notitieboekje te kijken, dat open op de armleuning van de bank lag. 'Adam Ryan. Die was die middag samen met de twee anderen, en een paar uur na het begin van de zoekactie hebben ze hem in het bos gevonden. Geen letsel, maar er zat bloed in zijn schoenen en hij was behoorlijk overstuur; hij herinnerde zich niets. Dus dacht Kiernan: wat er ook gebeurd was, het moest in dat bos gebeurd zijn of daar vlakbij; hoe had Adam anders terug kunnen komen? Hij dacht dat iemand uit de buurt een tijdje naar het drietal had zitten kijken. Toen had hij hen in het bos aangesproken en misschien mee naar huis gelokt om hen daar te overvallen. Waarschijnlijk was hij niet van plan geweest om de kinderen te vermoorden, misschien wilde hij hen aanranden en ging er daarbij iets mis. Ergens halverwege de aanval moest Adam gevlucht zijn, en teruggeheld naar het bos – en dat betekent waarschijnlijk dat ze in het bos zelf waren, in een van die huizen die daarop uitkijken, of in een van de boerderijen in de buurt. Anders was hij wel naar huis gerend, nietwaar? Volgens Kiernan moet de man in paniek geraakt zijn en de twee andere kinderen vermoord hebben. Misschien heeft hij de lijken thuis verborgen tot hij zijn kans schoon zag om ze in de rivier te dumpen of heeft hij ze begraven, bijvoorbeeld in zijn tuin of, en die kans lijkt hem groter – er waren de weken daarna geen berichten geweest over onverklaarde graafpartijen daar in de buurt – in het bos.'

Ik nam een hap van mijn broodje. Toen ik het vlees proefde, halfgaar en bloederig, moest ik bijna kokhalzen. Met een grote slok wijn werkte ik het ongekauwd omlaag.

'En wat is er van de kleine Adam geworden?' informeerde Sam.

Cassie haalde haar schouders op. 'Ik betwijfel of die ons iets zou kunnen vertellen. Kiernan en McCabe zijn nog jarenlang naar hem teruggegaan, maar hij heeft zich nooit iets herinnerd. Uiteindelijk gaven ze het op, overtuigd dat de herinnering voorgoed verdwenen was. Het gezin is verhuisd; volgens het roddelcircuit in Knocknaree zouden ze naar Canada geëmigreerd zijn.' En dat was tot op zekere hoogte allemaal waar. Dit was niet alleen moeilijker, maar ook idioter dan ik verwacht had. We leken wel een stel spionnen, die over Sams hoofd heen in voorzichtige, brokkelige codes communiceerden.

'Dat lijkt me om gek van te worden,' merkte Sam op. 'Een ooggetuige notabene...' Hij schudde zijn hoofd en nam een grote hap van zijn broodje.

'Ja, volgens Kiernan was het behoorlijk frustrerend geweest,' zei Cassie, 'maar het joch deed zijn best. Hij heeft zelfs samen met twee kinderen uit de buurt meegewerkt aan een reconstructie. Ze hoopten dat hij zich dan zou herinneren wat hij en zijn vriendjes die middag gedaan hadden, maar hij verstijfde zodra hij in het bos kwam.' Mijn maag draaide zich om. Daar herinnerde ik me absoluut niets van. Ik legde mijn broodje neer. Plotseling, en heel hevig, verlangde ik naar een sigaret.

'Arme stakker,' zei Sam vredig.

'En dacht McCabe er ook zo over?' vroeg ik.

'Nee.' Cassie likte de mosterd van haar duim. 'McCabe dacht dat de moordenaar een toerist geweest moest zijn – een of andere gozer die hier maar voor een paar dagen was – misschien over uit Engeland, misschien voor werk. Want zie je, ze vonden niet één geschikte verdachte. Ze hebben bijna duizend formulieren ingevuld, honderden verhoren afgenomen, alle bekende kinderlokkers en griezels in het zuiden van Dublin nagetrokken, ze zijn de complete handel en wandel van álle mannen uit de buurt, tot op de minuut nagegaan. Je weet hoe het gaat: uiteindelijk heb je bijna altijd wel een verdachte, zelfs al heb je niet genoeg om hem aan te klagen. Maar zij hadden níémand. Telkens wanneer ze een aanwijzing hadden, liepen ze tegen een muur aan.'

'Dat klinkt bekend,' zei ik grimmig.

'Volgens Kiernan kwam dat doordat er iemand een vals alibi had verstrekt, zodat hij nooit echt op de radar kwam, maar volgens McCabe kwam het doordat de man er simpelweg niet was. Zijn theorie luidde dat de kinderen bij de rivier aan het spelen waren geweest en dat ze die hadden gevolgd tot waar hij aan de andere kant van het bos tevoorschijn komt – dat is een heel eind, maar ze hadden het wel eerder gedaan. Langs dat stuk rivier loopt een klein weggetje. McCabe dacht dat daar iemand gereden moest hebben die de kinderen gezien had en had geprobeerd hen in zijn auto te slepen of te lokken. Adam verzette zich, wist weg te komen en holde het bos weer in. En de dader reed weg met de andere twee kinderen. McCabe heeft met Interpol en met de Engelse politie gepraat, maar daar kwam niets bruikbaars uit.'

'Dus zowel Kiernan als McCabe,' zei ik, 'dacht dat de kinderen vermoord waren.'

'McCabe was daar kennelijk niet van overtuigd. Volgens hem was er een kans dat iemand hen had ontvoerd – misschien iemand die gestoord was en wanhopig graag kinderen wilde hebben, of misschien... Nou ja. Eerst dachten ze dat de kinderen misschien gewoon weggelopen waren, maar twee twaalfjarigen zonder een cent op zak? Dan waren ze binnen enkele dagen teruggekomen.'

'Nou, Katy is niet door een toerist vermoord,' zei Sam. 'Hij moest een ontmoeting regelen, haar die hele dag ergens bewaren...'

'En in feite,' zei ik, onder de indruk van de ontspannen, normale klank van mijn stem, 'zie ik die oude zaak ook niet als een ontvoering per auto. Voor zover ik me herinner waren de schoenen weer aan de voeten van dat jochie gestoken toen het bloed al begon te stollen. Met andere woorden, de moordenaar moet dus enige tijd met alle drie de kinderen hebben doorgebracht, daar ter plekke, voordat er eentje wist te ontkomen. En voor mij staat dat gelijk aan: plaatselijk.'

'Knocknaree is maar klein,' zei Sam. 'Hoe groot acht jij de kans dat daar twee verschillende kindermoordenaars wonen?'

Cassie zette haar bord op haar over elkaar geslagen benen, vouwde haar handen in haar nek en rekte zich uit. Ze had donkere kringen onder haar ogen; plotseling besefte ik dat ze behoorlijk aangeslagen was van haar middag met Kiernan, en dat haar onwil om het hele verhaal te vertellen misschien niet alléén met mij te maken had. Wanneer Cassie iets niet vertelt, krijgt ze een klein trekje bij haar mondhoeken, en dat zag ik nu; ik vroeg me af wat Kiernan haar had gezegd dat ze niet verteld had.

'Ze hebben zelfs in de bomen gezocht, wisten jullie dat?' zei ze. 'Na een paar weken bedacht een of andere slimmerik plotseling dat er ooit een zaak was geweest waarin een kind in een holle boom was geklommen en in een gat in de stam was gevallen; en die stumper was pas veertig jaar later gevonden. Kiernan en McCabe hebben alle bomen laten afspeuren, ze hebben met lantaarns in de spleten geschenen...'

Haar stem viel weg en we bleven zwijgend zitten. Sam kauwde met gelijkmatige, ongehaaste waardering zijn broodje weg, zette zijn bord neer en slaakte een tevreden zucht. Uiteindelijk verroerde Cassie zich en stak een hand uit; ik legde er haar sigarettenpakje in. 'Kiernan droomt er nog steeds van, weet je,' zei ze zachtjes, terwijl ze een sigaret uit het pakje viste. 'Minder dan vroeger, zei hij, nog maar om de paar maanden sinds hij met pensioen is. Hij droomt dat hij bij nacht en ontij in dat bos op zoek is naar die kinderen, dat hij ze roept, en dat er iemand uit het kreupelhout tevoorschijn springt en op hem af holt. Hij weet dat het degene is die de kinderen weggehaald heeft, hij ziet zijn gezicht "even duidelijk als ik jou zie", zei hij, maar als hij wakker wordt, weet hij niet meer wie het was.'

Het vuur knapperde en sproeide een vonkenregen uit. Ik zag het vanuit mijn ooghoek en draaide me als gestoken om: ik wist zeker dat ik iets uit de haard de kamer in had zien springen, iets kleins, iets zwarts, met klauwen – een jong vogeltje misschien, door de schoorsteen gevallen? – maar er was niets. Toen ik me weer terugdraaide, rustte Sams blik op me, grijs en rustig en op de een of andere manier meelevend, maar hij zei niets. Hij glimlachte en leunde over de tafel heen om mijn glas bij te vullen.

Ik sliep slecht, ook als ik de kans kreeg om te slapen. Dat overkomt me wel vaker, zoals ik al zei, maar dit was anders: in die weken bevond ik me in een soort schemerzone tussen slaap en waken, niet in staat om een van beide binnen te dringen. Ik hoorde stemmen die plotseling en keihard vlak bij mijn oor 'Kijk uit!' zeiden, of 'Ik versta je niet. Wat? Wát?' Half wakker, half slapend droomde ik van duistere indringers die steels door de kamer liepen, door mijn werknotities bladerden en de overhemden in mijn kast betastten; ik wist dat ze niet echt konden zijn, maar het duurde een paniekerige eeuwigheid voor ik mezelf zo wakker geschud had dat ik ze kon aanspreken of als waanbeelden kon wegdenken. Op een nacht werd ik wakker en merkte dat ik half ineengezakt tegen de muur naast mijn slaapkamerdeur hing, wanhopig naar de lichtknop graaiend en met zulke knikkende knieën dat ik me amper overeind kon houden. Mijn hoofd tolde en ergens vandaan klonk een gedempt gekreun. Het duurde een hele tijd voordat tot me doordrong dat ik dat zelf was. Ik deed het licht aan, en mijn bureaulamp, en kroop terug in bed, waar ik bleef liggen tot de wekker ging, te geschokt om weer in slaap te vallen.

In dat limbo hoorde ik ook eindeloos lang kinderstemmen. Niet die van Peter of Jamie of zo: dit was een groep kinderen een heel eind weg, die kinderliedjes zongen die ik me absoluut niet herinnerde. Hun stemmetjes klonken vrolijk en onbekommerd en zo zuiver dat ze haast niet menselijk konden zijn, en daaronder lagen energieke, geroutineerde ritmes van handgeklap. *Vriendje kom je buiten spelen, klimmen in mijn appelboom... lelieblanke jongens helemaal in 't groen, een is een en heel alleen en kan niets anders doen...* Soms bleef hun vage refrein de hele dag door mijn hoofd spelen, als achtergrond bij alles wat ik deed. Ik leefde in doodsangst dat O'Kelly me zou betrappen op het neuriën van zo'n deuntje.

Die zaterdag belde Rosalind mijn mobiel. Ik zat in de projectkamer; Cassie was naar Vermiste personen toe en achter me zat O'Gorman te mekkeren over een of andere gozer die hem met onvoldoende respect had behandeld tijdens het buurtonderzoek. Ik moest de telefoon tegen mijn oor drukken om haar te verstaan. 'Inspecteur Ryan, met Rosalind... het spijt me dat ik u lastigval, maar denkt u dat u even tijd zou hebben om met Jessica te komen praten?'

Stadsgeluiden op de achtergrond: auto's, rumoerige gesprekken, het zenuwachtige gepiep van een verkeerslicht. 'Natuurlijk,' zei ik. 'Waar zitten jullie?'

'In het centrum. Zullen we afspreken in de bar van Central Hotel over, zeg, tien minuten? Jessica heeft u iets te vertellen.'

Ik groef het dossier op en begon erdoorheen te bladeren op zoek naar Rosalinds geboortedatum: als ik met Jessica wilde praten, moest er een 'geschikte volwassene' bij aanwezig zijn. 'Zijn jullie ouders er ook bij?'

'Nee, ik... nee. Volgens mij is Jessica meer op haar gemak als zij er niet bij zijn, als dat mag.'

Mijn voelsprieten begonnen te prikken. Ik had de bladzij met persoonlijke gegevens gevonden: Rosalind was achttien, en wat mij betreft geschikt. 'Geen probleem,' zei ik. 'Ik zie jullie daar.'

'Dank u, inspecteur Ryan, ik wist dat ik bij u terecht kon – sorry voor de haast, maar we moeten echt thuis zijn voordat...' Een pieptoon, en ze was weg: ofwel haar batterij was leeg, ofwel haar beltegoed was op. Ik schreef Cassie een briefje met 'zo terug' en ging op pad.

Rosalind had een goede smaak. De bar van het Central heeft een koppig ouderwetse uitstraling – een plafond met sierstucwerk, enorme, comfortabele fauteuils die ondoeltreffende hoeveelheden ruimte innamen, planken met vreemde, fraai ingebonden oude boeken – die een plezierig contrast vormt met de manische bedrijvigheid op de straten beneden. Ik ging er op zaterdag wel eens een glas cognac drinken en een sigaar roken – dit was toen je nog roken mocht – en de hele middag in de *Boerenalmanak* van 1938 zitten lezen, of in een bundel met middelmatige gedichten van rond de vorige eeuwwisseling.

Rosalind en Jessica zaten aan een tafeltje bij het raam. Rosalinds krullen waren nonchalant opgebonden en ze had witte kleren aan, een lange rok en een kanten bloes met ruches die perfect bij de omgeving paste; ze zag eruit alsof ze net naar binnen was gekomen uit een tuinfeest in de vorige eeuw. Ze leunde naar Jessica over om iets in haar oor te fluisteren, en streelde met één hand Jessica's haar in een traag, geruststellend ritme.

Jessica zat met onder zich opgetrokken benen in een fauteuil, en weer was ik getroffen door hoe ze eruitzag – bijna even erg als die eerste keer. De zon die door het hoge raam viel, hield haar gevangen in een zuil van licht die haar transformeerde tot een stralend visioen van iemand anders, iemand die levendig en gretig en verdwaald was. De fijne, geknakte v van haar wenkbrauwen, de bocht van haar neus, de volle, kinderlijke bolling van haar lippen: de laatste keer dat ik in dat gezicht gekeken had, lag het leeg en met bloed besmeurd op Coopers stalen tafel. Jessica was een geredde drenkeling, een Eurydice die een wonderlijk moment lang vanuit de duisternis aan Orpheus teruggeschonken was. Ik voelde, zo intens dat ik even naar adem moest happen, de neiging om een hand op haar zachte donkere hoofd te leggen, om haar dicht tegen me aan te trekken en haar rank en warm en ademend te voelen, alsof ik op de een of andere manier de tijd ongedaan kon maken en haar zo goed kon beschermen dat ook Katy daardoor veilig was.

'Rosalind,' zei ik. 'Jessica.'

Jessica vertrok haar gezicht, sperde geschrokken haar ogen open, en de illusie was verdwenen. Ze hield iets in haar hand, een zakje suiker uit de kom midden op tafel; ze schoof de hoek ervan in haar mond en begon erop te zuigen.

Rosalinds gezicht lichtte op toen ze me zag. 'Inspecteur Ryan! Fijn om u te zien. Ik weet dat het allemaal heel snel moest, maar... o, gaat u zitten, gaat u zitten...' Ik trok een fauteuil bij. 'Jessica heeft iets gezien wat u volgens mij moet weten. Ja toch, liever?'

Jessica schokschouderde en wiebelde met een ongemakkelijk gezicht heen en weer in haar stoel.

'Hai, Jessica,' zei ik zo zachtjes en rustig als ik maar kon. Mijn gedachten schoten in tientallen richtingen tegelijk: als dit iets te maken had met de ouders, dan moest ik een plek vinden waar de meisjes heen konden, en Jessica zou het belabberd doen als getuige voor de rechter... 'Ik ben blij dat je het me wilt vertellen. Wat heb je gezien?'

Ze opende haar mond; ze zwaaide licht heen en weer op haar plek. En toen schudde ze haar hoofd.

'O jee... ik was er al bang voor.' Rosalind zuchtte. 'Enfin. Ze heeft me verteld dat ze Katy heeft zien...'

'Dank je, Rosalind,' zei ik, 'maar ik moet dit echt van Jessica horen. Anders is het indirect, en dat mag niet voor de rechtbank.'

Rosalind keek even niet-begrijpend, verbluft, en knikte toen. 'Aha,' zei ze, 'natuurlijk, als u dat nodig hebt, dan... ik hoop alleen...' Ze boog zich over Jessica heen, glimlachte naar haar en probeerde haar aan te kijken. Ze stak het haar weg achter Jessica's oor en zei: 'Jessica? Meiske? Je moet inspecteur Ryan echt vertellen wat je mij verteld hebt, lieverd. Het is belangrijk.'

Jessica trok haar hoofd tussen haar schouders. 'Ik weet het niet meer,' fluisterde ze.

Rosalinds glimlach kreeg iets straks. 'Kom op, Jessica. Daarnet wist je het nog prima, voordat we helemaal hierheen kwamen en inspecteur Ryan van zijn werk haalden. Ja, toch?'

Jessica schudde haar hoofd weer en beet in het suikerzakje. Haar lippen beefden.

'Het geeft niet,' zei ik. Ik kon haar wel door elkaar rammelen. 'Ze is gewoon een beetje nerveus. Ze heeft het niet makkelijk gehad. Nee toch, Jessica?'

'We hebben het geen van beiden makkelijk,' zei Rosalind scherp, 'maar een van ons moet zich daarbij ook nog eens gedragen als een volwassene in plaats van als een stom kind.' Jessica dook dieper weg in haar enorme trui.

'Weet ik,' zei ik, hopelijk op troostende toon. 'Weet ik. Ik begrijp hoe moeilijk dit moet zijn...'

'Nee, inspecteur Ryan, dat weet u níet.' Rosalinds been, over het andere heen geslagen, begon boos te wiebelen. 'Niemand kan zich ook maar bij benadering voorstellen hoe het is. Ik vraag me af waarom we überhaupt gekomen zijn. Jessica is te beroerd om u te vertellen wat ze gezien heeft, en u vindt het kennelijk niet de moeite waard. We kunnen net zo goed naar huis gaan.'

Ik mocht hen niet kwijtraken. 'Rosalind,' zei ik dringend, terwijl ik over de tafel heen naar haar overleunde. 'Ik vind dit heel belangrijk. En ik begrijp het. Echt, ik begrijp het.'

Rosalind lachte bitter en tastte onder tafel naar haar tas. 'Ja, dat zal best. Leg dat neer, Jessica. We gaan naar huis.'

'Rosalind, ik begrijp het écht. Toen ik zo'n beetje Jessica's leeftijd was, zijn mijn twee beste vrienden verdwenen. Ik weet wat jullie doormaken.'

Ze hief haar hoofd en keek me aan.

'Ik weet dat het niet hetzelfde is als een zusje kwijtraken...'

'Nee, zeker niet.'

'Maar ik weet wel hoe moeilijk het is om achter te blijven. Ik ga mijn uiterste best doen om ervoor te zorgen dat jullie antwoorden krijgen, oké?'

Rosalind bleef me nog een tijdje aankijken. Toen liet ze haar tas vallen en lachte, een ademloze uitbarsting van opluchting. 'O, o, inspecteur Ryan!' Voordat ze erbij nagedacht had, had ze over de tafel heen mijn hand gepakt. 'Ik wíst dat er een reden was waarom u zo ideaal bent voor deze zaak!'

Zo had ik het nog niet bekeken, en het was een hartverwarmende gedachte. 'Ik hoop maar dat je gelijk hebt,' zei ik.

Ik kneep even in haar hand; het was bedoeld als een geruststellend gebaar, maar plotseling besefte ze wat ze gedaan had en trok ze blozend haar hand weg. 'O, ik wilde niet...'

'Weet je wat,' zei ik, 'jij en ik kunnen gewoon een tijdje praten, tot Jessica zover is dat ze kan vertellen wat ze gezien heeft. Wat vind je daarvan?'

'Jessica? Liefje?' Rosalind raakte Jessica's arm aan; Jessica veerde met angstig opengesperde ogen overeind. 'Wil je hier nog even blijven?'

Daar moest Jessica over nadenken. Met grote ogen staarde ze Rosalind aan. Rosalind glimlachte naar haar, totdat Jessica uiteindelijk knikte.

Ik haalde koffie voor Rosalind en mezelf, en een 7-Up voor Jessica. Die hield haar glas in beide handen en bleef een hele tijd als gehypnotiseerd naar de omhoogborrelende belletjes kijken, terwijl Rosalind en ik zaten te praten.

Eerlijk gezegd had ik nooit verwacht dat ik zoveel plezier zou kunnen beleven aan een gesprek met een tiener, maar Rosalind was anders dan de meeste meisjes van haar leeftijd. De eerste schok van Katy's dood was weggeëbd en voor het eerst kreeg ik de kans om te zien wat voor persoonlijkheid ze werkelijk had: open, sprankelend, een en al fonkeling en humor, belachelijk slim en met een enorm taalgevoel. Ik vroeg me af waar dit soort meisjes was geweest toen ik achttien was. Ze was naïef, maar dat wist ze zelf; ze maakte grappen over zichzelf met zo'n meeslepend soort ondeugendheid dat ik echt om haar moest lachen, ondanks de context en ondanks mijn sluipende zorg dat zoveel onschuld haar op een dag in de problemen zou brengen.

'Wat ga je doen als je van school komt?' vroeg ik. Dat interesseerde me echt. Ik kon me dit meisje niet voorstellen op een saai kantoor.

Rosalind glimlachte, maar er gleed even een droevige schaduw over haar gezicht. 'Ik zou dolgraag naar het conservatorium willen. Ik speel al sinds mijn negende viool, en ik componeer wel eens iets; volgens mijn leraar ben ik... enfin, volgens hem heb ik wel kans dat ik toegelaten word. Maar...' Ze zuchtte. 'Dat is een dure opleiding en mijn... mijn ouders zijn het er niet echt mee eens. Die willen dat ik een secretaresseopleiding ga doen.'

En dat terwijl ze vierkant achter Katy's plannen voor de balletacademie hadden gestaan? Bij Huiselijk Geweld had ik soortgelijke gevallen gezien, waarbij de ouders een favoriet of een zondebok kiezen ('Katy... misschien was dat wel mijn lievelingetje,' had Jonathan die eerste dag gezegd), met als gevolg dat broertjes en zusjes in een volledig andere sfeer opgroeien. Dat loopt zelden goed af.

'Jij komt er wel,' zei ik. Het idee dat zij als secretaresse zou eindigen, was belachelijk. Wat dacht Devlin wel? 'Met een beurs, of zo. Zo te horen moet je echt goed zijn.'

Ze boog bescheiden haar hoofd. 'Ach. Vorig jaar hebben ze met het Nationaal Jeugdorkest een compositie van mij uitgevoerd. Een sonate.'

Uiteraard geloofde ik haar niet. Het was een doorzichtige leugen – als er iets van die omvang was gebeurd, dan had iemand dat wel gezegd tijdens het buurtonderzoek – en hij raakte me vol in mijn hart zoals geen sonate ooit had kunnen doen. Want ik herkende hem. *Dat is mijn tweelingbroer, hij heet Peter, hij is zeven minuten ouder dan ik...* Kinderen – en

Rosalind was niet veel meer dan een kind – vertellen geen zinloze leugens tenzij de werkelijkheid te zwaar is om te hanteren.

Even zei ik dat bijna. *Rosalind, ik weet dat er thuis iets mis is; vertel het, dan kan ik je helpen...* Maar het was te snel, dan had ze alleen al haar barricades weer opgeworpen, dan was alles ongedaan gemaakt wat ik tot dat moment voor elkaar gekregen had. 'Geweldig,' zei ik. 'Goed, hoor!'

Ze lachte even, gegeneerd, en keek vanonder haar wimpers naar me op.

'Uw vrienden,' zei ze verlegen. 'Die verdwenen waren. Wat is daarmee gebeurd?'

'Dat is een lang verhaal,' zei ik. Ik had mezelf in deze positie gemanoeuvreerd, en ik had geen idee hoe ik me er weer uit kon draaien. Rosalinds blik begon achterdochtig te worden, en er was geen schijn van kans dat ik haar het hele Knocknaree-gedoe kon vertellen, maar anderzijds wilde ik ook beslist na al die toestanden haar vertrouwen niet kwijtraken.

En tot mijn verbijstering was het Jessica die me hieruit redde: ze ging iets verzitten in haar stoel en stak haar vinger uit naar Rosalinds arm.

Rosalind leek er niets van te merken. 'Jessica?' zei ik.

'O, wat is er, lieverd?' Rosalind boog zich naar haar over. 'Ben je zover, wil je inspecteur Ryan vertellen over die man?'

Jessica knikte stijfjes. 'Ik heb een man gezien,' zei ze, haar blik niet op mij maar op Rosalind gevestigd. 'Hij praatte met Katy.'

Mijn hart begon te bonzen. Als ik gelovig was geweest, had ik nu kaarsjes aangestoken voor iedere heilige in de almanak: één bruikbare aanwijzing. 'Fantastisch, Jessica. Waar was dat?'

'Op straat. Toen we uit de winkel kwamen.'

'Alleen jij en Katy?'

'Ja. Wij mogen alleen naar de winkel.'

'Natuurlijk. En wat zei die man?'

'Hij zei,' – Jessica haalde diep adem – 'hij zei: "Jij kunt wel heel goed dansen," en Katy zei: "Dank u." Ze vindt het leuk als mensen zeggen dat ze goed kan dansen.'

Ze keek bezorgd op naar Rosalind. 'Het gaat geweldig, lieverd,' zei Rosalind, en ze streelde Jessica over haar haar. 'Ga maar door.'

Jessica knikte. Rosalind raakte haar glas aan, en Jessica nam een gehoorzame slok van haar 7-Up. 'En toen,' zei ze, 'toen zei hij: "En je bent ook een heel mooi meisje," en Katy zei: "Dank u." Want dat vindt ze ook leuk. En toen zei hij... toen zei hij... "Mijn dochtertje houdt ook van dansen, maar ze heeft haar been gebroken. Wil jij misschien bij haar op bezoek komen? Dat zou ze heel fijn vinden." En toen zei Katy: "Niet nu. Want nu moeten we naar huis." En toen zijn we naar huis gegaan.'

*Jij bent een heel mooi meisje...* Er zijn niet veel mannen meer die zoiets nog tegen een twaalfjarige zeggen. 'Weet jij wie dat was, die man?' vroeg ik. 'Had je hem wel eens eerder gezien?'

Ze schudde haar hoofd.

'Hoe zag hij eruit?'

Stilte; een ademhaling. 'Groot.'

'Zo groot als ik? Lang?'

'Ja... eh... ja. Maar ook zo.' Ze spreidde haar armen; het glas wiebelde griezelig.

'Een dikke man?'

Jessica giechelde, een scherp, nerveus geluid. 'Ja.'

'Wat had hij aan?'

'Een, een trainingspak. Donkerblauw.' Ze keek naar Rosalind, die haar bemoedigend toeknikte.

Shit, dacht ik. Mijn hart ging als een razende tekeer. 'En wat voor haar had hij?'

'Nee. Hij had geen haar.'

Ik bood Damien, snel en welgemeend, in gedachten excuses aan: kennelijk had hij dus toch niet alleen maar gezegd wat wij wilden horen. 'Was het een oude man, of jong?'

'Zo oud als u.'

'Wanneer is dit gebeurd?'

Jessica's lippen weken, bewogen geluidloos. 'Hè?'

'Wanneer hebben jij en Katy die man gezien? Was dat een paar dagen voordat Katy wegging? Of een paar weken? Wanneer is dit gebeurd?'

Ik probeerde niet ongevoelig over te komen, maar ze vertrok haar gezicht. 'Katy is niet weggegaan,' zei ze. 'Katy is vermoord.' Haar ogen begonnen te bewolken. Rosalind wierp me een verwijtende blik toe.

'Ja,' zei ik, zo vriendelijk als ik kon, 'dat is zo. En daarom is het ook zo belangrijk dat je probeert om je te herinneren wanneer je die man gezien hebt, zodat we kunnen uitzoeken of híj haar soms vermoord heeft. Zou dat lukken?'

Jessica's mond viel een eindje open. Haar blik was onbereikbaar, weg.

Over haar hoofd heen vertelde Rosalind zachtjes: 'Volgens Jessica moet dit een week of twee geweest zijn voor…' Ze slikte. 'De exacte datum weet ze niet.'

Ik knikte. 'Dankjewel, Jessica,' zei ik. 'Je bent heel flink geweest. Denk je dat je die man zou herkennen als je hem weer zag?'

Niets; geen flikkering van begrip. Het suikerzakje hing los in haar gekromde vingers. 'Het lijkt me beter dat we naar huis gaan,' zei Rosalind, met een bezorgde blik op Jessica en op haar horloge.

Ik keek hen bij het raam na: Rosalinds vastberaden stapjes en het subtiele wiegen van haar heupen, en Jessica die aan haar hand volgde. Ik keek naar Jessica's gebogen hoofd met het zijdezachte haar en dacht aan die verhalen waarbij één tweeling pijn heeft en de andere, kilometers verderop, die pijn voelt. Ik vroeg me af of er tijdens die giechelende nichtjesavond bij tante Vera thuis een moment geweest was waarop Jessica een klein, onopgemerkt kreetje had geslaakt; of alle antwoorden die we nodig hadden achter de donkere, vreemde poorten van haar geest weggeborgen waren.

U bent perfect voor deze zaak, had Rosalind gezegd, en de woorden klonken nog na in mijn hoofd terwijl ik haar nakeek. En tot op de dag van vandaag vraag ik me af of de daaropvolgende gebeurtenissen bewezen dat ze volkomen gelijk of juist helemaal ongelijk had. En wat voor criteria je moest gebruiken om het verschil aan te geven.

# 10

De dagen daarna was ik zowat dag en nacht bezig met zoeken naar het mysterieuze trainingspak. Zeven mannen uit de buurt van Knocknaree voldeden aan de beschrijving, voor zover je dat kon zeggen: lang, zwaargebouwd, in de dertig, kaal of skinhead. Een van hen had een bescheiden strafblad, nog uit zijn jonge jaren: bezit van hasj, naaktloperij – mijn hart sloeg een slag over toen ik dat zag, maar het enige wat hij gedaan had was langs de kant van een verlaten weggetje staan pissen op het moment dat er een goed bedoelende jonge agent voorbij was gekomen. Twee van hen zeiden dat ze misschien rond de tijd die Damien ons had gegeven de wijk ingegaan waren op weg naar huis na het werk, maar dat wisten ze niet zeker.

Geen van hen wilde toegeven dat ze Katy gesproken hadden; allemaal hadden ze min of meer een alibi voor de nacht van haar dood; geen van hen had een dansende dochter met een gebroken been of iets anders dat als motief kon dienen, voor zover ik kon achterhalen. Ik zorgde voor foto's en legde die voor aan Damien en Jessica, maar allebei keken ze met dezelfde versufte, opgejaagde blik naar de foto's tot Damien uiteindelijk zei dat hij niet dacht dat een van deze foto's de man was die hij gezien had, terwijl Jessica aarzelend telkens wanneer het haar gevraagd werd, naar een andere foto wees voordat ze weer volledig catatonisch werd. Ik liet een paar surveillanten een buurtonderzoek doen om iedereen in de wijk te vragen of ze een bezoeker hadden gehad die aan die beschrijving voldeed: niets.

Een stel alibi's bleef onbevestigd. Eén man beweerde dat hij tot bijna drie uur 's nachts online was geweest, op een motorrijdersforum, om te praten over het onderhoud van een Kawasaki-klassieker. Een ander zei dat hij een afspraakje in de stad had gehad, de nachtbus van halfeen gemist had en bij Supermac's had staan wachten op die van twee uur. Ik plakte hun foto's op het whiteboard en ging aan de slag om de alibi's te kraken, maar telkens wanneer ik naar het bord keek kreeg ik hetzelfde gevoel, een specifiek en verontrustend gevoel dat ik begon te associëren met de hele zaak: het gevoel dat mijn wil bij iedere bocht op die van iemand anders stuitte, op iets sluws en obstinaats met geheel eigen beweegredenen.

Sam was de enige die vooruitgang boekte. Hij was bijna nooit op kantoor, hij was mensen aan het ondervragen – leden van de gemeenteraad, zei hij, landmeters, boeren, mensen van Weg met de snelweg. Bij onze etentjes was hij vaag over de tot dan toe behaalde resultaten: 'Dat laat ik over een paar dagen zien,' zei hij, 'zodra het ergens op begint te lijken.' Ik wierp een keer een blik op zijn aantekeningen, toen hij naar de wc was en de papieren op zijn bureau had laten liggen: diagrammen en steno en schetsjes in de kantlijn, nauwgezet en onontcijferbaar.

En op een dinsdag – een donkere, miezerige, druilerige ochtend, Cassie en ik namen grimmig voor de zoveelste keer de verslagen van de buurtonderzoeken van de surveillanten door voor het geval we iets over het hoofd gezien hadden – kwam hij binnen met een enorme rol papier, van het zware soort waarvan kinderen op school valentijns- en kerstkaarten maken. 'Nou,' zei hij, terwijl hij een rol sellotape uit zijn zak haalde en het papier op de muur in onze hoek van de projectkamer begon te plakken. 'Hier ben ik al die tijd mee bezig geweest.'

Het was een enorme kaart van Knocknaree, schitterend gedetailleerd: huizen, heuvels, de rivier, het bos, allemaal in dunne pen en inkt geschetst met de tere, vloeiende precisie van een kinderboekillustrator. Dat moest hem uren gekost hebben. Cassie floot bewonderend.

*'Thank you, thankyouverymuch,'* zei Sam grijnzend met een diepe Elvis-stem. We lieten allebei onze stapels rapporten voor wat ze waren en liepen naar Sams kaart toe. Een groot deel ervan was gesplitst in onregelmatig gevormde blokken, met kleurpotlood gearceerd – groen, blauw, rood, een paar in geel. Elk blok bevatte een stel mysterieuze afkortingen in piepklein handschrift: *Sd J. Downey-GII 11/97; pc ag-ind 8/98.* Vragend trok ik een wenkbrauw op naar Sam.

'Dat ga ik nu uitleggen.' Hij beet nog een stuk tape af en zette daarmee de laatste hoek vast. Cassie en ik gingen op de rand van de tafel zitten, vanwaar we de details konden zien.

'Oké. Zien jullie dit?' Sam wees naar twee parallel lopende stippellijnen die krom over de kaart liepen, dwars door het bos en de opgraving. 'Daar komt de snelweg. De overheid heeft in maart 2000 de plannen bekendgemaakt en in de loop van het daaropvolgende jaar het land gekocht van de boeren ter plaatse. Dat gebeurde onder een gedwongen verkooporder. Niets onfris aan de hand.'

'Tja,' zei Cassie. 'Dat hangt van je gezichtspunt af.'

'Sst,' zei ik tegen haar. 'Kijk jij nou maar gewoon naar al die mooie kleurtjes.'

'Eh, ik snap wat je bedoelt,' zei Sam. 'Niets onverwachts. Waar het interessant wordt, is de grond rond de snelweg. Dat was tot eind 1995 ook allemaal landbouwgrond. Maar toen is het in de loop van een jaar of vier allemaal opgekocht en heeft het een nieuwe bestemming gekregen, van landbouw naar industrie en woongebied.'

'Door helderzienden die al vijf jaar voor de aankondiging wisten waar die snelweg kwam te liggen,' opperde ik.

'Dat is op zich ook nog niet eens zo verdacht,' zei Sam. 'Er werd al in 1994 gepraat over een snelweg die vanuit het zuidwesten naar Dublin zou komen. Dat was toen de economische boom begon. Ik heb een paar landmeters gesproken, en die zeiden dat dit de meest voor de hand liggende route was voor een snelweg, vanwege de topografie en vanwege de bebouwingspatronen en een heel stel andere zaken. Ik begreep het niet allemaal, maar dat zeiden ze. Er is geen reden waarom projectontwikkelaars niet hetzelfde gedaan kunnen hebben – ze kregen lucht van de snelweg en huurden landmeters in om te zeggen waar die weg waarschijnlijk zou komen te liggen.'

Geen van ons beiden zei iets. Sam keek van mij naar Cassie en bloosde licht. 'Nee, ik doe niet naïef. Misschien hebben ze een tip gekregen van iemand bij de overheid – maar misschien ook niet. Hoe dan ook, dat kunnen we nooit bewijzen, en ik denk niet dat het voor onze zaak enige relevantie heeft.' Ik probeerde niet te glimlachen. Sam is een van de meest efficiënte rechercheurs van de ploeg, maar op de een of andere manier hadden zijn ernst en ijver iets ontroerends.

'Wie heeft het land gekocht?' vroeg Cassie, toen ze medelijden met hem kreeg.

Sam keek opgelucht. 'Een stel verschillende bedrijven. De meeste daarvan bestaan niet echt, dat zijn gewoon holdings in eigendom van andere bedrijven die op hun beurt ook weer eigendom zijn van andere bedrijven. Daarom heeft het allemaal zo lang geduurd – ik moest proberen uit te vissen wie nu echt eigenaar is van dat stuk land. Tot nu toe heb ik iedere aankoop weten te traceren naar een drietal bedrijven: Global Irish Industries, Futura Property Consultants en Dynamo Development. Die blauwe stukken hier zijn Global, zie je wel, groen is Futura en rood is Dynamo. Maar ik kóm er maar niet achter wie daarachter zit. Twee van die bedrijven zijn ingeschreven in Tsjechië, en Futura zit in Hongarije.'

'Kijk, dát klinkt verdacht,' zei Cassie. 'Hoe je er verder ook over denkt.'

'Ja,' zei Sam, 'maar waarschijnlijk is het gewoon belastingontduiking. We kunnen dit allemaal doorgeven aan Economische Zaken, maar ik zie niet in wat het te maken heeft met onze zaak.'

'Tenzij Devlin daarachter gekomen was en het gebruikte om iemand onder druk te zetten,' zei ik.

Cassie keek sceptisch. 'Hoe moet hij daar nou achter gekomen zijn. Bovendien, dan had hij het ons verteld.'

'Je weet maar nooit. Die vent is niet lekker.'

'Jij vindt iedereen niet lekker. Eerst Mark...'

'En nu komt het interessante,' zei Sam. Ik trok een gezicht naar Cassie en keek snel naar de kaart voordat zij een raar smoel terug kon trekken. 'Dus tegen maart 2000, als de snelweg wordt aangekondigd, hebben deze drie bedrijven bijna al het land rond dit stuk van de weg in handen. Maar vier boeren hebben hun land niet verkocht – dat zijn die gele stukjes. Ik heb hen nagetrokken; ze zitten tegenwoordig in Louth. Ze hadden gezien welke kant het uitging, en ze wisten dat die kopers heel behoorlijke prijzen boden, meer dan het normale tarief voor landbouwgrond. Daarom hadden de anderen het geld ook aangenomen. Ze hadden het erover – die vier zijn bevriend – en ze besloten dat ze op hun grond bleven zitten om te kijken wat er aan de hand was. Toen de snelwegplannen bekendgemaakt werden, snapten ze uiteraard waarom die kerels hun land zo graag in handen wilden krijgen: voor industrieterreinen en woonwijken, nu de snelweg er eindelijk voor zou zorgen dat Knocknaree bereikbaar werd. Dus die kerels bedachten dat ze zelf het bestemmingsplan voor hun land moesten laten wijzigen, zodat de grond van de ene dag op de andere twee- of driemaal zoveel waard werd. Ze dienden een aanvraag voor bestemmingswijziging in – een van hen deed dat wel vier keer – en die werd keer op keer afgewezen.'

Hij tikte op een van de gele blokken, halfvol kalligrafische aantekeningen. Cassie en ik leunden naar voren om ze te kunnen lezen: *M. Cleary, app. Rz ag-ind:5/2000 ref, 11/2000 ref, 6/2001 ref, 1/2002 ref; sd M. Cleary fpc 8/2002; rz ag-ind 10/2002.*

Cassie nam het geheel met een korte knik in zich op en leunde zonder haar blik van de kaart af te wenden achterover op haar handen. 'Dus ze hebben uiteindelijk allemaal verkocht,' zei ze.

'Ja. Voor circa dezelfde prijs als de anderen hadden gekregen – goed voor landbouwgrond, maar stukken onder de tarieven voor industriële toepassingen of woonwijken. Maurice Cleary wilde blijven zitten, al was het maar uit pure halsstarrigheid, maar hij kreeg bezoek van een of andere gozer van een van de holdings, die hem uitlegde dat ze achter zijn boerderij een farmaceutische fabriek zouden bouwen en dat ze niet konden garanderen dat er geen chemisch afval in het grondwater terecht zou komen, waardoor zijn vee vergiftigd zou raken. Dat vatte hij op als dreigement – ik weet niet of dat terecht was of niet – en hij verkocht. Zodra de Grote Drie het land hadden gekocht – onder diverse namen, maar het komt allemaal uiteindelijk bij hun drieën terecht – dienden ze een verzoek tot verandering van het bestemmingsplan in. En die kregen ze.'

Cassie lachte, een klein, boos lachje.

'Dus jouw Grote Drie hadden de gemeenteraad de hele tijd al in hun zak,' zei ik.

'Daar lijkt het wel op, ja.'

'Heb je met het gemeentebestuur gesproken?'

'Eh, ja. Niet dat dat veel opleverde. Ze waren heel beleefd, daar lag het niet aan, maar ze praatten in kringetjes. Ze hielden me uren aan de praat zonder dat ik ook maar één onomwonden antwoord kreeg.' Ik keek even opzij en ving Cassies discreet geamuseerde blik op: Sam, die notabene bij een politicus in huis had gewoond, zou hier toch langzamerhand aan gewend moeten zijn. 'Zij zeiden dat de beslissing over de wijziging van het bestemmingsplan – wacht even...' Hij bladerde in zijn notitieboek. '"Onze beslissingen zijn in alle gevallen genomen in het algemeen belang van de gemeenschap als geheel, zoals bepaald op basis van de informatie die ons op de relevante momenten is verstrekt, en zijn niet beïnvloed door enigerlei vorm van nepotisme." Dit was geen brief of zo, die man zéí dat tegen me. In een gesprek, zeg maar.' Cassie mimede een in de keel gestoken vinger.

'Waar moet je mee over de brug komen om een gemeenteraad te kopen?' vroeg ik.

Sam haalde zijn schouders op. 'Voor zoveel beslissingen, in de loop van zoveel tijd, moet het een flinke som geweest zijn. De Grote Drie hadden een enorme smak geld in dat land zitten, hoe dan ook. Ze zouden niet echt tevreden zijn geweest als de snelweg verplaatst was.'

'Hoeveel schade zouden zij daarbij lijden?'

Hij wees naar twee stippellijnen die nog net over de noordwesthoek van de kaart liepen. 'Volgens mijn landmeters is dat de dichtstbijzijnde logische alternatieve route. Dat is de route die Weg met de snelweg wil. Zo'n drie kilometer verderop, en op sommige plekken vier of vijf kilometer. Het land ten noorden van de oorspronkelijke route zou nog behoorlijk toegankelijk zijn, maar die jongens hebben allemaal ook nog eens een massa grond ten zuiden van de lijn, en daarvan zou de waarde meteen kelderen. Ik heb een stel makelaars gesproken, onder het voorwendsel dat ik in de markt was; ze zeiden allemaal dat het industrieland vlak naast de snelweg wel tweemaal zoveel waard was als het industrieland vijf kilometer verderop. Ik heb het niet exact uitgerekend, maar het verschil kan in de miljoenen lopen.'

'Dat is dan wel een paar dreigtelefoontjes waard,' zei Cassie zachtjes.

'Er zijn mensen,' zei ik, 'voor wie dat een paar duizend extra voor een huurmoordenaar waard is.'

Een tijdje zei niemand iets. Buiten begon er een einde te komen aan de miezerregen; een waterige zonnestraal viel over de kaart als het zoeklicht van een helikopter, scheen op een stuk rivier met rimpelende, tere pennenhalen en gearceerd met een matrode gloed. Aan de andere kant van de kamer probeerde een van de surveillanten die de tiplijn bemande, van iemand af te komen die zo spraakzaam was dat de surveillant niet eens zijn zinnen kon afmaken. Even later zei Cassie: 'Maar waarom Katy? Waarom pakten ze dan niet meteen Jonathan?'

'Misschien omdat dat te zeer voor de hand lag?' opperde ik. 'Als Jonathan vermoord was, waren we meteen achter de vijanden aan gegaan die hij met die campagne van hem gemaakt heeft. Met Katy kan het op een zedenmisdrijf lijken, zodat onze aandacht wordt afgeleid van de snelwegtoestand. Maar Jonathan snapt wat erachter zit.'

'Zolang ik er niet achter kom wie er achter die drie bedrijven zit,' zei Sam, 'loop ik hier helemaal vast. De boeren weten geen namen en het gemeentebestuur zegt ook van niets te weten. Ik heb een stel verkoopaktes en aanvragen en zo gezien, maar die waren ondertekend door juristen – en de juristen zeggen dat ze de namen van hun cliënten niet mogen geven zonder toestemming ván die cliënten.'

'Jezus.'

'En journalisten?' vroeg Cassie plotseling.

Sam schudde zijn hoofd. 'Wat is daarmee?'

'Jij zei dat er al in 1994 artikelen waren verschenen over de snelweg. Er moeten journalisten zijn die het verhaal gevolgd hebben, en die hebben dan een heel redelijk idee wie dat land opgekocht heeft, ook al mogen ze dat misschien niet in de krant zetten. Dit is Ierland; hier bestaan geen geheimen.'

'Cassie,' zei Sam, en zijn hele gezicht klaarde op, 'je bent een juweel. Voor die tip krijg je een biertje van me.'

'Zou je in plaats daarvan misschien mijn buurtonderzoeksverslagen willen lezen? O'Gorman creëert net zulke zinnen als George Bush en het grootste deel van de tijd heb ik geen idee waar hij het over heeft.'

'Luister, Sam,' zei ik. 'Als dit iets wordt, dan krijg jij jarenlang biertjes van ons.' Sam sprong naar zijn eind van de tafel, gaf Cassie onderweg een onbeholpen, blij schouderklopje en begon als een hond met een nieuw spoor door een dossier met krantenknipsels te spitten. Cassie en ik wijdden ons weer aan de rapporten.

We lieten de kaart aan de muur geplakt zitten, waar hij me op mijn zenuwen werkte om redenen die ik niet goed verklaren kon. Het was de perfectie, denk ik, het broze, charmante detail: krullende blaadjes in het bos, knokige steentjes in de wand van de toren. Ik neem aan dat ik een of ander onbewust idee had dat ik er op een dag naar zou kijken en twee kleine, lachende gezichtjes zou zien wegduiken tussen de ingetekende bomen. Cassie tekende een projectontwikkelaar, met pak en hoorns en druipende slagtanden, in een van de gele vlakken; ze tekent als een achtjarige, maar toch schrok ik me helemaal beroerd telkens wanneer ik dat geval vanuit mijn ooghoek naar me zag loeren.

Ik had – voor het eerst, in feite – geprobeerd me te herinneren wat er in dat bos gebeurd was. Ik morrelde wat aan de hoeken ervan, zonder zelfs maar tegenover mezelf te bekennen waar ik eigenlijk mee bezig was: als een kind dat aan een korstje op een bijna geheelde wond krabt zonder echt te durven kijken. Ik maakte eindeloze wandelingen – meestal in de vroege ochtenduren, of 's nachts als ik niet bij Cassie logeerde en thuis niet kon slapen. Ik dwaalde urenlang in een soort trance door de stad en luisterde naar de kleine, ritselende geluidjes in de hoeken van mijn gedachten. Als ik bijkwam, versuft met mijn ogen knipperend, stond ik omhoog te staren naar de ordi lichtreclame van een of ander onbekend winkelcentrum, of naar de fraaie gevels van een oud huis in een chiquer deel van Dun Laoghaire, zonder te weten hoe ik daar gekomen was.

Maar in zeker opzicht werkte het. Mijn ontketende geest smeet grote bergen beelden naar buiten, als een diavoorstelling op fast forward, en langzamerhand leerde ik hoe ik een paar van die herinneringen kon grijpen, lichtjes vasthouden en ernaar kijken terwijl ze zich in mijn handen uitrolden. Onze ouders die met ons de stad ingingen voor eerstecommuniekleren; Peter en ik, tuttig in donkere pakjes, dubbel geklapt van het lachen toen Jamie – na een lange, gefluisterde strijd met haar moeder – uit een van de kleedkamers voor meisjes kwam met een jurk met een tutu en een blik vol afgrijzen. Mad Mick, de dorpsgek, die het hele jaar winterjassen en handschoenen zonder vingers droeg en in zichzelf een eindeloze stroom gedempte, bittere vloeken prevelde – Peter zei dat Mick gek was geworden omdat hij in zijn jeugd hele erge dingen had gedaan met een meisje zodat ze een baby moest krijgen en zichzelf in het bos verhangen had zodat haar hele gezicht zwart werd. Op een dag begon Mick te schreeuwen, buiten op de stoep bij Lowry's. De politie nam hem mee in de patrouillewagen, en daarna hebben we hem nooit meer gezien. Mijn bank op school, oud hout met diepe nerven en een nergens toe dienend gat bovenin voor een inktpot, het hout glimmend van ouderdom en vol ingekraste tekeningetjes: een *hurleystick*, een hart met doorgekraste initialen, 'DES PEARSE WAS HIER 12/10/67'. Niets bijzonders, ik weet het, niets wat te maken had met de zaak, amper de moeite van het melden waard. Maar vergeet niet: ik was eraan gewend geraakt dat de eerste twaalf jaar van mijn leven voorgoed verdwenen waren. Voor mij was ieder gered rafeltje van groot en magisch belang, een fragment van de steen van Rosetta met één, gek makend teken erop.

En soms zag ik kans me iets te herinneren wat misschien niet direct bruikbaar, maar wel ten minste relevant was. *Metallica en Sandra zitten in een boom...* Wij, zo begon ik langzamerhand en met een vreemd beledigd gevoel te beseffen, waren niet de enigen geweest die het bos als ons territorium beschouwden en onze privéaangelegenheden daarheen brachten. Er was een open plek diep in het bos, niet ver van het oude kasteel – eerste wilde hyacinthen in het voorjaar, zwaardgevechten met soepele twijgen die lange, rode striemen op je armen achterlieten, een massa stekelige takken die tegen het eind van de zomer doorbogen van de bramen – en soms, als we niets beters te doen hadden, gingen we zitten loeren naar de fietsers die daar kampeerden. Ik herinnerde me maar één incident in het bijzonder, maar dat had de smaak van een gewoonte: dit hadden we vaker gedaan.

Een hete zomerdag, zon op mijn nek en de smaak van Fanta in mijn mond. Het meisje Sandra lag op haar rug op de open plek, op een stuk platgetrapt gras, en Metallica lag half boven op haar. Haar bloes hing half van haar schouder af, dus we zagen haar bh-bandje van zwart kant. Ze zat met haar handen in Metallica's haar en ze kusten elkaar met wijd open mond. 'Getver, daar kun je hartstikke ziek van worden,' fluisterde Jamie bij mijn oor.

Ik drukte me dichter tegen de grond en voelde het gras kriskraspatronen over mijn maag maken waar mijn t-shirt omhooggekropen was. We ademden door onze mond om maar geen geluid te maken.

Peter maakte een langdurig zoenend geluid, zo zacht dat ze hem net niet horen konden, en schokkend van het lachen persten we onze handen voor onze mond en gaven elkaar elleboogstoten om maar stil te worden. Aan de andere kant van de open plek zaten Zonnebril en het meisje met de vijf oorringen. Anthrax bleef meestal aan de rand van het bos, waar hij tegen de muur zat te schoppen, sigaretjes rookte en stenen naar bierblikjes mikte. Met een grijns hield Peter een steen omhoog; hij gooide hem weg en de steen plofte op enkele centimeters van Sandra's schouder in het gras. Metallica ademde zo hard dat ze niet eens opkeek, en we moesten ons gezicht in het hoge gras verbergen tot we konden ophouden met lachen.

Toen draaide Sandra haar hoofd om en keek me vol aan, tussen de lange grassprieten en de cichoreistengels door. Metallica kuste haar hals en ze lag roerloos. Ergens vlak bij mijn hand zat een sprinkhaan te tikken. Ik keek ernaar en voelde mijn hart langzaam tegen de grond bonzen.

'Kom op,' fluisterde Peter dringend. 'Adam, kom óp nou,' en hun handen sleurden aan mijn enkels. Ik wurmde me naar achteren, schramde mijn benen aan de bramen, de diepe boomschaduwen weer in. Sandra lag nog steeds naar me te kijken.

En er waren andere herinneringen, dingen waar ik nog steeds niet makkelijk aan kan denken. Zo herinnerde ik me bijvoorbeeld dat ik thuis de trap afging zonder die aan te raken. Dat herinner ik me tot in de kleinste details: de ribbeltjes van het behang met zijn verschoten boeketten rozen, de manier waarop een lichtbundel door de badkamerdeur viel, de trap af, onderweg stofdeeltjes beschijnend tot hij diepbruin op de geboende trapleuning glansde. Het behendige, geroutineerde handgebaar waarmee ik me op die leuning afzette om sereen omlaag te zeilen, mijn voeten langzaam een paar decimeter boven de loper bungelend.

En ik herinnerde me dat wij met ons drieën een geheime tuin hadden gevonden, ergens in het hart van het bos. Achter een verborgen muur of deur was het geweest. Verwilderde fruitbomen: appels, kersen, peren; kapotte marmeren fonteinen waar nog kleine stroompjes water uit siepelden langs sporen die groen van het mos en diep in de steen uitgesleten waren; enorme, met klimop overwoekerde standbeelden in alle hoeken, de voeten verscholen onder het onkruid en de armen en hoofden gebarsten en verspreid onder het lange gras en het fluitenkruid. Grijs dageraadlicht, het zoeven van onze voeten en dauw op onze blote benen. Jamies hand klein en rozig op de stenen plooien van een pij, haar gezicht opgeheven naar blinde ogen. De eindeloze stilte. Ik wist dat als die tuin bestaan had, de archeologen hem bij hun eerste onderzoek al hadden gevonden, en dat de beelden dan intussen in het National Museum hadden gestaan, en dat Mark er alles aan gedaan zou hebben om ze ons tot in de kleinste details te beschrijven, maar dit was het probleem: tóch herinnerde ik me die tuin.

De jongens van Computercriminaliteit belden me woensdagochtend vroeg: ze waren klaar met hun speurtocht door de computer van onze laatste trainingspakverdachte, en ze bevestigden dat hij inderdaad online was geweest toen Katy stierf. Met een zekere professionele tevredenheid voegden ze daaraan toe dat de stakker weliswaar huis en computer deelde met zijn ouders én zijn vrouw, maar dat uit e-mails en uit berichten op discussieforums bleek dat elk van de bewoners zijn of haar eigen spelling- en interpunctiefouten maakte. De berichten terwijl Katy aan het sterven was, sloten perfect aan op die van onze verdachte.

'Verdomme,' zei ik. Ik hing op en legde mijn hoofd in mijn handen. We hadden al beelden van de bewakingscamera van de nachtbusvent bij Supermac, waar hij chips in barbecuesaus stond te soppen met de ijzige concentratie van de zeer, zeer beschonkenen. Ergens diep in mijn hart had ik dit wel verwacht, maar ik voelde me belabberd – geen slaap, niet genoeg koffie, een zeurende hoofdpijn – en het was te vroeg in de ochtend om erachter te komen dat mijn enige geschikte aanwijzing verloren was.

'Wat?' vroeg Cassie, terwijl ze opkeek van wat ze aan het doen was.

'Het alibi van de Kawasaki-gozer blijkt te kloppen. Als die vent die Jessica heeft gezien inderdaad onze man is, dan komt hij niet uit Knocknaree en dan heb ik geen idee waar ik naar hem op zoek moet. Ik ben terug bij af.'

Cassie liet een handvol papieren op haar bureau vallen en wreef in haar ogen. 'Rob, onze man komt híérvandaan. Alles wijst erop.'

'Maar wie is dan die gozer in het trainingspak? Als hij een alibi heeft voor de moord en gewoon een keer met Katy gepraat heeft, waarom zegt hij dat dan niet?'

'Ervan uitgaand,' zei Cassie met een zijdelingse blik, 'dat hij echt bestaat.'

Een opwelling van volslagen overdreven, bijna onbeheersbare woede schoot door me heen. 'Pardon, Maddox, waar heb je het in godsnaam over? Wou jij soms beweren dat Jessica de hele toestand verzonnen heeft, gewoon voor de lol? Je hebt die meisjes amper gezien. Heb jij enig idee hoe kapót die kinderen zijn?'

'Ik zeg alleen,' zei Cassie koeltjes en met opgetrokken wenkbrauwen, 'dat ik me zou kunnen voorstellen dat er omstandigheden kunnen zijn waarin ze het gevoel krijgen dat ze een heel goede reden hadden om zoiets te verzinnen.'

In de fractie van een seconde voordat ik echt ontplofte, drong het tot me door. 'Shit,' zei ik. 'De ouders.'

'Halleluja. Tekenen van intelligent leven.'

'Sorry,' zei ik. 'En sorry voor die agressieve reactie, Cass. De ouders… Shit. Als Jessica denkt dat een van haar ouders het gedaan heeft en als ze die hele toestand verzonnen heeft…'

'Jessica? Denk jij dat die zoiets zou verzinnen? Dat kind kan amper práten.'

'Oké, Rosalind dan. Die komt aanzetten met trainingspakman om de aandacht van haar ouders af te leiden. Ze coacht Jessica – die hele toestand met Damien is zuiver toeval. Maar als ze die moeite genomen heeft, Cass… als ze al die moeite gedaan heeft, dan moet ze iets behoorlijk zeker weten. Of zij of Jessica moet iets gezien of gehoord hebben.'

'Die dinsdag…' zei Cassie, maar ze hield zich in. Evenzogoed schoot de gedachte van haar naar mij, té erg om verwoord te worden. Die dinsdag moest Katy's lijkje ergens gelegen hebben.

'Ik moet Rosalind spreken,' zei ik, op weg naar de telefoon.

'Rob, loop niet achter haar aan. Dan kruipt ze alleen maar in haar schulp. Wacht tot zij naar jou toe komt.'

Ze had gelijk. Kinderen worden geslagen, verkracht, op alle mogelijke en denkbare manieren misbruikt, en toch vinden ze het zo goed als onmogelijk om hun ouders te verraden door om hulp te vragen. Als Rosalind Jonathan of Margaret of beiden in bescherming nam, dan zou haar hele wereld instorten als ze de waarheid vertelde, en dat moest ze doen als ze daaraan toe was – niet eerder. Als ik probeerde haar te pushen, raakte ik haar kwijt. Ik legde de hoorn neer.

Maar Rosalind belde me niet. Na een dag of twee was mijn zelfbeheersing op en belde ik haar mobiel – om een aantal redenen, waarvan sommige chaotischer en duisterder waren dan andere, had ik geen zin om het nummer thuis te bellen. Ze nam niet op. Ik sprak een paar berichten in, maar ze belde me niet terug.

Op een grijze, gure middag gingen Cassie en ik naar Knocknaree om te zien of de Savages of Alicia Rowan nog iets nieuws te melden hadden. We hadden allebei een behoorlijke kater – dit was de dag na Carl en zijn internetfreakshow – en we praatten maar heel weinig onderweg. Cassie reed; ik zat uit het raam te kijken naar blaadjes die in een snelle, onbetrouwbare wind heen en weer zwiepten en naar de regenvlagen die tegen de ruit spetterden. Geen van ons wist goed of ik hier nu eigenlijk bij hoorde te zijn.

Op het laatste moment, toen we mijn oude straat al ingereden waren en Cassie de auto parkeerde, besloot ik lafhartig om toch maar niet naar Peters huis te gaan. Niet omdat de straat me had overweldigd met een plotselinge stroom herinneringen of iets in die geest – nee, het tegendeel juist: hij deed me sterk denken aan iedere andere straat van de wijk, en meer dan ook niet. Daardoor voelde ik me uit het lood geslagen en kreeg ik sterk het gevoel in het nadeel te verkeren, alsof Knocknaree me opnieuw een loer had gedraaid. Ik had verschrikkelijk veel tijd doorgebracht bij Peter thuis, en om de een of andere duistere reden had ik het idee dat zijn familie me waarschijnlijk meteen zou herkennen als ik hen niet als eerste herkende.

Vanuit de auto keek ik hoe Cassie naar Peters voordeur liep en aanbelde. Een silhouet liet haar binnen. Daarna stapte ik uit en liep ik de straat af naar waar ikzelf vroeger gewoond had. Het adres – Knocknaree Way nummer 11, Knocknaree, graafschap Dublin – kwam bij me op in die automatische ratel van iets wat je in je hoofd gestampt hebt.

Het was kleiner dan ik me herinnerde; smaller, en het grasveld was een vierkant zakdoekje in plaats van het enorme, koele veld van groen dat ik me had voorgesteld. Het schilderwerk was niet lang geleden gedaan, vrolijk boterbloemgeel met witte randen. Hoge rode en witte rozenstruiken lieten bij de muur hun laatste blaadjes vallen, en ik vroeg me af of mijn vader die geplant had. Ik keek naar het raam van mijn kamertje en plotseling drong tot me door: hier had ik gewoond. Op schooldagen was ik 's ochtends met mijn boekentas die voordeur uit geheld; ik had uit dat raam gehangen om naar Peter en Jamie te blèren, in die tuin had ik leren lopen. Ik had mijn fietsje deze straat op- en afgereden, tot het moment dat we met ons drieën over die muur aan het eind van de straat waren geklommen en het bos in gerend.

Er stond een keurig gepoetst zilveren Polo'tje op de oprit, en een blond jochie van een jaar of drie, vier reed er op een plastic brandweerwagentje omheen en maakte sirenegeluiden. Toen ik bij het hek aankwam, hield hij daarmee op en wierp me een lange, plechtige blik toe.

'Hallo,' zei ik.

'Ga weg,' zei hij na een tijdje en zonder aarzeling.

Ik wist niet goed hoe ik daarop moest reageren, maar dat bleek ook niet nodig te zijn: de voordeur ging open en de moeder van het kind – in de dertig, ook blond, mooi op een soort standaardmanier – liep haastig het pad af en legde een beschermende hand op zijn hoofd. 'Kan ik iets voor u doen?' vroeg ze.

'Inspecteur Robert Ryan,' zei ik terwijl ik mijn badge zocht. 'We zijn bezig met het onderzoek naar de dood van Katharine Devlin.'

Ze pakte de badge aan en bestudeerde hem grondig. 'Ik weet niet goed hoe ik u daarmee kan helpen,' zei ze terwijl ze hem teruggaf. 'We hebben al met uw collega's gepraat. Wij hebben niets gezien; we kennen de Devlins amper.'

Haar blik was nog wat argwanend. Het kind begon zich te vervelen, maakte binnensmonds brommende autogeluiden en rukte aan zijn stuur, maar met een hand op zijn schouder hield ze hem op zijn plek. Vage, sprankelende muziek – Vivaldi, denk ik – dreef door de open voordeur naar buiten, en even was ik sterk in de verleiding om te zeggen: Er zijn een paar dingen die ik met u wil doornemen; mag ik soms even binnenkomen? Ik zei tegen mezelf dat Cassie zich zorgen zou maken als ze uit het huis van de Savages kwam en mij niet aantrof. 'We controleren alles nogmaals,' zei ik. 'Dank u voor uw tijd.'

De moeder keek me na. Toen ik de auto instapte, zag ik haar de brandweerwagen onder de ene en het kind onder de andere arm nemen en beide mee naar binnen nemen.

Ik bleef een hele tijd in de auto naar de straat zitten kijken met het gevoel dat ik dit allemaal stukken beter aan zou kunnen als die kater eenmaal weg was. Uiteindelijk ging Peters voordeur open en hoorde ik stemmen: er liep iemand met Cassie mee het pad af. Ik draaide mijn hoofd om en deed alsof ik de andere kant uit keek, diep in gedachten, tot ik de voordeur hoorde dichtslaan.

'Niets nieuws,' zei Cassie, terwijl ze door het portierraampje naar binnen leunde. 'Peter had nooit iets gezegd over mensen waar hij bang voor was, en niemand had hem lastiggevallen. Slim jochie, zou nooit met een onbekende meegegaan zijn: hij wist wel beter. Een beetje té goed van vertrouwen, en dat kon hem natuurlijk in de problemen gebracht hebben. Zijzelf koesteren geen enkele verdenking, alleen vroegen ze zich af of het dezelfde geweest kon zijn als de moordenaar van Katy. Daar waren ze wel overstuur van.'

'Dat zijn we allemaal,' zei ik.

'Ze lijken het verder goed te redden.' Ik had me er niet toe kunnen zetten om die vraag te stellen, maar ik wilde het vreselijk graag weten. 'De vader vond het niet prettig om de hele toestand weer te moeten opraKelen, maar de moeder was een schat. Peters zusje Tara woont nog bij haar ouders; ze informeerde naar jou.'

'Naar mij?' zei ik, met een onredelijk sprongetje van paniek in mijn maagstreek.

'Ze wilde weten of ik enig idee had hoe het met jou ging. Ik zei dat de politie geen contact meer met jou had, maar dat het voor zover wij wisten goed met je ging.' Cassie grijnsde naar me. 'Volgens mij zag zij jou indertijd wel zitten.'

Tara: een jaar of twee jonger dan wij, had het achter de ellebogen en bezat scherpe ogen, het soort kind dat altijd op zoek is naar iets om te klikken. Goddank was ik daar niet naar binnen gegaan. 'Misschien moest ik dan toch maar eens met haar gaan praten,' zei ik. 'Ziet ze er goed uit?'

'Helemaal jouw type: een pronte meid met stevige heupen. Ze zit bij de verkeerspolitie.'

'Aha,' zei ik. Ik begon iets op te knappen. 'Dan vraag ik of ze bij ons eerste afspraakje haar uniform draagt.'

'Dat hoef ik allemaal helemaal niet te weten. Oké: Alicia Rowan.' Cassie rechtte haar rug en keek nogmaals in haar notitieboekje het huisnummer na. 'Ga je mee?'

Het duurde even eer ik daar het antwoord op wist. Maar we waren niet vaak bij Jamie thuis geweest, voor zover mij nog bijstond. Als we binnen speelden, was dat meestal bij Peter – bij hem thuis was het vrolijk, rumoerig, vol broertjes en zusjes en huisdieren, en zijn moeder bakte altijd koekjes en zijn ouders hadden een tv gekocht via een of ander financieringsplan, en daarop mochten wij tekenfilms kijken. 'Ach ja,' antwoordde ik. 'Waarom niet?'

Alicia Rowan deed de deur open. Ze was nog steeds mooi, op een verbleekte, nostalgische manier: fijne botten, holle wangen, golvend blond haar en enorme blauwe ogen met een gepijnigde blik, als een soort vergeten filmster die in de loop der jaren alleen maar aan uitdrukkingskracht gewonnen heeft. Toen Cassie ons voorstelde, zag ik de kleine, sleetse vonk van hoop en angst in haar ogen opkomen en weer doven bij Katy Devlins naam.

'Ja,' zei ze, 'ja, natuurlijk, dat arme meisje... Hebben ze – denkt u dat het iets te maken heeft met...? Kom binnen, alstublieft.'

Zodra we binnen waren, wist ik dat dit geen goed idee was geweest. Het was de geur – een nostalgische mengeling van sandelhout en kamille die linea recta naar mijn onderbewuste ging en daar herinneringen wekte die aan- en uitflikkerden als vissen in modderwater. Raar brood met harde stukjes erin als avondeten; een schilderij van een blote dame op de overloop, zodat we elkaar al giechelend aanstootten. Verstopt in de kleerkast, mijn armen om mijn knieën geslagen en dunne katoenen rokken als rook tegen mijn gezicht deinend. 'Negenenveertig, vijftig!' ergens in de gang.

Ze ging ons voor naar de zitkamer (handgeweven kleden over de bank, een glimlachende boeddha in rookkleurig jade op de salontafel: ik vroeg me af wat Knocknaree in de jaren tachtig van Alicia Rowan gevonden moest hebben) en Cassie begon met haar inleidende verhaaltje. Er stond – uiteraard, waarom had ik daar geen rekening mee gehouden? – een enorme, ingelijste foto van Jamie op de schoorsteenmantel: Jamie die op de muur rond de wijk zat en met samengeknepen ogen tegen het zonlicht in keek. Ze lachte, en achter haar rees het bos op, een en al zwart en groen. Aan weerszijden daarvan zaten kleine ingelijste kiekjes, en een daarvan toonde drie figuurtjes, de ellebogen rond elkaars nek geslagen, de hoofden gekroond met papieren kronen: Kerstmis, of een verjaardag... *Ik had een baard moeten laten staan, of wat dan ook,* dacht ik paniekerig, terwijl ik mijn blik afwendde, *Cassie had me tijd moeten geven om...*

'Volgens ons dossier,' zei Cassie, 'hebt u de politie gebeld met de melding dat uw dochter en haar vriendjes waren weggelopen. Had u een bepaalde reden om aan te nemen dat ze weggelopen waren en niet gewoon, verdwaald waren, of een ongeluk hadden gehad?'

'Eh, ja. Want kijk, ziet u... o, god.' Alicia Rowan haalde haar lange handen door haar haar. 'Ik wilde Jamie naar kostschool sturen, en zij wilde niet. Het klinkt wel verschrikkelijk egoïstisch van me... en waarschijnlijk was ik dat ook. Maar echt, ik had er mijn redenen voor.'

'Mevrouw Rowan,' zei Cassie vriendelijk, 'we zijn hier niet om een oordeel over u te vellen.'

'Nee, dat weet ik. Maar een mens oordeelt over zichzelf, nietwaar? En je zou echt... o, je moet het hele verhaal kennen om het te kunnen begrijpen.'

'We horen graag het hele verhaal. Alles wat u ons kunt vertellen, kan helpen.'

Alicia knikte, zonder veel hoop; die woorden moest ze in de loop der jaren zo vaak gehoord hebben. 'Ja. Ja, dat snap ik.'

Ze haalde diep adem en blies tien tellen lang langzaam uit, met gesloten ogen. 'Tja...' begon ze. 'Ik was pas zeventien toen Jamie geboren werd. Haar vader was een vriend van mijn ouders, en heel erg getrouwd, maar ik was wanhopig verliefd op hem. Het voelde allemaal heel volwassen en gewaagd aan, een affaire – hotelkamers, en smoezen – en ik geloofde sowieso niet in het huwelijk. Ik vond het een achterhaalde vorm van onderdrukking.'

Haar vader. Hij stond in het dossier – George O'Donovan, een jurist uit Dublin – maar meer dan dertig jaar later nam ze hem nog steeds in bescherming. 'En toen ontdekte u dat u zwanger was,' zei Cassie.

'Ja. Hij schrok zich een ongeluk, en mijn ouders kwamen achter de hele toestand en waren ook overstuur. Ze vonden allemaal dat ik de baby moest afstaan voor adoptie, maar dat wilde ik niet. Ik hield mijn poot stijf. Ik zei dat ik de baby wilde houden en dat ik die helemaal in mijn eentje zou grootbrengen. Ik vond het wel iets voor de vrouwenbeweging, geloof ik; een soort rebellie tegen het patriarchaat. Ik was nog heel jong.'

Ze had geboft. In 1972 kregen vrouwen – voor minder – nog levenslang in een gesticht of in een inrichting voor Gevallen Vrouwen. 'Wat dapper van u,' zei Cassie.

'O, dank u, inspecteur. Weet u, ik denk dat ik op die leeftijd behoorlijk veel pit had. Maar ik vraag me af of het de juiste beslissing was. Tijdenlang heb ik gedacht – als ik Jamie had afgestaan...' Haar stem viel weg.

'Hebben ze zich uiteindelijk bij uw beslissing neergelegd?' vroeg Cassie. 'Uw familie en Jamies vader?'

Alicia zuchtte. 'Nou, nee. Niet echt. Uiteindelijk zeiden ze dat ik de baby mocht houden, als we maar ver bij hen uit de buurt bleven. Ik had mijn familie te schande gemaakt, ziet u, en uiteraard wilde Jamies vader niet dat zijn vrouw erachter zou komen.' Er klonk geen woede in haar stem door, alleen eenvoudige, verdrietige verbazing. 'Mijn ouders hebben dit huisje voor me gekocht – lekker ver weg; ik kom oorspronkelijk uit Dublin, uit Howth – en gaven me af en toe wat geld. Ik heb Jamies vader nog een hele tijd geschreven hoe het met haar ging, en foto's gestuurd. Ik wist zeker dat hij vroeg of laat zou bijdraaien en dat hij haar dan zou willen zien. Misschien was dat ook gebeurd. Ik weet het niet.'

'En wanneer had u besloten haar naar kostschool te sturen?'

Alicia wikkelde haar haar om haar vingers. 'Ik... o, jee. Daar denk ik niet graag meer aan.'

We wachtten.

'Ik was net dertig geworden, ziet u,' zei ze uiteindelijk. 'En ik besefte dat mijn leven niet de wending had genomen waar ik op gehoopt had. Ik werkte in de bediening in een café als Jamie naar school was, maar de bus erheen was zo duur dat het amper de moeite loonde en ik had geen opleiding gehad, dus kon ik geen andere baan krijgen... ik besefte dat ik iets anders wilde met de rest van mijn leven. Ik wilde iets beters, voor mezelf en voor Jamie. Ik... o, in heel veel opzichten was ik zelf nog een kind. Ik had nooit de kans gekregen om volwassen te worden. En ik wílde volwassen worden.'

'En daarvoor,' zei Cassie, 'had u wat tijd voor uzelf nodig?'

'Ja. O, precies. U begrijpt het.' Ze kneep dankbaar in Cassies arm. 'Ik wilde een echte carrière, zodat ik niet meer afhankelijk was van mijn ouders, maar ik wist niet wát. Ik had tijd nodig om dat uit te zoeken. En als ik daar eenmaal uit was, dan wist ik dat ik waarschijnlijk een opleiding of studie zou moeten doen, en ik kon Jamie niet zomaar alleen laten... Als ik een man had gehad, of een gezin, dan was het een ander verhaal geweest. Ik had wel vrienden, maar ik kon niet echt vragen...'

Ze draaide haar haar steeds strakker om haar vingers.

'Dat klinkt logisch,' zei Cassie op zakelijke toon. 'Dus u had Jamie net verteld wat u besloten had...'

'Nou, ik had het haar in mei al verteld, toen ik tot de beslissing was gekomen. Maar ze nam het bijzonder slecht op. Ik probeerde het uit te leggen en ik nam haar mee naar Dublin om haar de school te laten zien, maar daar werd het alleen maar erger van. Ze vond het allemaal vreselijk. Ze zei dat de meisjes stom waren en over niks anders dan jongens en kleren praatten. Jamie was nogal een wildebras, moet u weten; ze vond het heerlijk om eindeloos in het bos te spelen, en ze haatte het idee dat ze in de binnenstad op school zou zitten en dat ze precies moest doen wat alle anderen ook deden. En ze wilde geen afscheid nemen van haar vriendjes. Ze was heel close met Adam en Peter – dat jongetje dat samen met haar verdwenen is, u weet wel.' Ik moest me beheersen om mijn gezicht niet achter mijn notitieboekje te verbergen.

'Dus u had ruzie met haar?'

'Hemel, ja. Althans, het was meer een soort belegering. Jamie en Peter en Adam sloegen aan het múiten. Wekenlang praatten ze met geen enkele volwassene – ze wilden niet tegen ons, de ouders, praten; ze keken ons niet aan, ze deden op school geen mond open – boven aan ieder blad huiswerk van Jamie stond in koeienletters STUUR ME NIET WEG geschreven...'

Ze had gelijk: het was pure muiterij geweest. JAMIE MOET BLIJVEN in rode blokletters over het papier geschreven. Mijn moeder, die hulpeloos probeerde op me in te praten terwijl ik zonder haar aan te kijken in kleermakerszit op de bank zat te pulken aan de velletjes bij mijn nagelriemen, mijn maag kolkend van opwinding en angst over mijn eigen durf. Maar we hebben gewonnen, dacht ik verward, we hebben toch zeker gewonnen: gejoel en high fives op de kasteelmuur, colablikjes geheven in een triomfantelijke toost – 'Maar u bleef bij uw beslissing?' vroeg Cassie.

'Nee, dat deed ik niet. Uiteindelijk kon ik er niet meer tegen. Ik had het verschrikkelijk zwaar, weet u – de hele buurt had het erover, en Jamie deed alsof ze naar zo'n soort weeshuis uit *Annie* gestuurd werd – ik wist niet meer wat ik doen moest... Uiteindelijk zei ik: "Nou, ik zal er nog eens over nadenken." Ik zei dat ze zich geen zorgen moesten maken, dat we er wel iets op zouden verzinnen, en toen hielden ze op met hun protestactie. Ik overwoog serieus om een jaar te wachten, maar mijn ouders hadden aangeboden om Jamies schoolgeld te betalen, en ik wist niet of ze er over een jaar nog zo over zouden denken. Ik weet dat ik nu klink als een vreselijk slechte moeder, maar ik dacht echt...'

'Helemaal niet,' zei Cassie. Ik schudde werktuiglijk mijn hoofd. 'Dus toen u tegen Jamie zei dat ze uiteindelijk tóch moest...'

'O, jeetje, toen...' Alicia wrong haar handen. 'Ze was er kapot van. Ze zei dat ik tegen haar gelogen had. Dat was niet zo, weet u, echt niet... En toen stormde ze weg om de anderen te halen en dacht ik: "O heer, nu houden ze natuurlijk weer op met praten – maar ditmaal duurt het dan tenminste maar een week of twee," – ik had tot het laatste moment gewacht om het haar te vertellen, ziet u, zodat ze nog van de zomer kon genieten. En toen, toen ze niet thuiskwam, toen ging ik ervan uit...'

'Toen ging u ervan uit dat ze weggelopen was,' zei Cassie vriendelijk. Alicia knikte. 'Denkt u nog steeds dat dat mogelijk is?'

'Nee. Ik weet het niet. O, inspecteur, de ene dag denk ik het ene, de volgende dag... Maar dan zou ze toch zeker haar spaarvarken leeggehaald hebben? En Adam zat nog in het bos. En als ze weggelopen was, dan was ze nu toch zeker... dan moest ze nu toch...'

Ze wendde zich snel af en hief een hand voor haar gezicht. 'Toen u bedacht dat ze misschien niet weggelopen was,' zei Cassie, 'wat was toen uw eerste gedachte?'

Alicia deed weer die meditatieve ademhaling en vouwde haar handen in haar schoot. 'Ik dacht dat haar vader misschien... ik hóópte dat hij haar meegenomen had. Zijn vrouw en hij konden geen kinderen krijgen, dus ik dacht... Maar dat heeft de politie onderzocht, en zij zeiden van niet.'

'Met andere woorden,' zei Cassie, 'er was niets waardoor u dacht dat iemand haar iets gedaan had. Ze was de weken daarvoor niet bang geweest voor iemand, ze was nergens overstuur over geweest.'

'Nee, niet echt. Een paar weken tevoren was ze een keer vroeg binnengekomen na het spelen. Die dag zag ze er wat geschokt uit, en die hele avond zei ze niet veel. Ik vroeg of er iets gebeurd was, of iemand haar had lastiggevallen, maar ze zei van niet.'

Er sprong iets duisters op in mijn gedachten – vroeg thuis, 'Nee, mam, niks aan de hand' – maar het zat te diep, en ik kon er niet bij. 'Ik heb het tegen de rechercheurs gezegd, maar daar konden ze natuurlijk niet veel mee. En misschien was het ook niets. Gewoon een ruzietje met de jongens of zo. Misschien had ik moeten kunnen zien of het iets ernstigs was of niet... Maar Jamie was een gesloten kind, ze was niet echt spraakzaam. Je merkte niet veel aan haar.'

Cassie knikte. 'Twaalf is een moeilijke leeftijd.'

'Ja, dat is zo. Dat is echt zo, nietwaar? En kijk, dat was het: ik had me waarschijnlijk niet gerealiseerd dat ze oud genoeg was om... tja, om zich de dingen zo aan te trekken. Maar zij en Peter en Adam... ze hadden altijd alles samen gedaan, al vanaf dat ze baby's waren. Waarschijnlijk konden ze zich een leven zonder elkaar niet voorstellen.'

De golf van pure verontwaardiging sloeg me volledig uit het lood. *Ik moet hier niet zitten*, dacht ik. *Dit slaat helemaal nergens op.* Ik had in een tuin een eind verderop in de straat moeten zitten, met blote voeten en een glas in mijn hand, om de gebeurtenissen van de dag door te nemen met Peter en Jamie. Daar had ik nog nooit eerder aan gedacht, en ik was er helemaal beroerd van: alles wat we samen hadden kunnen hebben. We hadden de hele nacht kunnen opblijven om samen te leren en in de stress te schieten voordat we examen moesten doen, Peter en ik hadden moeten ruziën over wie er met Jamie naar het schoolbal mocht en we hadden haar moeten pesten met haar jurk. We hadden samen zwalkend, zingend en lachend zonder met iemand rekening te houden diep in de nacht thuis moeten komen na dronken nachten op de faculteit. We hadden een flat kunnen delen, we hadden met Interrail door Europa kunnen reizen, we hadden gearmd door een reeks modefasen en goedkope woningen en dramatische liefdesaffaires kunnen zeilen. Twee van ons hadden intussen getrouwd kunnen zijn, zodat de ander een petekind had gehad. Ik was bestolen. Ik boog mijn hoofd over mijn notitieboekje zodat Alicia Rowan en Cassie mijn gezicht niet konden zien.

'Haar slaapkamer ziet er nog net zo uit,' zei Alicia. 'Voor het geval – ik weet natuurlijk dat het stom van me is, maar als ze thuiskwam, dan zou ik niet willen dat ze de indruk kreeg... Wilt u hem zien? Misschien is er... die andere rechercheurs hebben misschien iets over het hoofd gezien...'

Een beeld van de kamer sloeg me vol in het gezicht – witte muren met posters van paarden, gele opbollende gordijnen, een dromenvanger boven het bed – en ik wist dat ik genoeg gehad had. 'Ik wacht wel in de auto,' zei ik. Cassie keek me heel even aan. 'Dank u voor uw tijd, mevrouw Rowan.'

Ik haalde de auto nog net, en legde mijn hoofd op het stuur tot de waas voor mijn ogen was verdwenen. Toen ik opkeek zag ik een geel gefladder, en de adrenaline spoot door mijn aderen toen er een witblond hoofd tussen de gordijnen zichtbaar werd; maar het was Alicia Rowan maar, die het bloemvaasje op de vensterbank zo draaide dat het het laatste grauwe middaglicht nog ving.

'Die kamer is eng,' zei Cassie, toen we de wijk uit waren en over de slingerende landweggetjes reden. 'Pyjama op het bed en een oud pocketboek open op de grond. Niets waardoor ik op ideeën kwam, helaas. Was jij dat, op die foto op de schoorsteen?'

'Ik neem het aan, ja,' zei ik. Ik voelde me nog steeds belabberd, en het laatste waaraan ik behoefte had, was om Alicia Rowans inrichting te bespreken.

'Wat ze zei, dat Jamie een keer overstuur was thuisgekomen. Weet jij nog waar dat over ging?'

'Cassie,' zei ik, 'dit hebben we allemaal al een keer besproken. Nogmaals: ik herinner me niets, maar dan ook niets. Wat mij betreft is mijn leven begonnen toen ik twaalfeneenhalf was en op de boot naar Engeland zat, oké?'

'Jezus, Ryan. Ik vróég het alleen maar.'

'En nu heb je je antwoord,' zei ik, terwijl ik de auto in een hogere versnelling zette. Cassie hief haar handen, zette de radio hard en liet mij in mijn sop gaarkoken.

Een paar kilometer verderop nam ik een hand van het stuur en wreef door Cassies haar.

'Rot op, eikel,' zei ze goedgehumeurd.

Ik grijnsde opgelucht en trok aan een krul. Ze mepte mijn hand weg. 'Luister, Cass,' zei ik, 'ik moet je iets vragen.'

Ze wierp me een achterdochtige blik toe.

'Denk jij dat de twee zaken met elkaar te maken hebben, of niet? Als je moest gokken.'

Daar dacht Cassie een hele tijd over na. Ze keek uit het raampje naar de hagen en de grijze hemel, de wolken die elkaar achternazaten. 'Ik weet het niet, Rob,' antwoordde ze na verloop van tijd. 'Er zijn dingen die niet kloppen. Katy was ergens neergelegd waar ze meteen gevonden zou worden, terwijl... Dat is psychologisch gezien een enorm verschil. Maar misschien zat de eerste keer die vent niet lekker, misschien dacht hij dat hij zich minder schuldig zou voelen als hij zorgde dat de familie ditmaal het lichaam terugkreeg. En Sam heeft gelijk: hoe groot is de kans op twee verschillende kindermoordenaars op een en dezelfde plek? Als ik er mijn geld op moest zetten... Eerlijk, ik weet het niet.'

Ik trapte hard op de rem. Volgens mij schreeuwden Cassie en ik allebei. Er was vlak voor de auto iets de weg over gerend – iets donkers, iets laag bij de gronds, met de golvende gang van een wezel of een marter, maar te groot voor een van beide. Het was in een uitgedijde haag langs de andere kant van de weg verdwenen.

We klapten naar voren op onze plekken – ik had veel te hard gereden voor zo'n smal achterafweggetje – maar Cassie is een veiligheidsriemenfanaat (die hadden het leven van haar ouders kunnen redden) dus droegen we die. De auto kwam schuin over de weg tot stilstand, één wiel vlak bij de greppel. Cassie en ik bleven verbijsterd zitten. Op de radio joelde een of andere waanzinnig vrolijke meidenband.

'Rob?' zei Cassie na een tijdje ademloos. 'Gaat het?'

Ik kon het stuur niet loslaten, mijn handen zaten eromheen geklemd. 'Wat was dat in godsnaam?'

'Wat?' Haar ogen stonden wijd en bang.

'Dat dier,' zei ik. 'Wat was dat?'

Cassie keek me aan met iets nieuws in haar blik, iets waarvan ik bijna even erg schrok als van dat dier daarnet. 'Ik heb geen dier gezien.'

'Dwars de weg over. Misschien heb jij hem niet gezien. Je zat opzij te kijken.'

'Ja,' zei ze, na wat een hele tijd leek. 'Ja, dat moet haast wel. Een vos misschien?'

Binnen een paar uur had Sam zijn journalist gevonden: Michael Kiely, tweeënzestig en zo'n beetje gepensioneerd na een half geslaagde carrière – met als hoogtepunt, eind jaren tachtig, zijn ontdekking dat een minister negen familieleden op de loonlijst had staan als 'adviseurs' – daarna had hij die olympische hoogten niet nogmaals weten te bereiken. In het jaar 2000, toen de plannen voor de snelweg bekendgemaakt werden, had Kiely een snibbig artikel geschreven waarin hij suggereerde dat de weg zijn primaire doel misschien al bereikt had: er waren die ochtend een heleboel blije projectontwikkelaars in Ierland. Afgezien van een twee kolommen tellende brief vol ronkende retoriek van de minister voor Milieu waarin werd uitgelegd dat deze snelweg in wezen alles voorgoed perfect zou maken, was er verder niets op gevolgd.

Het had Sam echter een paar dagen gekost om Kiely over te halen tot een ontmoeting – de eerste keer dat hij Knocknaree noemde, had Kiely geschreeuwd: 'Dacht jij soms dat ik gek was, knul?' en opgehangen. En ook toen de afspraak dan eenmaal gemaakt was, wilde Kiely beslist niet met hem gezien worden. Ze moesten naar een of andere waanzinnig ordinaire kroeg ergens aan de andere kant van Phoenix Park: 'Veiliger, knul, stukken veiliger.'

Hij had een haviksneus en een kunstig verwaaide bos wit haar – 'een soort poëtisch uiterlijk,' zei Sam die avond bij het eten aarzelend. Sam had een Bailey's met cognac voor hem besteld ('Jemig,' zei ik – ik had toch al moeite met eten gehad; 'Oo,' zei Cassie met een speculerende blik op haar drankvoorraad) en geprobeerd het gesprek op de snelweg te brengen, maar Kiely had met vertrokken gezicht een hand opgeheven, terwijl hij als gemarteld met zijn oogleden knipperde: 'Niet zo hard, knul, niet zo hard... O, daar zit iets, dat is wel zeker. Maar iemand – geen namen – iemand heeft me van dat verhaal afgejaagd, nog bijna voordat het begonnen was. Om juridische redenen, zeiden ze: we hadden nergens bewijs van. Absurd. Waanzin. Dit was puur, giftig, persoonlijk. Deze stad, knul, deze smerige stad heeft een heel lang geheugen.'

Maar tegen de tweede ronde was hij wat losser geworden en in een bespiegelende stemming geraakt. 'Je zou kunnen zeggen,' zei hij tegen Sam, terwijl hij vooroverleunde in zijn stoel en grote armgebaren maakte, 'je zou kunnen zeggen dat het dáár meteen vanaf het begin al niet pluis was. Al dat gezever in het begin, over hoe dit een nieuwe stadskern zou worden en dan – nadat alle huizen in die eenzame wijk zijn verkocht – dan helemaal niks meer. Ze zeiden dat het budget ontoereikend was voor verdere ontwikkeling. Je zou kunnen zeggen, knul, dat al die retoriek er alleen maar toe diende om te zorgen dat de huizen duurder werden dan je zou verwachten van zo'n wijk midden op het platteland. Niet dat ík dat zou zeggen, uiteraard. Want ik heb geen bewíjs.'

Hij dronk zijn glas leeg en bekeek het droevig. 'Ik zeg alleen dat er iets een héél klein beetje scheef zit. Wist jij dat het aantal gewonden en sterfgevallen tijdens de bouw bijna driemaal zo hoog was als het landelijk gemiddelde? Geloof jij, knul, dat een plek een eigen wil kan hebben – dat hij zogezegd kan rebelleren tegen menselijk mismanagement?'

'Wat je ook over Knocknaree kunt zeggen,' zei ik, 'de plek zelf heeft geen plastic zak over Katy Devlins hoofd getrokken.' Ik was blij dat Kiely Sams probleem was en niet het mijne. Normaal gesproken vind ik dit soort absurditeit wel onderhoudend, maar die week voelde ik me zo beroerd dat ik hem waarschijnlijk tegen zijn schenen geschopt zou hebben.

'Wat zei jij toen?' vroeg Cassie aan Sam.

'Ik zei natuurlijk ja,' antwoordde hij sereen, terwijl hij probeerde fettuccine om zijn vork te wikkelen. 'Ik zou ook ja gezegd hebben als hij had gevraagd of het land volgens mij werd geregeerd door kleine groene mannetjes.'

Kiely had zwijgend nog een derde consumptie gebruikt – Sam zou het nog zwaar krijgen om dit er op zijn onkostenrekening door te krijgen – met zijn kin op zijn borst. Uiteindelijk had hij zijn jas aangetrokken, Sams hand in een lange, ferme greep geklemd en gepreveld: 'Hier pas naar kijken als je op een veilige plek zit,' en was de kroeg uit gebeend, met achterlating van een rolletje papier in Sams hand.

'Stakker,' zei Sam, terwijl hij in zijn portemonnee zocht. 'Volgens mij was hij gewoon dankbaar dat er eens iemand naar hem luisterde. Zo iemand kan een verhaal van de daken staan schreeuwen en dan nóg gelooft niemand hem.' Hij haalde een klein zilverkleurig dingetje tevoorschijn, hield het voorzichtig tussen wijsvinger en duim, en gaf het aan Cassie. Ik legde mijn vork neer en keek over haar schouder mee.

Het was een stukje zilverpapier, van het soort dat je uit een nieuw pakje sigaretten haalt, opgerold tot een strak, keurig kokertje. Cassie rolde het uit en daar stond, in kriebelige, uitgesmeerde zwarte viltschrijver: 'Dynamo – Kenneth McClintock. Futura – Terence Andrews. Global – Jeffrey Barnes en Conor Roche.'

'Weet je zeker dat hij betrouwbaar is?' vroeg ik.

'Zo gek als een deur,' zei Sam, 'maar een prima verslaggever – althans, vroeger. Ik denk dat hij me deze namen niet gegeven had als hij er niet heel erg zeker van was.'

Cassie streek met haar vingertop over het stukje papier. 'Als dit blijkt te kloppen,' zei ze, 'dan is dit de beste aanwijzing tot nu toe. Goed gedaan, Sam.'

'Hij stapte in een auto,' zei Sam, met een licht bezorgde klank in zijn stem. 'Ik wist niet of ik hem moest laten rijden, met al die drank achter de kiezen, maar… misschien moet ik hem nog een keer spreken. Ik moet hem te vriend houden. Zal ik hem eens opbellen om te kijken of hij goed thuisgekomen is?'

De dag daarna was een vrijdag, tweeënhalve week sinds het begin van het onderzoek, en vroeg op de avond had O'Kelly ons naar zijn kantoor geroepen. Buiten was het een heldere, frisse dag, maar de zon stroomde door de grote ramen naar binnen en in de projectkamer was het warm, zodat je binnen bijna kon geloven dat het nog zomer was. Sam zat in zijn hoekje tussen gedempte telefoongesprekken door te krabbelen; Cassie trok iemand na op de computer; en ik had net samen met een stel surveillanten koffie gehaald en stond bekers uit te delen. De kamer had de drukke, intense fluistersfeer van een klaslokaal. O'Kelly stak zijn hoofd om de hoek van de deur, stak zijn duim en wijsvinger in een kringetje in zijn mond en floot schel; toen het gemompel stilviel, zei hij: 'Ryan, Maddox, O'Neill,' wees met zijn duim over zijn schouder en ramde de deur weer achter zich dicht.

Vanuit mijn ooghoek zag ik de surveillanten onopvallend met opgetrokken wenkbrauwen naar elkaar kijken. Dit verwachtten we al een paar dagen – althans, ík. Onderweg naar het werk, onder de douche en zelfs in mijn dromen had ik de scène in gedachten geoefend, tot ik mezelf wakker maakte met mijn geruzie. 'Das,' zei ik tegen Sam, en ik maakte een gebaar; zijn knoop begeeft zich altijd op weg naar zijn ene oor als hij zich concentreert.

Cassie nam een snelle slok van haar koffie en blies uit. 'Oké,' zei ze. 'Daar gaan we.' De surveillanten gingen verder met de dingen waarmee ze bezig geweest waren, maar ik voelde hun blikken in mijn rug, helemaal de kamer uit en de gang door.

'Nou,' zei O'Kelly zodra we zijn kantoor binnenkwamen. Hij zat al achter zijn bureau te spelen met een of ander afzichtelijk chromen speelgoedje voor executives, nog over uit de jaren tachtig. 'Hoe gaat het met Operatie Hoe-heet-ie-ook-weer?'

We gingen geen van drieën zitten. We gaven hem een uitgebreide uitleg van wat we gedaan hadden om Katy Devlins moordenaar te vinden, en waarom dat niets had opgeleverd. We praatten te snel en te veel, we herhaalden onszelf, we verloren ons in details die hij allang kende: we voelden allemaal wat eraan zat te komen, en geen van ons wilde dat horen.

'Zo te horen hebben jullie inderdaad alle basispunten verwerkt,' zei O'Kelly, toen we eindelijk uitgepraat waren. Hij zat nog steeds met dat afzichtelijke speeltje te hannesen: *klik, klik, klik...* 'Hebben jullie al een hoofdverdachte?'

'We neigen in de richting van de ouders,' zei ik. 'De vader óf de moeder.'

'Dat betekent dat je niets steekhoudends over een van beiden hebt.'

'We zijn nog bezig met het onderzoek, sir,' zei Cassie.

'En ik heb vier man op die dreigtelefoontjes zitten,' zei Sam.

O'Kelly keek op. 'Ik heb jouw rapporten gelezen. Kijk uit.'

'Ja, commissaris.'

'Geweldig,' zei O'Kelly. Hij legde het chromen ding weg. 'Ga zo door. Daar hebben jullie geen vijfendertig surveillanten voor nodig.'

Hoewel ik het had verwacht, kwam het toch als een klap. De surveillanten bezorgden me nog steeds de zenuwen, maar anderzijds leek het een afgrijselijk belangrijke beslissing om hen weg te sturen, een onherroepelijke eerste stap van terugtrekking. Nog een paar weken, betekende dit, en dan zou O'Kelly ons ook van de zaak halen. Dan zouden we nieuwe zaken krijgen en zou Operatie Vestaalse maagd iets worden waar we in onze schaarse vrije tijd nog wat aan deden: nóg een paar maanden en Katy zou naar de kelder verbannen worden, naar het stof en de kartonnen dozen, waar ze om de twee jaar uitgehaald zou worden als we een mooie nieuwe aanwijzing hadden. De Ierse tv zou een sentimentele documentaire over haar maken, met een kortademige voice-over en griezelige titelmuziek om duidelijk te maken dat de zaak tot op heden onopgelost was. Ik vroeg me af of Kiernan en McCabe in deze zelfde kamer naar dezelfde woorden geluisterd hadden, waarschijnlijk van iemand die met hetzelfde zinloze speeltje zat te frunniken.

O'Kelly voelde de muiterij in onze stilte. 'Wat nou,' zei hij.

We deden ons uiterste best, we gaven hem onze meest oprechte, meest welsprekende en keurig ingestudeerde praatjes, maar nog voordat ik uitgesproken was, wist ik al dat het niets zou uithalen. Ik denk liever niet terug aan wat ik toen zei: ik ben vrijwel zeker dat ik aan het eind stond te raaskallen. 'Commissaris, we hebben altijd geweten dat dit een ingewikkelde zaak zou worden,' besloot ik. 'Maar we maken vorderingen, stukje bij beetje. Ik denk echt dat het een vergissing zou zijn om dit nu te laten vallen.'

'Te laten vallen?' antwoordde O'Kelly verontwaardigd. 'Wanneer heb jij mij iets horen zeggen over laten vallen. We laten helemaal niks vallen. We doen het alleen op wat kleinere schaal.'

Niemand zei iets. Hij leunde voorover en zette zijn vingers als een torentje tegen elkaar aan. 'Jongens,' zei hij, op zachtere toon nu, 'dit is een simpele kosten-batenanalyse. Die surveillanten hebben gedaan wat ze konden. Hoeveel mensen moeten jullie nog verhoren?'

Stilte.

'En hoeveel telefoontjes zijn er vandaag bij die tiplijn binnengekomen?'

'Vijf,' zei Cassie na een tijdje. 'Tot nu toe.'

'En was daar iets bruikbaars bij?'

'Waarschijnlijk niet.'

'Zie je nou wel.' O'Kelly spreidde zijn handen. 'Ryan, jij zei zelf al dat dit een complexe zaak is: je hebt snelle zaken en trage zaken, en dit wordt geen snelle. Maar intussen zijn er alweer drie nieuwe moorden gepleegd. Er is een soort drugsoorlog gaande in het noorden en ik word aan de lopende band gebeld met de vraag wat ik in vredesnaam aan het doen ben met alle surveillanten uit de binnenstad. Snappen jullie waar ik heen wil?'

Dat snapte ik – maar al te goed. Wat ik verder ook van O'Kelly mag vinden, één ding moet ik hem nageven: een heleboel commissarissen zouden de zaak van Cassie en mij afgenomen hebben. Meteen al. Ierland is in feite nog steeds een gehucht, en meestal hebben we meteen al een redelijk idee wie het gedaan moet hebben; de meeste tijd en energie gaat dan ook niet zitten in het aanwijzen van de schuldige, maar in het opbouwen van een solide zaak. De eerste paar dagen, toen bleek dat Operatie Vestaalse maagd een uitzondering zou worden, en dan ook nog eens een uitzondering met veel belangstelling van de pers, moet O'Kelly sterk in de verleiding zijn geweest om oms terug te sturen naar onze taxistandplaatsvandaaltjes en om de zaak aan Costello of een van de andere dertigers te geven. Meestal zie ik mezelf niet als naïef, maar toen hij dat niet gedaan had, had ik het geweten aan een of andere koppige, onwillige loyaliteit – niet dat hij loyaal was aan ons persoonlijk, maar aan ons als leden van zijn team. Die gedachte had me wel aangestaan. Nu vroeg ik me af of er misschien meer achter gezeten had: of een of ander gehavend zesde zintuig van hem de hele tijd al geweten had dat dit niets zou worden.

'Je mag er wel een of twee houden,' zei O'Kelly grootmoedig. 'Voor de tiplijn en voor het voetwerk en zo. Wie wil je?'

'Sweeney en O'Gorman,' zei ik. Tegen die tijd had ik de namen redelijk goed in mijn hoofd, maar op dat moment waren dit de enige twee die ik me herinnerde.

'Ga naar huis,' zei O'Kelly. 'Neem het weekend vrij. Drink een paar biertjes, zorg dat je wat slaapt. Ryan, die ogen van jou zijn net pisgaten in de sneeuw. Breng wat tijd door met je vriendin of wat jullie ook maar hebben. Kom maandag terug en begin opnieuw.'

Eenmaal terug in de gang keken we elkaar niet aan. Niemand ging op weg terug naar de projectkamer. Cassie leunde tegen de muur en duwde met de punt van haar schoen de pool van de vloerbedekking omhoog.

'Ergens heeft hij wel gelijk,' zei Sam. 'We redden het best in ons eentje.'

'Niet doen, Sam,' zei ik. 'Gewoon niet doen.'

'Wat,' vroeg Sam verbluft. 'Wát niet doen?' Ik wendde mijn blik af.

'Het gaat om het idee,' zei Cassie. 'We horen helemaal niet zo vast te zitten met deze zaak. We hebben het lijk, het wapen, de... normaal gesproken hadden we intussen iemand moeten hebben.'

'Nou,' zei ik. 'Ik weet wel wat ik ga doen. Ik ga op zoek naar de eerste de beste niet-afgrijselijke pub en ik zuip me helemaal klem. Wie gaat er mee?'

Uiteindelijk belandden we bij Doyle's: overversterkte muziek uit de jaren tachtig en te weinig tafeltjes, en studenten schouder aan schouder aan de bar. Geen van drieën hadden we zin om naar een politiebar te gaan, waar we onvermijdelijk aan de tand gevoeld zouden worden over Operatie Vestaalse maagd. Bij zo'n beetje het derde rondje, toen ik terugkwam van de toiletten, stootte ik met mijn elleboog een meisje aan en plensde de inhoud uit haar glas over ons beiden heen. Het was haar schuld – ze had lachend een stap achteruit gedaan bij iets wat een van haar vrienden had gezegd, en ze botste recht tegen me aan – maar het was een beeldschoon meisje, dat ranke, feeërieke type waar ik altijd op val, en ze wierp me een milde, waarderende blik toe terwijl we wederzijds excuses aanboden en de schade opnamen. Dus bestelde ik een nieuw glas voor haar en knoopte ik een praatje met haar aan.

Ze heette Anna en ze was bezig met een master in kunstgeschiedenis; ze had een waterval van blond haar dat me aan warme stranden deed denken, en zo'n wijde witkatoenen rok, en een taille waar ik mijn handen omheen had kunnen leggen. Ik zei dat ik hoogleraar literatuur was, vanuit een Engelse universiteit op bezoek voor onderzoek naar Bram Stoker. Ze zoog aan de rand van haar glas en lachte om mijn grappen, waarbij ze kleine witte tandjes met een ontroerende overbeet liet zien.

Achter haar stond Sam met opgetrokken wenkbrauwen te grijnzen en Cassie gaf een hijgende impressie van mij met grote puppyogen, maar dat kon me niets schelen. Ik had al belachelijk lang niet met iemand geslapen en ik wilde met dit meisje mee naar huis, giechelend in een of andere studentenflat met posters van kunstwerken aan de muur naar binnen sluipen, dat extravagante haar om mijn vingers wikkelen en al mijn gedachten laten wegzakken, de hele nacht en morgen het grootste deel van de dag in

haar fijne, veilige bed liggen en niet eenmaal aan die ellendige moordzaken denken. Ik legde een hand op Anna's schouder om haar uit het pad
van een man met vier enorme bierpullen in wankel evenwicht te trekken,
en achter haar rug stak ik mijn middelvinger op naar Cassie en Sam.

Door het gedrang kwamen we steeds dichter bij elkaar te staan. We hadden het onderwerp van onze respectievelijke onderzoeken intussen achter
ons gelaten – ik wou dat ik meer wist over Bram Stoker – en we hadden het
over de Aran-eilanden (Anna en een stel vrienden, vorige zomer; de pracht
van de natuur; hoe heerlijk het was om het oppervlakkige stadsleven even
achter je te laten) en zij begon haar hand op mijn pols te leggen om haar
woorden kracht bij te zetten, toen plotseling een van haar vrienden zich uit
de rumoerige groep losmaakte en achter haar kwam staan.

'Gaat het, Anna?' vroeg hij op onheilspellende toon, terwijl hij een arm
om haar middel sloeg en mij een dreigende blik toewierp.

Onzichtbaar voor hem rolde Anna met haar ogen, en ze glimlachte samenzweerderig. 'Prima, Cillian,' zei ze. Volgens mij was het niet haar
vriendje – ze had althans niet gedaan alsof ze bezet was – maar als hij dat
niet was, dan hoopte hij klaarblijkelijk wel het te worden. Een grote man,
knap op zo'n zware manier. Hij was kennelijk al een tijdje aan het drinken
en zijn handen jeukten om me uit te nodigen om even met hem naar buiten te komen.

Even dacht ik daarover na. *Je hoort de dame, vriend: je kunt terug naar je
vriendjes…* Ik keek naar Sam en Cassie: die hadden de hoop opgegeven en
waren zelf in een serieus gesprek verwikkeld, hun hoofden vlak bij elkaar
om elkaar ondanks de herrie te kunnen verstaan. Plotseling was ik misselijk van mezelf en mijn professionele alter ego, en daarmee dus ook van
Anna en de spelletjes die ze speelde met mijzelf en die Cillian. 'Ik moest
maar eens terug naar mijn vriendin,' zei ik. 'Nogmaals sorry van dat bier,'
en ik wendde me af, weg van de verblufte roze o van haar mond en de
verwarde, weerspiegelende glans van vechtlust in Cillians ogen.

Ik sloeg even mijn arm om Cassies schouders toen ik ging zitten, en ze
schonk me een argwanende blik. 'Blauwtje gelopen?' informeerde Sam.

'Nee,' zei Cassie. 'Waarschijnlijk heeft hij zich bedacht en haar verteld
dat hij een vriendin heeft. Vandaar dat affectieve gedoe. Als je me dat nog
één keer flikt, Ryan, dan ga ik met Sam zitten zoenen en dan laat ik jou in
elkaar rammen door de maats van je meisje, omdat je met haar hebt zitten
flikflooien.'

'O, ja,' zei Sam blij. 'Wat een goed idee.'

Om sluitingstijd gingen Cassie en ik naar haar flat. Sam was al naar huis, het was vrijdag en we hoefden de volgende ochtend niet op te staan. Er leek geen enkele reden te zijn om niet naar haar huis te gaan. We dronken, af en toe zetten we een andere cd op, en we lieten het vuur opbranden tot een fluisterende gloed.

'Weet je,' zei Cassie zomaar, terwijl ze een klontje ijs uit haar glas viste om op te kauwen, 'wat we de hele tijd vergeten hebben, is dat kinderen anders denken.'

'Wat bedoel je?' We hadden het over Shakespeare gehad, iets met die elfjes in *Een midzomernachtsdroom*, en mijn gedachten waren nog bij de elfjes. Ik dacht even dat er nu een verhandeling kwam over de analogie tussen het denken van kinderen en het denken van mensen in de zestiende eeuw, en ik begon alvast aan mijn tegenwerping.

'We hebben ons afgevraagd hoe hij haar naar de plek kreeg waar hij haar vermoord heeft – nee, hou even op en luister.' Ik zat dreinend met mijn voet tegen haar been te duwen. 'Hou op, ik heb geen dienst, ik kan je niet horen, la la la…' Ik was vaag van de wodka en het late uur en ik had bedacht dat ik die hele frustrerende, verwarde, onoplosbare zaak meer dan beu was. Ik wilde gewoon over Shakespeare praten, of een potje kaarten. 'Toen ik elf was, heeft iemand een keer geprobeerd me aan te randen,' zei Cassie.

Ik hield op met schoppen en tilde mijn hoofd op om naar haar te kijken. 'Wat?' zei ik, iets te zorgvuldig. Dit, dacht ik, dit is dan dus eindelijk Cassies geheime, afgesloten kamer, en eindelijk mocht ik daar naar binnen.

Ze keek me geamuseerd aan. 'Nee, hij heeft me niets aangedaan. Het had niet veel om het lijf.'

'O,' zei ik. Ik voelde me dom en, vreemd genoeg, licht gepikeerd. 'Wat is er dan gebeurd?'

'We hadden op school zo'n manie voor knikkers – iedereen knikkerde aan de lopende band – tijdens de middagpauze, na school. Je had ze bij je in een plastic zak, en het was heel belangrijk hoeveel je er had. Op een dag moest ik nablijven…'

'Jij? Dat verbaast me nou,' zei ik. Ik rolde op mijn zij en tastte naar mijn glas. Ik had geen idee waar ze met het verhaal naartoe wilde.

'Hou op; alleen omdat jij de perfecte leerling was. Maar goed, ik ging naar huis, en iemand van het personeel – geen leraar, een tuinman of een schoonmaker of zo – kwam uit een schuurtje aanlopen en zei: "Wil jij een

paar knikkers van mij? Kom maar, dan krijg jij van mij een stel knikkers."
Het was een oude vent, een jaar of zestig denk ik, met wit haar en een
grote snor. Dus ik bleef zo'n beetje bij de deur van de schuur rondhangen,
en uiteindelijk ging ik naar binnen.'

'God, Cass. Dom gansje!' zei ik. Ik nam nog een slok, zette mijn glas
neer en trok haar voeten op mijn schoot om ze te masseren.

'Nee, ik zei toch, er is niets gebeurd. Hij kwam achter me staan en stak
zijn handen onder mijn armen door, alsof hij me wilde optillen, maar toen
begon hij te rommelen met de knopen van mijn bloes. "Wat doe je nou?"
zei ik, en hij zei: "Mijn knikkers liggen op die plank. Ik til je even op, zodat je ze zelf kunt pakken." Ik wist dat er iets heel erg mis was, al had ik
geen idee wat. Ik wrong me los en zei: "Ik wil geen knikkers," en ik holde
naar huis.'

'Dan heb je geboft,' zei ik. Ze had slanke voeten met een hoge wreef;
door de zachte, dikke sokken die ze thuis droeg heen kon ik de pezen
voelen, de botjes die onder mijn duimen bewogen. Ik stelde me haar als
elfjarige voor, een en al knie en afgekloven nagels en serieuze bruine
ogen.

'Ja, zeg dat wel. God weet wat er had kunnen gebeuren.'

'Heb je het tegen iemand gezegd?' Ik wilde meer uit het verhaal halen;
ik wilde er een of andere hartverscheurende onthulling uit peuren, een
vreselijk, beschamend geheim.

'Nee. Ik vond het allemaal veel te walgelijk, en bovendien wist ik niet
wat ik vertellen moest. En dat is het hele punt: het is nooit bij me opgekomen dat dit iets te maken had met seks. Ik wist wel over seks, daar praatten
we op school de hele tijd over, en ik wist dat er iets mis was, ik wist dat hij
mijn bloes open wilde knopen, maar ik heb nooit twee en twee bij elkaar
opgeteld. Jaren later, toen ik al minstens achttien was, dacht ik er plotseling weer aan – ik denk dat ik kinderen zag knikkeren of zo – en plotseling
drong tot me door: o god, die man wilde me aanranden!'

'En wat heeft dit te maken met Katy Devlin?' vroeg ik.

'Kinderen leggen geen verbanden op dezelfde manier als volwassenen
dat doen,' zei Cassie. 'Geef mij jouw voeten eens. Jouw beurt.'

'Gaat niet. Zie je die geurgolven niet uit mijn sokken slaan?'

'God, jij bent walgelijk. Doe je nooit schone aan?'

'Als ze aan de muur blijven plakken. Dat is de ware vrijgezellentradi-
tie.'

'Dat is geen traditie. Dat is evolutie in omgekeerde volgorde.'

'Vooruit dan,' zei ik, terwijl ik mijn voeten ontvouwde en in haar richting duwde.

'Nee. Zorg maar dat je een vriendin krijgt.'

'Waar heb je het over?'

'Vriendinnen mogen niet klagen als je kaassokken hebt. Vrienden wel.' Evenzogoed schudde ze even professioneel met haar handen en greep mijn voeten. 'Bovendien zou je misschien een stuk handelbaarder worden als je wat meer van bil ging.'

'Moet je horen wie het zegt,' zei ik, maar terwijl ik het zei, besefte ik dat ik geen idee had hoe vaak Cassie van bil ging. Voordat ik haar leerde kennen was er een min of meer serieus vriendje geweest, een jurist die Aidan heette, maar die was op de een of andere manier uit beeld verdwenen rond de tijd dat zij bij Verdovende middelen ging werken. Relaties zijn zelden bestand tegen undercoverwerk. Uiteraard had ik het geweten als ze sinds die tijd een vriendje had gehad, en ik denk graag dat ik het geweten had als ze met iemand uitging, wat dat ook betekenen moge, maar verder had ik geen idee. Ik was er altijd van uitgegaan dat dat was omdat er niets was, maar plotseling wist ik dat niet zo zeker meer. Ik keek bemoedigend naar Cassie, maar die zat mijn hiel te kneden en schonk me haar beste raadselachtige glimlach.

'En verder,' zei ze, 'is er een reden waarom ik daar überhaupt naar binnen ging.' Cassie heeft een geest als een verkeersknooppunt: hij draait in een volledig onverwachte richting en dan, alsof Escher met de dimensies aan het spelen is, daalt ze duizelingwekkend snel af naar haar onderwerp. 'Ik ging niet alleen voor de knikkers. Hij had zo'n heel vet plattelandsaccent, en voor hetzelfde geld had hij gezegd: kikkers. Ik bedoel, ik wist dat hij dat niet gezegd had, ik wist dat hij knikkers had gezegd, maar ergens dacht ik dat hij misschien zo'n mysterieuze oude man uit een verhaaltje was, en dat er in die schuur planken en planken vol hagedissenogen en oude stukken perkament en miniatuurdraakjes in kooitjes zouden zijn. Ik wíst dat het gewoon een schuurtje was en dat hij gewoon een tuinman was, maar tegelijkertijd dacht ik dat dit misschien mijn kans was om zo'n kind te worden dat door de kleerkast heen naar een Narnia reist, en ik zo'n kans mocht ik natuurlijk niet missen. Dat had ik mezelf van mijn levensdagen niet vergeven.'

Hoe kan ik ooit duidelijk maken wat Cassie en ik voor en van elkaar waren? Dat kan ik niet. Dan had ik je mee moeten nemen en dan had je ieder pad van onze geheime, gedeelde geografie moeten bewandelen. Er wordt gezegd dat een heteroman en -vrouw geen platonische vrienden kunnen zijn; maar ons lukte dat. Ze was het zomernichtje uit de verhalenboeken, het meisje dat je leerde zwemmen in een meertje waar je gek werd van de muggen en dat je lastigviel met padden in haar badpak. Met wie je je eerste kussen oefende op een heuvel vol heidestruiken, waar je dan later over lachte bij een stiekeme joint bij oma op zolder. Zij lakte mijn nagels goudkleurig en daagde me uit om zo naar kantoor te gaan. Ik zei tegen Quigley dat Cassie vond dat het Croke Park-stadion moest worden omgebouwd tot een winkelcentrum, en ik keek hoe ze probeerde zijn verontwaardigde gesputter te ontcijferen. Zij knipte de verpakking van haar nieuwe muismat in stukken en plakte het stuk waarop stond 'RAAK ME AAN EN VOEL HET VERSCHIL' op mijn rug, en daar liep ik de halve dag mee rond voordat ik er erg in had. We klommen uit haar raam de brandtrap af en lagen op het dak van de uitbouw daaronder geïmproviseerde cocktails te drinken en Tom Waits te zingen, terwijl we keken hoe de sterren duizeligmakend om ons heen draaiden.

Nee. Dat zijn verhalen waaraan ik graag denk, fonkelend kleingeld en niet zonder waarde, maar bovenal en aan de basis van alles wat we deden, was ze mijn partner. Ik weet niet hoe ik je moet zeggen wat dat woord, ook nu nog, met me doet; wat het betekent. Ik kan je vertellen hoe we een huis doorzochten, ons wapen in twee handen op armslengte gehouden, stille huizen waar achter iedere deur een gewapende verdachte kon zitten wachten; of andere lange nachten van surveillance, als we in een donkere auto zaten met zwarte koffie uit een thermosfles en probeerden rummy te spelen bij het licht van een straatlantaarn. Op een keer zaten we achter twee hit-and-run joyriders aan in hun eigen territorium – graffiti en stortplaatsen flitsten langs het raam, negentig kilometer per uur, honderd, ik gaf plankgas en keek niet meer naar de snelheidsmeter – tot ze frontaal tegen een muur reden, waarna we de snikkende vijftienjarige bestuurder tussen ons in hielden en beloofden dat zijn moeder en de ambulance er zó aankwamen, terwijl hij in onze armen doodging. In een beruchte torenflat die je hele definitie van menselijkheid op zijn kop zou zetten, werd ik door een junkie bedreigd met een injectiespuit – en we zaten niet eens achter hem aan, het ging ons om zijn broer, en het gesprek had heel normaal geleken tot hij plotseling een te snelle beweging maakte en ik een naald tegen mijn hals voelde. Ik stond als verlamd te zweten en hoopte maar dat we geen van beiden zouden niezen, maar Cassie ging in kleermakerszit op het stinkende tapijt zitten, bood de vent een sigaret aan en praatte een uur en twintig minuten op hem in (waarbij hij achtereenvolgens onze portemonnees, een auto, een shot en een Sprite eiste, plus dat hij met rust gelaten zou worden); ze praatte zo onbevreesd en met zoveel belangstelling met hem dat hij uiteindelijk de spuit liet vallen en langs de muur omlaag gleed zodat hij tegenover haar kon zitten, en hij was net aan zijn levensverhaal begonnen toen ik mijn handen genoeg onder controle had om hem de handboeien om te kunnen doen.

De meisjes waarvan ik droom zijn tere meisjes, die melancholiek bij hoge ramen staan of ontroerende oude melodietjes zingen bij een piano, met lang, opwaaiend haar, broos als appelbloesem. Maar een meisje dat naast je de strijd ingaat en je rug dekt is een aparte categorie, daar krijg je de rillingen van. Denk aan de eerste keer dat je met iemand sliep, of toen je voor het eerst verliefd was: die oogverblindende explosie waardoor je tot aan je vingertoppen knettert van de elektriciteit, ingewijd en getransformeerd. En dat was niets, helemaal niets, vergeleken bij de macht van het gevoel dat je je leven, simpel en dagelijks, in elkaars handen legt.

# II

Dat weekend ging ik op zondagmiddag bij mijn ouders eten. Dat doe ik om de paar weken, hoewel ik zelf niet goed weet waarom. Echt na staan we elkaar niet; op zijn best brengen we een wederzijdse mate van vriendelijke en licht verbijsterde beleefdheid op, als mensen die elkaar op een all-invakantie hebben ontmoet en niet goed weten hoe ze het contact moeten afbreken. Soms neem ik Cassie mee. Mijn ouders zijn dol op haar – ze plaagt mijn vader met zijn tuin, en soms als ze mijn moeder in de keuken helpt, hoor ik mijn moeder lachen, vol en gelukkig als een jong meisje – en laten hoopvolle hints vallen over hoe close Cassie en ik precies zijn; hints die wij opgewekt negeren.

'Waar is Cassie vandaag?' vroeg mijn moeder na het eten. Ze had macaroni met kaassaus gemaakt – om de een of andere reden denkt ze dat dat mijn lievelingseten is (en misschien was het dat ook ooit, je weet het niet), en ze maakt het, als kleine, timide uiting van medeleven, telkens wanneer er iets in de krant staat waaruit zou kunnen blijken dat een zaak van mij aan het vastlopen is. Bij de geur alleen al krijg ik het benauwd. Zij en ik waren in de keuken; ik waste af, zij droogde. Mijn vader zat in de zitkamer tv te kijken: *Columbo*. Het was schemerig in de keuken en we hadden het licht aan, hoewel het nog maar halverwege de middag was.

'Volgens mij ging ze naar haar oom en tante,' zei ik. In werkelijkheid zat Cassie waarschijnlijk met opgetrokken benen op de bank, met een boek en een gezinsverpakking roomijs – we hadden de laatste paar weken niet veel tijd voor onszelf gehad, en net als ik heeft Cassie er behoefte aan om af en toe alleen te zijn – maar ik wist dat mijn moeder dat triest zou vinden, het idee dat ze op zondag in haar eentje zou zitten.

'Dat lijkt me fijn voor haar: een beetje verwend worden. Jullie tweeën moeten wel uitgeput zijn.'

'We zijn best wel moe, ja,' beaamde ik.

'Al dat heen-en-weergereis naar Knocknaree.'

Ik praat nooit met mijn ouders over mijn werk, alleen in heel algemene termen, en we hebben het nooit over Knocknaree. Ik keek vragend op, maar mijn moeder hield een bord tegen het licht om te zien of er nog natte strepen op zaten.

'Het is inderdaad een hele rit,' zei ik.

'Ik heb in de krant gelezen,' zei mijn moeder behoedzaam, 'dat de politie weer met de families van Peter en Jamie heeft gepraat. Waren jij en Cassie dat?'

'Niet de Savages. Maar inderdaad, ik heb wel met mevrouw Rowan gesproken. Is dit schoon, denk je?'

'Brandschoon,' zei mijn moeder, terwijl ze de ovenschaal uit mijn hand pakte. 'Hoe is het tegenwoordig met Alicia?'

In haar stem lag iets waardoor ik verbaasd opkeek. Ze ving mijn blik op en bloosde. Met de achterkant van haar pols veegde ze het haar uit haar gezicht. 'O, wij waren dik bevriend. Alicia was... tja, je kunt haast zeggen, een soort jonger zusje voor me. Maar naderhand zijn we het contact verloren. Ik vroeg me gewoon af hoe het met haar is.'

Ik had een snelle, benauwde flits van retrospectieve paniek: als ik geweten had dat Alicia Rowan en mijn moeder bevriend waren geweest, was ik daar nooit naar binnen gegaan. 'Volgens mij gaat het wel goed,' zei ik. 'Voor zover je dat kunt verwachten. Jamies kamer ziet er nog precies hetzelfde uit.'

Mijn moeder klakte ongelukkig met haar tong. Zwijgend gingen we verder met de afwas: het gerinkel van bestek, Peter Falk die op sluwe wijze iemand ondervroeg in de kamer naast ons. Buiten op het gras was een stel eksters geland die nu het tuintje begonnen te inspecteren, waarbij ze hun vondsten met schelle stem bespraken.

'Ksst, wegwezen,' zei mijn moeder werktuiglijk, en ze zuchtte. 'Ik heb het mezelf nooit vergeven, dat ik geen contact gehouden heb met Alicia. Ze had niemand anders. Het was zo'n lief meisje, oprecht onschuldig – ze hoopte nog steeds, na al die tijd, dat Jamies vader zijn vrouw zou verlaten en dat ze een gezinnetje zouden vormen... Is ze ooit getrouwd?'

'Nee. Maar ze lijkt me niet echt ongelukkig. Ze geeft yogalessen.' Het sop in het teiltje was lauw en klammig geworden; ik pakte de ketel en goot er wat heet water bij.

'Daarom zijn we ook verhuisd,' zei mijn moeder. Ze stond met haar rug naar me toe het bestek in de la te leggen. 'Ik kon ze niet meer onder ogen komen – Alicia en Angela en Joseph. Ik had mijn zoon heelhuids terug, en zij leefden in een hel… Ik durfde amper de straat op uit angst dat ik hen tegen zou komen. Het klinkt idioot, ik weet het, maar ik voelde me schuldig. Ik dacht dat ze me wel moesten haten omdat ik jou nog had. Dat kon niet anders.'

Ik was verbijsterd. De meeste kinderen zijn nu eenmaal behoorlijk egocentrisch, en zo was het nooit bij me opgekomen dat de verhuizing iets te maken kon hebben gehad met iemand anders dan mijzelf. 'Daar heb ik nooit echt bij stilgestaan,' zei ik. 'Wat een zelfzuchtig monster was ik.'

'Jij was een schatje,' zei mijn moeder onverwachts. 'Het aanhankelijkste kind dat ik ooit gezien heb. Als je thuiskwam van school, of van buiten spelen, kreeg ik altijd een knuffel van je en een dikke kus – zelfs toen je al bijna even groot was als ik – en dan zei je "Heb je me gemist, mama?" De helft van de tijd had je iets bij je voor me, een mooi steentje of een bloem. De meeste daarvan heb ik nog.'

'Ik?' Ik was blij dat ik Cassie niet meegenomen had. Ik kon de fonkeling in haar ogen bijna zien als ze dit gehoord had.

'Ja, jij. Daarom was ik ook zo bezorgd toen we je die dag niet konden vinden.' Ze kneep plotseling, bijna hardhandig, in mijn arm; ook na al die jaren nog hoorde ik de stress in haar stem. 'Ik was in paniek. Iedereen zei: "Ach, ze zijn gewoon weggelopen, dat doen kinderen, we hebben ze zó weer te pakken…" Maar ik zei: "Nee. Zoiets doet Adam niet." Jij was een lieverd: je was vriendelijk. Ik wist dat je ons dat niet aan zou doen.'

Toen ik haar stem die naam hoorde zeggen, voer er iets door me heen, iets snels, iets primitiefs en gevaarlijks. 'Ik herinner me mezelf niet als een engeltje,' zei ik.

Mijn moeder keek glimlachend door het keukenraam; die vage blik in haar ogen, bij de herinnering aan dingen die ik niet meer wist, maakte me nerveus. 'O, een engeltje was je niet. Maar je was attent. Dat jaar was je snel volwassen aan het worden. Je zorgde ervoor dat Peter en Jamie ophielden dat zielige jongetje te pesten, hoe heette hij ook weer? Dat joch met die bril en die vreselijke moeder die de bloemen deed in de kerk?'

'Willy Little?' zei ik. 'Dat was ik niet, dat was Peter. Ik zou hem met alle plezier tot sint-juttemis gepest hebben.'

'Nee, dat was jij,' zei mijn moeder op een toon die geen tegenspraak duldde. 'Jullie drieën hadden iets gedaan waarom hij moest huilen, en daar was jij zo van onder de indruk dat je besloot dat je die stumper verder met rust moest laten. Je was bang dat Peter en Jamie het niet zouden begrijpen. Weet je dat niet meer?'

'Nee, niet echt,' zei ik. En dat zat me heel wat meer dwars dan de rest van dit hele ongemakkelijke gesprek. Je zou denken dat ik haar versie van het verhaal liever had dan de mijne, maar dat was niet zo. Het was uiteraard heel goed mogelijk dat ze mij onbewust naar de heldenpositie had gemanoeuvreerd, of dat ik dat zelf gedaan had door indertijd tegen haar te liegen, maar de afgelopen paar weken was ik mijn herinneringen gaan beschouwen als robuuste, glanzende voorwerpjes die je kon opzoeken en koesteren, en het was een bijzonder verontrustende gedachte dat het klatergoud kon zijn, bedrieglijk en mistig en heel anders dan het zich liet aanzien. 'Als er verder niets meer af te wassen is, moet ik misschien even met pap gaan praten.'

'Dat zal hij leuk vinden. Ga maar – ik maak het hier wel af. Neem voor allebei een blikje Guinness mee – die staan in de koelkast.'

'Dank je voor het eten,' zei ik. 'Het was heerlijk.'

'Adam,' zei mijn moeder plotseling, net toen ik de keuken uit wilde lopen; en daar was het weer, dat snelle, verraderlijke ding dat me onder het borstbeen trof, en o god wat wilde ik graag nog heel even dat lieve kind zijn, wat wilde ik me graag omdraaien en mijn gezicht tegen haar warme schouder drukken, die naar geroosterd brood rook, en haar met scheurende snikken vertellen hoe erg de afgelopen weken geweest waren. Ik dacht aan hoe ze zou kijken als ik dat echt deed, en ik beet hard op de binnenkant van mijn wang om een waanzinnig kakelende lach binnen te houden.

'Ik wilde alleen maar zeggen,' zei ze timide, terwijl ze de droogdoek opfrommelde in haar handen, 'dat we naderhand ons best gedaan hebben voor je. Soms maak ik me zorgen dat we het helemaal verkeerd hebben aangepakt… Maar we waren bang dat degene die… je weet wel… dat diegene terug zou komen en… We probeerden alleen maar te doen wat het beste was voor jou.'

'Weet ik, mam,' zei ik. 'Maak je maar geen zorgen.' En met het gevoel van een nipte ontsnapping aan een groot gevaar ging ik naar de zitkamer om samen met mijn vader *Columbo* te kijken.

'Hoe is het op het werk?' vroeg mijn vader tijdens een reclameblok. Hij rommelde onder een kussen, vond de afstandsbediening en zette het geluid van de tv zachter.

'Prima,' zei ik. Op het scherm zat een klein kind op de wc, omringd door walmen, heftig te redeneren met een groene tekenfilmfiguur met slagtanden.

'Je bent een prima gozer,' zei mijn vader, terwijl hij naar de tv keek alsof hij gehypnotiseerd was door het beeld. Hij nam een slok van zijn Guinness. 'Altijd geweest, ook.'

'Bedankt,' zei ik. Kennelijk hadden mijn moeder en hij een of ander gesprek over mij gehad, als voorbereiding op deze middag, hoewel ik onmogelijk kon verzinnen waar dat op sloeg.

'En op het werk gaat het goed?'

'Ja. Prima.'

'Mooi zo,' zei mijn vader, en hij zette het geluid weer harder.

Rond een uur of acht was ik weer thuis. Ik ging naar de keuken om een sandwich te maken met ham en Heathers magere kaas – ik was vergeten boodschappen te doen. De Guinness had me een opgezwollen, onaangenaam gevoel bezorgd – ik ben geen bierdrinker, maar mijn vader maakt zich zorgen als ik om iets anders vraag; hij vindt mannen die sterkedrank gebruiken een teken van ofwel beginnend alcoholisme of beginnende homoseksualiteit – en ik had een vaag, paradoxaal idee dat ik me beter zou voelen als ik iets at, dat het bier daardoor geabsorbeerd zou worden. Heather zat in de zitkamer. Haar zondagavonden zijn gereserveerd voor iets wat ze 'ik-tijd' noemt, een proces met *Sex and the City*-dvd's, een scala aan mysterieuze benodigdheden en een boel heen-en-weergedraaf tussen de badkamer en de zitkamer met een blik van grimmige, zelfverzekerde vastberadenheid.

Mijn telefoon piepte. Cassie: MAG IK MORGEN EEN LIFT NAAR RECHT-BANK? VOLWASSEN KLEREN + GOLFKAR + WEER = ZIET NIET UIT.

'O, shit,' zei ik hardop. De Kavanagh-zaak, een oude vrouw in Limerick die het jaar tevoren tijdens een inbraak doodgeslagen was: Cassie en ik moesten de volgende ochtend getuigen. De aanklager was op het bureau geweest om ons bij te praten, en we hadden het er vrijdag nog over gehad, maar ik had kans gezien om het allemaal prompt te vergeten.

'Wat is er?' piepte Heather gretig, terwijl ze de zitkamer uit kwam rennen bij het vooruitzicht van kans op een gesprek. Ik smeet de kaas terug in de koelkast en ramde de deur dicht, niet dat dat veel zou uithalen: Heather weet tot op de millimeter hoeveel ze nog van haar voorraden heeft, en ze heeft een keer eindeloos lopen mokken tot ik een nieuwe, dure biologische zeep voor haar kocht omdat ik op een avond dronken thuis was gekomen en mijn handen had gewassen met de hare. 'Gaat het wel?' Ze had haar kamerjas aan, er zat iets wat op keukenfolie leek om haar hoofd gewikkeld en ze rook naar een hoofdpijnverwekkende combinatie van bloemige, chemische spullen.

'Ja, prima,' zei ik. Ik drukte op Antwoorden en sms'te terug: NIETS NIEUWS, DUS. ZIE JE ROND 8.30. 'Ik was alleen vergeten dat ik morgen naar de rechtbank moet.'

'O-o,' zei Heather, en ze sperde haar ogen open. Haar nagels hadden een smaakvolle roze tint; ze zwaaide ermee door de lucht om ze te drogen. 'Zal ik je helpen met de voorbereidingen? Je aantekeningen met je doornemen of zo?'

'Nee, dank je.' Ik hád mijn aantekeningen niet eens. Die lagen nog ergens op het werk. Ik vroeg me af of ik naar kantoor moest gaan om ze op te halen, maar waarschijnlijk had ik nog te veel op.

'O... oké. Dan niet.' Heather blies op haar nagels en tuurde naar mijn sandwich. 'O, heb je boodschappen gedaan? Het is jouw beurt om bleek te kopen, weet je.'

'Ik ga morgen,' zei ik, terwijl ik mijn telefoon en mijn sandwich pakte en naar mijn kamer liep.

'O. Ach, het kan ook nog wel een dagje wachten. Is dat mijn kaas?'

Ik maakte me van Heather los en at mijn sandwich. Niet echt verbazend deed die niets om de effecten van de Guinness op te heffen. Toen schonk ik mezelf vanuit dezelfde algemene logica een wodka en tonic in en ging op mijn rug op bed liggen om de zaak-Kavanagh in gedachten door te nemen.

Ik kon me niet concentreren. Alle onbenullige details sprongen meteen mijn hoofd binnen, levensecht en onbruikbaar – het rode knipperlicht van het Heilig Hart-beeld in de donkere zitkamer van het slachtoffer, de rafelige pony's van de twee tienermoordenaars, het afgrijselijke gat met aangekoekt bloed in het hoofd van het slachtoffer, de vochtplekken in het bloemetjesbehang van de *bed and breakfast* waar Cassie en ik hadden gelogeerd – maar ik herinnerde me niet één belangrijk feit: hoe we de verdachten hadden opgespoord, of ze bekend hadden, wat ze gestolen hadden, of zelfs hoe ze heetten. Ik stond op en liep door mijn kamer, stak mijn hoofd uit het raam voor wat frisse lucht, maar hoe harder ik probeerde me te concentreren, des te minder herinnerde ik me. Na een tijdje wist ik niet eens meer of het slachtoffer Philomena of Fionnuala had geheten, hoewel ik dat een paar uur geleden had geweten zonder erbij na te hoeven denken (Philomena Mary Bridget).

Ik was verbijsterd. Zoiets was me nog nooit overkomen. Ik denk dat ik, zonder mezelf op de borst te slaan, wel kan zeggen dat ik altijd een ironisch goed geheugen heb gehad, van dat olifantensoort dat zonder inspanning of begrip enorme hoeveelheden informatie kan opnemen en uitbraken. Zo had ik kans gezien door school heen te rollen, en daarom was ik ook niet in paniek bij de gedachte dat ik mijn aantekeningen niet bij me had – ik had wel eens vaker vergeten mijn notities te bestuderen, en daar was nooit iemand achter gekomen.

En het was ook niet zo dat ik probeerde iets heel ongewoons te doen. Bij Moordzaken raak je eraan gewend om met drie of vier onderzoeken tegelijk te jongleren. Als je een kindermoord of een dode agent of dat soort belangrijke zaken krijgt, kun je je lopende zaken uit handen geven, zoals wij die toestand met de taxistandplaats naar Quigley en McCann hadden doorgesluisd, maar ook dan moet je je nog bezighouden met de nasleep van de gesloten zaken: administratie, besprekingen met aanklagers, rechtszaken. Je leert alle belangrijke feiten in je achterhoofd te houden zodat je ze kunt ophoesten zodra dat nodig is. De belangrijkste feiten van de zaak-Kavanagh hadden er moeten zijn, en nu dat niet zo was, raakte ik in een onhoorbare, dierlijke paniek.

Rond twee uur raakte ik ervan overtuigd dat alles de volgende ochtend op zijn plek zou vallen als ik maar gewoon een nacht goed kon slapen. Ik nam nog een glas wodka en deed het licht uit, maar telkens wanneer ik mijn ogen dichtdeed flitsten de beelden door mijn hoofd in een koortsige, niet te stuiten processie – Heilig Hart, vettige daders, hoofdwond, onsmakelijk pension… Rond vier uur besefte ik plotseling wat een idioot ik was geweest om mijn aantekeningen niet te gaan ophalen. Ik deed het licht aan en tastte blindelings naar mijn kleren, maar toen ik mijn veters strikte, zag ik mijn bevende handen en herinnerde me de wodka – ik was beslist niet in staat om me eruit te kletsen als ik in een alcoholfuik liep – en op dat moment drong langzaam tot me door dat ik veel te wazig was om te begrijpen wat er in mijn aantekeningen stond, zelfs als ik ze hier had.

Ik ging weer naar bed om nog wat naar het plafond te staren. Heather en de buurman snurkten in de maat; af en toe reed er een auto langs de ingang van het complex, zodat er grijswitte zoeklichten over de muur van mijn kamer streken. Na een tijd dacht ik aan mijn migrainetabletten. Ik nam er twee, omdat die me altijd knock-out slaan – ik probeerde er niet aan te denken dat dat natuurlijk ook een bijwerking van de migraine zelf kon zijn. Uiteindelijk viel ik vlak voor zevenen in slaap, net op tijd voor de wekker.

Toen ik bij Cassie voor op de claxon drukte, holde ze naar buiten met haar enige nette outfit aan – een chic Chanel-broekpak, zwart met een roze voering, en de pareloorhangers van haar grootmoeder. Ze sprong met wat volgens mij onnodig veel energie was de auto in, hoewel ze waarschijnlijk gewoon haast had om uit die motregen te komen. 'Hai,' zei ze. Ze had make-up op; ze zag er ouder en chic uit, onbekend. 'Niet geslapen?'

'Niet veel. Heb jij je aantekeningen bij je?'

'Ja. Je mag ernaar kijken terwijl ik binnen zit – wie moet er eigenlijk eerst, jij of ik?'

'Weet ik niet meer. Wil jij rijden? Ik moet dit even doornemen.'

'Ik ben niet verzekerd voor dit gevaarte,' zei ze, terwijl ze de landrover met dedain opnam.

'Dan moet je gewoon nergens tegenaan rijden.' Ik klom beneveld uit de auto en liep naar de andere kant, regen op mijn hoofd plenzend, terwijl Cassie haar schouders ophaalde en achter het stuur schoof. Ze heeft een mooi handschrift – vagelijk buitenlands, op de een of andere manier, maar groot en leesbaar – en ik ben er volledig aan gewend, maar ik was zo moe en had zo'n kater dat haar aantekeningen niet eens op woorden leken. Het enige wat ik zag waren willekeurige, onontcijferbare sliertjes die voor mijn ogen over de bladzij heen en weer kropen, als een soort bizarre rorschachtest. Uiteindelijk viel ik in slaap, mijn hoofd zachtjes bonzend tegen de koele zijruit.

Uiteraard moest ik als eerste getuigen. Het is met geen pen te beschrijven hoe ik mezelf volledig voor schut zette: ik hakkelde, haalde namen door elkaar, zette gebeurtenissen in de verkeerde volgorde zodat ik terug moest om mezelf met veel pijn en moeite vanaf het begin te corrigeren. De aanklager, MacSharry, keek eerst verward (we kenden elkaar al een tijdje en normaal ben ik een heel behoorlijke getuige), daarna geschrokken en tot slot razend – onder zijn vernis van beleefdheid. Hij had een enorme uitvergroting van een foto van Philomena Kavanaghs lijk – een standaard-truc om te proberen de jury zo te choqueren dat ze iemand wíllen veroordelen en ik was een beetje verbaasd dat de rechter die foto toegelaten had – en ik werd geacht iedere afzonderlijke verwonding aan te wijzen en te vergelijken met wat de verdachten in hun bekentenis hadden gezegd (kennelijk hadden ze dus inderdaad bekend). Maar om de een of andere reden was dit de laatste druppel. Mijn laatste restje zelfbeheersing verdampte en telkens wanneer ik opkeek zag ik haar, zwaar en kapotgebeukt, haar rok rond haar middel omhooggeschoven, haar mond open in een machteloos gehuil vol verwijt dat ik haar in de steek liet.

De rechtszaal leek wel een sauna, met stoom die van de opdrogende jassen opsteeg tot de ramen ervan besloegen; mijn hoofdhuid prikkelde van de hitte en ik voelde zweetdruppels langs mijn ribben omlaag glijden. Tegen de tijd dat de advocaat van de beklaagde klaar was met zijn verhoor had hij een blik van ongelovige, bijna onfatsoenlijke vreugde op zijn gezicht, als een tiener die in het broekje van een meisje zit terwijl hij hoogstens op een kus gerekend had. Zelfs de jury, schuivend op hun bank en met verstolen zijdelingse blikken, leek te lijden aan plaatsvervangende schaamte.

Trillend als een riet kwam ik de getuigenbank uit. Mijn benen voelden aan als gelei; even dacht ik dat ik me zou moeten vastgrijpen om niet te vallen. Als je klaar bent met je getuigenis, mag je blijven kijken naar de rest van de rechtszaak, en Cassie zou verbaasd zijn als ze me niet zag, maar ik bracht het niet op. Zij had geen morele steun nodig: ze zou het prima doen. En hoe kinderachtig het ook klinkt, daardoor voelde ik me nog beroerder. Ik wist dat de zaak-Devlin haar dwarszat, en Sam ook, maar beiden zagen kans de zaak de baas te blijven zonder dat ze daar zichtbaar moeite voor hoefden te doen. Ik was de enige met zenuwtrekjes en rare verhalen en schrikreacties bij de geringste schaduw, alsof ik een bijrolletje speelde in *One Flew Over the Cuckoo's Nest*. Volgens mij zou ik het niet redden om in de rechtszaal te zitten en Cassie op zakelijke toon onbewust de rotzooi te zien herstellen die ik had gemaakt van maanden en maanden werk.

Het regende nog steeds. Ik ging een ontegenzeglijk smerig kroegje in een zijstraat binnen – drie mannen aan een hoektafeltje zagen met één blik dat ik van de politie was en veranderden naadloos van gespreksonderwerp – bestelde een grog en ging zitten. De barkeeper zette het glas met een klap voor me neer en wijdde zich weer aan het sportkatern zonder iets over wisselgeld te zeggen. Ik nam een grote slok, brandde mijn verhemelte, legde mijn hoofd in mijn nek en kneep mijn ogen dicht.

De ongure types in de hoek hadden het nu over iemands ex-vriendin. 'Dus ik zeg tegen haar, er staat niks in de alimentatiebepalingen dat je hem als een yup moet aankleden, als jij wilt dat hij Nikes aanheeft dan betaal je daar goddomme zelf maar voor...' Ze zaten tosti's te eten en ik werd misselijk van de zilte, chemische geur. Buiten stroomde de regen met bakken de goten door.

Het mag vreemd klinken, maar daar, in het getuigenbankje met die flits van paniek in MacSharry's blik, had ik pas beseft dat ik aan het instorten was. Ik had wel gemerkt dat ik minder sliep en meer dronk dan normaal, dat ik kortaf en afwezig was en dat ik misschien dingen zag die er niet waren, maar er was niet één specifiek incident geweest dat mijzelf onrustbarend of onheilspellend voorkwam. Nu pas steeg het hele patroon op en dook het op me neer: heftig, meer dan fel, en ik schrok me er een ongeluk van.

Al mijn instincten krijsten dat ik van deze afgrijselijke, verraderlijke zaak af moest, dat ik er zo ver mogelijk vandaan moest blijven. Ik had nog heel wat vakantiedagen te goed, ik kon een deel van mijn spaargeld gebruiken en een paar weken een flatje huren in Parijs of Florence, over de straatkeien lopen en de hele dag vredig luisteren naar een taal die ik niet begreep, en pas terugkomen als de hele toestand voorbij was. Maar ik wist, met sombere zekerheid, dat dat onmogelijk was. Het was te laat om me terug te trekken uit het onderzoek; ik kon O'Kelly moeilijk vertellen dat het plotseling, nu we een paar weken bezig waren, tot me doorgedrongen was dat ík in feite Adam Ryan was, en een ander excuus zou inhouden dat ik niet meer durfde, en dat zou in wezen het eind van mijn carrière vormen. Ik wist dat ik iets moest doen voordat mensen begonnen te merken dat ik het niet meer redde en mannetjes met witte jassen kwamen aanrijden om me af te voeren, maar ik kon onmogelijk iets verzinnen wat me ook maar in de verste verte goed zou doen.

Ik dronk mijn grog op en bestelde een tweede. De barkeeper zette snooker aan op tv; het zachte, wellevende geprevel van de commentator viel kalmerend samen met de regen. De drie mannen vertrokken en sloegen de deur achter zich dicht. Buiten hoorde ik een uitbarsting van bulderend gelach. Na een tijd haalde de barkeeper nogal nadrukkelijk mijn glas weg, en ik realiseerde me dat hij me weg wilde hebben.

Ik ging naar de wc en plensde water over mijn gezicht. In de groenige, smerig gespikkelde spiegel zag ik eruit als iets uit een zombiefilm: open mond, enorme, donkere kringen onder mijn ogen, mijn haar in stijve pieken overeind. *Dit is belachelijk*, dacht ik met een angstaanjagende stoot duizelingwekkende, afstandelijke verbazing. *Hoe is dit zo gekomen, hoe ben ik hier in godsnaam terechtgekomen?*

Ik liep terug naar het parkeerterrein van de rechtbank en ging in de auto zitten. Ik at pepermuntjes en keek naar de voorbijgangers met hun hoofd omlaag en hun jas strak om zich heen getrokken. Het was donker alsof het al avond was, de regen viel in schuine strepen voor koplampen langs en de straatlantaarns brandden al. Na een hele tijd piepte mijn telefoon. Cassie: WAT NU? WAAR ZIT JIJ? Ik antwoordde IN AUTO en zette de achterlichten aan zodat ze me kon vinden. Toen ze me niet achter het stuur zag zitten, schrok ze even en rende naar de andere kant van de auto.

'Jezus,' zei ze, terwijl ze achter het stuur kroop en de regen uit haar haar schudde. Er was een druppel in haar wimpers blijven hangen, en er druppelde een zwarte mascaratraan naar haar jukbeen, zodat ze eruitzag als een modieuze pierrette. 'Ik was vergeten wat een stel rukkers het was. Ze begonnen te gniffelen toen ik vertelde dat ze op haar bed hadden gepist; hun advocaat zat bekken tegen hen te trekken om te proberen ze stil te krijgen. Wat is er met jou? Waarom rijd ik?'

'Ik heb migraine,' zei ik. Cassie wilde de zonneklep omlaag doen om in de spiegel te kunnen kijken, maar halverwege hield ze op en ze keek me met grote, geschrokken ogen in de spiegel aan. 'Ik heb het verpest, Cass.'

Dat zou ze toch wel gehoord hebben. MacSharry zou O'Kelly bellen zodra hij daar de kans voor kreeg, en tegen het eind van de dag zou het hele bureau het weten. Ik was zo moe dat ik bijna zat te dromen; even vroeg ik me peinzend af of dit misschien een door de wodka veroorzaakte nachtmerrie kon zijn, waaruit ik wakker zou worden als de wekker ging voor mijn afspraak op de rechtbank.

'Hoe erg is het?' vroeg ze.

'Ik denk echt dat ik het volledig verknald heb. Ik kon niet eens recht vooruit kíjken, laat staan recht vooruit dénken.' Dat was tenslotte waar.

Langzaam trok ze de spiegel op zijn plek, likte aan haar vinger en wreef de pierrettetraan weg. 'De migraine, bedoelde ik. Moet je naar huis?'

Ik dacht vol verlangen aan mijn bed, uren ongestoorde slaap voordat Heather thuiskwam en wilde weten waar haar bleek was, maar die gedachte verzuurde al snel: dan zou ik daar alleen maar stijf als een plank liggen, handen samengebald op de lakens, en eindeloos de rechtbankscènes in mijn hoofd afspelen. 'Nee, toen ik buiten kwam heb ik mijn tabletten genomen. Het is geen erge aanval.'

'Zal ik een apotheek zoeken, of heb je genoeg bij je?'

'Ik heb ruim voldoende, maar het gaat al beter. Kom, laten we maar gaan.' Ik was in de verleiding om meer details te vertellen over mijn afgrijselijke, ingebeelde migraine, maar de hele kunst van het liegen zit hem in de wetenschap wanneer je moet ophouden, en daar heb ik altijd een soort flair voor gehad. Ik had geen idee, en dat heb ik nog steeds niet, of Cassie me geloofde. Ze reed in een snelle, theatrale bocht onze parkeerhaven uit en voegde in het verkeer in. De regen slipte van de ruitenwissers af.

'Hoe heb jij het gedaan?' vroeg ik plotseling, terwijl we langs de kaden reden.

'Redelijk. Ik heb het gevoel dat hun advocaat het erop wil gooien dat de bekentenissen afgedwongen zijn, maar daar trapt de jury nooit in.'

'Mooi,' zei ik. 'Mooi zo.'

Mijn telefoon kwam hysterisch tot leven, bijna zodra we de projectkamer binnenkwamen. O'Kelly met het commando dat ik naar zijn kantoor moest komen; MacSharry had er geen gras over laten groeien. Ik vertelde het migraineverhaal. Het enige voordeel van migraines is dat ze een ideaal excuus vormen: ze werken verlammend, je kunt er niets aan doen, ze kunnen zo lang duren als nodig is en niemand kan bewijzen dat ze niet echt zijn. En ik zag er natuurlijk ook echt ziek uit. O'Kelly maakte een paar denigrerende opmerkingen over 'vrouwengedoe met die hoofdpijn', maar ik won iets aan respect terug door dapper vol te houden dat ik aan het werk wilde blijven.

Ik ging terug naar de projectkamer. Sam kwam net binnen, volledig doorweekt. Zijn tweed jas rook vaag naar natte hond. 'Hoe ging het?' vroeg hij. Zijn toon was nonchalant, maar zijn blik gleed over Cassies schouder heen naar mij toe, en snel weer weg: de tamtam had al gewerkt.

'Prima. Migraine,' zei Cassie, met een hoofdgebaar in mijn richting. Intussen begon ik me te voelen alsof ik werkelijk migraine had. Ik knipperde met mijn ogen en probeerde me te concentreren.

'Migraine is iets vreselijks,' zei Sam. 'Mijn moeder heeft het. Soms moet ze dagenlang in een donkere kamer liggen, met ijs op haar hoofd. Kun jij wel werken, gaat het?'

'Gaat wel,' zei ik. 'Wat heb jij uitgespookt?'

Sam keek naar Cassie. 'Hij redt het wel,' zei zij. 'Die rechtszaak zou iedereen hoofdpijn bezorgd hebben. Waar heb jij gezeten?'

Hij pelde zijn druipende jas af, keek er met enige twijfel naar en smeet hem op een stoel. 'Ik ben eens even gaan praten met de Grote Drie.'

'Dat zal O'Kelly fijn vinden,' zei ik. Ik ging zitten en drukte met wijsvinger en duim tegen mijn slapen. 'Ik moet je waarschuwen, hij is toch al niet in een opperbest humeur.'

'Nee, niks aan de hand. Ik zei dat de demonstranten een stel mensen van de snelwegvoorstanders hadden lastiggevallen – ik ben niet in detail getreden, maar waarschijnlijk denken zij dat ik vandalisme bedoelde – en dat ik gewoon even wilde kijken of zij niets hadden.' Sam grijnsde, en ik snapte dat hij bijna barstte van opwinding over zijn dag en dat hij zijn plezier alleen maar onderdrukte omdat hij wist van mijn rechtbankavontuur. 'Ze werden helemaal zenuwachtig en wilden weten hoe ik wist dat zij te maken hadden met Knocknaree, maar ik deed alsof dat heel normaal was – even gepraat, gekeken of ze geen last hadden gehad van protestacties, gezegd dat ze voorzichtig moesten doen en hup, weg. En er kon nog geen bedankje af, dat geloof je toch haast niet? Stelletje charmeurs, hoor.'

'Nou en?' informeerde ik. 'Dat dachten we toch al.' Ik wilde niet rot doen, echt niet, maar telkens als ik mijn ogen dichtdeed zag ik Philomena Kavanaghs lijk, en telkens wanneer ik ze opendeed zag ik de foto's van Katy op het whiteboard achter Sams hoofd, en ik was echt niet in de stemming voor hem en zijn resultaten en zijn tact.

'Nou,' zei Sam onverstoorbaar, 'Ken McClintock – de jongen achter Dynamo – heeft heel april in Singapore gezeten; daar zitten alle coole projectontwikkelaars dit jaar, moet je weten. Dus die kunnen we wegstrepen: hij heeft geen anonieme telefoontjes gepleegd met telefoons in Dublin. En weet je nog wat Devlin zei over de stem van die man?'

'Niets bruikbaars, als ik me goed herinner,' zei ik.

'Niet heel diep,' zei Cassie, 'landelijk accent, maar niets duidelijk herkenbaars. Waarschijnlijk van middelbare leeftijd.' Ze zat achterovergeleund in haar stoel, met over elkaar geslagen benen en haar armen nonchalant achter zich gevouwen; met haar elegante rechtbankoutfit zag ze er bijna welbewust misplaatst uit in de projectkamer, als iets uit een slim gestylede modereportage.

'Precies. En Conor Roche van Global komt uit Cork; die heeft een accent waar een lepel in overeind blijft staan – dat had Devlin meteen herkend. En zijn partner, Jeff Barnes, komt uit Engeland en heeft bovendien een stem als een beer. Dus dan hebben we over...' – met een elegant, blij gebaar omcirkelde Sam de naam op het whiteboard – 'Terence Andrews van Futura, drieënvijftig, uit Westmeath, pieperig tenorstemmetje. En driemaal raden waar hij woont?'

'Centrum,' zei Cassie, en er brak een glimlach op haar gezicht door.

'Een penthouse bij de haven. Zijn stamkroeg is het Gresham – ik zei dat hij moest uitkijken als hij naar huis liep, je weet maar nooit met die linkse types – en alle drie de telefooncellen liggen rechtstreeks op zijn route naar huis. Ik heb hem te pakken, jongens.'

Wat ik de rest van die dag deed, weet ik niet meer. Waarschijnlijk zat ik aan mijn bureau met papiertjes te spelen. Sam begaf zich weer op een van zijn mysterieuze queesten en Cassie vertrok om een weinig belovende aanwijzing na te trekken. Ze nam O'Gorman met zich mee en liet de zwijgzame Sweeney achter om de tiplijn te bemannen, waar ik intens dankbaar voor was. Na de hectiek van de afgelopen paar weken voelde de bijna verlaten projectkamer griezelig, verlopen aan, de bureaus van de verdwenen surveillanten nog bezaaid met achtergebleven papieren en koffiebekers die ze vergeten hadden terug te brengen naar de kantine.

Ik stuurde Cassie een sms om te zeggen dat ik me te beroerd voelde om bij haar te komen eten; ik werd al belabberd bij de gedachte aan al die bezorgde tact. Ik ging net op tijd naar huis om thuis te komen voor Heather – zij 'doet haar Pilates' op maandagavond – en schreef haar een briefje dat ik migraine had, waarna ik me in mijn kamer opsloot. Heather let op haar gezondheid met het soort volhardende, nauwgezette toewijding waarmee sommige vrouwen hun bloemperkjes of hun porseleincollecties verzorgen, maar het voordeel is dat ze andermans ziekte met evenveel respect behandelt als die van haarzelf: ze zou me de hele avond met rust laten en de tv niet te hard zetten.

Afgezien van al het andere kon ik het gevoel niet afschudden dat ik mijn laatste kans in de rechtszaal had verknald: het gestaag groeiende besef dat MacSharry's foto van Philomena Kavanagh me ergens aan deed denken, al had ik geen idee waaraan. Dat klinkt niet als een groot probleem, vooral niet in het licht van het soort dag dat ik net achter de rug had, en voor de meeste mensen zou het echt niets bijzonders geweest zijn. De meeste mensen hebben geen reden om te weten hoe het geheugen op hol kan slaan, ervandoor kan gaan, een wilde natuurkracht kan worden waar je rekening mee moet houden.

Een deel van je geheugen verliezen is iets eigenaardigs, een diepe zeebeving met gevolgen die zo ver van het epicentrum liggen dat ze moeilijk voorspelbaar zijn. Vanaf die dag glimmert iedere zeurende, half herinnerde gebeurtenis met een fel aura van hypnotisch, angstaanjagend potentieel: dit kan een kleinigheid zijn, of het kan de oerknal zijn die je leven en je geest wijd openblaast. In de loop der jaren was ik, als iemand die op een breuklijn woont, gaan vertrouwen op het evenwicht van de status-quo, was ik gaan geloven dat de oerknal niet meer kwam – anders was hij toch allang gekomen? Maar sinds we de zaak-Katy Devlin hadden gekregen, was er een onheilspellend gerommel en gebeef ontstaan, en ik was allesbehalve zeker meer. De foto van Philomena Kavanagh die met gespreide benen en wijd open mond op de grond lag, kon me hebben doen denken aan een scène uit een tv-programma of aan iets wat zo vreselijk was dat ik er twintig jaar lang niet aan gedacht had, en ik kon onmogelijk zeggen wat het was.

Uiteindelijk bleek het geen van beide te zijn. Ergens halverwege de nacht trof het me, toen ik zo'n beetje onrustig woelend lag te dommelen. Het trof me zo hard dat ik meteen klaarwakker met bonzend hart rechtovereind in bed zat. Ik greep de schakelaar van de lamp naast mijn bed en bleef naar de muur zitten kijken terwijl kleine, doorzichtige sliertjes voor mijn ogen ronddansten.

Nog voordat we bij de open plek kwamen, wisten we dat er iets aan de hand was, dat er iets niet goed was. De geluiden klonken verward en puntig, en er waren te veel lagen geluid, gegrom en gehijg en gepiep, verstomd tot kleine, wilde uitbarstingen die griezeliger klonken dan gebrul. 'Liggen,' fluisterde Peter, en we drukten ons nog platter tegen de grond. Wortels en takken krasten over onze kleren, en mijn voeten waren kokendheet in mijn sportschoenen. Het was een hete dag, heet en stil, de hemel blakerend blauw tussen de takken door. We kropen in slow motion tussen het kreupelhout door: zand in mijn mond, strepen zonlicht, de afschuwelijke, aanhoudende dans van een vlieg, luid als een kettingzaag bij mijn oor. Bijen bij de wilde bramen een paar meter verderop, en een straaltje zweet langs mijn rug. Peters elleboog in mijn ooghoek, voorzichtig als een kat naar voren stekend, Jamies snelle oogknipperen, vlak achter een graspluim.

Er waren te veel mensen op de open plek. Metallica hield Sandra's armen tegen de grond gedrukt en Zonnebril had haar benen vast, en Anthrax lag boven op haar. Haar rok was rond haar middel opgeschoven en haar kousen zaten vol ladders. Haar mond achter Anthrax' bewegende schouder stond roerloos wagenwijd open, met strepen roodgouden haar er voorlangs. Ze maakte rare geluiden, alsof ze wilde gillen maar in plaats daarvan bijna stikte. Metallica gaf haar een klap, en ze hield op.

We holden weg, zonder ons erom te bekommeren dat ze ons zien konden, zonder het gegil te horen: 'Jezus christus,' 'Maak dat je wegkomt!' Dat hoorden we pas later. De volgende dag zagen Jamie en ik Sandra bij de winkel. Ze had een grote trui aan en donkere vlekken onder haar ogen. We wisten dat ze ons gezien had, maar geen van ons keek naar de ander.

Het was een goddeloos tijdstip, maar toch belde ik Cassies mobiel.

'Gaat het?' vroeg ze, verward en slaperig.

'Prima. Ik heb iets, Cass.'

Ze geeuwde. 'Jezus. Dan hoop ik maar dat het de moeite waard is, droplul. Hoe laat is het eigenlijk?'

'Weet ik niet. Luister. Ergens in de loop van die zomer zagen Peter en Jamie en ik dat Jonathan Devlin en zijn vrienden een meisje aan het verkrachten waren.'

Even bleef het stil. Toen zei Cassie, plotseling een heel stuk wakkerder: 'Weet je dat zeker? Misschien heb je de zaken verkeerd...'

'Nee, ik weet het zeker. Ze probeerde te gillen, maar een van hen gaf haar een klap. Ze hielden haar tegen de grond gedrukt.'

'Heb je die jongens gezien?'

'Ja. Ja. Wij renden weg, en ze gilden ons na.'

'Jezus christus,' zei ze. Ik voelde het besef dagen: een verkracht meisje, een verkrachter in de familie, twee verdwenen getuigen. We zaten nog maar een paar stappen van een arrestatiebevel af. 'Jezus christus... Goed gedaan, Ryan. Weet je de naam van dat meisje nog?'

'Sandra nog wat.'

'Diezelfde Sandra waar je het al eerder over had? Daar gaan we morgen naar op zoek.'

'Cassie,' zei ik. 'Als dit iets wordt, hoe moeten we dan uitleggen dat we iets wisten?'

'Luister, Rob, maak je daar nou nog maar geen zorgen over, oké? Als we Sandra vinden, hebben we verder geen getuigen nodig. Anders pakken we Devlin keihard aan, slaan hem met alle details om de oren, terroriseren hem tot hij bekent... we vinden wel een manier.'

Het werd me bijna te veel, zoals ze voetstoots aannam dat de details klopten. Ik moest heel hard slikken om te voorkomen dat mijn stem zou breken. 'Wat is de verjaringstermijn voor verkrachting? Kunnen we hem daar nog op pakken, zelfs als we niet voldoende bewijs hebben voor de rest?'

'Weet ik niet. Dat zoeken we morgenochtend uit. Kun jij nog slapen, of ben je te hyper?'

'Te hyper,' zei ik. Ik zat bijna hysterisch te bibberen; het voelde aan alsof iemand ijs in mijn aderen had gespoten. 'Even praten?'

'Tuurlijk,' zei Cassie. Ik hoorde hoe ze zich opkrulde in bed, ritselende lakens; ik greep mijn wodkafles en hield de telefoon tussen schouder en oor gedrukt terwijl ik een glas inschonk.

Ze vertelde van toen ze negen was: toen had ze alle kinderen uit de buurt aangepraat dat er in de heuvels bij het dorp een betoverde wolf woonde. 'Ik zei dat ik een brief onder de vloerplanken had gevonden, waarin stond dat hij daar al vierhonderd jaar woonde, en dat hij een kaart om zijn nek had waarop stond waar een schat begraven lag. Ik organiseerde een complete jeugdbende – god, wat was ik bazig op die leeftijd – en ieder weekend gingen we de heuvels in op zoek naar die wolf. We hoefden maar een herdershond te zien of we holden krijsend weg, we vielen aan de lopende band in allerlei beekjes en we hadden een fantastische tijd...'

Ik rekte me uit in bed en nipte van mijn glas. De adrenaline was aan het wegebben en het trage ritme van Cassies stem werkte kalmerend; ik voelde me warm en plezierig moe, als een kind na een lange dag. 'En het was niet eens een Duitse herder of zo,' hoorde ik haar zeggen. 'Daar was hij veel te groot voor, en hij zag er compleet anders uit, wild,' maar ik sliep al.

# I 2

De volgende ochtend gingen we op zoek naar Sandra of Alexandra nog wat die in 1984 in Knocknaree had gewoond. Het was een van de meest frustrerende ochtenden van mijn leven. Ik belde het bevolkingsregister en kreeg een nasaal klinkende, ongeïnteresseerde vrouw die zei dat ze geen enkele informatie kon geven zolang we niet met een gerechtelijk bevel kwamen. Toen ik met enige passie vertelde dat het hier om een vermoord kind ging en ze zich realiseerde dat ik niet zou ophangen, zei ze dat ik met iemand anders moest praten, zette me in de wacht (*Eine kleine Nachtmusik*, zo te horen met één vinger gespeeld op een bejaarde Casio) en verbond me uiteindelijk door met een al even ongeïnteresseerde vrouw die me letterlijk hetzelfde vertelde.

Tegenover me deed Cassie haar best om het kiesregister voor Dublin Zuid-West uit 1988 te pakken te krijgen – tegen die tijd moest Sandra oud genoeg geweest zijn om te stemmen, maar waarschijnlijk nog te jong om op zichzelf te wonen – met in grote lijnen hetzelfde resultaat. Ik hoorde een suikerzoet gekwaak door de lijn komen, en Cassie kreeg met tussenpozen te horen dat haar telefoontje belangrijk was en binnenkort beantwoord zou worden. Ze verveelde zich en ging om de halve minuut verzitten: in kleermakerszit, op de tafelpunt, ronddraaiend in haar stoel tot ze vastraakte in het telefoonsnoer. Ik zag bijna scheel van slaapgebrek en ik plakte van het zweet – de centrale verwarming stond op volle kracht aan, hoewel het niet eens koud was – en ik kon wel gillen.

'Nou, fúck maar op,' zei ik uiteindelijk, en ik ramde de telefoon op de haak. Ik wist dat *Eine kleine Nachtmusik* nog weken door mijn hoofd zou dreinen. 'Dit heeft geen enkele zin.'

'Uw irritatie is belangrijk voor ons,' zei Cassie op zeurtoon, terwijl ze me met haar hoofd achterover over de rugleuning heen ondersteboven aankeek, 'en zal zo snél mogelijk worden verérgerd. Blijft u aan de lijn, alstublieft.'

'Stel dat die inteeltkoppen ons ooit iets geven, dan staat dat natuurlijk nooit op een schijf of in een database. Dat worden dan vijf miljoen schoenendozen vol papier zodat we iedere naam afzonderlijk moeten doornemen. Dat gaat weken duren.'

'En waarschijnlijk is ze allang verhuisd en getrouwd en geëmigreerd en dood, maar heb jij soms een beter idee?'

Plotseling had ik dat inderdaad. 'Ja,' zei ik. Ik greep mijn jas. 'Kom op.'

'Hallo? Waar gaan we heen?'

In het voorbijlopen draaide ik Cassies stoel naar de deur. 'We gaan praten met mevrouw Pamela Fitzgerald. Wie is jouw favoriete genie?'

'Meestal Leonard Bernstein,' zei Cassie, terwijl ze vrolijk de hoorn op de haak smeet en uit haar stoel stuiterde, 'maar vandaag ben jij het.'

We stopten bij Lowry's en kochten een blik spritsen voor mevrouw Fitzgerald als compensatie dat we haar tas nog steeds niet gevonden hadden. Vergissing: die generatie heeft een dwangmatige competitiedrang, en de sprits betekende dat zij een zak scones uit de diepvries moest halen en in de magnetron ontdooien, er boter op smeren en jam in een gehavend schoteltje moest gieten, terwijl ik op de rand van haar glibberige bank manisch met één knie zat te wiebelen tot Cassie me een geprikkelde blik toewierp en ik me dwong om op te houden. Ik wist dat ik die krengen moest opeten, ook, anders zou de 'Ach, toe nou'-fase uren gaan duren.

Mevrouw Fitzgerald keek streng en met samengeknepen ogen toe tot we elk een slok thee ophadden – zo sterk dat ik mijn mond voelde samentrekken – en een hap van onze scone hadden genomen. Toen leunde ze met een tevreden zucht achterover in haar stoel. 'Geef mij maar een gewone, witte scone,' zei ze. 'Die met die stukjes fruit erin blijven aan m'n gebit plakken.'

'Mevrouw Fitzgerald,' zei Cassie, 'weet u nog van die twee kinderen die een jaar of twintig geleden in het bos verdwenen zijn?' Plotseling vond ik het heel erg dat zij dit moest zeggen, maar ik kreeg de woorden zelf mijn keel niet uit. Ik wist met bijgelovige overtuiging zeker dat een trilling in mijn stem me zou verraden, mevrouw Fitzgerald zo achterdochtig zou maken dat ze me nog eens goed zou opnemen en zich zou herinneren dat ik dat derde kind was. En dan waren we daar echt de rest van de dag niet meer weggekomen.

'Natuurlijk weet ik dat nog,' zei ze verontwaardigd. 'Dat was vreselijk. En geen spoortje van ze gevonden. Geen echte begrafenis, niks.'

'Wat denkt u dat er met hen gebeurd is?' vroeg Cassie plotseling.

Ik kon haar wel schoppen vanwege de tijdverspilling, maar ik kon me wel voorstellen waarom ze dat had gevraagd. Mevrouw Fitzgerald was zo'n soort sluwe oude heks uit een sprookje, zo iemand die vanuit een vervallen hutje in het bos boosaardig en waakzaam naar buiten zit te loeren: je moest haast wel geloven dat ze je het antwoord op je raadsel zou geven, al was dat dan misschien in zo'n cryptische vorm dat je er niets mee kon.

Ze inspecteerde zorgvuldig haar scone, nam een hap en depte haar lippen met een papieren servetje. Ze liet ons wachten, ze genoot van de spanning. 'Een of andere gestoorde heeft ze in de rivier gegooid,' zei ze eindelijk. 'God hebbe hun ziel. Een of andere stakker die ze nooit hadden moeten loslaten.'

Ik merkte dat mijn lichaam de bekende, gek makende werktuiglijke reactie vertoonde op dit gesprek: trillende handen, razende hartslag. Ik zette mijn theekop neer. 'Dus u gelooft dat ze vermoord zijn,' zei ik, met diepere stem dan normaal om er zeker van te zijn dat mijn stem niet zou overslaan.

'Natuurlijk, wat dacht je dan, jongeman? Mijn moeder, ze ruste in vrede – ze leefde toen nog, ze is drie jaar daarna overleden aan de griep – die zei altijd dat de boeman hen meegenomen had. Maar goed, mijn moeder was behoorlijk ouderwets, God hebbe haar lief.' Dat laatste verraste me nogal. De boeman is iets uit een legende, iets om kinderen bang mee te maken, een wilde, slecht bedoelende afstammeling van Pan, voorvader van Puck. Hij had niet op Kiernan en McCabes lijst van mogelijke verdachten gestaan. 'Nee, ze zijn in de rivier gedumpt, anders hadden jullie mensen de lijkjes wel gevonden. Er zijn mensen die zeggen dat ze nog steeds door het bos spoken, de stumpertjes. Theresa King van de Lane heeft ze afgelopen jaar nog gezien, toen ze de was binnenhaalde.'

Ook dat had ik niet verwacht, hoewel ik er waarschijnlijk op voorbereid had moeten zijn. Twee kinderen voorgoed verdwenen in het plaatselijke bos, die moesten toch wel deel gaan uitmaken van de folklore van

Knocknaree? Ik geloof niet in geesten, maar bij de gedachte – kleine flitsende figuurtjes in het schemerlicht, woordeloze kreten – voer er een felle, ijzige kilte door me heen, samen met een eigenaardige verontwaardiging: hoe durfde een of andere vrouw van de Lane ze te zien, als ík ze niet eens zag?

'Indertijd,' zei ik, 'zei u tegen de politie dat u drie een beetje wilde jongemannen had zien rondhangen bij de rand van het bos.'

'Stelletje ongeregeld,' zei mevrouw Fitzgerald vol overtuiging. 'Op de grond spuwen en noem maar op. Mijn vader zei altijd dat je daaraan kon zien dat iemand niet opgevoed was, spuwen. Hoewel, twee van hen kwamen uiteindelijk nog goed terecht. Die jongen van Concepta Mills doet nu in computers. Hij is net naar Dublin verhuisd – Blackrock nog wel. Knocknaree was niet goed genoeg meer voor hem. Die knul van Devlin, nou, daar hebben we het al over gehad. De vader van dat arme meisje, Katy, God hebbe haar ziel. Een heel aardig iemand.'

'En de derde?' vroeg ik. 'Shane Waters?'

Ze kneep haar lippen samen en nam preuts een slokje thee. 'Daar weet ik niets van.'

'Ah... niet goed terechtgekomen, zeker?' zei Cassie vertrouwelijk. 'Mag ik nog zo'n scone, mevrouw Fitzgerald? Ik heb in tijden niet zulke lekkere scones geproefd.' Ze had überhaupt in geen tijden een scone geproefd. Ze houdt niet van scones, omdat die volgens haar niet naar eten smaken.

'Ga je gang, lieverd; ja, jij kunt wel wat vlees op je botten gebruiken. En ik heb er nog veel meer. Nu mijn dochter die magnetron voor me heeft gekocht, maak ik er vijftig tegelijk, en die vries ik allemaal in tot ik ze nodig heb.'

Cassie deed haar het plezier zorgvuldig een scone van het bord te kiezen, nam een enorme hap en zei: 'Hm-mm.' Als ze er zoveel at dat mevrouw Fitzgerald de behoefte voelde om een nieuwe voorraad te ontdooien, zou ik haar de hersens inslaan. Ze slikte haar hap door en vroeg: 'Woont Shane Waters nog in Knocknaree?'

'Die zit in Mountjoy,' zei mevrouw Fitzgerald nadrukkelijk en op onheilspellende toon. 'Dáár zit hij. Hij heeft samen met een andere jongen met een mes een benzinestation overvallen; hij heeft die stakker van een pompbediende de stuipen op het lijf gejaagd. Zijn moeder zei altijd dat het geen slechte jongen was, dat zijn vrienden hem slecht maakten, maar dit soort dingen is nergens voor nodig.' Ik wilde, even, dat we haar konden voorstellen aan Sam. Ze zouden het vast enorm goed met elkaar kunnen vinden.

'U hebt tegen de politie gezegd dat er ook wat meisjes met hen optrokken,' zei ik, terwijl ik mijn notitieboekje pakte.

Ze zoog even misprijzend op haar gebit. 'Delletjes, allebei. Ik wilde zelf in mijn jonge jaren ook nog wel eens een stukje been tonen – een prima manier om de aandacht van de jongens te trekken, nietwaar?' Ze knipoogde naar me en lachte, een roestig gekakel, maar haar hele gezicht lichtte ervan op en je kon zien dat ze mooi geweest moest zijn; een lief, brutaal meisje met een heldere oogopslag. 'Maar waar die meiden in rondliepen, dat was pure geldverspilling. Ze hadden net zo goed in hun nakie kunnen lopen, dat had geen verschil uitgemaakt. Tegenwoordig doen ze dat allemaal, de jeugd, met buiktruitjes en hotshorts of hoe het ook allemaal heten moge, maar in die tijd hadden we nog iets van fatsoen.'

'Zou u nog weten hoe die meisjes heetten?'

'Wacht even, ik kom er zo op. Een van hen was Marie Gallaghers oudste. Die zit nu al vijftien jaar in Londen, en af en toe komt ze nog eens thuis om haar dure kleren te laten zien en op te scheppen over haar dure baan, maar volgens Marie is ze in feite niets meer dan gewoon een soort secretaresse. Maar die meid had altijd al een boel eigendunk.'

Ik voelde de moed in mijn schoenen zakken – Londen – maar mevrouw Fitzgerald nam een ferme slurp van haar thee en hief een vinger. 'Claire, zo heette ze. Claire Gallagher, en zo heet ze nog steeds, want ze is nooit getrouwd. Ze had een paar jaar iets met een getrouwde man, Marie kreeg er zowat iets van, maar dat is toch uitgegaan.'

'En dat andere meisje?' vroeg ik.

'Ah, die. Die woont hier nog. Met haar moeder, in de Close, een heel eind verderop. In het mindere deel, zal ik maar zeggen. Twee kinderen en geen man. Maar goed, wat verwacht je ook? Als je problemen zoekt, vind je die maar zo. Een meisje Scully is dat. Jackie is getrouwd met die vent uit Wicklow, Tracy werkt bij een bookmaker... Sandra! Dat is het, Sandra. Sandra Scully. Opeten, die scone,' beval ze Cassie, die hem onopvallend had weggelegd en probeerde te kijken alsof ze hem helemaal vergeten had.

'Heel erg bedankt, mevrouw Fitzgerald. U hebt ons enorm geholpen,' zei ik. Cassie maakte van de gelegenheid gebruik om de rest van de scone in haar mond te proppen en weg te spoelen met thee, waarbij ze een ge-

zicht trok als een kat die zijn medicijn ingegoten krijgt. Ik stopte mijn notitieboekje weg en stond op.

'Wacht even,' zei mevrouw Fitzgerald, terwijl ze naar me gebaarde. Ze
beende de keuken in en kwam terug met een plastic zak vol bevroren scones, die ze Cassie in de handen drukte. 'Kijk eens. Die zijn voor jou. Nee,
nee, nee,' – boven Cassies protest uit; nog afgezien van persoonlijke
voedselvoorkeuren worden we niet geacht geschenken aan te nemen van
getuigen – 'dat is goed voor je. Je bent een lief meisje. Deel ze maar met je
kerel, als die zich een beetje gedraagt.'

Het mindere deel van de wijk (ik was er nooit geweest, voor zover ik me
herinnerde; wij mochten daar van onze moeders niet komen) verschilde
in wezen niet veel van het betere deel. De huizen waren iets minder
goed onderhouden, er groeiden gras en madelieven in sommige perkjes.
De muur aan het eind van Knocknaree Close was bezaaid met graffiti,
maar van het lichte soort: LIVERPOOL RULES; MARTINA + CONOR
4EVER; JONESY HOMO, voornamelijk in wat zo te zien viltstift was; bijna
ontroerend als je bedacht wat je in de echte achterstandswijken te zien
krijgt. Als ik om de een of andere reden mijn auto daar een nachtje had
moeten laten staan, had ik me geen zorgen gemaakt.

Sandra deed open. Even twijfelde ik; ze zag er anders uit dan ik me
herinnerde. Ze was zo'n meisje geweest dat vroeg tot bloei komt en dan
binnen een paar jaar, verbijsterend, verwelkt tot overgewicht. Voor mijn
wazige geestesoog was ze stevig en rond als een rijpe perzik, met een stralenkrans van roodgouden jarentachtigkrullen, maar de vrouw die de
deur opendeed was te zwaar en zakte aan alle kanten uit, met een vermoeide, achterdochtige blik en haar dat matkoper was geverfd. Even
schoot er een steek van verlies door me heen. Ik hoopte bijna dat ze het
niet was.

Toen zei ze: 'Kan ik u helpen?' Haar stem klonk dieper, en met een
ruw randje, maar ik kende die zoete, ademloze toon *('Hé, met wie van die
twee ga jij?')* Een fonkelende vingernagel van mij naar Peter, terwijl Jamie
haar hoofd schudde en 'Jakkes!' zei. Sandra had gelachen en met haar benen tegen de muur geschopt: 'Daar denk je binnenkort wel anders over!'

'Mevrouw Sandra Scully?' vroeg ik. Ze knikte terughoudend. Ik zag
dat ze ons al herkende als politie voordat we onze badge gepakt hadden,
en ze nam meteen een verdedigende houding aan. Ergens in huis krijste
een peuter en klonk een gedreun van metaal op metaal. 'Ik ben inspecteur

Ryan, en dit is inspecteur Maddox. Zij wil u graag even spreken.'

Ik voelde Cassie naast me bijna onmerkbaar reageren op mijn signaal. Als ik niet zeker van mijn zaak geweest was, had ik 'we' gezegd en hadden we de standaard Katy Devlin-vragenlijst afgewerkt tot ik wist of zij het was of niet. Maar ik wist het zeker, en Sandra zou waarschijnlijk gemakkelijker over deze zaak spreken als er geen man bij was.

Sandra's kaak verstrakte. 'Toch niet weer over Declan? Want dan kun je tegen dat oude lijk zeggen dat ik na de laatste keer zijn stereo afgenomen heb, dus als ze nú nog iets hoort, dan zijn dat de stemmen in haar hoofd.'

'Nee, nee,' zei Cassie ontspannen. 'Daar gaat het helemaal niet over. We zijn gewoon bezig met een oude zaak, en we dachten dat u zich misschien iets zou herinneren – ieder fragmentje kan van nut zijn. Mag ik even binnenkomen?'

Ze bleef Cassie een tijdje vol aanstaren en haalde toen met een verslagen gebaar haar schouders op. 'Heb ik een keuze?' Ze deed een stap achteruit en opende de deur een fractie wijder; ik rook een baklucht.

'Bedankt,' zei Cassie. 'Ik zal proberen het kort te houden.' Toen ze naar binnen ging, keek ze nog even om en wierp me een kleine, bemoedigende knipoog toe. Daarna sloeg de deur achter haar dicht.

Ze bleef een hele tijd weg. Ik zat in de auto te kettingroken tot mijn sigaretten op waren; daarna kloof ik op mijn nagelriemen, trommelde *Eine kleine Nachtmusik* op het stuur en pulkte met mijn autosleutel vuil uit de kieren van het dashboard. Ik had spijt dat we Cassie geen zendertje meegegeven hadden, voor het geval er een moment mocht komen dat het handig zou zijn als ik binnenkwam. Niet dat ik haar niet vertrouwde, maar zij was er die dag niet bij geweest en ik wel, en Sandra leek te zijn opgegroeid tot een keiharde meid. Ik wist gewoon niet zeker of Cassie wel de juiste vragen zou stellen. Ik had de raampjes omlaag gedraaid en ik hoorde de peuter nog steeds gillen en slaan; tot Sandra's stem klonk, hard, gevolgd door een klap, en de peuter aan het brullen, meer van verontwaardiging dan van pijn. Ik herinnerde me haar rechte, witte tandjes als ze lachte, en de mysterieuze vallei in de v van haar bloesje.

Het leek wel uren later toen eindelijk de voordeur dichtsloeg en Cassie met haastige stappen het tuinpad af kwam lopen. Ze stapte in en blies haar adem uit. 'Nou. Dat was een schot in de roos. Het duurde even voor ze begon te praten, maar toen ze eenmaal zover was…'

Mijn hart bonsde, van triomf of van paniek, dat wist ik niet. 'Wat zei ze?'

Cassie had haar sigaretten al in haar hand en tastte naar een aansteker. 'Rijd eerst even om de hoek of zo. Ze vond het niet prettig dat de auto voor haar huis stond. Volgens haar zie je meteen dat het politie is en gaan de buren erover praten.'

Ik reed de wijk uit, parkeerde in een haventje tegenover de opgraving, jatte een sigaret van Cassie en stak hem aan. 'Nou?'

'Weet je wat ze zei?' Cassie draaide met grof geweld het raampje omlaag en blies de rook naar buiten. Plotseling drong tot me door dat ze razend was; razend en geschokt. 'Ze zei: "Het was geen verkrachting of wat dan ook, ze dwongen me gewoon." Dat heeft ze wel drie keer gezegd. Goddank zijn de kinderen te jong om iets te maken te hebben met…'

'Cass,' zei ik, zo rustig als ik kon. 'Even vanaf het begin?'

'Het begin is dat zij verkering kreeg met Cathal Mills toen zij zestien was, en hij negentien. Mills gold, god mag weten waarom, als heel erg cool en Sandra was gek op hem. Jonathan Devlin en Shane Waters waren zijn beste vrienden. Geen van beiden hadden ze verkering, Jonathan zag Sandra wel zitten en Sandra vond hem aardig, en op een mooie dag na zo'n halfjaar verkering zegt Cathal tegen Sandra dat Jonathan het, en ik citeer, "met haar wil doen", en dat hij dat een schitterend idee vindt. Alsof hij een vriend een slok bier geeft of zo. Jezus, we hebben het hier wel over de jaren tachtig, ze hadden niet eens condooms…'

'Cass…'

Ze smeet de aansteker het raam uit, tegen een boom. Cassie kan nogal goed mikken. Hij vloog tegen de stam aan, het kreupelhout in. Ik had haar wel eens eerder driftig gezien – ik zeg altijd dat dat komt door haar Franse bloed, een mediterraan gebrek aan zelfbeheersing – en ik wist dat ze zou kalmeren nu ze zich afgereageerd had op de boom. Ik dwong me tot geduld. Ze liet zich weer tegen de rugleuning ploffen, nam een trek van haar sigaret en keek me even later met een schaapachtige grijns aan.

'Je bent me een aansteker schuldig, prima donna,' zei ik. 'Enfin, wat toen?'

'En ik krijg nog een kerstcadeautje van jou, nog van vorig jaar. Maar goed. Sandra had er uiteindelijk niet veel bezwaar tegen om zich door Jonathan te laten pakken. Het gebeurde een- of tweemaal, iedereen schaamde zich er achteraf een beetje over, ze hadden het er niet meer over en alles ging prima…'

'Wanneer was dit?'

'Begin van die zomer: juni 1984. Kennelijk kreeg Jonathan korte tijd later verkering – dat moet dan Claire Gallagher geweest zijn – en volgens Sandra heeft hij zijn schuld afbetaald. Ze had er enorme ruzie over met Cathal, maar de hele toestand had haar zo verward dat ze uiteindelijk besloot de zaak te vergeten.'

'Jezus,' zei ik. 'Kennelijk zat ik midden in de *Jerry Springer Show*. "Tienerpartnerruilers – het verhaal".' Een paar meter verderop, een paar jaar terug, hadden Jamie en Peter en ik gestoeid en geworsteld en papieren pijltjes op de vreselijk blaffende jack russell van de Carmichaels afgeschoten. Al die geheime, parallelle dimensies op zo'n onschuldig klein terrein; al die op zichzelf staande werelden op elkaar gestapeld in dezelfde ruimte. Ik dacht aan de duistere lagen van de archeologie onder de bodem waarop we stonden; aan de vos die ik door het raam gezien had, en die zijn kreet slaakte in een stad die vrijwel niets te maken had met de mijne.

'Maar toen,' zei Cassie, 'kwam Shane erachter en wilde ook meespelen. Cathal vond dat uiteraard prima, maar Sandra niet. Ze was niet op Shane gesteld – "die pukkelrukker" noemde ze hem. Ik krijg het gevoel dat hij een beetje een verschoppelingetje was, maar de andere twee gingen uit gewoonte met hem om – ze waren immers al vanaf hun kinderjaren bevriend. Cathal bleef maar aan haar hoofd zeuren – ik zou maar wat graag weten hoe Cathals internetgeschiedenis eruitziet, jij niet? – en zij bleef maar zeggen dat ze erover zou nadenken, en uiteindelijk grepen ze haar daar in dat bos: Cathal en onze vriend Jonathan hielden haar tegen de grond gedrukt en Shane verkrachtte haar. Ze weet niet meer precies wanneer het was, maar ze herinnert zich dat ze blauwe plekken op haar polsen had en dat ze zich zorgen maakte over of die over zouden zijn tegen de tijd dat ze weer naar school moest. Het moet dus ergens in augustus geweest zijn.'

'Heeft ze ons gezien?' vroeg ik, en ik probeerde mijn toon gelijkmatig te houden. Het feit dat dit verhaal een soort zwaluwstaartverbinding begon te vormen met het mijne was verontrustend maar ook heel erg spannend.

Cassie keek me aan; aan haar blik viel niets af te lezen, maar ik wist dat ze wilde kijken of ik dit allemaal wel aankon. Ik probeerde een nonchalante blik op mijn gezicht te toveren. 'Niet echt. Ze was... tja, je weet in wat voor staat ze verkeerde. Maar ze herinnert zich wel dat ze iemand in de struiken hoorde, en de jongens die aan het schreeuwen sloegen. Jonathan was achter jullie aan gerend, en toen hij terugkwam, zei hij iets in de trant van "Rotjochies".'

Ze tikte as uit het raam. Aan de stand van haar schouders kon ik zien dat dit nog niet alles was. Aan de overkant van de opgraving deden Mark en Mel en een stel anderen iets met staven en gele meetlinten, waarbij ze van alles naar elkaar riepen. Mel lachte, voluit en helder, en riep 'Had je gedroomd!'

'En?' vroeg ik toen ik het niet langer volhield. Ik trilde als een hond die het wild ruikt. Zoals ik al eerder zei, ik sla nooit verdachten, maar in gedachten zag ik allerlei melodramatische beelden van Devlin tegen een muur geramd, terwijl ik in zijn gezicht schreeuwde en de antwoorden uit hem beukte.

'Zal ik je wat zeggen?' zei Cassie. 'Ze maakte het niet eens uit met Cathal Mills. Ze heeft nog een paar maanden verkering met hem gehad, en daarna dumpte hij haar.'

Bijna had ik gezegd: 'Is dat alles?' Maar in plaats daarvan zei ik: 'Volgens mij ligt de verjaringstermijn anders als ze minderjarig was.' Mijn gedachten schoten op topsnelheid door mijn hoofd: de ene verhoorstrategie na de andere passeerde de revue. 'Misschien kan het nog. Hij klinkt wel als het soort gozer dat ik met plezier tijdens een directievergadering zou arresteren.'

Cassie schudde haar hoofd. 'Geen schijn van kans dat zij een aanklacht tegen hem indient. Volgens haar was het allemaal haar eigen schuld omdat ze überhaupt met hem geslapen had.'

'Dan gaan we maar eens met Devlin praten,' zei ik, terwijl ik de auto startte.

'Ho even,' zei Cassie. 'Er is nog iets. Misschien is het niets, maar... Toen ze klaar waren, toen zei Cathal – eerlijk, ik vind dat we hem sowieso moeten natrekken, we vinden vast wel iets waarvoor we hem kunnen aanklagen – toen zei Cathal: "Goed zo, meisje," en gaf haar een kus. Zij zat daar te bibberen, probeerde haar kleren recht te trekken en haar gedachten op een rijtje te zetten. En toen hoorden ze iets tussen de bomen, maar een paar meter van hen vandaan. Sandra zei dat ze nog nooit zoiets gehoord had. Alsof er een enorme vogel met zijn vleugels klapte, zei ze, alleen weet ze zeker dat het een stem was, die iets riep. Ze sprongen overeind en zetten het op een gillen, tot Cathal iets brulde over "Die ellendige rotjochies weer." Hij smeet een steen tussen de bomen, maar het geluid hield niet op. Het was in de schaduw, ze konden niets zien, en ze zaten te krijsen van angst. Uiteindelijk stopte het en hoorden ze het weglopen door het bos – het klonk groot, zei ze, op z'n minst zo groot als een mens. Ze maakten dat ze wegkwamen. En dan die geur, zei Sandra: een sterke dierengeur, een beetje geitachtig, of zoals je in de dierentuin ruikt.'

'Wat…?' vroeg ik. Ik was volledig verbijsterd.

'Dus dat waren jullie niet.'

'Niet dat ik me herinner,' zei ik. Ik herinnerde me dat we heel hard holden, mijn eigen adem raspend in mijn oren, niet zeker wat er aan de hand was maar ervan overtuigd dat het iets heel ergs was; ik herinnerde me dat we aan de rand van het bos met ons drieën naar elkaar stonden te kijken, hijgend en wel. Ik betwijfel serieus of we hadden besloten om terug te gaan naar de open plek om daar vreemde klapwiekende geluiden te gaan staan maken en naar geit te gaan staan ruiken. 'Dat moet ze zich ingebeeld hebben.'

Cassie haalde haar schouders op. 'Ja, dat kan. Maar ik vroeg me af of er misschien een of ander wild dier in het bos geweest kon zijn.'

Het wildste dier dat je in Ierland kunt tegenkomen is waarschijnlijk een das, maar vooral in de Midlands duiken regelmatig oerangstige geruchten op over dode schapen met uitgerukte keel, reizigers die nog laat op pad zijn en dan enorme, kromme schaduwgestalten tegenkomen met lichtgevende ogen. Meestal blijken dat verdwaalde herdershonden of huiskatten bij een slechte belichting geweest te zijn, maar sommige van die verschijningen blijven onverklaard. Ik dacht onwillekeurig aan de halen over de rug van mijn shirt. Cassie, die niet echt wilde geloven in het mysterieuze wilde dier, is er wel altijd door gefascineerd geweest – omdat de afstamming ervan teruggaat op de Zwarte Hond die middeleeuwse reizigers lastigviel, en omdat zij dol is op het idee dat niet iedere centimeter van het land in kaart gebracht en genormaliseerd is en onder camerabewaking staat, dat er nog genoeg geheime stukjes Ierland zijn waar iets ongetemds ter grootte van een poema zijn geheime gang kan gaan.

Ik vind dat ook een aantrekkelijke gedachte, maar op dat moment kon ik er even helemaal niets mee. Tijdens deze hele zaak, vanaf het moment dat de auto de heuvel over kwam en we Knocknaree voor ons uitgespreid zagen liggen, was het ondoorzichtige membraan tussen mijzelf en die dag in het bos langzaam maar genadeloos steeds dunner geworden, en intussen was het zo ragfijn dat ik de steelse bewegingen aan de andere kant kon horen, slaande vleugels en getrappel van heel kleine voetjes als een vlinder die je tussen je handen houdt. Ik had geen behoefte aan exotische theorieën over ongebruikelijke huisdieren of een overgebleven eland of het monster van Loch Ness of wat Cassie ook maar in gedachten had.

'Nee,' zei ik. 'Nee, Cass. Wij wóónden praktisch in dat bos. Als daar iets groters dan een vos had geleefd, dan hadden wij dat geweten. En dan had de politie daar sporen van gevonden. Er zat of een of andere ongewassen stinkende voyeur naar ze te kijken, of ze heeft zich alles ingebeeld.'

'Oké,' zei Cassie neutraal. Ik startte de auto weer. 'Wacht even: hoe gaan we dit aanpakken?'

'Ik ga niet weer in die kloteauto zitten wachten, hoor,' zei ik, terwijl mijn stem vervaarlijk steeg.

Ze trok haar wenkbrauwen een fractie op. 'Ik had zitten denken dat ík ditmaal in de auto moest blijven zitten – of liever, niet bepaald in de auto, maar jou afzetten en dan nog eens met die nichtjes gaan praten of zo. Stuur maar een sms als je opgehaald wilt worden. Jij en Devlin – jongens onder elkaar. Hij zal natuurlijk nooit over verkrachtingen praten als ik erbij zit.'

'O,' zei ik, licht gegeneerd. 'Oké. Bedankt, Cass. Dat klinkt goed.'

Ze stapte de auto uit en ik begon naar de passagiersstoel te schuiven, want ik dacht dat zij wilde rijden; maar ze liep naar de bomen en schopte daar wat door het kreupelhout tot ze mijn aansteker zag. 'Hier,' zei ze terwijl ze weer instapte en me een kleine, scheve glimlach schonk. 'En nu wil ik mijn kerstcadeautje.'

# 13

Toen ik voor het huis van de Devlins stopte, zei Cassie: 'Rob misschien heb je er al aan gedacht, maar dit kan natuurlijk ook een aanwijzing voor iets heel anders zijn.'

'Hoezo?' vroeg ik afwezig.

'Weet je nog wat ik zei over dat "symbolische" aspect aan Katy's verkrachting? Dat het helemaal niets seksueels leek? Je geeft ons iemand die een niet-seksueel motief heeft voor het verlangen om Devlins dochter te verkrachten, en bovendien iemand die wel een instrument móét gebruiken.'

'Sandra? Plotseling, twintig jaar later?'

'Al die publiciteit over Katy – dat krantenartikel, de geldinzameling... Dat kan haar aan het denken gezet hebben.'

'Cassie,' zei ik, nadat ik diep ademgehaald had, 'ik ben maar een simpele plattelander. Ik concentreer me bij voorkeur op het meest voor de hand liggende. En het meest voor de hand liggende is momenteel Jonathan Devlin.'

'Ik zeg het alleen maar. Misschien hebben we er nog een keer iets aan.' Ze stak een hand uit en wreef even, snel en onbeholpen, door mijn haar. 'Zet 'm op, plattelander. Veel succes.'

Jonathan was alleen thuis. Margaret was met de meisjes naar haar zus, zei hij, en ik vroeg me af voor hoe lang en waarom. Hij zag er vreselijk uit. Hij was zoveel afgevallen dat zijn kleren en zijn gezicht los om hem heen hingen, en zijn haar was nu nog korter, dicht tegen zijn hoofd aan; door dat haar zag hij er op de een of andere manier eenzaam en wanhopig uit, en ik dacht aan oude beschavingen waar nabestaanden hun haar offeren op de brandstapel van hun geliefde. Hij gebaarde me naar de bank en ging in een leunstoel tegenover me zitten, naar voren geleund met zijn ellebogen op zijn knieën en zijn handen ineengeklemd. Het huis voelde verlaten aan; het rook er niet naar eten, er dreunden geen tv of wasmachine op de achtergrond, er lagen geen open boeken op stoelleuningen, geen enkel teken dat hij wat dan ook had gedaan op het moment dat ik arriveerde.

Hij bood me geen thee aan. Ik vroeg hoe ze het redden ('Wat denk je zelf?'), legde uit dat we een aantal aanwijzingen aan het natrekken waren, weerde zijn norse vragen over nadere informatie af, vroeg of hijzelf nog iets had bedacht dat van belang kon zijn. De wilde drang die ik in de auto had gevoeld, was verdwenen zodra hij de deur opendeed; ik voelde me rustiger en helderder dan in weken het geval was geweest. Margaret en Rosalind en Jessica hadden elk moment kunnen terugkomen, maar op de een of andere manier wist ik zeker dat dat niet zou gebeuren. De ramen waren smerig aan het worden, en de late namiddagzon die erdoorheen filterde, gleed verwarring zaaiend van vitrinekasten en het gladgeboende hout van de eettafel af, waardoor de kamer een streperig soort onderwaterlicht kreeg. Ik hoorde een klok zwaar en pijnlijk traag tikken in de keuken, maar afgezien daarvan was er niets te horen, zelfs buiten niet; heel Knocknaree had zijn biezen kunnen pakken en met de noorderzon kunnen verdwijnen, behalve ik en Jonathan Devlin. We waren alleen, tegenover elkaar aan weerszijden van die kleine salontafel vol kringen, en de antwoorden waren zo dichtbij dat ik ze hoorde stommelen en kwetteren in de hoeken van de kamer; ik hoefde me geenszins te haasten.

'Wie van jullie is de Shakespeare-fan?' vroeg ik uiteindelijk, terwijl ik mijn notitieboekje wegborg. Niet dat dat iets uitmaakte, uiteraard, maar ik dacht dat hij daardoor misschien iets afgeleid zou worden. En bovendien intrigeerde het me.

Geïrriteerd fronste Jonathan zijn voorhoofd. 'Wat?'

'De namen van jullie dochters,' zei ik. 'Rosalind, Jessica, Katharine met een A; allemaal namen uit komedies van Shakespeare. Ik nam aan dat dat een bewuste keuze was.'

Hij knipperde met zijn ogen, voor het eerst met iets van warmte, en hij glimlachte half. Het was een aantrekkelijke glimlach, blij maar verlegen, als een jongetje dat heeft staan wachten of iemand zijn nieuwe padvindersmedaille zal opmerken. 'Weet u dat u de eerste bent die dat opgevallen is? Ja, dat was ik.' Bemoedigend trok ik een wenkbrauw op. 'Ik heb na mijn trouwen een soort educatieve inhaalslag gemaakt, zou je kunnen zeggen – geprobeerd alles te lezen wat je gelezen hoort te hebben: Shakespeare, Milton, George Orwell... Milton was ik niet weg van, maar Shakespeare... niet echt toegankelijk, maar ik heb uiteindelijk alles van hem gelezen. Ik plaagde Margaret er altijd mee dat we de tweeling, als het een jongen en een meisje waren geweest, Viola en Sebastian zouden noemen, uit *De twaalfde nacht*, maar volgens haar zouden ze dan uitgelachen worden op school...'

Zijn glimlach vervaagde en hij wendde zijn blik af. Ik wist dat dit mijn kans was, nu, terwijl hij me nog mocht. 'Prachtige namen,' zei ik. Hij knikte afwezig. 'Nog iets: kent u misschien de namen Cathal Mills en Shane Waters?'

'Hoezo?' vroeg Jonathan. Ik dacht dat ik even een flits van argwaan in zijn blik zag, maar hij zat met zijn rug naar het raam en het viel moeilijk te zeggen.

'Die namen zijn gevallen in verband met ons onderzoek.'

Zijn wenkbrauwen zakten een eind omlaag en ik zag zijn schouders verstrakken als die van een vechthond. 'Zijn die dan verdacht?'

'Nee,' zei ik zonder aarzelen. En al waren ze dat wel geweest, dan nog had ik het hem niet verteld – niet alleen vanwege de procedure, maar ook omdat Jonathan veel te driftig was. Die razende geladenheid, gespannen als een veer: als hij onschuldig was, althans aan Katy's dood, dan had hij waarschijnlijk bij het geringste spoor van onzekerheid met een uzi bij hen op de stoep gestaan. 'We trekken gewoon alle aanwijzingen na. Wat kunt u me over hen vertellen?'

Hij bleef me nog een tijdje aankijken, zakte toen onderuit en leunde naar achteren in zijn stoel. 'Als kinderen waren we bevriend. We hebben nu al in geen jaren contact gehad.'

'Wanneer bent u met hen bevriend geraakt?'

'Toen onze families hier kwamen wonen. Dat moet dan in 1972 geweest zijn. Wij waren de eerste drie gezinnen hier in de wijk, helemaal bovenaan – de rest was nog in aanbouw. We konden overal rondrennen. We speelden in de bouwputten als de bouwvakkers naar huis waren – het was één groot doolhof. We moeten een jaar of zes, zeven geweest zijn.'

In zijn stem lag een klank, een diepe onderstroom van nostalgie, waardoor ik me realiseerde hoe eenzaam hij moest zijn; niet alleen nu, niet pas sinds Katy's dood. 'En hoe lang bent u bevriend gebleven?' vroeg ik.

'Moeilijk te zeggen. We begonnen uit elkaar te groeien rond ons negentiende, maar ook toen hebben we nog een hele tijd contact gehouden. Hoezo? Wat heeft dat ermee te maken?'

'We hebben twee afzonderlijke getuigen,' zei ik, zonder uitdrukking in mijn stem, 'die zeggen dat u, Cathal Mills en Shane Waters in de zomer van 1984 deelnamen aan de verkrachting van een meisje uit Knocknaree.'

Hij veerde overeind en balde zijn handen tot vuisten. 'Wat... wat heeft dat verdómme nog aan toe te maken met Katy? Wou u soms beweren... verdómme!'

Ik keek hem neutraal aan en liet hem uitspreken. 'Het valt me anders wel op dat u de aantijging niet ontkend hebt,' zei ik.

'En ik heb niets toegegeven, ook. Heb ik hier een advocaat bij nodig?'

Geen advocaat ter wereld zou hem nu nog iets laten zeggen. 'Luister,' zei ik. Ik leunde voorover en ging over op een gemakkelijke, vertrouwelijke toon, 'ik ben van Moordzaken, niet van Zedenmisdrijven. Ik ben alleen geïnteresseerd in een verkrachting van twintig jaar geleden als...'

'Verméénde verkrachting.'

'Ja, daar hebt u gelijk in. Vermeende verkrachting. Mij maakt het niet uit, tenzij het iets met de moord te maken heeft. Dat is het enige wat ik wil uitzoeken.'

Jonathan haalde adem om iets te gaan zeggen; even dacht ik dat hij me de deur uit zou zetten. 'We moeten één ding rechtzetten, wilt u nog een seconde in mijn huis doorbrengen,' zei hij. 'Ik heb mijn dochters met geen vinger aangeraakt. Nooit.'

'Niemand beschuldigt u van...'

'Dat suggereert u al vanaf de eerste dag, en ik hou niet van insinuaties. Ik ben dol op mijn dochters. Ik geef ze een kus bij het slapengaan. Meer niet. Ik heb geen van drieën ooit aangeraakt op een manier die wie dan ook fout kon noemen. Duidelijk?'

'Luid en duidelijk,' zei ik, en ik probeerde het niet sarcastisch te laten klinken.

'Mooi zo.' Hij knikte: een scherpe, beheerste knik. 'Wat betreft die andere toestand: ik ben niet achterlijk, inspecteur Ryan. Stel dat ik iets gedaan zou hebben waardoor ik in de gevangenis kon belanden, waarom zou ik u dat dan vertellen?'

'Luister,' zei ik ernstig, 'we overwegen de mogelijkheid,' – *dank je, Cassie* – 'dat het slachtoffer iets te maken kan hebben met Katy's dood, als wraak voor die verkrachting.' Hij kreeg ogen op steeltjes. 'Het is een kleine kans, en we hebben absoluut geen bewijs, dus u mag hier niet te veel waarde aan hechten. En ik wil al helemáál niet hebben dat u op wat voor manier dan ook contact met haar opneemt. Als er inderdaad iets in zit, dan kan dat de hele zaak verpesten.'

'Ik zou geen contact met haar opnemen. Ik zei al, ik ben niet achterlijk.'

'Mooi. Ik ben blij dat dat duidelijk is. Maar ik wil wel graag uw versie van het verhaal horen.'

'En dan? Kom ik dan voor de rechter?'

'Ik kan niets garanderen,' zei ik. 'Ik ga u beslist niet arresteren. Het is niet aan mij om te beslissen wat er gebeuren moet: dat is aan de aanklager en aan het slachtoffer. Maar ik betwijfel of zij dat zal willen. En ik heb u nog niet op uw rechten gewezen, dus niets van wat u zegt is toelaatbaar voor de rechter. Ik moet alleen weten hoe het gebeurd is. Aan u de keuze, meneer Devlin. Hoe graag wilt u dat ik Katy's moordenaar vind?'

Jonathan nam er de tijd voor. Hij bleef zitten waar hij zat, naar voren geleund en met zijn handen ineengeklemd, en wierp me een lange, argwanende blik toe. Ik probeerde er betrouwbaar uit te zien en niet met mijn ogen te knipperen.

'Kon ik het maar duidelijk maken,' zei hij uiteindelijk, bijna in zichzelf. Hij hees zich rusteloos overeind uit zijn stoel en liep naar het venster, waar hij tegen het raam leunde; telkens wanneer ik met mijn ogen knipperde, rees voor mijn oogleden zijn silhouet op, met lichte randen afstekend tegen de ruit. 'Hebt u vrienden die u al van kinds af aan kent?'

'Niet echt, nee.'

'Niemand kent je zo goed als de mensen met wie je opgroeit. Ik kan Cathal of Shane morgen tegen het lijf lopen, na al die tijd, en dan weten zij nog steeds meer over mij dan Margaret. Wij stonden elkaar nader dan de meeste broers. Geen van ons kwam uit wat je een gelukkig gezin kunt noemen: Shane heeft zijn vader nooit gekend, die van Cathal deugde nergens voor en heeft zijn leven lang geen dag eerlijk werk verricht, mijn ouders waren allebei aan de drank. Dat is allemaal niet bedoeld als excuus, hoor; ik probeer alleen uit te leggen wat wij voor elkaar betekenden. Toen we tien waren, werden we bloedbroeders – hebt u dat ooit gedaan? In je polsen snijden en die dan tegen elkaar drukken?'

'Volgens mij niet,' zei ik. Heel even vroeg ik me af of wij dat gedaan hadden. Het klonk wel als een daad die typisch iets voor ons was.

'Shane durfde niet goed, maar Cathal haalde hem over. Die kon een eskimo een koelkast aansmeren, Cathal.' Hij glimlachte een beetje: ik hoorde het aan zijn stem. 'Toen we *De drie musketiers* op tv hadden gezien, besloot Cathal dat dat ons motto zou worden: allen voor één en één voor allen. We moesten elkaar beschermen, zei hij, want we hadden verder niemand. En dat was ook zo.' Hij keek me even aan: een korte, vorsende blik. 'Hoe oud bent u... dertig, vijfendertig?'

Ik knikte.

'Dan hebt u het ergste gemist. Toen wij van school kwamen, was het begin jaren tachtig. Dit land lag op z'n knieën. Er was geen werk: niets. Als je niet in papa's zaak kon aanschuiven, moest je emigreren of de bijstand in. Zelfs als je voldoende geld en goede cijfers had om te gaan studeren – niet dat wij een van beide hadden – dan was dat niet meer dan een paar jaar uitstel. Wij hadden niets te doen, behalve rondhangen; niets om naar uit te kijken, niets om naar te streven; helemaal niets, behalve elkaar. Ik weet niet of u begrijpt wat een kracht er in zo'n band schuilt. Gevaarlijk.'

Ik wist niet zeker wat ik vond van de richting waarin dit leek te gaan, maar ik voelde een plotselinge, onwelkome steek van iets als jaloezie. Op school had ik van dat soort vriendschappen gedroomd: de stalen band van soldaten in de oorlog of krijgsgevangenen, het mysterie dat alleen mannen in extremis kunnen doorgronden.

Jonathan haalde diep adem. 'Maar goed. Toen kreeg Cathal verkering met een meisje – Sandra. Eerst voelde het wel raar aan: we waren allemaal wel eens uit geweest met een meisje, maar geen van ons had ooit een echt vriendinnetje gehad. Maar ze was geweldig, Sandra; geweldig. Altijd lachen, en dan die onschuld van haar. Volgens mij was ze ook míjn eerste liefde... Toen Cathal zei dat zij mij ook leuk vond en dat ze wel met mij wilde, toen was ik de koning te rijk.'

'En vond u dat niet... tja, een beetje eigenaardig, op zijn minst?'

'Niet zo eigenaardig als je zou denken. Ja, nú klinkt het krankzinnig; maar wij hadden altijd alles gedeeld. Dat was een van onze regels. Dit leek gewoon meer van hetzelfde. Rond die tijd had ikzelf ook verkering met een meisje, en zij ging met Cathal mee, geen centje pijn – ik denk dat ze sowieso alleen maar met mij wilde omdat Cathal al bezet was. Hij zag er stukken beter uit dan ik.'

'Shane,' zei ik, 'lijkt buiten de boot te vallen.'

'Ja. Zo liep het ook allemaal fout. Shane kwam erachter, en hij werd razend. Volgens mij was hij ook gek op Sandra; maar erger nog, hij had het gevoel dat wij hem verlinkt hadden. Hij was er helemaal kapot van. We hadden er wekenlang vrijwel iedere dag enorme ruzies over. De helft van de tijd wilde hij niet eens met ons praten. Ik voelde me ellendig, ik had het gevoel dat alles in elkaar aan het storten was – je weet hoe dat gaat op die leeftijd, alles kan het eind van je wereld betekenen…'

Hij zweeg. 'En toen?' vroeg ik.

'Toen haalde Cathal het in zijn hoofd dat Sandra tussen ons in gekomen was, en dat Sandra ons dus weer bijeen moest brengen. Hij was geobsedeerd, hij kon er maar niet over ophouden. Als we het allemaal met hetzelfde meisje deden, zei hij, dan was dat de bezegeling van onze vriendschap – zoiets als dat met die bloedbroeders, maar dan sterker. Ik weet niet meer of hij dat nou echt geloofde of dat hij… ik weet het niet. Hij had een vreemd trekje, Cathal, vooral bij dingen als… Nou ja. Ik had mijn twijfels, maar hij ging er maar over door, en natuurlijk stond Shane vierkant achter hem…'

'Het kwam bij geen van jullie drieën op om Sandra's mening hierover te vragen?'

Met een zachte bons liet Jonathan zijn hoofd weer tegen de ruit vallen. 'Dat hadden we moeten doen,' zei hij zachtjes. 'God weet dat we dat hadden moeten doen. Maar we leefden in een aparte wereld, wij drieën. Niemand anders leek echt – ik was weg van Sandra, maar op dezelfde manier waarop ik weg was van prinses Leia of wie we die week maar leuk vonden, niet zoals je van een echte vrouw houdt. Dat is geen excuus, er is geen excuus mogelijk voor wat wij gedaan hebben. Geen enkel. Maar wel een reden.'

'Wat is er gebeurd?'

Hij wreef met een hand over zijn gezicht. 'We waren in het bos,' zei hij. 'Met ons vieren; ik had het uitgemaakt met Claire. Op die open plek waar we soms heen gingen. Ik weet niet of u dat nog weet, maar het was dat jaar een schitterende zomer – zo heet als in Griekenland of waar dan ook, geen wolkje aan de hemel, licht tot halfelf 's avonds. We waren de hele dag buiten, in het bos of bij de bosrand. We waren zwartgeblakerd, ik leek wel een Italiaanse student afgezien van een stel krankzinnige witte kringen rond mijn ogen, van mijn zonnebril…

Het was laat in de middag. We hadden de hele dag op die open plek zitten drinken, een paar joints gerookt. Volgens mij waren we beslist niet meer helder; niet alleen door de cider en de hasj, maar door de zon en door dat hyper gevoel dat je op die leeftijd soms hebt… Ik had zitten armworstelen met Shane – die voor de verandering eens een keer in een goede bui was – en ik had hem laten winnen, en we waren gewoon wat aan het stoeien, we duwden elkaar en we deelden meppen uit op het gras, u weet hoe dat gaat als je jong bent. Cathal en Sandra stonden te gillen en ons aan te moedigen, en toen begon Cathal Sandra te kietelen – en zij begon te lachen en te gillen. Ze vielen en kwamen onder onze voeten terecht; wij vielen in een hoop over hen heen. En plotseling brulde Cathal: "Nu!"'

Ik wachtte een hele tijd. 'Hebben jullie haar alle drie verkracht?' vroeg ik na een tijd.

'Alleen Shane. Niet dat het daar beter van wordt. Ik heb geholpen haar in bedwang te houden...' Hij ademde snel, tussen zijn tanden door, in. 'Zoiets had ik nog nooit meegemaakt. Volgens mij waren we niet goed bij ons hoofd. Het voelde niet echt aan. Het leek wel een nachtmerrie, of een bad trip. Het was bloedheet, ik zweette als een otter, ik voelde me licht in het hoofd. Ik keek naar de bomen om ons heen en ik kreeg de indruk dat ze steeds dichterbij kwamen, dat ze nieuwe takken vormden en dat die zich om ons heen zouden slingeren om ons te verzwelgen; en alle kleuren zagen er verkeerd uit, anders, zoals in van die oude, ingekleurde films. De hemel was bijna helemaal wit geworden en er dansten dingen voor langs; kleine, zwarte dingetjes. Ik keek om – ik had het gevoel dat ik de anderen moest waarschuwen dat er iets aan de hand was, dat er iets fout was – en ik hield haar tegen de grond gedrukt, maar ik voelde mijn handen niet, ze leken niet op de mijne. Ik had geen idee wiens handen dat waren. Ik was als de dood. Cathal zat tegenover me en zijn ademhaling klonk alsof niets in de wereld meer herrie kon maken, maar ik herkende hem niet, ik had geen idee wie dat was of wat we daar aan het doen waren. Sandra verzette zich en er klonken allemaal geluiden en... Jezus. Een seconde lang dacht ik echt dat wij jagers waren en dat dit een, een dier was dat we aangeschoten hadden en dat Shane nu aan het doden was...'

De toon van het geheel stond me niet meer echt aan. 'Als ik u goed begrijp,' zei ik kil, 'verkeerde u dus onder invloed van alcohol én van verboden middelen, u leed wellicht aan zonnesteek, en u verkeerde hoogstwaarschijnlijk in een staat van aanzienlijke opwinding. Denkt u niet dat die factoren iets te maken kunnen hebben gehad met deze ervaring?'

Jonathan keek me even aan; toen haalde hij zijn schouders op, een verslagen gebaar. 'Dat zal wel, ja,' zei hij zachtjes. 'Ik neem het aan. Nogmaals, ik zeg niet dat een van die dingen een excuus zijn. Ik zeg het alleen maar. U vroeg ernaar.'

Het was natuurlijk een absurd verhaal, melodramatisch en egocentrisch en volslagen voorspelbaar: iedere misdadiger die ik ooit heb verhoord, had een lang, ingewikkeld verhaal waaruit onomstotelijk bleek dat het in feite niet zijn schuld was of dat het niet zo erg was als het leek, en de meeste van die verhalen waren een heel stuk beter dan dit. Wat me dwarszat was dat ik het ergens tóch geloofde. Ik was helemaal niet overtuigd van Cathals idealistische motieven, maar Jonathan was dolende in het wilde grensgebied van zijn negentien jaar, half verliefd op zijn vrienden met een liefde die verder ging dan de liefde voor vrouwen, wanhopig op zoek naar een mystiek ritueel dat de tijd terug zou draaien en hun uiteenvallende privéwereld weer in elkaar zou zetten. Het kon niet moeilijk voor hem geweest zijn dit te zien als een daad van liefde, hoe duister en verwrongen en onvertaalbaar naar de buitenwereld het verhaal ook klonk. Niet dat dat enig verschil uitmaakte; ik vroeg me af wat hij nog meer gedaan zou hebben voor de goede zaak.

'En u hebt intussen geen contact meer met Cathal Mills en Shane Waters?' vroeg ik. En ja, ik weet het: dat was een beetje wreed van me.

'Nee,' zei hij op gedempte toon. Hij wendde zijn blik af, keek het raam uit, en lachte een vreugdeloos lachje. 'En dat na die hele toestand. Cathal en ik sturen elkaar kerstkaarten; zijn vrouw zet zijn naam erbij. Van Shane heb ik al in geen jaren iets gehoord. Ik heb hem nog wel eens geschreven, maar nooit antwoord gekregen. Toen ben ik er maar mee opgehouden.'

'U begon niet lang na de verkrachting uit elkaar te groeien.'

'Heel traag – het duurde jaren. Maar inderdaad, goed beschouwd neem ik aan dat het die dag in het bos begon. Achteraf was het heel ongemakkelijk – Cathal wilde er steeds maar weer over praten, en daar werd Shane bloednerveus van. Ik voelde me zo verschrikkelijk schuldig dat ik er niet eens aan wilde denken... Ironisch, nietwaar? En wij maar denken dat deze daad ons voorgoed samen zou brengen.' Hij schudde zijn hoofd, met een snel gebaar als een paard dat een vlieg verjaagt. 'Maar ik denk dat we toch wel uiteengegroeid zouden zijn. Zo gaat dat nu eenmaal. Cathal verhuisde, ik trouwde...'

'En Shane?'

'Ik wil wedden dat u weet dat Shane in de bak zit,' zei hij droog. 'Shane... Kijk, als die stomme klojo tien jaar later geboren was, was er niks aan de hand geweest. Ik zeg niet dat hij er een enorm succes van gemaakt had, maar dan had hij een fatsoenlijke baan en een gezin gehad. Shane was een slachtoffer van de jaren tachtig. Er zit daar een hele generatie die tussen de wal en het schip geraakt is. Tegen de tijd dat de economie aantrok, was het voor de meesten van ons te laat: we waren te oud om nog opnieuw te beginnen. Cathal en ik hebben gewoon geluk gehad. Ik was overal slecht in, maar ik kon wel goed rekenen, een goed cijfer op mijn einddiploma, dus uiteindelijk zag ik kans een baan bij een bank te veroveren. En Cathal kende een of andere rijke gozer met een computer, en die vent leerde hem ermee te werken, gewoon voor de lol, dus een paar jaar later, toen iedereen wanhopig op zoek was naar mensen die met computers konden omgaan, was hij een van de weinigen in heel Ierland die meer kon doen dan zo'n kreng aan- en uitzetten. Cathal kwam altijd weer op zijn pootjes terecht. Maar Shane... die had geen baan, geen opleiding, geen vooruitzichten, geen familie. Wat kon hij nog verliezen als hij het slechte pad opging?'

Ik vond het moeilijk om iets van sympathie op te brengen voor Shane Waters. 'De minuten meteen na de verkrachting,' zei ik, bijna tegen mijn wil, 'hebt u toen nog iets ongewoons gehoord – misschien iets als een grote vogel die met zijn vleugels klapperde?' Dat deel over dat het wel een stem leek, liet ik maar weg. Zelfs op dit soort momenten is er een grens aan hoezeer ik voor paal wil staan.

Jonathan wierp me een rare blik toe. 'Het hele bos zat vol vogels, vossen, noem maar op. Eentje meer of minder zou mij niet opgevallen zijn, en op dat moment al helemaal niet. Ik weet niet of ik u enig idee heb gegeven van de staat waarin we verkeerden. Niet alleen ik, weet u. Het leek wel of we van de speed af kwamen. Ik schudde over mijn hele lijf, ik kon amper uit mijn ogen kijken, alles gleed opzij. Sandra was... Sandra lag naar adem te happen alsof ze geen lucht kreeg. Shane lag met trekkende armen en benen op de grond omhoog te staren. Cathal barstte in lachen uit, hij wankelde brullend rond de open plek. Ik zei dat ik hem in elkaar zou rammen als hij niet...' Jonathan zweeg plotseling.

'Wat is er?' vroeg ik even later.

'Dat was ik vergeten,' zei hij langzaam. 'Ik, eh... ja. Ik denk er sowieso niet graag aan. Als het al iets was, hoor. Maar zoals wij eraan toe waren had het net zo goed inbeelding kunnen zijn.'

Ik wachtte. Na een hele tijd zuchtte hij en maakte een ongemakkelijke beweging, een soort schokschouderen. 'Tja. Ik herinner het me zo: ik greep Cathal en zei dat hij zijn bek moest houden of hij kreeg een rotklap, en hij hield op met lachen en greep me bij mijn T-shirt; hij zag er doorgedraaid uit en even dacht ik dat het op een gevecht zou uitlopen. Maar er lachte nog iemand – niet een van ons; ergens tussen de bomen. Sandra en Shane zetten het allebei op een gillen, en misschien ik ook wel, ik weet het niet meer, maar het werd alleen maar steeds harder en harder, een reuzenstem, lachend… Cathal liet me los en brulde iets over die rotjochies, maar het klonk niet als…'

'Rotjochies?' vroeg ik koeltjes. Ik moest me beheersen om er niet als een speer vandoor te gaan. Er was geen enkele reden waarom Jonathan me zou herkennen – ik was gewoon een jongetje uit de buurt geweest, mijn haar was in die tijd een heel stuk blonder, ik sprak anders en ik heette anders – maar plotseling voelde ik me afgrijselijk naakt en onbeschermd.

'Eh, er was een stel kinderen uit de wijk – klein nog, een jaar of tien, twaalf – dat in dat bos speelde. Soms bespioneerden ze ons, gooiden ze dingen naar ons om dan hard weg te lopen, u weet hoe dat gaat. Maar dit klonk niet als een kind. Het klonk als een man – jong, denk ik, zowat van onze leeftijd. Geen kind.'

Een fractie van een seconde lang maakte ik bijna gebruik van deze voorzet. De flits van argwaan was verdwenen en het snelle gefluister in de hoeken was gestegen tot een stilzwijgende schreeuw, dichtbij, heel dichtbij. Het lag op de punt van mijn tong: *En zaten ze die dag dan niet naar u te loeren, die kinderen? Was u niet bang dat ze het zouden doorvertellen? Wat hebt u gedaan om dat te voorkomen?* Maar de speurder in mij hield me tegen. Ik wist dat ik maar één kans zou krijgen, en dat moment moest op mijn eigen terrein zijn, met alle munitie die ik in de strijd kon werpen.

'Is een van u gaan kijken wat het was?' vroeg ik in plaats daarvan.

Jonathan dacht even na, zijn ogen neergeslagen, zijn blik gespannen. 'Nee. Ik zei al, we verkeerden toch al in een soort shock en dit was meer dan we aankonden. Ik was als verstijfd, ik had me onmogelijk kunnen verroeren. Het werd steeds harder, tot ik dacht dat de hele wijk eraan zou komen om te zien wat er aan de hand was, en wij stonden nog steeds te gillen… Eindelijk hield het op – het bos in verdwenen misschien, ik weet het niet. Shane bleef maar krijsen tot Cathal hem een klap tegen zijn achterhoofd gaf en zei dat hij zijn muil moest houden. We maakten dat we wegkwamen. Ik ging naar huis, jatte wat drank van mijn vader en zoop me helemaal klem. Ik weet niet wat de anderen gedaan hebben.'

Dat was dan Cassies mysterieuze wilde dier. Maar de kans was natuurlijk groot dat er die dag iemand in het bos was geweest, iemand die, als hij de verkrachting had gezien, naar alle waarschijnlijkheid ook óns had gezien; iemand die daar misschien een week of twee later weer geweest was.

'Hebt uzelf enig idee wie die lachende persoon geweest kan zijn?' vroeg ik.

'Nee. Volgens mij heeft Cathal daar later nog naar gevraagd. Hij zei dat we moesten weten wie het was, hoeveel hij gezien had. Ik heb geen idee.'

Ik stond op. 'Bedankt voor uw tijd, meneer Devlin,' zei ik. 'Misschien zal ik u hier later nog meer vragen over moeten stellen, maar voorlopig is dit genoeg.'

'Wacht,' zei hij plotseling. 'Denkt u dat Sandra Katy heeft vermoord?'

Hij zag er klein en zielig uit, zoals hij daar bij het raam stond met zijn vuisten gebald in de zakken van zijn vest, maar hij had nog wel een zekere verdwaalde waardigheid. 'Nee,' zei ik. 'Dat denk ik niet. Maar we moeten alle mogelijkheden nagaan.'

Jonathan knikte. 'Dat betekent dus dat u nog geen echte verdachte hebt,' zei hij. 'Nee, ik weet het, ik weet het, u mag niets zeggen... Als u Sandra spreekt, zeg dan dat het me spijt. We hebben iets vreselijks gedaan. Ik weet dat het een beetje te laat is voor excuses, daar had ik twintig jaar geleden aan moeten denken, maar... zegt u het toch maar.'

Die avond ging ik naar Mountjoy om Shane Waters te spreken. Cassie zou vast en zeker meegekomen zijn als ik haar had verteld wat ik van plan was, maar ik wilde dit zo veel mogelijk in mijn eentje opknappen. Shane had een rattenkop met zenuwtrekjes, hij had een weerzinwekkend smal snorretje en hij had nog steeds pukkels. Hij deed me denken aan Wayne de junkie. Ik haalde alles uit de kast en beloofde hem alles wat ik maar verzinnen kon – onschendbaarheid, vervroegde vrijlating na zijn gewapende overval – op basis van het vertrouwen dat hij vast niet slim genoeg was om te weten wat ik wel en niet kon bewerkstelligen, maar (altijd een blinde vlek van mij) ik had de macht van de stommiteit onderschat: met de gek makende koppigheid van iemand die allang geleden gestopt is te proberen mogelijkheden en gevolgen te analyseren hield Shane zich bij de ene optie die hij begreep. 'Ik weet van niks,' zei hij, keer op keer en met een soort bloedeloze tevredenheid waardoor ik wel kon gillen. 'En je kunt me niks maken.' Sandra, de verkrachting, Peter en Jamie, zelfs Jonathan Devlin: 'Ik weet niet waar je het over hebt, man.' Ik hield op toen ik besefte dat ik op het punt stond met dingen te gaan smijten.

Op weg naar huis slikte ik mijn trots in en belde Cassie, die niet eens probeerde te doen alsof ze zich niet had zitten afvragen waar ik heen was. Zijzelf was die avond bezig geweest Sandra Scully's alibi na te trekken. Op de avond in kwestie had Sandra gewerkt bij een callcenter in Dublin. Haar supervisor en alle anderen uit haar ploeg hadden bevestigd dat ze er tot kort voor twee uur geweest was. Op dat moment had ze uitgeklokt en was ze met de nachtbus naar huis gegaan. Dit was goed nieuws – het was tenminste duidelijk, en ik had niet graag aan Sandra gedacht als mogelijke moordenares – maar er ging wel een steek door me heen bij de gedachte aan haar in een benauwd hokje met tl-licht, omringd door parttimestudenten en acteurs in afwachting van hun volgende rol.

Ik zal jullie de details besparen, maar we besteedden veel tijd en aandacht, voor het merendeel min of meer legaal, aan de keuze van het slechtste moment om met Cathal Mills te gaan praten. Hij had een of andere hoge positie met een waanzinnige titel, bij een bedrijf dat handelde in 'lokalisatieoplossingen voor bedrijfsmatige e-learning software'. Ik was onder de indruk: ik had niet gedacht dat ik een nog grotere hekel aan hem kon krijgen dan ik al had. Dus gingen we halverwege een bijzonder belangrijke bespreking met een grote mogelijke nieuwe klant naar hem toe. Zelfs het gebouw zelf deed griezelig aan: lange gangen zonder ramen en eindeloze trappen die je richtingsgevoel volledig naar de knoppen hielpen, lauwe lucht uit blik met onvoldoende zuurstof erin, een zacht, stompzinnig gonzen van computers en gedempte stemmen en enorme rijen hokjes als rattendoolhoven in het laboratorium van een doorgedraaide wetenschapper. Cassie wierp me met grote ogen een blik vol afgrijzen toe terwijl we achter een of andere zombie aan door de vijfde deur met een pasjesbeveiliging liepen.

Cathal zat in de directiekamer en was gemakkelijk te herkennen: hij was degene met de PowerPoint-presentatie. Hij zag er nog steeds goed uit – lang, met brede schouders, helderblauwe ogen en harde, gevaarlijke botten – maar zijn taille en zijn kaaklijn begonnen schuil te gaan onder vet; over een paar jaar zou hij op een varken lijken. De nieuwe klant bestond uit vier identieke, humorloze Amerikanen in ondoorgrondelijke donkere pakken.

'Sorry, jongens,' zei Cathal met een ontspannen, waarschuwende glimlach naar ons, 'deze kamer is al in gebruik.'

'Inderdaad, ja,' zei Cassie. Ze had zich voor de gelegenheid gekleed: gescheurde spijkerbroek en een oude turquoise trui met het opschrift YUPPEN SMAKEN NAAR KIP in rode letters op de voorkant. 'Ik ben inspecteur Maddox...'

'En ik ben inspecteur Ryan,' zei ik, terwijl ik mijn badge tevoorschijn haalde. 'We willen u graag even een paar vragen stellen.'

De glimlach bleef aanwezig, maar er verscheen heel even een boze blik in zijn ogen. 'Dit is geen geschikt moment.'

'Nee?' vroeg Cassie op conversatietoon, terwijl ze tegen de tafel leunde zodat het PowerPoint-beeld als een vlek op haar trui geprojecteerd werd.

'Néé.' Hij wierp een zijdelingse blik op de klant, die afkeurend voor zich uit keek en wat door zijn papieren bladerde.

'Dit lijkt mij anders wel een goede plek,' zei ze met een waarderende blik om zich heen, 'maar we kunnen natuurlijk ook naar het bureau, als u dat liever hebt.'

'Waar gaat het om?' wilde Cathal weten. Het was een vergissing, en dat besefte hij zodra de woorden zijn mond uit waren. Als wíj erover begonnen waren, in bijzijn van de klonen, dan was dat een uitnodiging geweest voor een claim wegens smaad, en hij leek ons wel het type dat de rechtbank niet zou schuwen; maar hé, hij had er zelf om gevraagd.

'We doen onderzoek naar de moord op een kind,' zei Cassie vriendelijk. 'En er is kans dat die te maken heeft met de vermeende verkrachting van een jong meisje, en wij hebben redenen om aan te nemen dat u ons kunt helpen met ons onderzoek.'

Al na een fractie van een seconde had hij zich hersteld. 'Daar kan ik me niets bij voorstellen,' zei hij ernstig. 'Maar als het om een vermoord kind gaat, dan doe ik natuurlijk alles wat ik maar kan... Jongens,' – dit tegen de klant – 'mijn excuses voor de onderbreking, maar de plicht roept, vrees ik. Ik zal Fiona vragen om jullie hierbinnen rond te leiden. Dan gaan we over een paar minuten verder.'

'Optimisme,' zei Cassie goedkeurend. 'Daar hou ik van.'

Cathal wierp haar een vuile blik toe en drukte op een knop van wat een intercom bleek te zijn. 'Fiona, kun jij even naar de directiekamer komen om de heren een rondleiding door het gebouw te geven?'

Ik hield de deur open voor de klonen, die in ganzenpas met onbewogen gezicht naar buiten stroomden. 'Het was me een genoegen,' zei ik tegen hen.

'Was dat de CIA?' fluisterde Cassie, net iets te hard.

Cathal stond al met zijn mobiele telefoon in zijn hand. Hij belde zijn advocaat – nogal opvallend; ik denk dat we onder de indruk moesten zijn – en klapte daarna zijn telefoon dicht, leunde met wijd gespreide benen achterover in zijn stoel en nam Cassie in alle rust en met zichtbaar genoegen op. Een spannende seconde lang was ik in de verleiding om iets tegen hem te zeggen: jij hebt me mijn eerste sigaret gegeven, weet je nog? – gewoon om zijn wenkbrauwen omlaag te zien duiken, de vettige grijns van zijn gezicht te zien wegvallen. Cassie knipperde met haar wimpers en schonk hem een gemaakt flirterige grijns, waar hij kwaad om werd: hij liet met een klap zijn stoel op de grond zakken en stak zijn pols uit zijn mouw om op zijn Rolex te kunnen kijken.

'Haast?' informeerde Cassie.

'Mijn advocaat is hier met een minuut of twintig,' zei Cathal. 'Maar ik kan ons allemaal tijd en moeite besparen: ook met hem erbij heb ik jullie niets te zeggen.'

'Ach,' zei Cassie, terwijl ze met haar achterwerk op een stapel papier op zijn bureau leunde. Cathal keek haar balend aan, maar besloot niet op de uitdaging in te gaan. 'We verspillen twintig hele minuten van Cathals kostbare tijd en het enige wat hij ooit gedaan heeft, was met een stel anderen een minderjarig meisje verkrachten. Het leven is toch wel zó oneerlijk.'

'Maddox,' zei ik.

'Ik heb nog nooit van mijn leven een meisje verkracht,' zei Cathal met een gemeen lachje. 'Dat heb ik ook nooit nodig gehad.'

'Kijk, dat is nou zo interessant, Cathal,' zei Cassie vertrouwelijk. 'Zo te zien moet jij er vroeger behoorlijk goed uitgezien hebben. Dus vraag ik me af: heb je soms problemen met de seks? Een heleboel verkrachters hebben dat, weet je. Daarom moeten jullie ook verkrachten: jullie proberen wanhopig tegenover jezelf te bewijzen dat jullie échte mannen zijn, ondanks dat ene probleempje.'

'Maddox...'

'Als jij weet wat goed voor je is,' zei Cathal, 'dan hou je nú je mond.'

'Wat is er dan, Cathal? Krijg je hem niet omhoog? Of ben je eigenlijk homo? Te klein geschapen?'

'Ik wil jouw badge zien,' snauwde Cathal. 'Hier ga ik een klacht over indienen. Jij ligt eruit voordat je weet wat er aan de hand is.'

'Máddox,' zei ik op scherpe toon, à la O'Kelly. 'Op de gang. Nú.'

'Weet je, Cathal,' zei Cassie meelevend op weg naar buiten, 'de medische wetenschap kan met de meeste van die problemen helpen, hoor.' Ik greep haar arm en duwde haar de gang op.

Daar gaf ik haar flink op haar kop, met zachte maar vérdragende stem:

stomme idioot, beetje respect graag, is niet eens verdacht, blablabla. (Dat van 'niet verdacht' was waar: we hadden intussen en tot onze teleurstelling al gezien dat Cathal de eerste drie weken van augustus voor zaken in Amerika was geweest, en hij had een stel indrukwekkende creditcardrekeningen als bewijs). Cassie grijnsde met opgestoken duim naar me.

'Het spijt me, meneer Mills,' zei ik, toen ik weer in de directiekamer stond.

'Ik benijd jou je baan niet, maat,' zei Cathal. Hij was razend, met rode vlekken hoog op zijn konen, en ik vroeg me af of Cassie misschien ergens een gevoelige snaar had getroffen; of Sandra haar iets had verteld waarvan ik niets gehoord had.

'Zeg dat wel,' zei ik, terwijl ik tegenover hem ging zitten en met een vermoeide hand over mijn gezicht streek. 'Maar goed, we moeten natuurlijk een vrouw in het team hebben, daar ontkom je tegenwoordig niet meer aan. Ik zou niet eens de moeite nemen om een klacht in te dienen; de bazen durven haar geen standje te geven uit angst dat ze naar de Commissie Gelijke Behandeling stapt. De jongens en ik krijgen haar wel klein, geloof me. Maar het zal even duren.'

'Je weet wat die teef nodig heeft, neem ik aan?' zei Cathal.

'Hé, we weten allemaal wat ze nodig heeft,' reageerde ik. 'Maar zou u dicht genoeg bij haar in de buurt willen komen om haar dat te geven?'

We grinnikten even als macho's onder elkaar. 'Luister,' zei ik, 'ik moet meteen zeggen dat er geen schijn van kans is dat er iemand gearresteerd gaat worden voor die vermeende verkrachting. Zelfs als het verhaal klopt, is het al tijden geleden verjaard. Ik werk aan een moordzaak en die andere toestand kan me geen fuck schelen.'

Cathal haalde een pakje kauwgum voor witte tanden uit zijn zak, stak een stuk in zijn mond en hield mij het pakje voor. Ik háát kauwgum, maar ik nam er toch een. Hij was aan het kalmeren, de rode kleur zakte weg. 'Zijn jullie bezig met wat er met dat meisje van Devlin is gebeurd?'

'Ja,' zei ik. 'U kent haar vader toch? Hebt u Katy ooit ontmoet?'

'Nee. Ik kende Jonathan als kind, maar we hebben geen contact gehouden. Die vrouw van hem is een nachtmerrie. Het lijkt wel of je probeert met het behang te praten.'

'Ik heb haar ontmoet,' zei ik met een wrange grijns.

'Maar wat is dat nou allemaal met een verkrachting?' vroeg Cathal. Hij zat ontspannen te kauwen, maar zijn blik was gespannen, dierlijk.

'In wezen,' zei ik, 'kijken we naar alles in het leven van de Devlins waar een luchtje aan hangt. En we horen dat u en Jonathan Devlin en Shane Waters in de zomer van 1984 iets met een meisje hebben uitgehaald wat niet helemaal door de beugel kan. Wat was daar nou écht aan de hand?' Ik had nog wel graag een paar minuten aan onze mannenvriendschap gesleuteld, maar daar was geen tijd voor. Zodra zijn advocaat er was, was mijn kans voorbij.

'Shane Waters,' zei Cathal. 'Die naam heb ik al in geen tijden gehoord.'

'U hoeft niets te zeggen tot uw advocaat er is,' zei ik, 'maar u bent geen verdachte in deze moordzaak. Ik weet dat u die week niet in het land was. Ik wil alleen zo veel mogelijk informatie hebben over de Devlins.'

'Denk jij dat Devlin zijn eigen kind om zeep heeft geholpen?' Cathal keek geamuseerd.

'Zegt u het maar,' zei ik. 'U kent hem beter dan ik.'

Cathal legde zijn hoofd in zijn nek en lachte. Zijn schouders ontspanden, en hij zag er twintig jaar jonger uit. Voor het eerst kwam hij me weer bekend voor: de wrede, knappe lijn van zijn lippen, de bedrieglijke glinstering in zijn ogen. 'Luister, vriend,' zei hij. 'Ik zal je iets zeggen over Devlin. Die vent is een watje. Waarschijnlijk doet hij zich nog steeds stoer voor, maar dat wil niets zeggen: hij heeft nooit van zijn leven ook maar één risico genomen zonder dat ik hem eerst een zetje had gegeven. Daarom zit hij tegenwoordig daar, en ik' – hij gebaarde met zijn kin naar de directiekamer – 'ik hier.'

'Dus die verkrachting was niet zijn idee.'

Hij schudde zijn hoofd en schudde grijnzend met zijn vinger: *leuk geprobeerd*. 'Wie zei dat er sprake was van verkrachting?'

'Kom op, nou,' zei ik, ook met een grijns. 'U weet dat ik dat niet mag vertellen. Getuigen.'

Cathal blies langzaam een bel in zijn kauwgum en keek me aan. 'Oké,' zei hij uiteindelijk. De sporen van de glimlach hingen nog rond zijn mondhoeken. 'Laten we het zo stellen. Er was geen verkrachting, maar stel – gewoon hypothetisch – dat er wel een geweest was, dan had Jonner daar in geen miljoen jaar aan durven denken. En als het ooit gebeurd was, dan zou hij de daaropvolgende paar weken zo bang geweest zijn dat hij het bijna in zijn broek deed. Overtuigd dat iemand het had gezien en naar de politie zou gaan, eindeloos kakelend over dat we allemaal de bak indraaiden, dat hij zichzelf wilde aangeven... Die vent kan nog geen kat verzuipen, laat staan een kind ombrengen.'

'En u?' zei ik. 'U zou niet bezorgd geweest zijn dat die getuigen u zouden verraden?'

'Ik?' De grijns verbreedde zich weer. 'Geen schijn van kans. Als hier ook maar íéts van waar was, hypothetisch gesteld uiteraard, dan had ik me rot gelachen, want dan had ik geweten dat niemand me iets kon maken.'

'Ik ben ervoor dat we hem arresteren,' zei ik die avond bij Cassie thuis. Sam zat in Ballsbridge op een champagnereceptie met dansen ter gelegenheid van de eenentwintigste verjaardag van zijn neef, dus we waren met ons tweeën. We zaten op de bank met een glas wijn en we probeerden te bedenken hoe we Jonathan Devlin moesten aanpakken.

'Op wat voor gronden?' was Cassies redelijke vraag. 'We kunnen niks met hem vanwege die verkrachting. Misschien hebben we genoeg om hem op te pakken om hem te ondervragen over Peter en Jamie, alleen hebben we geen getuige die kan bevestigen dat het tweetal bij de verkrachting aanwezig was, dus kunnen we geen motief aantonen. Sandra heeft jullie niet gezien, en als je het nu vertelt, dan lig je er meteen uit, en bovendien hakt O'Kelly dan je ballen af en hangt ze in de kerstboom. En we hebben niets wat Jonathan koppelt aan Katy's dood – alleen een maagprobleem dat misschien wel, of misschien niet, te maken kan hebben met misbruik dat dan dus misschien wel, of misschien niet, door hem gepleegd is. Het enige wat we kunnen doen is hem vragen hierheen te komen om met ons te praten.'

'Ik zou hem graag uit dat huis weg willen hebben,' zei ik langzaam. 'Ik maak me zorgen om Rosalind.' Het was voor het eerst dat ik dat onbehagen onder woorden bracht. Het was gestaag en slechts half erkend in me gegroeid vanaf dat eerste, haastige telefoontje van haar, maar de afgelopen twee dagen had ik mijn ongerustheid niet meer kunnen negeren.

'Rosalind? Waarom?'

'Jij zei dat onze man alleen zal doden als hij zich bedreigd voelt. Dat sluit aan bij alles wat we gehoord hebben. Volgens Cathal was Jonathan doodsbenauwd geweest dat wij iemand zouden vertellen over de verkrachting; dus komt hij achter ons aan. Katy besluit ziek te worden, dreigt misschien het te vertellen, dus vermoordt hij haar. Als hij erachter komt dat Rosalind met mij gepraat heeft…'

'Ik denk dat je je niet al te veel zorgen moet maken om haar,' zei Cassie. Ze dronk haar glas leeg. 'Misschien hebben we het bij het volledig verkeerde einde over Katy. We raden er maar naar, meer niet. En ik zou niet te veel waarde hechten aan wat Cathal Mills zegt. Dat lijkt me een psychopaat, en die liegen gemakkelijker dan ze de waarheid vertellen.'

Ik trok mijn wenkbrauwen op. 'Je hebt hem maar vijf minuten gezien. En nu al een diagnose? Op mij kwam hij gewoon over als een eikel.'

Ze haalde haar schouders op. 'Ik zeg niet dat ik het zeker weet van Cathal. Maar ze zijn verbazend makkelijk te herkennen als je eenmaal weet hoe.'

'Heb je dat op Trinity geleerd?'

Cassie stak haar hand uit naar mijn glas en stond op om beide glazen bij te schenken. 'Niet op college,' zei ze bij de koelkast. 'Ik heb ooit een psychopaat gekend.'

Ze stond met haar rug naar me toe, en als er al een vreemde ondertoon in haar stem doorklonk, dan hoorde ik die niet. 'Ik heb eens iets op Discovery gezien,' zei ik, 'waar ze zeiden dat misschien wel vijf procent van de bevolking uit psychopaten bestaat, maar de meesten daarvan breken de wet nooit, dus die worden nooit herkend. Hoeveel wil jij erom verwedden dat de halve regering...'

'Rob,' zei Cassie. 'Hou je mond. Alsjeblieft. Ik probeer je iets te vertellen.'

Ditmaal hoorde ik de spanning wel. Ze kwam naar de bank en gaf me mijn glas, liep toen naar het raam en leunde achterover tegen de vensterbank. 'Je wilde weten waarom ik mijn studie niet had afgemaakt,' zei ze, schijnbaar volledig onaangedaan. 'In mijn tweede jaar raakte ik bevriend met een jongen in mijn jaar. Hij was populair, zag er fantastisch uit en was heel charmant en intelligent en interessant. Ik viel niet op hem of zo, maar ik was best gevleid dat hij zoveel aandacht aan me besteedde. Meestal spijbelden we van alle colleges en zaten we uren koffie te drinken. Hij bracht cadeautjes voor me mee – goedkope, en soms leken ze tweedehands, maar we waren arme studenten en ach, het gaat om de gedachte, nietwaar? Iedereen vond het lief, zo close als wij waren.'

Ze nam een slok van haar wijn en slikte moeizaam. 'Algauw kwam ik erachter dat hij heel vaak loog, meestal zonder echte reden, maar hij had me verteld dat hij een vreselijke jeugd had gehad en dat hij op school gepest was, dus ik nam aan dat hij was gaan liegen uit zelfbescherming. Ik dacht – jezus christus – ik dacht dat ik hem kon helpen; dat hij zich, als hij wist dat hij een vriendin had die achter hem stond, wat er ook gebeurde, veiliger zou gaan voelen en niet meer hoefde te liegen. Ik was pas achttien, negentien.'

Ik durfde me niet te bewegen, ik durfde mijn glas niet eens neer te zetten; ik was als de dood dat zelfs een minieme beweging haar van die vensterbank af zou tillen waarop ze het onderwerp met een of andere komische opmerking zou laten varen. Ze had een vreemd, gespannen trekje rond haar mond waardoor ze er jaren ouder uitzag, en ik wist dat ze dit verhaal nog nooit verteld had, aan niemand.

'Ik merkte niet eens dat ik aan het wegdrijven was van alle andere vrienden en vriendinnen, omdat hij zo mokte als ik tijd met hen doorbracht. Hij mokte met grote regelmaat, met of zonder reden, en dan was ik eeuwen bezig met uitzoeken wat ik gedaan had en verontschuldigingen aanbieden en het weer goedmaken. Als ik met hem afgesproken had, wist ik nooit of hij een en al omhelzingen en complimentjes zou zijn, of één groot stilzwijgen met misprijzende blikken. Er zat geen logica in. Soms deed hij dingen – kleine dingetjes, zoals vlak voor een tentamen mijn collegeaantekeningen lenen, dan dagenlang vergeten ze mee terug te nemen, dan beweren dat hij ze verloren had, dan razend worden als ik ze uit zijn tas zag steken; dat soort dingen... ik werd er zo razend van dat ik hem wel met mijn blote handen kon wurgen, maar hij was net vaak genoeg lief voor me. En dus had ik geen zin om met hem te breken.' Een klein, scheef glimlachje. 'Ik wilde hem geen verdriet doen.'

Pas bij de derde poging lukte het haar een sigaret aan te steken; en dit was Cassie, die me zonder een spier te vertrekken had verteld hoe ze neergestoken was. 'Maar goed,' zei ze. 'Dat ging zo bijna twee jaar door. In januari van ons vierde jaar maakte hij op een avond avances, bij mij thuis. Ik wees hem af – ik heb geen idee waarom, tegen die tijd was ik zo verward dat ik amper wist wat ik deed, maar goddank had ik nog een paar instincten over. Ik zei dat ik gewoon vrienden wilde zijn, dat leek hij prima te vinden, we praatten nog een tijdje en daarna ging hij weg. De volgende dag ging ik naar college, en merkte dat iedereen naar me zat te kijken en dat niemand iets zei. Het duurde twee weken voor ik erachter kwam wat er aan de hand was. Op het laatst had ik ene Sarah-Jane klemgezet – in ons eerste jaar waren we behoorlijk goed bevriend geweest – en zij zei dat iedereen wist wat er gebeurd was.'

Ze trok snel en hard aan haar sigaret. Ze keek naar me, maar zonder me echt aan te kijken; haar pupillen waren te wijd. Ik dacht aan Jessica Devlins glazige, versufte blik. 'De avond dat ik hem afgewezen had, was hij linea recta naar de flat van een paar andere meisjes gegaan, meisjes uit ons jaar. Daar kwam hij in tranen aan. Hij zei dat hij en ik al een tijdje in het geheim verkering hadden, dat hij besloten had dat het niets kon worden maar dat ik tegen iedereen zou zeggen dat hij me verkracht had als hij het uitmaakte. Hij zei dat ik naar de politie wilde gaan, en naar de pers, om zijn leven te verpesten.' Ze keek waar de asbak stond, tikte haar as erin, miste.

Het kwam op dat moment niet bij me op om me af te vragen waarom ze me dit verhaal uitgerekend nu vertelde. Het klinkt misschien vreemd, maar alles was die maand vreemd en griezelig. Zodra Cassie had gezegd dat wij de zaak namen, was er een soort onstuitbare tektonische verschuiving in gang gezet; bekende dingen barstten open en puilden voor mijn ogen binnenstebuiten; de wereld werd mooi en gevaarlijk als een rondtollend mes. Cassie die de deur naar een van haar geheime kamers opendeed leek een natuurlijk, onvermijdelijk aspect van die enorme omwenteling. In zeker opzicht was het dat waarschijnlijk ook. Pas veel later besefte ik dat ze me iets heel specifieks had verteld – als ik maar geluisterd had.

'Mijn god,' zei ik na een tijdje. 'Alleen omdat je zijn ego gekwetst had?'

'Dat niet alleen,' zei Cassie. Ze had een zachte, kersrode trui aan en die zag ik heel snel beven, vlak boven haar hart, en ik besefte dat ook mijn hart tekeerging. 'Omdat hij zich verveelde. Omdat ik door hem af te wijzen duidelijk had gemaakt dat hij alle plezier uit me had geput, dat de bron nu opgedroogd was, en dus was dit het enige waartoe ik nog kon dienen. Want goed beschouwd is zoiets natuurlijk leuk.'

'Heb je die Sarah-Jane verteld wat er echt gebeurd was?'

'Jazeker,' zei Cassie. 'Dat heb ik verteld aan iedereen die nog met me wilde praten. En niemand geloofde me. Iedereen geloofde hem – al onze jaargenoten, al onze gezamenlijke kennissen, en dat was vrijwel iedereen die ik kende. Mensen die ik als mijn vrienden had beschouwd.'

'O, Cassie,' zei ik. Ik wilde niets liever dan naar haar toe gaan, mijn armen om haar heen slaan, haar dicht tegen me aan houden tot die vreselijke stijfheid uit haar lichaam wegsmolt en ze terugkwam van die verre plek waar ze heen gegaan was. Maar haar roerloosheid, haar opgetrokken schouders: ik wist niet of ze zo'n gebaar zou waarderen. Het kon ook het ergste zijn wat ik op dat moment kon doen. Het zal wel door de kostschool komen, of misschien ligt het aan een of andere diepgewortelde karakterfout. Feit blijft dat ik niet wist wat ik doen moest. Ik betwijfel of het uiteindelijk veel verschil uitgemaakt had, maar daardoor betreur ik het nog erger dat ik op dat moment niet wist wat ik doen moest.

'Ik hield het nog een paar weken vol,' zei Cassie. Ze stak een sigaret aan met de peuk van de vorige, iets wat ik haar nog nooit had zien doen. 'Hij was altijd het middelpunt van een groepje mensen dat hem beschermend op de schouder klopte en mij boze blikken toewierp. Er kwamen regelmatig mensen naar me toe om te zeggen dat het door mij kwam dat echte verkrachters niet gepakt werden. Eén meisje zei dat ik het verdiende om verkracht te worden, zodat ik me zou realiseren wat voor iets vreselijks ik gedaan had.'

Ze lachte, een klein, schor geluidje. 'Ironisch, vind je ook niet? Honderd psychologiestudenten en niemand die een klassieke psychopaat herkent. En weet je wat zo raar was? Ik wou dat ik alles gedaan had waarvan hij me beschuldigde. Als dat zo was, dan had het nog enige zin gehad, dan kreeg ik wat ik verdiende. Maar ik had niets gedaan, en toch maakte dat geen enkel verschil uit voor wat er gebeurde. Er was niets in de trant van oorzaak en gevolg. Ik dacht dat ik gek werd.'

Ik boog me voorover – langzaam, zoals je je arm uitsteekt naar een doodsbang diertje – en pakte haar hand. Dat lukte me dan ten minste nog. Ze lachte even, ademloos, kneep in mijn vingers en liet ze los. 'Maar goed. Uiteindelijk kwam hij in de kantine naar me toe – allemaal meisjes die probeerden hem tegen te houden, maar hij schudde ze dapper af en kwam naar me toe en zei keihard, zodat zij hem konden horen: "Hou alsjeblieft op met die telefoontjes in het holst van de nacht. Wat heb ik jou ooit misdaan?" Ik was volledig verbijsterd, ik wist niet waar hij het over had. Ik kon niets anders verzinnen dan: "Maar ik heb jou helemaal niet gebeld." Hij glimlachte en schudde zijn hoofd, zo van: zal best, en toen bukte hij zich naar me en zei, heel zachtjes, op zo'n vrolijke, zakelijke toon: "Als ik ooit in je flat inbreek en je echt verkracht, dan zal dat wel nooit tot een aanklacht komen, denk jij wel?" Toen glimlachte hij weer en ging terug naar zijn vrienden.'

'Lieverd,' zei ik na een tijdje, behoedzaam, 'misschien moet je toch een alarm installeren. Ik wil je niet bang maken, maar…'

Cassie schudde haar hoofd. 'En wat dan? Nooit meer mijn huis uit? Ik kan me niet veroorloven om paranoïde te worden. Ik heb er goede sloten op zitten, en ik bewaar mijn pistool naast mijn bed.' Dat was me uiteraard al opgevallen, maar er zijn massa's rechercheurs die zich niet goed voelen als ze hun wapen niet binnen handbereik hebben. 'Enfin, ik denk echt niet dat hij het ooit zal doen. Ik weet – helaas – hoe hij te werk gaat. Het is stukken leuker voor hem om te denken dat ik het me altijd afvraag, dan om het gewoon te doen zodat het maar voorbij is.'

Ze nam nog een laatste trek van haar sigaret, leunde voorover om hem uit te maken. Haar ruggengraat was zo stijf dat de beweging er pijnlijk uitzag. 'Maar op dat moment kreeg ik er zo de zenuwen van dat ik met de studie ben opgehouden. Ik ben naar Frankrijk gegaan – daar heb ik familie wonen. Ik heb een jaar bij ze gelogeerd en bij een café in de bediening gewerkt. Een leuk jaar. Zo kom ik ook aan de Vespa. En daarna ben ik teruggekomen en heb me aangemeld bij Templemore.'

'Vanwege hem?'

Ze haalde haar schouders op. 'Ik denk het. Waarschijnlijk. Dan is er dus toch nog iets goeds uit voortgekomen. En verder heb ik nu een goede psychopatensensor. Het is net een allergie: als je het eenmaal gehad hebt, ben je voor de rest van je leven overgevoelig.' Ze dronk haar glas in één teug leeg. 'Vorig jaar kwam ik Sarah-Jane tegen, in een kroeg in het centrum. Ik zei hallo. Ze zei dat het hem prima verging, "ondanks jouw inspanningen" en daarna stapte ze op.'

'Heb je daar die nachtmerries over?' zei ik na een tijdje zachtjes. Ik had haar tweemaal wakker gemaakt uit zulke dromen toen we met andere verkrachtingen met dodelijke afloop bezig waren, maar ze had me nooit willen vertellen waarover haar dromen gingen – waaruit ze met meppende armen en benen wakker werd en onbegrijpelijke woordenstromen uitte.

'Ja. Dan droom ik dat hij de dader is, maar dat we het niet kunnen bewijzen, en zodra hij erachter is dat ik aan de zaak werk, dan… Tja. Dan doet hij het.'

Op dat moment nam ik aan dat ze droomde dat de man zijn dreigement waarmaakte. Nu denk ik dat dat een vergissing was. Ik heb het ene, echt belangrijke aspect, niet begrepen: waar het echte gevaar lag. En ik denk dat dit, te midden van alle andere blunders, mijn allergrootste fout is geweest.

'Hoe heette hij?' vroeg ik. Ik wilde zo graag iets doen, dit op de een of andere manier goedmaken, die vent natrekken, proberen iets te vinden waarop we hem konden arresteren. Iets anders kon ik niet verzinnen. En ik neem aan dat ik ergens, uit wreedheid of uit afstandelijke nieuwsgierigheid of wat dan ook, had gemerkt dat Cassie weigerde zijn naam te zeggen. Ik wilde zien wat er zou gebeuren als ze dat wel deed.

Na een tijd keek Cassie me aan, en ik was geschokt door de geconcentreerde, staalharde haat in haar blik. 'Legioen,' zei ze.

# 14

De volgende dag vroegen we Jonathan naar het bureau te komen. Ik belde hem en vroeg met mijn beste professionele stem of hij na het werk even langs zou willen komen om ons met een paar dingetjes te helpen. Sam had Terence Andrews in de grootste verhoorkamer, die met de observatiekamer voor de confrontaties ('Jezus, Maria en de zeven dwergen,' zei O'Kelly, 'plotseling wemelt het hier van de verdachten. Ik had die surveillanten eerder weg moeten halen: nu komen jullie eindelijk van je luie reet af.'), maar dat vonden wij prima: we wilden een klein kamertje, hoe kleiner hoe beter.

We richtten het zorgvuldig als een toneeldecor in. Foto's van Katy, levend en dood, over de halve muur. Peter en Jamie en de griezelige gymschoenen en de schaafwonden op mijn knieën over de andere helft (we hadden ook een foto van mijn gebroken vingernagels, maar daar voelde ik me zelf veel beroerder door dan Jonathan zich er ooit door gevoeld zou hebben – mijn duimen maken een heel herkenbare bocht, en op mijn twaalfde had ik al bijna de handen van een volwassen man – en Cassie zei niets toen ik de foto weer terugstopte in het dossier); kaarten en overzichten en ieder laatste klein stukje esoterisch papier dat we maar konden vinden, de laboratoriumuitslagen, tijdlijnen, dossiers en cryptisch gelabelde dozen in de hoeken.

'Dat lijkt me genoeg,' zei ik, terwijl ik het eindresultaat in me opnam. Het was dan ook behoorlijk indrukwekkend, op een macabere manier.

Een hoekje van een van de post-mortemfoto's was losgeraakt, en afwezig duwde Cassie het weer op zijn plek. Haar hand bleef even hangen, haar vingertoppen lichtjes over Katy's blote, grijze arm heen. Ik wist wat ze dacht – als Devlin onschuldig was, dan was dit pure wreedheid – maar ik kon me daar geen zorgen over maken. Vaker dan we graag toegeven maakt wreedheid deel uit van ons werk.

We hadden een halfuur of zo voordat Devlin uit zijn werk kwam, en we hadden veel te erg de zenuwen om aan iets anders te beginnen. We gingen weg uit onze verhoorkamer – waar ik een heel klein beetje de griezels van begon te krijgen, al die ronde, kijkende ogen; ik hield mezelf voor dat dat een goed teken was – en gingen naar de observatiekamer om te kijken of Sam al vorderingen maakte.

Hij had een hoop onderzoek gedaan: Terence Andrews had nu een mooi, groot stuk whiteboard voor zich alleen. Hij had economie gestudeerd, en hoewel hij geen bijzonder goede cijfers had gehaald, had hij kennelijk kans gezien een solide basiskennis te verwerven: op zijn drieëntwintigste was hij getrouwd met ene Dolores Lehane, een meisje uit een gegoede familie in Dublin, en haar vader, die projectontwikkelaar was, had hem in het zadel geholpen. Dolores had hem vier jaar geleden verlaten en woonde in Londen. Het huwelijk had geen kinderen opgeleverd, maar wel een hoop andere zaken: Andrews had een gonzend bedrijfje, met een hoofdkantoor in een buitenwijk van Dublin maar met vestigingen in Boedapest en Praag, en volgens de geruchten wisten Dolores' advocaten en de belastingdienst daar de helft nog niet van.

Volgens Sam was hij echter iets te enthousiast geworden. Het chique zakenadres, de blingmobiel (speciaal vervaardigde zilvergrijze Porsche, getinte ruiten, chroom, noem maar op) en het lidmaatschap van diverse golfbanen waren allemaal bravoure: Andrews had amper meer geld op zak dan ik, zijn bank begon onrustig te worden en het afgelopen halfjaar had hij stukjes grond verkocht, nog niet ontwikkeld, om de hypotheken op de rest af te betalen. 'Als die snelweg door Knocknaree er niet komt, en snel ook,' vatte Sam de zaken samen, 'dan is hij er geweest.'

Al voordat ik wist hoe hij heette, had ik een pesthekel aan Andrews, en ik zag niets waardoor ik van mening veranderde. Andrews was kort van stuk, kalend en had een vlezig, rood aangelopen gezicht. Hij had een enorme pens en een blinde vlek in één oog, maar waar de meeste mannen geprobeerd zouden hebben om die zwakheden te verhullen, zette hij ze in als wapen in de strijd: hij droeg zijn pens trots voor zich, als een statussymbool – *Geen goedkope Guinness, jongen, dit is opgebouwd in restaurants die jij je in geen miljoen jaar kunt permitteren* – en telkens wanneer Sam afgeleid was en over zijn schouder blikte waar Andrews naar keek, vertrok Andrews' mond tot een triomfantelijk grijnsje.

Hij had uiteraard zijn advocaat meegenomen, en hij beantwoordde ongeveer een op de tien vragen. Sam had, door zich stug door een duizelingwekkende berg papieren heen te werken, kans gezien om te bewijzen dat Andrews grote stukken land in Knocknaree bezat; waarop Andrews was opgehouden met ontkennen dat hij ooit van de plek gehoord had. Hij ging echter niet in op vragen over zijn financiële situatie – hij sloeg Sam op de schouder en zei vriendelijk: 'Als ik moest rondkomen van een politiesalaris, Sam, jongen, dan zou ik me meer zorgen maken over mijn eigen financiën dan over die van een ander.' Intussen zat de advocaat op de achtergrond kleurloos te prevelen: 'Mijn cliënt kan over dat onderwerp geen informatie vrijgeven.' Beiden waren diep en voorspelbaar geschokt toen ze hoorden van de dreigtelefoontjes. Ik zat heen en weer te wiebelen en keek om de halve minuut hoe laat het was; Cassie leunde tegen het glas, at een appel en bood mij af en toe met een verstrooid gezicht een hap aan.

Andrews had echter een alibi voor de nacht van Katy's dood, en na een zekere hoeveelheid gekwetste retoriek stemde hij ermee in dat alibi te verschaffen. Hij had met een paar 'jongens' zitten pokeren in Killiney, en toen de zaken rond middernacht afliepen, had hij besloten niet naar huis te rijden – 'de politie heeft tegenwoordig minder begrip voor dat soort zaken dan vroeger' – en was bij de gastheer blijven logeren. Hij gaf de namen en telefoonnummers van 'de jongens' zodat Sam het alibi kon natrekken.

'Dat is dan mooi,' zei Sam uiteindelijk. 'Dan doen we alleen nog even een stemconfrontatie, zodat we u kunnen uitsluiten als bron van de telefoontjes.'

Andrews leek pijnlijk getroffen. 'Je snapt toch zeker wel hoe zwaar het me valt om mijn best nog te doen voor jou, Sam,' zei hij, 'na de behandeling die ik hier gekregen heb.' Cassie barstte in gegiechel uit.

'Het spijt me dat u er zo over denkt, meneer Andrews,' zei Sam ernstig. 'Kunt u me vertellen welke aspecten van uw behandeling exact het probleem waren?'

'Je hebt me hierheen gesleept, en dat heeft het grootste deel van een werkdag gekost, Sam. En je hebt me behandeld als verdachte,' zei Andrews, terwijl zijn stem zwol en beefde van het onrecht dat hem aangedaan was. 'Nu weet ik wel dat je meestal te maken hebt met gozertjes die toch niets beters te doen hebben, maar je moet beseffen wat dit betekent voor iemand in mijn positie. Ik heb een stel fantastische kansen gemist door jou hier te helpen, ik ben vandaag al een paar mille misgelopen, en nu wou je dan ook nog dat ik iets met stemmen ga doen voor een man waar ik nog nooit van gehóórd heb?' Sam had gelijk gehad: hij had inderdaad een kwakerig tenorstemmetje.

'Daar kunnen we natuurlijk iets voor regelen,' zei Sam. 'Die stemconfrontatie hoeven we niet nu te doen. Als het u beter uitkomt om dit vanavond of morgenochtend te doen, buiten kantooruren, dan kunt u op dat moment terugkomen en dan organiseer ik de boel. Wat vindt u daarvan?'

Andrews mokte. De advocaat – het type dat van nature niet opvalt, ik weet al niet eens meer hoe hij eruitzag – hief een aarzelende vinger en vroeg een momentje om met zijn cliënt te overleggen. Sam zette de camera uit en kwam in de observatieruimte bij ons staan, terwijl hij zijn das lostrok.

'Hai,' zei hij. 'Zeker wel spannend om te zien, hè?'

'Fascinerend,' zei ik. 'En binnen is het waarschijnlijk nóg leuker.'

'Reken maar. Daar kun je mee lachen, hoor, met die vent. God, heb je dat oog van hem gezien? Het duurde eindeloos voor ik het doorhad, eerst dacht ik dat hij zich gewoon geen minuut kon concentreren.'

'Jouw verdachte is altijd nog leuker dan die van ons,' zei Cassie. 'De onze heeft niet eens een tic of zo.'

'En nu we het daar toch over hebben,' zei ik, 'doe maar geen confrontatie voor vanavond. Devlin heeft al een afspraak, en als het even meezit is hij daarna niet meer in de stemming voor iets anders.' Als we echt boften, wist ik, kon de zaak – konden beide zaken – vanavond opgelost zijn, zonder dat Andrews ook maar iets hoefde te doen, maar dat zei ik niet. Bij de gedachte alleen al trok mijn keel hinderlijk strak.

'God, dat is waar ook,' zei Sam. 'Dat was ik vergeten. Sorry. Maar we komen wel ergens, nietwaar? Twee geschikte verdachten op één dag.'

'Verdomme, we zijn góéd!' zei Cassie. 'Andrews high five!' Ze keek scheel, mikte naar Sams hand en miste. We waren allemaal heel erg gespannen.

'Als je nou een klap op je achterhoofd krijgt, blijven je ogen zo staan,' zei Sam. 'Is met Andrews ook gebeurd.'

'Dan geef je hem toch nog een dreun? Kijken of het weer goed komt.'

'O, wat ben jij fout bezig,' zei ik tegen haar. 'Dat ga ik zeggen tegen de Nationale Commissie voor Schelehuftersrechten.'

'Hij zegt helemaal niets,' zei Sam. 'Maar dat is prima, ik had niet verwacht dat hij vandaag echt over de brug zou komen. Ik wil hem alleen een beetje bang maken, zodat hij instemt met die stemconfrontatie. Zodra we een naam hebben, kan ik de druk opvoeren.'

'Wacht eens even. Is die vent aangeschoten?' vroeg Cassie. Ze leunde voorover en haar adem maakte mistplekken op het glas. Ze keek hoe Andrews stond te gesticuleren en woedend in het oor van zijn advocaat prevelde.

Sam grijnsde. 'Goed gezien. Volgens mij is hij niet echt dronken – althans niet zo dronken dat hij gaat praten, helaas – maar van dichtbij ruikt hij wel degelijk naar drank. Als hij alleen al bij de gedachte dat hij hierheen moest zo de zenuwen kreeg dat hij een neut nodig had, dan heeft hij iets te verbergen. Misschien alleen die telefoontjes, maar...'

Andrews' advocaat stond op, wreef zijn handen langs de zijkanten van zijn broek en wuifde nerveus naar het glas. 'Tweede ronde,' zei Sam, terwijl hij probeerde zijn das weer recht te sjorren. 'Tot later, jongens. Succes.'

Cassie mikte haar appelklokhuis naar de bak in de hoek en miste. 'Andrews jumpshot,' zei Sam en hij liep grijnzend naar buiten.

We lieten hem aan zijn werk en gingen naar buiten om nog even te roken – het kon wel eens een hele tijd duren eer we weer de kans zouden krijgen. Er loopt een smal bruggetje over een van de paden de klassiek aangelegde tuin in, en daar gingen we zitten, met onze rug tegen de reling. Het park rond het kasteel lag er goudkleurig en nostalgisch bij in het schuin invallende late middaglicht. Er slenterden toeristen in shorts en met rugzak voorbij; met open mond keken ze naar de kantelen, en om redenen die ik niet bevatten kan, nam een van hen een foto van ons. Een stel kleine kinderen wervelde rond het doolhof van klinkerpaadjes in de tuin, de armen als superhelden gespreid.

Cassies stemming was plotseling omgeslagen; de korte, overborrelende vrolijkheid was weg en ze zat in gedachten verdiept, haar armen op haar knieën gesteund. Uit de sigaret, die vergeten tussen haar vingers bungelde, dreven flardjes rook omhoog. Ze heeft soms van die buien, en deze kwam me momenteel goed uit. Ik had geen zin om te praten. Het enige waaraan ik kon denken was dat we Jonathan Devlin hard gingen aanpakken, met alles wat we in huis hadden, en als hij ooit zou breken, dan was het vandaag. En ik had absoluut geen idee wat ik zou doen, wat er zou gebeuren, als het zover was.

Plotseling tilde Cassie haar hoofd op. Haar blik gleed langs me, over mijn schouder heen. 'Kijk,' zei ze.

Ik draaide me om. Jonathan Devlin kwam de binnenplaats over gelopen, zijn schouders naar voren gebogen en zijn handen diep in de zakken van zijn grote, bruine overjas. De hoge, arrogante lijnen van de omringende gebouwen hadden hem tot een dwerg moeten maken, maar ze leken zich juist rond hem te groeperen tot een eigenaardige geometrie met hem in het midden, waardoor hij een soort ondoordringbare betekenis kreeg. Hij had ons niet gezien. Hij liep naar de grond te kijken en de zon, die al laag aan de hemel stond, scheen recht in zijn gezicht. Voor hem konden wij niet meer geweest zijn dan vage silhouetten, te midden van een heldere stralenkrans van heiligenbeelden en waterspuwers. Achter hem fladderde zijn schaduw lang en zwart over de keien.

Hij liep recht onder ons door en we keken hem na terwijl hij zich naar de deur begaf. 'Nou,' zei ik. Ik drukte mijn sigaret uit. 'Dan moesten wij ook maar eens naar binnen, lijkt me.'

Ik stond op en stak een hand uit om Cassie overeind te hijsen, maar ze bleef roerloos zitten. Haar ogen stonden plotseling serieus, strak en vragend.

'Wat?' vroeg ik.

'Jij zou dit verhoor niet moeten doen.'

Ik gaf geen antwoord. Ik bleef roerloos, met uitgestoken hand, op de brug staan. Na een tijdje schudde ze wrang haar hoofd en de uitdrukking die me zo had verbaasd, verdween. Ze pakte mijn hand en liet zich overeind trekken.

We namen hem mee naar de verhoorkamer. Toen hij de muur zag, sperde hij meteen zijn ogen open, maar hij zei niets. 'Inspecteurs Maddox en Ryan, verhoor Jonathan Michael Devlin,' zei Cassie, terwijl ze door een van de dozen rommelde en er een volgepropt dossier uit haalde. 'U bent niet verplicht iets te zeggen, tenzij u dat zelf wilt, maar alles wat u zegt wordt op schrift gesteld en kan bij de bewijsvoering worden gebruikt. Oké?'

'Sta ik onder arrest?' wilde Jonathan weten. Hij stond nog bij de deur. 'Waarvoor dan?'

'Wat?' zei ik, verbaasd. 'O, uw rechten... God, nee, dat is gewoon routine. We wilden u bijpraten over de voortgang van het onderzoek, en kijken of u ons kunt helpen de zaken nog een stap verder te brengen.'

'Als u onder arrest stond,' zei Cassie, terwijl ze het dossier op tafel liet vallen, 'dan wist u daar alles van. Waarvoor zou u gearresteerd kunnen zijn, denkt u?'

Jonathan haalde zijn schouders op. Ze glimlachte naar hem en trok een stoel uit, met uitzicht op de enge muur. 'Gaat u zitten.' Even later trok hij langzaam zijn jas uit en ging zitten.

Ik praatte hem bij over de laatste ontwikkelingen. Hij had mij zijn verhaal toevertrouwd, en dat vertrouwen was een klein wapen voor de korte afstand dat ik pas op het juiste moment tot ontploffing wilde laten komen. Voorlopig was ik zijn bondgenoot. Ik was, in grote lijnen, eerlijk tegenover hem. Ik vertelde over de aanwijzingen die we opgevolgd hadden, de tests die het laboratorium had uitgevoerd. Ik noemde, een voor een, de verdachten die we hadden gevonden en uitgesloten: de plaatselijke inwoners die vonden dat hij de vooruitgang tegenhield; de pedofielen en de bekentenisjunkies; de trainingspakschaduwen; de vent die Katy's balletpakje onbehoorlijk had gevonden; Sandra. Ik voelde het broze, zwijgende leger van foto's achter mijn rug, wachtend. Jonathan deed het goed, hij hield zijn blik bijna continu op mij gevestigd. Maar ik zag dat dat hem de nodige wilskracht kostte.

'Dus in feite zijn jullie nergens,' zei hij uiteindelijk triest. Hij zag er verschrikkelijk moe uit.

'Juist niet,' zei Cassie. Ze had bij de hoek van de tafel gezeten, haar kin in haar handpalm gesteund, om ons zwijgend te observeren. 'Helemaal niet. Wat inspecteur Ryan bedoelt is dat we de afgelopen weken juist een heel eind gekomen zijn. We hebben heel wat mogelijkheden kunnen uitsluiten. En dit hebben we nu nog over.' Ze bewoog haar hoofd in de richting van de muur; hij wendde zijn blik niet van mijn gezicht af. 'We hebben bewijzen dat de moordenaar van uw dochter uit de buurt komt, en dat hij Knocknaree kent als zijn broekzak. We hebben forensisch bewijs dat haar dood te maken heeft met de verdwijning van Peter Savage en Germaine Rowan in 1984, wat inhoudt dat de moordenaar waarschijnlijk minstens vijfendertig jaar oud is en al meer dan twintig jaar lang sterke banden met de omgeving heeft. En een heleboel mannen die aan die beschrijving voldoen hebben een prima alibi, dus zo wordt het net steeds strakker aangetrokken.'

'En verder hebben we bewijs,' zei ik, 'waaruit kan blijken dat het geen moord voor de kick van het moorden is. Deze man moordt niet zomaar. Hij doet het omdat hij vindt dat hij geen keuze heeft.'

'Hij is dus krankzinnig,' zei Jonathan. 'Een of andere halvegare...'

'Niet per se,' zei ik. 'Ik zeg alleen dat een situatie soms uit de hand loopt. Soms eindigt het allemaal in een tragedie die niemand ooit gewild had.'

'Dus ziet u, meneer Devlin, zo wordt het aantal kansen nog kleiner: we zijn op zoek naar iemand die alle drie de kinderen kende en een motief had om hen dood te willen,' zei Cassie. Ze leunde op twee stoelpoten achterover, haar handen achter haar hoofd gevouwen en haar blik strak op zijn gezicht gevestigd. 'We krijgen die vent te pakken. We zitten hem iedere dag dichter op de hielen. Dus als er iets is wat u ons wilt vertellen – wat dan ook, over een van beide zaken – dan is dít het moment om dat te doen.'

Jonathan gaf niet meteen antwoord. Het was heel erg stil in de kamer, alleen het zachte gonzen van de tl-balken aan het plafond en het trage, monotone kraken van Cassies stoel, die op zijn achterpoten heen en weer wiegde, waren te horen. Jonathans blik viel weg van de hare en daalde naar de muur achter haar, naar de foto's: Katy in die onmogelijke arabeske, Katy lachend op een wazig groen grasveld met haar haar opzij gewaaid en een boterham in haar handen; Katy met één oog helemaal opgezwollen en bloed in een donkere korst op haar lip. De naakte, simpele pijn op zijn gezicht was bijna onfatsoenlijk. Ik moest me dwingen om mijn blik niet af te wenden.

De stilte hield aan. Bijna onmerkbaar gebeurde er met Jonathan iets wat ik herkende. Er is een speciaal soort trekje rond de mond en de ruggengraat, alsof er iets inzakt doordat de onderliggende spieren oplossen tot water. Iedere rechercheur kent het: het hoort bij het moment voordat een verdachte bekent, wanneer hij eindelijk en bijna opgelucht zijn verdediging laat vallen. Cassie schommelde niet meer op haar stoel. Mijn hart bonsde in mijn keel en ik voelde de foto's achter me hun adem inhouden, klaar om van het papier af te vliegen, de gang door en de donkere avond in, vrij, zodra hij het verlossende woord sprak.

Jonathan veegde met een hand over zijn mond, sloeg zijn armen over elkaar en keek Cassie aan. 'Nee,' zei hij. 'Er is niets.'

Cassie en ik ademden in koor uit. Ik had ergens wel geweten dat het meer was geweest dan waarop we hadden mogen hopen, zo snel al en – na die eerste, ellendige seconde – het maakte me ook niet echt uit. Want nu wist ik tenminste zeker dat Jonathan iets wist. Hij had het al bijna gezegd.

Eerlijk gezegd kwam dat wel een beetje als een schok. De hele zaak had zo vol gezeten met mogelijkheden en kansen ('Oké. Laten we er even van uitgaan dat Mark het inderdaad gedaan heeft, oké? Dan hebben die ziekte en de oude zaak dus niets met elkaar te maken en stel dat Mel de waarheid spreekt: wie heeft dan het lijk gedumpt?') dat zekerheid iets onvoorstelbaars was gaan lijken, een droom uit je verre kinderjaren. Ik had het gevoel alsof ik had lopen rondtasten te midden van lege jurken die ergens op een schemerige zolder hingen en nu plotseling tegen een menselijk lichaam aan gelopen was, warm en solide en levend.

Cassie liet de voorpoten van haar stoel op de grond neerkomen. 'Oké,' zei ze, 'oké. Laten we nog eens teruggaan naar het begin. De verkrachting van Sandra Scully. Wanneer was dat precies?'

Jonathans hoofd draaide meteen mijn kant uit. 'Geeft niet,' zei ik zachtjes. 'Verjaring.' In feite hadden we dat nog niet eens opgezocht – maar daar ging het ook niet om – er was geen enkele kans dat we hem daar ooit voor konden aanklagen.

Hij wierp me een lange, argwanende blik toe. 'Zomer 1984,' zei hij na een tijd. 'De datum zou ik niet weten.'

'We hebben hier verklaringen waaruit blijkt dat het in de eerste twee weken van augustus geweest moet zijn,' zei Cassie, terwijl ze het dossier opensloeg. 'Kan dat zo'n beetje kloppen?'

'Dat zou goed kunnen, ja.'

'We hebben ook verklaringen waaruit blijkt dat er getuigen waren.'

Hij haalde zijn schouders op. 'Dat zou ik niet weten.'

'Nou, Jonathan,' zei Cassie, 'we hebben ons laten vertellen dat jij achter ze aan het bos in rende en terugkwam met de opmerking "rotjochies". Dat klinkt voor mij alsof je wél wist dat ze er waren.'

'Misschien. Ik weet het niet meer.'

'Hoe vond je het dat er kinderen rondliepen die wisten wat jij gedaan had?'

Weer een schokschouderen. 'Dat zei ik al. Dat weet ik niet meer.'

'Cathal zegt…' Ze sloeg een paar bladzijden om. 'Volgens Cathal Mills was u doodsbang dat ze naar de politie zouden gaan. Hij zegt dat u, ik citeer: zo bang was dat u het bijna in uw broek deed.'

Geen reactie. Hij schoof wat onderuit in zijn stoel, armen over elkaar geslagen, ondoordringbaar als een muur.

'Wat hebt u gedaan om te voorkomen dat ze u zouden aangeven?'
'Niets.'

Cassie lachte. 'Kom nou, Jonathan. We weten wie die getuigen waren.'

'Dan weten jullie meer dan ik.' Zijn gezicht stond nog schrap in harde hoeken, die niets lieten zien, maar op zijn wangen was een rode blos aan het groeien. Hij was boos aan het worden.

'En maar een paar dagen na de verkrachting,' zei Cassie, 'waren twee van die getuigen verdwenen.' Ze stond op – ongehaast, rekte zich uit – en liep de kamer door naar de fotowand.

'Peter Savage,' zei ze, terwijl ze een vinger op zijn schoolfoto legde. 'Wilt u even naar deze foto kijken, meneer Devlin?' Ze wachtte tot Jonathan zijn hoofd optilde en hij uitdagend naar de foto keek. 'Een geboren leider, zeggen ze. Als hij in leven was gebleven, dan had hij misschien wel samen met u de campagne van Weg met de snelweg geleid. Zijn ouders kunnen niet verhuizen, wist u dat? Joseph Savage kreeg een paar jaar geleden een droombaan aangeboden, maar dan had hij naar Galway moeten verhuizen en ze konden de gedachte niet aan dat Peter misschien op een dag thuis zou komen en hen dan niet zou aantreffen.'

Jonathan wilde iets zeggen, maar ze gaf hem niet de tijd. 'Germaine Rowan,' – haar hand schoof naar de volgende foto – 'ook wel Jamie genaamd. Zij wilde later dierenarts worden. Haar moeder heeft haar hele kamer zo gelaten. Iedere zaterdag wordt alles afgestoft. Toen de telefoonnummers veranderden naar zeven cijfers, in de jaren negentig – weet u dat nog? – toen is Alicia Rowan naar het hoofdkantoor van Telecom Éireann gegaan en heeft de mensen daar in tranen gesmeekt om haar het oude zescijferige nummer te laten houden, voor het geval Jamie ooit zou proberen naar huis te bellen.'

'Wij hadden niets…' begon Jonathan, maar weer kapte ze hem af, en sprak met stemverheffing boven hem uit.

'En Adam Ryan.' De foto van mijn geschramde knieën. 'Zijn ouders zijn verhuisd, vanwege de publiciteit en omdat ze bang waren dat degene die dit gedaan had, hem alsnog zou komen ophalen. Van de radar verdwenen. Maar waar hij ook is, hij heeft iedere dag van zijn bestaan met de gevolgen hiervan moeten leven. Jij houdt toch van Knocknaree, Jonathan? Je vindt het toch fijn om deel uit te maken van een gemeenschap waar je sinds je prille jeugd gewoond hebt? Misschien had Adam dat ook wel fijn gevonden, als hij de kans had gekregen. Maar nu zweeft hij daar ergens rond, waar dan ook ter wereld, en hij kan nooit meer naar huis.'

De woorden daverden door me heen als de verloren klokken van een onderwaterstad. Ze was goed, Cassie: heel even voelde ik me vervuld van zo'n wilde, volslagen wanhoop dat ik mijn hoofd in mijn nek had kunnen leggen om te janken als een hond.

'Heb je enig idee hoe de Savages en Alicia Rowan jou zien, Jonathan?' vroeg Cassie. 'Ze benijden je. Jij moest je dochter begraven, maar er is één ding dat erger is: de kans niet krijgen om dat te doen. Weet jij nog hoe je je voelde op de dag dat Katy vermist raakte? Zo voelen zij zich al twintig jaar.'

'Die mensen verdienen het om te weten wat er gebeurd is, meneer Devlin,' zei ik zachtjes. 'En niet alleen om hun eigen bestwil. We gaan ervan uit dat de twee zaken verband houden. Als dat niet zo is, dan moeten we dat weten, anders kan Katy's moordenaar ons zomaar tussen de vingers door glippen.'

Er schoot iets door Jonathans blik – iets, dacht ik, als een vreemde, morbide mengeling van afgrijzen en hoop, maar het was te snel verdwenen om er zeker van te zijn.

'Wat is er die dag gebeurd?' vroeg Cassie. 'Die veertiende augustus 1984. De dag waarop Peter en Jamie verdwenen.'

Jonathan schoof iets verder onderuit in zijn stoel en schudde zijn hoofd. 'Ik heb jullie alles verteld wat ik weet.'

'Meneer Devlin,' zei ik, terwijl ik naar hem overleunde, 'het is gemakkelijk te begrijpen hoe het gebeurd is. U was als de dood vanwege die hele toestand met Sandra.'

'Je wist dat zijzelf niet gevaarlijk was,' zei Cassie. 'Ze was gek op Cathal, ze zou niets zeggen wat hem in de problemen kon brengen – en als ze dat wel deed, dan was het haar woord tegen dat van jullie drieën. Een jury heeft de neiging om slachtoffers van verkrachting niet te geloven, vooral niet als het gaat om een slachtoffer dat vrijwillig seks heeft gehad met twee van haar aanvallers. Je kon haar gewoon een slet noemen, niks aan de hand. Maar die kinderen... één woord van hen kon jullie ieder moment achter de tralies brengen. Zolang zij vrij rondliepen, konden jullie je niet veilig voelen.'

Ze liep bij de muur weg, trok een stoel tot vlak naast de zijne en ging zitten. 'Jullie zijn die dag niet naar Stillorgan gegaan,' zei ze heel zachtjes. 'Nee toch zeker?'

Jonathan ging verzitten en rechtte zijn schouders even. 'Jawel,' zei hij zwaar. 'Wel waar. Ik en Cathal en Shane. Naar de film.'

'Wat hebben jullie dan gezien?'

'Wat ik de politie indertijd verteld heb. Het is twintig jaar geleden.'

Cassie schudde haar hoofd. 'Nee,' zei ze, een korte, koele lettergreep die meteen de diepte indook. 'Misschien is een van jullie – ik zou zeggen Shane; dat is degene die ikzelf zou achterlaten – naar de film gegaan zodat hij de twee anderen kon vertellen waar het over ging, mocht iemand daarnaar informeren. Misschien waren jullie slim en zijn jullie alle drie de bioscoop ingegaan en vervolgens via de nooduitgang naar buiten zodra het donker werd, zodat je een alibi had. Maar vóór zes uur waren er in ieder geval twee van jullie in Knocknaree, in dat bos.'

'Wát,' zei Jonathan. Zijn gezicht was vertrokken tot een grimas van walging.

'De kinderen gingen altijd om halfzeven naar huis om te eten, en jij wist dat het wel even kon duren voor je ze gevonden had; het was in die tijd nog een behoorlijk stuk bos. Maar je vond ze wel degelijk. Ze zaten helemaal niet verstopt, ze waren aan het spelen, waarschijnlijk maakten ze een hoop herrie. Je sloop naar hen toe, net zoals zij naar jullie toe geslopen waren, en je greep ze.'

Uiteraard hadden we dit allemaal van tevoren doorgenomen: keer op keer hadden we het erover gehad, een theorie gevonden die aansloot bij alles wat we al hadden. Ieder detail hadden we uitgeprobeerd. Maar in mij roerde zich een beginnetje van ongemak, dat zich met knieën en ellebogen omhoog probeerde te werken – *nee, zo was het niet, zo is het niet gegaan* – en het was te laat: we konden niet meer stoppen, het was te laat.

'We zijn die dag helemaal niet in dat ellendige bos geweest. We...'

'Jullie hebben de kinderen hun schoenen uitgetrokken, zodat ze niet makkelijk weg konden komen. En toen hebben jullie Jamie doodgemaakt. Hoe, dat weten we pas als we de lijkjes vinden, maar ik wed met een mes. Je hebt haar ofwel doodgestoken, ofwel haar keel afgesneden. Op de een of andere manier is haar bloed in Adams schoenen terechtgekomen, misschien heb je het bloed daar opzettelijk in opgevangen, om niet al te veel bewijsmateriaal achter te laten. Misschien wilde je de schoenen samen met de lijkjes in de rivier gooien. Maar plotseling, Jonathan, terwijl je met Peter bezig was, lette je even niet op Adam. En Adam greep zijn schoenen en ging er als een haas vandoor. Hij had enorme halen in zijn T-shirt: volgens mij moet een van jullie naar hem uitgehaald hebben met het mes, maar hebben jullie hem net gemist... Maar hij was weg. Hij kende dat bos nog beter dan jullie zelf, en hij heeft zich verstopt tot de mensen van de zoekactie hem vonden. Hoe voelde je je toen, Jonathan? Wetende dat je het allemaal voor niets gedaan had, dat er nog steeds een getuige rondliep?'

Met opeengeklemde kaken staarde Jonathan voor zich uit. Mijn handen beefden; ik stak ze onder de tafelrand.

'Kijk, Jonathan,' zei Cassie. 'Daarom denk ik dat jullie maar met z'n tweeën waren. Drie grote kerels tegen drie kinderen, dat was geen enkel probleem geweest. Dan had je hun schoenen niet uit hoeven trekken om te verhinderen dat ze op de vlucht sloegen, dan had je gewoon één kind per persoon kunnen vasthouden, en dan was Adam nooit meer thuisgekomen. Maar als jullie maar met z'n tweeën waren, en je moet drie kinderen in bedwang houden…'

'Meneer Devlin,' zei ik. Mijn stem klonk vreemd, hol. 'Als u er niet lijfelijk bij aanwezig was – als u naar de film was om een alibi te verzorgen – dan moet u dat zeggen. Er is een enorm verschil tussen moord en medeplichtigheid aan moord.'

Jonathan wierp me een 'ook-gij-Brutus'-blik toe. 'Jullie zijn niet goed wijs,' zei hij. Hij ademde zwaar door zijn neus. 'Jullie… fúck nog aan toe. We hebben die kinderen met geen vinger aangeraakt.'

'Ik weet dat het niet úw initiatief was, meneer Devlin,' zei ik. 'Het was Cathal Mills' idee. Dat heeft hij zelf gezegd. Hij zei, en ik citeer: "Jonner zou in geen miljoen jaar aan zoiets durven denken." Als u niet meer was dan medeplichtige, of getuige, dan moet u zichzelf een dienst bewijzen door dat nu te vertellen.'

'Wat een gelul. Cathal heeft geen moorden bekend, want we hebben geen moorden gepleegd. Ik heb geen idee wat er met die kinderen gebeurd is en het kan me geen ruk schelen. Ik heb daar niets over te zeggen. Ik wil alleen weten wie dit met Katy gedaan heeft.'

'Katy,' zei Cassie met opgetrokken wenkbrauwen. 'Oké, ook goed: dan komen we later terug op Peter en Jamie. Dan hebben we het nu over Katy.' Ze schoof haar stoel achteruit, de poten schraapten met een vreselijke gil over de vloer – Jonathans schouders veerden overeind – en liep met grote passen naar de wand. 'Dit is Katy's medische dossier. Vier jaar onverklaarde maagklachten, waar een eind aan kwam toen ze haar balletlerares dit voorjaar vertelde dat het afgelopen was en hé, plotseling wás het ook echt afgelopen. Volgens onze lijkschouwer was er geen enkele aanwijzing dat er iets niet in orde was met haar. Weet u wat dat voor ons betekent? Dat iemand Katy aan het vergiftigen was. Zo moeilijk is dat niet: een scheutje bleekwater hier, een sprietsje ovenreiniger daar, of zelfs zout water is al genoeg. Dat gebeurt aan de lopende band.'

Ik zat naar Jonathan te kijken. De boze blos was uit zijn gezicht weggetrokken. Hij zag bleek, lijkbleek. Dat kleine, krampachtige begin van onbehagen in me verdampte als mist en het trof me voor de zoveelste keer: hij wist het.

'En dat was niet een of andere onbekende, Jonathan, dat was niet iemand die belang had bij die snelweg en iets tegen u had. Dat was iemand die dagelijks toegang had tot Katy, iemand die ze vertrouwde. Maar dit voorjaar, toen ze een tweede kans kreeg om naar de balletschool te gaan, toen begon dat vertrouwen nogal af te kalven. Ze weigerde het spul nog langer in te nemen. Waarschijnlijk dreigde ze het te vertellen. En een paar maanden later' – een klap tegen een van de deerniswekkende post-mortemfoto's – 'is Katy dood.'

'Dekt u uw vrouw, meneer Devlin?' vroeg ik vriendelijk. Ik kreeg amper lucht. 'Wanneer er een kind vergiftigd wordt, is het meestal de moeder. Als u probeerde uw gezin bijeen te houden, dan kunnen wij u daarbij helpen. We kunnen hulp organiseren voor mevrouw Devlin.'

'Margaret is dol op de meisjes,' zei Jonathan. Zijn stem klonk strak, gespannen als een snaar. 'Zoiets zou ze nooit doen.'

'Wat zou ze nooit doen?' informeerde Cassie. 'Zou ze Katy nooit ziek maken, of zou ze haar nooit vermoorden?'

'Ze zou haar nooit wat dan ook aandoen. Nooit.'

'Wie blijft er dan over?' vroeg Cassie. Ze leunde tegen de muur, frunnikte aan de post-mortemfoto en keek hem koel aan, als een meisje op een schilderij. 'Rosalind en Jessica hebben allebei een waterdicht alibi voor de nacht waarop Katy omkwam. Wie is er dan nog over?'

'Als je het toch wáágt om te suggereren dat ik mijn dochter iets aangedaan heb,' zei hij met lage, dreigende stem. 'Heb het lef niet.'

'We zitten hier met drie vermoorde kinderen, meneer Devlin, allemaal op dezelfde plek vermoord, allemaal hoogstwaarschijnlijk vermoord om andere misdaden stil te houden. En we hebben één gozer die telkens weer precies in het midden opduikt: ú. Als u daar een goede verklaring voor hebt, dan willen we die nu graag horen.'

'Dit is toch... dit is werkelijk ongelooflijk,' zei Jonathan. Zijn stem was vervaarlijk aan het stijgen. 'Katy is... mijn dochter is zojuist vermoord en u wilt van mij een verklaring? Dat is verdomme nog aan toe júllie werk. Jullie moeten míj dingen verklaren, in plaats van me hier een beetje te zitten beschuldigen van...'

Bijna voordat ik het zelf doorhad, stond ik overeind. Ik smeet mijn notitieboekje met een klap plat op tafel en leunde op mijn handen voorover tot mijn gezicht vlak voor het zijne hing. 'Iemand uit de buurt, Jonathan, vijfendertig jaar of ouder, die meer dan twintig jaar in Knocknaree gewoond heeft. Een gozer zonder waterdicht alibi. Iemand die Peter en Jamie kende, dagelijks toegang had tot Katy en een sterk motief had om hen alle drie te vermoorden. Doet dat je soms aan iemand denken? Noem me één ander die aan diezelfde beschrijving voldoet en ik zweer bij God dat je die deur uit kunt lopen en dat we je van je levensdagen niet meer lastigvallen. Kom op, Jonathan. Een naam. Eentje maar.'

'Arresteer me dan!' brulde hij. Hij stak zijn vuisten naar me uit, palmen omhoog en polsen tegen elkaar gedrukt. 'Kom op, als je het zo zeker weet, met al je bewijzen – arresteer me dan maar! Kom op!'

Ik kan jullie niet zeggen, ik weet niet of jullie je kunnen voorstellen hoe zielsgraag ik dat wilde. Mijn hele leven schoot aan mijn geestesoog voorbij, net zoals naar verluidt gebeurt als je aan het verdrinken bent – betraande nachten in een ijzige slaapzaal en zigzaggende fietsen 'Kijk-dan-met-losse-handen', in je broekzak opgewarmde boterhammen met boter en suiker, de stemmen van de rechercheurs die eindeloos in mijn oren dreunden – en ik wist dat we niet genoeg hadden, dat het tot niets zou leiden, dat hij over twaalf uur vrij als een vogel en schuldig als wat die deur door zou lopen. Nog nooit in mijn leven was ik ergens zo zeker van geweest. 'Fuck,' zei ik, terwijl ik mijn manchetten omhoogschoof. 'Nee, Devlin. Nee. Je zit hier al de hele avond te liegen dat je barst, en ik kan er niet meer tegen.'

'Arresteer me dan, of...'

Ik sprong op hem af. Hij dook achteruit, zodat de stoel kletterend omviel, vluchtte een hoek in en hief zijn gebalde vuisten in een en dezelfde reflex. Cassie zat al op mijn rug en greep met beide handen mijn geheven arm. 'Jezus, Ryan! Hou op!'

We hadden het al zo vaak gedaan. Het is onze laatste toevlucht, wanneer we weten dat een verdachte schuldig is, maar we hebben een bekentenis nodig en hij wil niet praten. Na mijn sprong en uitval ontspan ik me langzaam, schud Cassies handen af zonder mijn blik van de verdachte af te wenden. Na een tijdje rol ik even met mijn schouders en rek mijn nek en val weer in mijn stoel, waar ik rusteloos met mijn vingers ga zitten trommelen terwijl Cassie hem verder ondervraagt en mij in de gaten houdt om te zien of ik niet opnieuw agressief word. Een paar minuten later schrikt ze even, kijkt op haar telefoon, zegt: 'Verdomme, ik moet dit aannemen. Ryan... hou je gedeisd, oké? Vergeet niet wat er vorige keer gebeurd is,' en dan laat ze ons alleen. Dat werkt; meestal hoef ik geen tweede keer overeind te komen. We hadden het een keer of tien, twaalf gedaan en de choreografie was langzamerhand tot in de puntjes verzorgd.

Maar dit was niet hetzelfde, dit was de echte situatie waarvoor we alle andere keren en bij alle andere zaken alleen maar geoefend hadden, en ik werd nog veel bozer omdat Cassie dat kennelijk niet doorhad. Ik wilde mijn arm wegrukken, maar ze was sterker dan ik verwacht had, met polsen van staal, en ik hoorde ergens in mijn mouw een naad scheuren. We zwenkten heen en weer in een onbeholpen lijf-aan-lijfgevecht. 'Laat me lós...'

'Rob, néé...'

Haar stem klonk ijl en betekenisloos door het enorme, rode gebrul in mijn hoofd heen. Het enige wat ik zag was Jonathan, met gefronste wenkbrauwen en zijn kin tegen zijn borst als een bokser, in de hoek gedreven en maar een meter van me vandaan. Met al mijn kracht rukte ik mijn arm naar voren en ik voelde haar achteruit struikelen terwijl haar greep verslapte, maar de stoel stond in de weg en voordat ik die opzij kon schoppen om bij hem te komen, had zij zich hersteld, greep mijn andere arm en draaide die met een snelle, klinische beweging achter mijn rug. Ik hapte naar adem.

'Ben jij nou helemaal?' zei ze zacht en woedend vlak bij mijn oor. 'Die vent wéét niks.'

De woorden troffen me als een plens koud water in mijn gezicht. Ik wist dat ik, ook als zij zich vergiste, niets ter wereld kon doen. Ik voelde me ademloos, hulpeloos. Ik voelde me alsof ik geen botten meer had.

Cassie voelde de agressie uit me wegsijpelen. Ze duwde me weg en deed een snelle stap achteruit, haar handen nog klaar en gespannen. Als vijanden stonden we tegenover elkaar naar elkaar te staren, beiden zwaar hijgend.

Ze had iets donkers op haar lip dat zich uitbreidde, en even later besefte ik dat het bloed was. Even, een vrije val van een seconde lang, dacht ik dat ik haar geslagen had. (Later hoorde ik dat dat niet zo was: toen ik me lostrok was een van haar polsen door het geweld tegen haar mond geschoten, zodat haar tanden door haar lip gegaan waren; niet dat het veel verschil uitmaakt.) Ik kwam weer een heel klein beetje bij mijn positieven. 'Cassie...' zei ik.

Ze negeerde me. 'Meneer Devlin,' zei ze koel, alsof er niets gebeurd was; er lag niet meer dan een vleugje van een trilling in haar stem. Jonathan – ik had vergeten dat hij er ook nog was – schoof langzaam zijn hoek uit, zijn blik nog steeds op mij gevestigd. 'We laten u voorlopig zonder aanklacht gaan. Maar ik zou u sterk aanraden om niet te ver weg te reizen en niet te proberen contact op te nemen met uw verkrachtingsslachtoffer. Is dat duidelijk?'

'Ja,' zei Devlin na een tijdje. 'Prima.' Hij rukte de stoel achteruit, trok zijn jas van de rugleuning af en trok die met snelle, korte gebaren aan. Bij de deur draaide hij zich om en keek me vol aan. Even dacht ik dat hij iets wilde zeggen, maar hij veranderde van gedachten en liep met een afkeurend hoofdschudden weg. Cassie volgde hem naar buiten en smeet de deur achter zich dicht; hij was zo zwaar dat je er niet echt mee kon slaan, dus hij viel met een onbevredigend dreuntje dicht.

Ik liet me in een stoel vallen en legde mijn gezicht in mijn handen. Ik had nog nooit zoiets gedaan, nog nooit. Ik haat fysiek geweld, dat is altijd zo geweest. De gedachte alleen al boezemt me afgrijzen in. Zelfs toen ik klasseleerling was, met waarschijnlijk meer macht en minder verantwoordelijkheid dan de meeste volwassenen buiten een stel kleine Zuid-Amerikaanse landjes, heb ik nooit iemand geslagen. Maar een minuut geleden had ik met Cassie staan worstelen als een dronken idioot bij een kroeggevecht, en ik was bereid geweest om Jonathan Devlin op de vloer van de verhoorkamer in elkaar te rammen, overmand door het verlangen om hem in zijn buik te trappen en dat gezicht van hem tot een bloederige massa te beuken. En ik had Cassie pijn gedaan. Ik vroeg me met afstandelijke, lucide belangstelling af of ik mijn verstand aan het verliezen was.

Na een paar minuten kwam Cassie weer binnen. Ze sloot de deur en leunde ertegenaan, haar handen diep in de zakken van haar spijkerbroek geschoven. Haar lip bloedde niet meer.

'Cassie,' zei ik, terwijl ik over mijn gezicht wreef. 'Het spijt me verschrikkelijk. Gaat het?'

'Wat was daar in godsnaam aan de hand?' Op iedere wang brandde een hete, felle blos.

'Ik dacht dat hij iets wist. Ik wist het zeker.' Mijn handen schudden zo hard dat het nep leek, als een slechte acteur die doet alsof hij in shock verkeert. Ik klemde ze tegen elkaar om ze stil te houden.

Na een hele tijd zei ze heel zachtjes: 'Rob, je houdt dit niet meer vol.' Ik gaf geen antwoord. Het duurde lang voordat ik de deur achter haar dicht hoorde vallen.

# 15

Die avond werd ik dronken, stomdronken, dronkener dan ik in zo'n vijftien jaar geweest was. Ik bracht de halve nacht op het toilet door, waar ik glazig naar de wc-pot staarde en wenste dat ik kon overgeven, dan was het maar voorbij. De randen van mijn gezichtsveld pulseerden misselijkmakend bij iedere hartslag en de schaduwen in de hoeken flitsten aan en uit en verwrongen zich tot allerhande puntige, gemeen ogende kruipdingen die weg waren zodra ik met mijn ogen knipperde. Na een tijd drong tot me door dat de misselijkheid weliswaar niet beter aan het worden was, maar ook niet slechter. Ik wankelde naar mijn kamer en viel op het dekbed in slaap zonder me uit te kleden.

Ik droomde onrustig, een aaneenschakeling van verwarde, gekleurde dromen. Iets wat wild van zich afsloeg en joelend huilde in een jutezak, gelach en een aansteker die dichterbij kwam. Glasscherven op de keukenvloer en iemands moeder die zat te huilen. Ik was weer trainee in een eenzame grensstreek en Jonathan Devlin en Cathal Mills hielden zich in de heuvels verborgen met geweren en een jachthond. Ze kampeerden daar, en wij moesten hen vangen, ik en twee rechercheurs van Moordzaken, lang en kil als wassen beelden, onze laarzen diep weggezonken in stroperige modder. Ik werd half wakker in gevecht met de lakens, die van de matras losgeraakt waren en in een bezwete hoop lagen, en ik werd weer in slaap getrokken terwijl ik nog aan het bedenken was dat ik had gedroomd.

Maar de volgende ochtend werd ik wakker met één beeld stralend helder voor ogen, boven alle andere gedachten uittronend als een fonkelende neonreclame. Het had niets te maken met Peter of Jamie of Katy: Emmett, Tom Emmett, een van die twee rechercheurs van Moordzaken die een bliksembezoek hadden gebracht aan het achterlijke gehucht waar ik was gestationeerd toen ik nog in opleiding was. Emmett was lang en graatmager, met subtiele, prachtige kleren aan – zo was ik waarschijnlijk aan mijn eerste, onuitwisbare indruk gekomen van hoe een rechercheur Moordzaken erbij hoort te lopen – en een gezicht dat zo uit een oude cowboyfilm leek te komen, vol groeven en gepolijst als oud hout. Hij was nog in dienst toen ik erbij kwam – hij is intussen met pensioen – en hij leek heel aardig, maar ik had nooit kans gezien over die eerste golf van ontzag voor hem heen te komen: zodra hij me aansprak, smolt ik tot een verlegen schoolknaap die niet uit zijn woorden kon komen.

Ik had op een middag op het parkeerterrein van het gehucht rondgehangen, met een sigaret en druk bezig niet te opvallend naar hun gesprekken te luisteren. De andere rechercheur had een vraag gesteld – ik had niet verstaan wat – en Emmett had even zijn hoofd geschud. 'Als hij het niet doet, hebben we de hele toestand verkloot,' zei hij, terwijl hij een laatste, energieke trek van zijn sigaret nam en die uitmaakte onder zijn elegante schoen. 'Dan moeten we weer helemaal terug naar af, om te kijken waar we de fout ingegaan zijn.' Daarna hadden ze zich omgedraaid en waren zij aan zij met gebogen schouders en geheimzinnig in hun onopvallende donkere jasjes het bureau weer binnengegaan.

Ik wist dat ik – niets werkt zo goed als drank voor het starten van een sessie van grondig zelfverwijt – zowat alles zwaar verkloot had, op vrijwel alle denkbare manieren. Maar dat deed er amper toe, want plotseling was de oplossing glashelder. Ik had het gevoel dat alles wat in de loop van deze zaak gebeurd was – de Kavanagh-nachtmerrie, het vreselijke gesprek met Jonathan, alle slapeloze nachten en alle trucjes van mijn verstand – me gezonden waren namens de een of andere wijze, vriendelijke godheid die me tot dit moment wilde brengen. Ik had het bos van Knocknaree gemeden als de pest; ik denk dat ik iedereen in het hele land verhoord zou hebben en mijn hersenen gepijnigd tot ze ervan uiteenspatten, voordat het bij me was opgekomen om daarheen te gaan, als ik niet zo kapot was dat ik geen enkele verdediging meer had tegen dat ene, oogverblindend duidelijke ding: ik was de enige die zonder enige twijfel althans een deel van de antwoorden kende, en als er iets was waardoor ik bij die antwoorden kon komen, dan was het *(terug naar af)* dat bos.

Het klinkt al te gemakkelijk, ik weet het. Maar ik kan niet beginnen te beschrijven wat dat voor mij betekende, die duizendwattpeer die plotseling aanging boven mijn hoofd, dat baken dat me vertelde dat ik dus toch niet verdwaald was in een wildernis, dat ik precies wist waar ik heen moest. Ik barstte bijna in lachen uit, zoals ik daar in bed zat met het vroege ochtendlicht dat tussen de gordijnen door stroomde. Ik had een oerkater moeten hebben, maar ik voelde me alsof ik een week geslapen had; ik borrelde over van energie, alsof ik weer twintig was. Ik nam een douche, schoor me en riep zo vrolijk 'Goeiemorgen' tegen Heather dat ze verbijsterd en ietwat achterdochtig naar me keek, en ik zong in de auto onderweg naar het werk luidkeels mee met afgrijselijke hitparademuziek.

Ik vond een parkeerplek bij Stephen's Green – dat voelde aan als een goed voorteken, want die komen normaal gesproken op dat uur van de dag niet voor – en deed een paar snelle boodschappen op weg naar het bureau. In een boekwinkeltje niet ver van Grafton Street vond ik een schitterend exemplaar van *Woeste hoogten* – dikke pagina's met bruin verkleurde randen, luxe rode band met gouden opdruk en 'Voor Sara, Kerstmis 1922' in verschoten inkt op de titelpagina. Daarna ging ik naar Brown Thomas en kocht een gestroomlijnd, ingewikkeld apparaatje dat cappuccino maakte; Cassie heeft iets met koffie met schuim erop. Dit had ik als kerstcadeautje voor haar willen kopen, maar om de een of andere reden was dat er nooit van gekomen. Ik liep naar het bureau zonder de moeite te nemen mijn auto ergens anders neer te zetten. Het kostte me een enorme smak geld in de meter, maar het was zo'n zonnige, energieke dag die uitnodigt tot extravagante gebaren.

Cassie zat al aan haar bureau met een stapel administratie. Gelukkig voor mij waren Sam en de surveillanten nergens te bekennen. 'Morgen,' zei ze, met een koele, waarschuwende blik.

'Hier,' zei ik, terwijl ik de twee zakken voor haar neus deponeerde.

'Wat is dit?' vroeg ze met een achterdochtige blik.

'Dat,' zei ik terwijl ik naar het koffiegevaarte wees, 'is je verlate kerstcadeautje. En dit is ter verontschuldiging. Het spijt me zo verschrikkelijk, Cass – niet alleen van gisteren, maar van mijn gedrag van de afgelopen paar weken. Ik heb me verschrikkelijk gedragen en je hebt alle recht om razend op me te zijn. Maar ik beloof met de hand op het hart dat het voorbij is. Van nu af aan word ik een normaal, gezond denkend, niet-afschuwelijk mens.'

'Dat zou dan voor het eerst zijn,' zei Cassie werktuiglijk, en mijn hart sprong op. Ze opende het boek – ze is dol op Emily Brontë – en streek met haar vingers over de titelpagina.

'Vergeef je me? Ik ga op mijn knieën als je dat graag wilt. Eerlijk.'

'Dat zou ik dolgraag willen,' zei Cassie, 'maar stel dat iemand je ziet. Dan heb je het roddelcircuit pas goed aan het werk. Ryan, je bent een lamstraal. Ik was net zo lekker aan het mokken, en nu heb je dat helemaal verpest.'

'Je had het toch niet lang volgehouden,' zei ik, verschrikkelijk opgelucht. 'Tegen de middag zou je bezweken zijn.'

'Niet te enthousiast. Kom hier, halvegare.' Ze stak een arm uit, en ik bukte me en omhelsde haar even. 'Dankjewel.'

'Graag gedaan,' zei ik. 'En ik meen het: ik zal niet meer vervelend doen.'

Cassie keek naar me terwijl ik mijn jas uittrok. 'Luister,' zei ze, 'je bent niet alleen vervelend geweest. Ik ben ook bezorgd over je geweest. Als je dit allemaal niet meer wilt – nee, luister nou even – dan kun je met Sam ruilen, achter Andrews aan gaan zodat hij de familie kan doen. Hij is intussen wel zover dat wij het van hem kunnen overnemen. We hebben geen hulp nodig van zijn oom of wat dan ook. Sam stelt geen vragen, je weet hoe hij is. Je hoeft jezelf echt niet gek te maken vanwege deze zaak.'

'Cass, ik meen het, het gaat prima,' zei ik. 'Gisteren ben ik met een har de klap wakker geschud. Ik zweer op alles wat je verzinnen kunt dat ik weet wat ik met de zaak aan moet.'

'Rob, weet je nog dat ik je een schop moest geven als je al te vreemd ging doen? Nou, dit is die schop. Metaforisch, voorlopig.'

'Luister, geef me nog één week. Als je tegen het eind van volgende week nog steeds denkt dat ik dit niet goed aankan, dan ruil ik met Sam. Oké?'

'Oké,' zei Cassie na een tijd, hoewel ze er niet overtuigd uitzag. Ik was in zo'n prima bui dat deze onverwachte uiting van beschermingsdrift, waar ik normaal gesproken de zenuwen van gekregen zou hebben, me ontroerde; waarschijnlijk omdat ik wist dat het niet meer nodig was. Ik kneep even, onhandig, in haar schouder op weg naar mijn bureau.'

'Weet je,' zei ze, terwijl ik ging zitten. 'Die hele toestand met Sandra Scully heeft één groot voordeel. Weet je nog dat we die medische gegevens van Rosalind en Jessica zo graag in handen wilden krijgen? Nou, intussen hebben we Katy met fysieke tekenen van misbruik, Jessica die psychologische symptomen vertoont, en Jonathan die toegeeft dat hij ooit iemand verkracht heeft. Volgens mij is er best kans dat we zoveel bewijsmateriaal hebben dat we het dossier kunnen lichten.'

'Maddox,' zei ik, 'je bent een ster.' Dit was het enige wat me dwars had gezeten, het feit dat ik mezelf voor aap had gezet door ons achter een hersenschim aan te laten jagen. Kennelijk was dat dus toch niet zo zinloos geweest. 'Maar ik dacht dat Devlin volgens jou niet ons mannetje was.'

Cassie haalde haar schouders op. 'Niet echt. Hij verbergt iets, maar dat kan gewoon misbruik zijn – althans, niet gewóón natuurlijk, je snapt wat ik bedoel – of hij dekt Margaret, of... ik ben niet zo zeker als jij van zijn schuld, maar ik zou graag willen zien wat er in die dossiers staat.'

'Ik ben er ook niet zo zeker van.'

Ze trok een wenkbrauw op. 'Je leek gisteren anders behoorlijk overtuigd.'

'Nu we het daar toch over hebben,' zei ik ietwat onbehaaglijk, 'heb jij enig idee of hij aangifte gedaan heeft? Ik durf niet te gaan kijken.'

'Omdat je zo lief je excuses hebt aangeboden,' zei Cassie, 'zal ik die opmerking maar over het hoofd zien. Hij heeft er tegen mij niets over gezegd, en als hij dat gedaan had, dan zou je het echt wel weten: dan was O'Kelly te horen tot in Knocknaree. Daarom neem ik ook aan dat Cathal Mills geen aangifte heeft gedaan tegen mij omdat ik had gezegd dat hij een klein pikkie heeft.'

'Dat doet hij ook niet. Zie je hem al met de agent van dienst zitten om uit te leggen dat jij suggereerde dat hij een slap minipikkie heeft? Maar Devlin is een ander verhaal. Die is sowieso al half doorgedraaid...'

'Geen nare opmerkingen over Jonathan Devlin,' zei Sam, die op dat moment net de projectkamer kwam binnenstuiteren. Hij zag rood en leek bijzonder opgewonden, zijn kraag scheef en een pluk haar in zijn ogen. 'Devlin is een held. Eerlijk, als ik niet bang was dat hij het verkeerd zou opvatten, dan zou ik hem helemaal suf zoenen.'

'Jullie zouden een leuk stelletje vormen,' zei ik, terwijl ik mijn pen neerlegde. 'Wat heeft hij gedaan?' Cassie draaide haar stoel om, en er verscheen een glimlach van verwachting op haar gezicht.

Met een breed gebaar trok Sam zijn stoel uit, liet zich erin vallen en legde zijn benen op tafel als een privédetective in een ouderwetse film; als hij een hoed had gehad, dan had hij die al tollend door de kamer gegooid. 'Hij heeft Andrews eruit gepikt bij de stemconfrontatie. Andrews en zijn advocaat kregen er bijna een rolberoerte van, en Devlin was ook niet bepaald blij om van mij te horen – wat hebben jullie in vredesnaam tegen hem gezegd? – maar ze hebben het uiteindelijk allemaal gedaan. Ik heb Devlin gebeld – dat leek me de beste manier; je weet dat iedereen altijd anders klinkt over de telefoon – en ik heb Andrews en een stel van onze jongens een paar zinnen uit die telefoontjes laten zeggen: 'Mooi dochtertje heb je daar,' en 'Je hebt geen idee waar je mee aan het klooien bent…'

Met zijn pols schoof hij de haarlok weg; zijn gezicht, lachend en open, stond triomfantelijk, als dat van een kind. 'Andrews mompelde en traineerde de zaken en probeerde van alles om zijn stem maar anders te laten klinken, maar mijn held Jonathan pikte hem er binnen de vijf seconden uit, geen enkel probleem. Toen begon hij over de telefoon tegen me te brullen, wilde weten wie het was, en Andrews en zijn advocaat – ik had Devlin op de luidspreker zodat ze het zelf konden horen, ik wilde later geen toestanden – die zaten daar met een gezicht als een stel geslagen honden. Het was schitterend.'

'O, goed zo,' zei Cassie, en ze leunde over de tafel heen voor een high five. Grijnzend stak Sam zijn andere hand naar mij uit.

'Eerlijk gezegd ben ik zelf ook best trots. Het is natuurlijk bij lange na niet genoeg voor een aanklacht wegens moord, maar we kunnen hem waarschijnlijk wel een of andere vorm van aanranding aan de broek hangen – en het is sowieso genoeg om hem vast te houden voor verhoor. En dan maar kijken hoe ver we komen.'

'Heb je hem hier gehouden?' vroeg ik.

Sam schudde zijn hoofd. 'Na de confrontatie heb ik geen woord tegen hem gezegd, hem gewoon bedankt en gezegd dat ik nog contact zou opnemen. Ik wilde hem een tijdje laten stressen.'

'O, dat is misselijk van je, O'Neill,' zei ik ernstig. 'Dat had ik niet achter je gezocht.' Het was leuk om Sam te pesten. Hij trapte er niet altijd in, maar als hij dat deed, dan werd hij helemaal oprecht en begon hij te stamelen.

Hij wierp me een vernietigende blik toe. 'En bovendien wilde ik uitzoeken of er kans is om zijn telefoon een paar dagen af te luisteren. Als hij onze jongen is, dan wed ik dat hij het niet zelf gedaan heeft. Zijn alibi klopt, en hij is sowieso niet het type om zijn goeie goed te bederven met smerige klusjes: daar heeft hij zijn mensen voor. Het feit dat zijn stem herkend is, kan zo'n paniek veroorzaken dat hij zijn huurmoordenaar belt, of althans iets stoms zegt tegen iemand.'

'En neem zijn oude telefoondossiers ook nog eens door,' herinnerde ik hem. 'Kijk met wie hij afgelopen maand gepraat heeft.'

'Daar is O'Gorman al mee bezig,' zei Sam zelfgenoegzaam. 'Ik geef

Andrews een week of twee, kijken of er iets bovenkomt, en dan haal ik hem hierheen. En…' – plotseling keek hij bedeesd, met een blik die het midden hield tussen schaamte en ondeugendheid – 'weten jullie nog dat Devlin zei dat de beller lichtelijk aangeschoten klonk door de telefoon? En dat we ons gisteren afvroegen of Andrews een neut ophad? Nou, volgens mij heeft onze jongen een beetje een drankprobleem. Ik vraag me af hoe hij zou reageren als we hem eens om, zeg, acht of negen uur 's avonds gingen spreken. Misschien dat hij dan… je weet wel… iets spraakzamer is, iets minder genegen zijn advocaat te bellen. Ik weet dat het niet aardig is om gebruik te maken van zijn zwakheden, maar…'

'Rob heeft gelijk,' zei Cassie hoofdschuddend. 'Je hebt echt een wreed trekje.'

Even sperde Sam vol ontzetting zijn ogen open, toen viel het kwartje. 'Krijg allebei wat,' zei hij blij, en hij draaide zijn stoel in een volle cirkel rond, zijn voeten nog in de lucht.

We waren die avond allemaal door het dolle heen, door het dolle heen als kinderen die een onverwachte dag vrij van school gekregen hebben. Sam had, tot onze collectieve verbazing, kans gezien O'Kelly zover te krijgen dat die een rechter overhaalde om hem een bevel te geven om Andrews' telefoon twee weken lang af te luisteren. Normaal gesproken kreeg je dat pas als er grote hoeveelheden explosieven in het spel waren, maar Operatie Vestaalse maagd was nog steeds vrijwel om de dag voorpaginanieuws – 'Geen nieuwe aanwijzingen moord op Katy' (zie pag. 5: 'Is uw kind veilig?') – en het was allemaal zo spectaculair dat we wel een potje extra konden breken. Sam verkeerde in een jubelstemming: 'Ik weet dat dat ettertje iets verbergt, jongens, ik wil er wat om verwedden. En het enige wat ik nodig heb is een dezer dagen een paar glazen te veel, en *bang!* dan hebben we hem.' Hij had een schitterende, boterzachte witte wijn meegenomen om het te vieren. Ik was licht in het hoofd van opluchting en ik had meer honger dan ik in weken gehad had; ik bakte een enorme Spaanse omelet en probeerde die als een pannenkoek in de lucht om te keren zodat hij bijna de gootsteen in vloog. Cassie wervelde door de flat, op blote voeten onder een zomers afgeknipte spijkerbroek, sneed een baguette, zette de Dixie Chicks hard op, en leverde commentaar op mijn ooghandcoördinatie 'En zo iemand krijgt dan dus een persoonlijk vuurwapen, straks gaat hij ermee opscheppen om weer eens een meisje te versieren, zodat hij zich dan in zijn eigen voet schiet…'

Na het eten speelden we Cranium, een losweg geïmproviseerde drie-mansversie – ik kan de woorden niet vinden voor een adequate beschrijving van Sam die na vier glazen wijn probeert om 'carburateur' uit te beelden. ('c3po? Een koe melken?... dat mannetje in een koekoeksklok!') De lange, witte gordijnen bolden op en woeien in de bries door het hoge, open raam en een flintertje maan hing in de steeds donkerder lucht en ik kon me niet herinneren wanneer ik voor het laatst zo'n avond had beleefd, een gelukkige, gedachteloze avond zonder grijze schaduwtjes die aan de randen van ieder gesprek zitten te plukken.

Toen Sam weg was, leerde Cassie mij swingen. We hadden na het eten cappuccino gedronken om het nieuwe apparaat in te wijden, en we konden de komende uren niet slapen. Uit de cd-speler klonk krasserige oude muziek; Cassie greep mijn handen en trok me van de bank af. 'Waar heb jij in godsnaam leren swingen?' informeerde ik.

'Mijn oom en tante vonden dat kinderen naar Les moesten. Naar heel veel Lessen. Ik kan ook houtskooltekenen en pianospelen.'

'Allemaal tegelijk? Ik kan triangel spelen. En ik heb twee linkervoeten.'

'Maakt mij niet uit. Ik heb zin om te dansen.'

De flat was te klein. 'Kom op,' zei Cassie. 'Trek je schoenen uit,' en ze greep de afstandsbediening en zette de muziek keihard en klom het raam uit, de brandtrap af naar het dak van de uitbouw beneden.

Ik heb geen aanleg voor dansen, maar ze leerde me de basisstappen keer op keer, en stapte zelf behendig uit de buurt van mijn misstappen, tot de zaken plotseling op hun plaats klikten en we dansten, tollend en zwenkend op het aanstekelijke, opzwepende ritme, gevaarlijk dicht bij de rand van het platte dak. Cassies handen in de mijne voelden aan als die van een atleet: sterk en soepel. 'Zie je nou wel dat je kunt dansen!' riep ze ademloos, met stralende ogen, boven de muziek uit.

'Wat?' brulde ik, en ik struikelde. Ons gelach rolde zich als slingers uit over de donkere tuinen in de diepte.

Ergens beneden werd met een ruk een raam opengeschoven en een beverige Engelse stem riep: 'Als jullie die muziek niet meteen zachter zetten, bel ik de politie!'

'Wij zíjn de politie!' gilde Cassie terug. Ik sloeg een hand voor haar mond en we schudden van het explosieve, onderdrukte gelach tot het raam, na een verwarde stilte, weer dichtsloeg. Cassie holde de brandtrap weer op en ging er aan één arm aan hangen, nog steeds giechelend, om de afstandsbediening door het raam heen te kunnen mikken. Ze zette de speler op nocturnes van Chopin en draaide het volume lager.

Zij aan zij lagen we op het dak van de uitbouw met onze handen onder ons hoofd, onze ellebogen net tegen elkaar aan. Mijn hoofd tolde nog een beetje, niet onprettig, van het dansen en de wijn. De bries voelde lauw aan over mijn gezicht, en zelfs tussen de stadslichten door kon ik de sterrenbeelden nog zien: de Grote Beer, de riem van Orion. De pijnboom onder aan de tuin ritselde als de zee. Even had ik het gevoel dat het heelal ondersteboven gekeerd was en dat we zachtjes in een enorme zwarte kom vol sterren en nocturnes vielen, en ik wist zonder enige twijfel dat alles goed zou komen.

# 16

Ik bewaarde het bos voor zaterdagnacht en klemde de gedachte tegen mijn borst als een kind met een enorm paasei met een mysterieuze verrassing erin. Sam bracht het weekend in Galway door – er werd een nichtje gedoopt; hij had dat soort clan-achtige familie dat bijna wekelijks volledige samenkomsten houdt omdat er altijd wel iemand wordt gedoopt of gaat trouwen of begraven wordt – en Cassie ging uit met een stel vriendinnen. Heather was aan het speeddaten in een of ander hotel, dus niemand zou weten dat ik weg was.

Rond zeven uur kwam ik in Knocknaree aan en parkeerde in het parkeerhaventje. Ik had een slaapzak en een lantaarn meegenomen, een thermosfles met koffie met een flinke scheut erdoorheen, en een stapel boterhammen. Toen ik dat allemaal stond in te pakken, voelde ik me lichtelijk belachelijk, als zo'n serieuze wandelaar in technologisch verantwoord fleece, of een kind dat van thuis wegloopt, maar ik had niets bij me om vuur mee te maken: de mensen in de wijk waren nog behoorlijk gespannen en zouden meteen de politie bellen als ze een mysterieus licht zagen. Dat zou voor iedereen gênante toestanden opleveren, en bovendien ben ik niet zo'n padvinderstype; ik zou waarschijnlijk de laatste restanten van het bos platgebrand hebben.

Het was een stille, heldere avond met lange banen zonlicht die het steen van de toren rozegoud kleurden en zelfs de geulen en de hopen aarde een air van droevige, rafelige magie verleenden. Ergens ver weg op de velden stond een lam te blaten en de lucht had een rijke, rustige geur: hooi, koeien, een of andere geurende bloem waarvan ik de naam niet kende. Boven de heuvelkam waren vluchten vogels hun v-formaties aan het oefenen. Buiten het boerderijtje ging de herdershond rechtop zitten en woefte een waarschuwend soort blaf, keek me een tijdje strak aan, besloot dat ik niet gevaarlijk was en ging weer liggen. Ik volgde het hobbelige spoor van de archeologen over de opgraving, net breed genoeg voor een kruiwagen – ditmaal had ik oude tennisschoenen, een versleten spijkerbroek en een dikke trui aan – het bos in.

Wie, als ik, in hart en nieren een stadsmens is, zal zich bij een bos waarschijnlijk iets simpels voorstellen: identiek getinte groene bomen in overzichtelijke rijen, een zacht tapijt van dor blad of dennennaalden, keurig gerangschikt als een kindertekening. Misschien zien die efficiënte, met de beste bedoelingen aangelegde bossen er inderdaad zo uit; ik zou het niet weten. Het bos van Knocknaree was echt, en het zat ingewikkelder in elkaar en was geheimzinniger dan ik me had herinnerd. Het had een geheel eigen orde, eigen bittere strijd, eigen bondgenootschappen. Ik was hier nu de indringer, en ik had een diep, stekend gevoel dat mijn aanwezigheid meteen was opgevallen en dat het bos me met een collectieve blik in de gaten hield, vooralsnog zonder te accepteren of te weigeren; het schortte zijn oordeel op.

Op Marks open plek lag verse as in de vuurkring en er lagen een paar verse peuken op de kale grond daaromheen; hij was hier sinds Katy's dood weer geweest. Ik hoopte vurig dat hij niet uitgerekend vannacht op zoek zou gaan naar de band met zijn cultureel erfgoed. Ik pakte mijn boterhammen, thermosfles en lantaarn uit mijn zakken en spreidde mijn slaapzak op het compacte plekje platgedrukt gras waar Mark had gelegen. Daarna liep ik langzaam door het bos.

Het leek wel of ik de ruïnes van een welvarende, vergane stad in wandelde. De bomen groeiden tot hoger dan kathedraalzuilen; ze worstelden om ruimte te krijgen, hielden enorme, omgevallen stammen omhoog, leunden met de helling van de heuvel mee: eik, beuk, es, andere die ik niet kon benoemen. Lange lichtsperen filterden in een gewijde schemering tussen de groene bogen door. Vlekken klimop verhulden de gigantische stammen, hingen in watervallen van de takken af, veranderden stronken in menhirs. Het geluid van mijn voetstappen werd gedempt door diepe, verende lagen dor blad; toen ik bleef staan en met de punt van mijn schoen een stuk hout omdraaide, rook ik een rijke rottingsgeur en zag ik donkere, vochtige aarde, dopjes van eikels, het bleke, angstige wriemelen van een worm. Vogels schoten fluitend tussen de takken heen en weer en waar ik voorbijliep, ontstond gedempt, waarschuwend geschuifel.

Dicht kreupelhout, en hier en daar een paar brokstukken van een stenen muur; gespierde wortels, groen van het mos en dikker dan mijn arm. De lage rivieroevers, begroeid met bramen (op handen en achterwerk omlaag glijden, *Au! Mijn been!*) en knoestige vlier en wilg. De rivier zelf leek net bladgoud, met rimpels en stippels van zwart. Ranke gele blaadjes dreven op het oppervlak en balanceerden daar zo lichtjes op alsof het een vaste stof was.

Mijn gedachten gleden uit en raakten in een slip. Bij iedere stap begon er meer herkenning in de lucht te gonzen, als een soort morsecode die zo snel ging dat ik hem net niet ontcijferen kon. Hier hadden we geheld, op vaste voet de heuvels afgerend over die vage sporen; we hadden gestreepte kweeappels gegeten van die knoestige boom, en als ik opkeek naar een plek met heel dicht loof, verwachtte ik bijna ons daar te zien zitten, aan de takken vastgeklemd als jonge boskatten. Aan de rand van een van die open plekjes (hoog gras, zonnevlekken, wolken kleef- en fluitenkruid) hadden we toegekeken toen Jonathan en zijn vrienden Sandra tegen de grond gedrukt hielden. Ergens, misschien wel op dezelfde plek waar ik nu stond, had het bos gehuiverd en was het opengebroken en waren Peter en Jamie weggegleden.

Ik had niet direct een plan voor die nacht, niet in strikte zin. Ik wilde naar het bos, rondkijken en de nacht doorbrengen; ik hoopte dat er iets zou gebeuren. Tot dat moment had het gebrek aan planning me geen belemmering geleken. Tenslotte was alles wat ik de laatste tijd had willen plannen op een volledig fiasco uitgelopen. Het was duidelijk dat ik van tactiek moest veranderen en wat kon er drastischer zijn dan hieraan beginnen zonder enige voorbereiding, en dan maar kijken wat dat zou opleveren? En ik neem aan dat het ook wel appelleerde aan mijn gevoel voor het pittoreske. Waarschijnlijk heb ik altijd verlangd, hoewel ik daar in alle opzichten volledig ongeschikt voor ben, naar een heldenrol als in een mythe, goudglanzend en onbevreesd: zonder zadel galoppeerde ik op een wild paard dat niemand anders kon bedwingen mijn lot tegemoet.

Nu ik hier werkelijk was, leek het me plotseling niet meer zo'n spontane sprong in het duister. Hoogstens voelde het lichtelijk hippieachtig aan – ik had zelfs overwogen om stoned te worden, in de hoop dat ik daardoor zo ontspannen zou raken dat mijn onderbewuste een sportieve kans kreeg, maar door hasj val ik steevast in slaap en word ik verschrikkelijk traag. Plotseling drong tot me door dat de boom waar ik tegenaan stond te leunen wel eens dezelfde boom kon zijn waarbij ik was gevonden, misschien had hij nog de bleke littekens waar mijn nagels de bast weggestoken hadden; en verder besefte ik dat het donker begon te worden.

Op dat moment was ik bijna weggegaan. Ik ging terug naar de open plek, schudde het dorre blad van mijn slaapzak en rolde hem op. Eerlijk gezegd was er maar één ding dat me daar hield, en dat was de gedachte aan Mark. Die had hier de nacht doorgebracht, niet eenmaal maar regelmatig, en het leek niet eens bij hem opgekomen te zijn dat dat griezelig kon zijn. Ik kon de gedachte niet uitstaan dat hij flinker zou zijn dan ik, of hij dat nou wist of niet. Misschien had hij een vuurtje gehad, maar ik had mijn lantaarn en een Smith & Wesson, hoewel ik me bij de gedachte alleen al behoorlijk achterlijk voelde. Ik zat maar een paar honderd meter van de beschaving af, of althans van de wijk af. Met de slaapzak in mijn handen stond ik even stil, en toen rolde ik hem weer uit, werkte me er tot mijn middel in en leunde met mijn rug tegen een boom.

Ik schonk een mok koffie met whiskey in; de scherpe, volwassen smaak was vreemd geruststellend. De scherven van de hemel boven mijn hoofd werden donkerder en verkleurden van turquoise naar indigo; vogels landden op de takken en nestelden zich voor de nacht met scherpe kreten en gedempt gekrakeel. Boven de opgraving klonk het getik van rondvliegende vleermuizen en tussen de struiken klonk een sprong, een worsteling, stilte. In de verte, tussen de huizen, riep een kind iets hoogs en ritmisch: *Wie niet weg is, is gezien…*

Langzaam – zonder verbazing, alsof ik het al een hele tijd geweten had – drong tot me door dat ik, als ik kans zag me iets bruikbaars te herinneren, daarmee naar O'Kelly zou gaan. Niet meteen, misschien niet eens de komende paar weken; ik zou een tijdje nodig hebben om losse eindjes weg te werken en mijn zaken op orde te brengen, zogezegd; want als ik dat deed, was dat meteen het eind van mijn carrière.

Diezelfde middag nog zou de gedachte aangevoeld hebben als een klap met een baseballslaghout. Maar op de een of andere manier kwam ze me die nacht haast verleidelijk voor; ze fonkelde verlokkend in de lucht voor me en ik draaide haar om en om met een heerlijk soort opwinding. Rechercheur bij Moordzaken was het enige wat ik ooit had willen worden; ik had er mijn garderobe op afgestemd, mijn manier van lopen, mijn woordenschat, mijn leven of ik nu wakker was of sliep; het was een dronken makende gedachte dat ik dat allemaal met één nonchalante polsbeweging zou weggooien en zou kijken hoe het de ruimte in schoot als een felgekleurde ballon. Ik kon als privédetective voor mezelf beginnen, dacht ik. Ik kon een haveloos kantoortje hebben ergens in een vervallen gebouw, met mijn naam in goud op een melkglazen deur, aan het werk gaan wanneer ik maar wilde en geroutineerd rond de randen van de wet laveren – en een getergde O'Kelly lastigvallen met verzoeken om inside-information. Dromerig vroeg ik me af of Cassie dan met me mee zou gaan. Ik kon een gleufhoed en zo'n Franse regenjas aanschaffen en een snedig gevoel voor humor ontwikkelen; zij kon elegant in hotelbars zitten met een sluik vallende rode jurk en een camera in haar lippenstift om vreemdgaande zakenmannen te strikken... Ik moest bijna hardop lachen.

Ik besefte dat ik in slaap aan het vallen was. Dit had geen deel van mijn plan uitgemaakt, hoe schetsmatig dat ook was, en ik deed mijn best om wakker te blijven. Maar al die slapeloze nachten troffen me in één klap, met de impact van een verdovende injectie. Ik dacht aan de thermosfles koffie, maar die leek onbereikbaar ver weg te staan. De slaapzak was door mijn lichaam opgewarmd en ik had me rond alle bobbeltjes en kuilen in de grond geplooid; ik lag bedwelmend lekker. Ik voelde de mok uit mijn vingers vallen, maar ik kreeg mijn ogen niet open.

Ik heb geen idee hoe lang ik geslapen heb. Ik zat rechtovereind een kreet in te houden voordat ik echt wakker was. Vlak bij mijn oor had iemand, helder en duidelijk, 'Wat is dat?' gezegd.

Ik bleef een hele tijd zitten en voelde trage bloedgolven door mijn halsslagaders klotsen. In de wijk waren alle lichten uit. Het bos was stil, door de takken boven mijn hoofd was amper een fluistering van de wind te horen. Ergens kraakte een takje.

Peter, die zich boven op de kasteelmuur als gestoken omdraaide en een hand uitstak om Jamie en mij aan weerszijden tegen te houden: 'Wat is dat?'

We hadden de hele dag buiten gespeeld, vanaf het moment dat de dauw nog aan het opdrogen was. Het was kokendheet; onze adem was warm als badwater en de hemel had de kleur van het binnenste van een vlam. We hadden flessen rode limonade in het gras onder een boom liggen, voor als we dorst kregen, maar de limonade was warm geworden, de prik was eruit en de mieren hadden de flessen gevonden. Ergens verderop was iemand gras aan het maaien; iemand anders had een keukenraam open en de radio hard aan, en zong mee met 'Wake Me Up Before You Go-Go'. Twee meisjes mochten om beurten op een roze driewieler op de stoep, en Peters tuttige zusje Tara speelde schooltje bij haar vriendinnetje Audrey in de tuin: samen lazen ze een verzameling in rijen opgestelde poppen de les. De Carmichaels hadden een tuinsproeier gekocht; zoiets hadden wij nog nooit gezien en telkens wanneer ze hem buiten zetten, keken we ernaar, maar mevrouw Carmichael was een rotwijf en Peter zei dat ze je schedel insloeg met een poker als je bij haar de tuin inging.

We hadden voornamelijk gefietst. Peter had een Evel Knievel gekregen voor zijn verjaardag – als je die opwond, kon hij over stapels oude *Warlord*-jaarboeken heen springen – en hij wilde zelf stuntman worden als hij groot was, dus waren we aan het oefenen. We hadden op straat een verhoging gebouwd, van bakstenen en een stuk multiplex dat Peters vader in de schuur had staan – 'We maken hem gewoon iedere dag een stuk hoger,' zei Peter, 'iedere dag één baksteen erbij' – maar die wiebelde verschrikkelijk en ik had nog geen kans gezien om niet op het laatste moment op de rem te gaan staan.

Jamie had het een paar keer geprobeerd en was daarna bij de stoeprand blijven rondhangen. Ze schraapte een sticker van haar stuur af en trapte tegen haar pedaal zodat het rondtolde. Ze was die ochtend pas laat naar buiten gekomen en ze was de hele dag wat mat geweest. Ze was nooit erg spraakzaam, maar dit was iets anders: haar stilte was een soort dichte, ondoordringbare wolk om haar heen en Peter en ik werden er nerveus van.

Peter vloog gillend en wild zigzaggend van de verhoging af, rakelings langs de twee kleine meisjes met de driewieler. 'Stelletje sukkels, willen jullie ons dood hebben of zo?' bitste Tara over de hoofden van haar poppen heen. Ze had een lange, gebloemde rok aan die als een plas op het gras lag, en een enorme, rare hoed op met een lint eromheen.

'Jij bent niet de baas over mij,' schreeuwde Peter terug. Hij reed Audreys grasveld op en maakte een duikvlucht langs Tara om in het voorbijrijden de hoed van haar hoofd te grijpen. Tara en Audrey gilden als geoefende koorleden.

'Adam! Vangen!' Ik was achter hem aan de tuin in gefietst – als Audreys moeder nu naar buiten kwam, zwaaide er wat – en zag kans de hoed te vangen zonder van mijn fiets te vallen. Ik zette hem op mijn hoofd en fietste met losse handen rond de poppenklas. Audrey probeerde me omver te gooien, maar ik ontweek haar. Ze zag er leuk uit en ze leek niet echt boos, dus probeerde ik haar poppen niet te overrijden. Tara zette haar handen in haar zij en begon naar Peter te brullen. 'Jamie!' riep ik. 'Kom op!'

Jamie was op straat gebleven en stond met haar voorband ritmisch tegen de rand van de verhoging te dreunen. Ze liet haar fiets vallen, rende naar de muur rond de wijk en sprong eroverheen.

Meteen vergaten Peter en ik Tara ('Jij hebt geen greintje verstand, Peter Savage, geen greintje, wacht maar tot mama hoort wat je nu weer gedaan hebt...'), trapten op de rem en keken elkaar aan. Audrey greep de hoed van mijn hoofd en rende, terwijl ze over haar schouder keek om te zien of ik achter haar aan kwam. We lieten onze fiets op straat liggen en klommen achter Jamie aan.

Ze zat op de schommel van een oude autoband en zette zich iedere paar schommelingen af tegen de muur. Ze zat met haar hoofd omlaag en het enige wat ik zag was een waterval van steil, bleek haar en het puntje van haar neus. We gingen op de muur zitten wachten.

'Mijn moeder heeft me vanochtend opgemeten,' zei Jamie na een tijd. Ze pulkte aan een korstje op haar knokkel.

Verbaasd dacht ik aan het kozijn van onze keukendeur: glanzend wit hout met potloodstreepjes en data ernaast om te laten zien hoe ik groeide. 'Nou en?' zei Peter. 'Daar hoef je toch niet zo moeilijk over te doen?'

'Voor mijn uniform!' brulde Jamie tegen hem. 'Stommerd!' Ze liet zich uit de autoband glijden, landde met een klap op de grond en holde het bos in.

'Jezus,' zei Peter, 'wat heeft zij nou?'

'Kostschool,' zei ik. Mijn benen werden slap bij die woorden.

Peter wierp me een ongelovige grimas vol afschuw toe. 'Daar gaat ze helemaal niet naartoe. Dat heeft haar moeder zelf gezegd.'

'Nee, dat heeft ze niet gezegd. "Dat zien we dan wel weer," heeft ze gezegd.'

'Ja, en toen heeft ze er nooit meer iets over gezegd.'

'Nou, nu dus wel, hè?'

Peter keek met samengeknepen ogen tegen de zon in. 'Kom op,' zei hij, en hij sprong weer van de muur af.

'Waar gaan we naartoe?'

Hij gaf geen antwoord. Hij pakte zijn eigen fiets en die van Jamie en zag kans die al wiebelend naar zijn eigen tuin te krijgen. Ik pakte de mijne en ging achter hem aan.

Peters moeder was de was aan het ophangen, met een rij wasknijpers langs de rand van haar schort geklemd. 'Je moet Tara niet zo pesten,' zei ze.

'Oké,' zei Peter, terwijl hij de fietsen op het gras liet vallen. 'Mam, we gaan het bos in, oké?' De baby, Sean Paul, lag op een dekentje. Op een luier na was hij helemaal bloot, en hij probeerde te kruipen. Ik prikte hem voorzichtig met mijn teen in zijn zij; hij rolde om, greep mijn gymschoen en grijnsde naar me op. 'Brave baby,' zei ik. Ik had geen zin om op zoek te gaan naar Jamie. Ik vroeg me af of ik misschien gewoon hier kon blijven, voor mevrouw Savage op Sean Paul passen en wachten tot Peter terugkwam om te vertellen dat Jamie wegging.

'We gaan om halfzeven aan tafel,' zei mevrouw Savage, terwijl ze een afwezige hand uitstak om Peters haar in het voorbijgaan glad te strijken. 'Heb je je horloge om?'

'Ja.' Peter hield haar zijn pols voor. 'Kom op, Adam.'

Als er iets aan de hand was, gingen we meestal naar dezelfde plek: de hoogste kamer van het kasteel. De trap die erheen leidde, was allang vergaan en vanaf de grond kon je niet eens zien dat daar een kamer was; je moest over de buitenste muur klimmen, helemaal naar boven, en dan moest je op de stenen vloer springen. Er hing klimop langs de muren en er groeiden takken overheen: het was net een vogelnest, hoog in de lucht.

Daar zat Jamie, opgekruld in een hoek met een elleboog voor haar mond langs geslagen. Ze huilde, heel hard en onbeholpen. Een hele tijd geleden was ze een keer al hollend met haar voet in een konijnenhol blijven steken en had ze haar enkel gebroken; wij hadden haar het hele eind naar huis gedragen en ze had geen traan gelaten, zelfs niet toen ik struikelde zodat ze haar been stootte. Toen had ze alleen 'Adam, stomkop!' geroepen en in mijn arm geknepen.

Ik klom de kamer in. 'Rot op!' schreeuwde Jamie naar me, verstikt door tranen en door haar arm. Haar gezicht was rood en haar haar zat in de war, met de speldjes helemaal opzij. 'Laat me met rust.'

Peter stond nog boven op de muur. 'Ga jij naar kostschool?' wilde hij weten.

Jamie kneep haar ogen en haar mond stijf dicht, maar toch klonken er nog gedempte snikken. Ik kon nauwelijks verstaan wat ze zei. 'Ze had er niks van gezegd, ze deed alsof er niks aan de hand was, en die hele tijd... zat ze gewoon te líégen!'

Waar ik echt ondersteboven van was, dat was hoe oneerlijk het was. 'Dat zien we dan wel weer,' had Jamies moeder gezegd. 'Maak je daar nou maar geen zorgen over.' En wij hadden haar geloofd en hadden ons geen zorgen meer gemaakt. We waren nog nooit verraden door een volwassene, althans niet in zaken die er zo toe deden, en ik kon het niet be-vatten. We hadden die hele zomer geleefd in het vertrouwen dat we de eeuwigheid hadden.

Peter wankelde bezorgd over de muur heen en weer, stond op één voet. 'Dan doen we weer hetzelfde. Dan slaan we weer aan het muiten. Dan gaan we...'

'Nee!' huilde Jamie. 'Ze heeft het schoolgeld al betaald en alles – het is te laat, ik ga al over twee weken. Twee weken...' Haar handen balden zich tot vuisten en ze beukte ermee tegen de muur.

Ik kon er niet meer tegen. Ik knielde naast Jamie en sloeg mijn arm om haar schouders. Ze schudde me af, maar toen ik mijn arm weer terugleg-de, liet ze hem liggen. 'Niet doen, Jamie,' smeekte ik. 'Niet huilen, toe nou.' De groene en gouden werveling van takken waar je maar keek, Pe-ter verbijsterd en Jamie in tranen, en het elektriserende gevoel van haar zijdezachte huid onder mijn hand; de hele wereld leek op zijn grondves-ten te schudden en de stenen van het kasteel verhieven zich onder mijn voeten als het dek van een schip in een film. 'Je komt ieder weekend te-rug...'

'Maar dat is niet hetzelfde!' huilde Jamie. Haar hoofd viel achterover en ze snikte zonder nog te proberen dat te verbergen, haar tere bruine hals naar de hemelscherven gekeerd. De klank van pure ellende in haar stem sneed dwars door me heen en ik wist dat ze gelijk had: het zou nooit meer hetzelfde worden, nooit meer.

'Nee, Jamie, niet... hou op...' Ik kon me niet inhouden. Ik wist dat het nergens op sloeg, maar even wilde ik haar zeggen dat ík wel zou gaan, dat ik haar plaats zou innemen, dat zij voorgoed hier mocht blijven... Voordat ik wist dat ik het ging doen, had ik mijn hoofd naar het hare ge-bracht en haar op de wang gekust. Haar tranen voelden nat op mijn lip-pen. Ze rook naar gras in de zon, heet en groen, bedwelmend.

Ze was zo verbijsterd dat ze ophield met huilen. Ze keek me met grote, roodomrande blauwe ogen aan, van heel dichtbij. Ik wist dat ze iets ging doen, me een stomp geven, me terugkussen...

Peter sprong van de muur af en viel op zijn knieën voor ons. Hij greep mijn pols in de ene hand, hard, en die van Jamie in de andere. 'Luister,' zei hij. 'We lopen weg.'

Jamie en ik staarden hem aan.

'Dat slaat nergens op,' zei ik na een tijdje. 'Ze krijgen ons echt wel te pakken.'

'Nee, niet meteen. We kunnen ons hier best een paar weken schuilhouden. Makkelijk. Het hoeft niet voorgoed te zijn of zo – gewoon tot het veilig is. Zodra school begonnen is, kunnen we naar huis: dan is het te laat. En als ze haar dan tóch nog wegsturen, nou, dan lopen we weer weg. Dan gaan we naar Dublin en halen Jamie daar weg. Dan wordt ze van school gestuurd en móét ze wel terug naar huis. Snap je?'

Zijn ogen glansden. Het idee vatte post, bloeide op, zinderde in de lucht voor ons.

'We zouden hier kunnen wonen,' zei Jamie. Ze haalde diep en huiverend, nasnikkend, adem. 'In het kasteel, bedoel ik.'

'We verkassen iedere dag. Hier, de open plek, die grote boom met die takken die een nest vormen. We geven ze geen kans om ons op het spoor te komen. Dachten jullie nou echt dat iemand ons hier zou vinden? Kom nou, zeg!'

Niemand kende het bos beter dan wij. Lichtvoetig en onhoorbaar als indianen tussen het kreupelhout door sluipen; roerloos vanuit de bosjes en hoge takken toekijken wanneer ze naar ons op zoek kwamen…

'We kunnen om beurten slapen.' Jamie zat al wat meer rechtop. 'Dan kan een van ons de wacht houden.'

'Maar onze ouders dan,' zei ik. Ik dacht aan de warme handen van mijn moeder en beeldde me haar huilend en wanhopig in. 'Die worden vreselijk bezorgd. Dan denken ze…'

Jamies mond trok strak. 'Nou, mijn moeder anders niet. Die wil me toch niet om zich heen hebben.'

'Mijn moeder denkt voornamelijk aan de kleintjes,' zei Peter, 'en mijn vader kan het echt geen bal schelen.' Jamie en ik keken elkaar even aan. We hadden het er nooit over, maar we wisten allebei dat Peters vader zijn kinderen wel eens sloeg als hij dronken was. 'En trouwens, wat maakt het uit of je ouders zich zorgen maken? Ze hebben toch zeker ook niet verteld dat Jamie naar kostschool ging? Ze hebben je gewoon laten denken dat er niets aan de hand was!'

Met een licht gevoel in het hoofd besefte ik dat hij gelijk had. 'Ik kan natuurlijk een briefje achterlaten,' zei ik. 'Zodat ze weten dat alles in orde is.'

Jamie wilde iets zeggen, maar Peter was haar te snel af. 'Ja, geweldig! Leg maar een briefje neer dat we naar Dublin gegaan zijn, of naar Cork of zo. Dan gaan ze ons daar zoeken, en dan zitten we gewoon de hele tijd hier.'

Hij sprong overeind en trok ons mee. 'Doe je mee?'

'Ik ga niet naar kostschool,' zei Jamie, terwijl ze haar arm over haar gezicht haalde. 'Ik doe het niet, Adam. Ik ga niet. Daar doe ik alles voor.'

'Adam?' Wild, bruin en barrevoets tussen de bomen leven. De kasteelmuur voelde koel en vochtig aan onder mijn hand. 'Adam, wat kunnen we anders nog verzinnen? Wou jij Jamie gewoon laten wegsturen? Wil je dan niets dóén?'

Hij schudde aan mijn pols. Zijn hand was hard en dringend; ik voelde mijn pols bonzen in zijn greep. 'Ik doe mee,' zei ik.

'Yes!' brulde Peter, en hij stompte in de lucht. De kreet echode tussen de bomen, hoog en wild en triomfantelijk.

'Wanneer?' vroeg Jamie. Haar ogen glansden van de opluchting en haar mond was geopend in een glimlach. Ze stond op haar tenen, klaar om weg te vliegen zodra Peter het sein gaf. 'Nu?'

'Rustig maar,' zei Peter met een grijns. 'We moeten ons voorbereiden. We gaan naar huis en we halen al ons geld op. We hebben boodschappen nodig, maar die moeten we stukje bij beetje kopen, zodat niemand argwaan krijgt.'

'Worstjes en aardappels,' zei ik. 'Dan stoken we een vuurtje en dan zoeken we stokken…'

'Nee, geen vuur, dat zien ze. Neem niets mee wat gekookt moet worden. Haal maar spul in blik, spaghetti en bonen en zo. Zeg maar dat het voor je moeder is.'

'Dan hebben we ook een blikopener nodig…'

'Die breng ik mee; mijn moeder heeft er twee, dus die ene mist ze niet…'

'Slaapzakken, en lantaarns…'

'Duh, dat is pas voor het laatst, ze mogen niet merken dat die weg zijn.'

'We kunnen onze kleren in de rivier wassen…'

'… we proppen al ons afval in een holle boom, zodat niemand het vindt…'

'Hoeveel geld hebben jullie?'

'Mijn communiegeld staat allemaal op de bank, daar kan ik niet bij.'

'Dan kopen we goedkoop spul, melk en brood…'

'Nee, melk gaat bederven!'

'Nee hoor, we kunnen het in een plastic zak in de rivier leggen…'

'Jamie drinkt melk met brokken!' gilde Peter. Hij sprong naar de muur en begon erop te klimmen.

Jamie schoot achter hem aan. 'Nietes, je drinkt zelf melk met brokken, achterlijke…' Ze greep Peters enkel en er ontstond boven op de muur een stoeipartij met wild gegiechel. Ik haalde hen in en Peter stak een arm uit om mij bij het gevecht te betrekken. We worstelden, gillend en ademloos van de lach, en we balanceerden vervaarlijk half over de rand. 'Adam eet torren…' 'Helemaal niet, toen waren we nog klein…'

'Stil!' zei Peter plotseling. Hij schudde ons af en verstarde, gehurkt op de muur, zijn handen uitgestrekt om ons tot stilte te manen. 'Wat is dat?'

Roerloos en gespannen als geschrokken hazen bleven we zitten luisteren. Ook het bos leek stil te staan wachten; de normale middaggeluiden van vogels en insecten en onzichtbare kleine diertjes waren afgekapt als door het stokje van een dirigent. Maar ergens een eind voor ons…

'Wat moet…' fluisterde ik.

'Sst.' Muziek, of een stem; of niets meer dan een speling van de rivier over stenen, de bries in de holle eik? Het bos had een miljoen stemmen, die met het seizoen en met de dag veranderden; je kon ze onmogelijk allemaal kennen.

'Kom op,' zei Jamie met glanzende ogen, 'kom óp,' en ze lanceerde zichzelf als een vliegende eekhoorn van de muur af. Ze greep een tak, zwaaide daaraan, liet zich vallen, rolde om en holde weg; Peter sprong achter haar aan voordat de tak was uitgeschommeld en ik klom de muur af en rende achter hen aan. 'Wacht op mij, wacht…'

Nog nooit was het bos zo weelderig geweest, of zo wild. Het loof wierp duizelingwekkende lichtkringen rond als vuurwerk, en de kleuren waren zo fel dat je ze kon eten, de geur van de vruchtbare aarde uitvergroot tot iets zwaars als miswijn. We schoten door wolken gonzende muggen heen en sprongen over greppels en rottende boomstammen, de takken wervelden als water om ons heen, zwaluwen zwenkten vlak voor ons langs en in de bomen langs het pad renden drie herten met ons mee – ik zweer het. Ik voelde me licht en gelukkig en wild, ik had nog nooit zo hard gerend of zo moeiteloos hoog gesprongen; één keer afzetten en ik had kunnen vliegen.

Hoe lang renden we? Alle bekende, geliefde herkenningspunten moeten zich verplaatst hebben, moeten ons succes zijn komen wensen, want we kwamen ze onderweg allemaal tegen; we sprongen over de stenen tafel heen en vlogen in één sprong de open plek over, tussen de geseling van de bramenstruiken door, terwijl de konijnen hun neus in de lucht staken om ons voorbij te zien komen, we lieten de autobandschommel wiebelend achter en we slingerden ons met één hand om de holle eik heen. En voor ons uit, zo zoet en wild dat het pijn deed, verlokkend...

Langzaam werd ik me bewust van het feit dat ik onder de slaapzak doordrenkt was van het zweet; dat mijn rug, tegen de boomstam gedrukt, zo stijf was dat ik zat te schudden, mijn hoofd knikte in stijve, krampachtige rukjes als een stuk speelgoed. Het bos was zwart en leeg, alsof ik een blinddoek voor had. In de verte klonk een snel, sputterend geluid als van regendruppels op loof, klein en zich uitspreidend. Ik deed mijn best om het te negeren, om te blijven volgen waar die broze gouden draad van herinnering me leidde, om hem niet in deze duisternis te laten vallen, want dan zou ik de weg naar huis nooit meer vinden.

Gelach stroomde over Jamies schouder heen als heldere zeepbellen, bijen wervelden in een zonnestraal en Peters armen vlogen opzij terwijl hij joelend over een gevallen tak sprong. Mijn veters raakten los en ergens binnen in me begonnen noodklokken te luiden terwijl ik de hele wijk voelde oplossen in de mist achter ons, weet je het zeker, weet je het zeker, *Peter, Jamie, wacht even, stop...*

Het sputterende geluid klonk nu door het hele bos en kwam aan alle kanten steeds dichterbij. Het was in de takken hoog boven mijn hoofd, in het kreupelhout achter me, klein en snel en gericht. Mijn nekharen gingen overeind staan. *Regen*, zei ik tegen mezelf met wat er van mijn brein over was, *gewoon regen*, hoewel ik geen druppel voelde. Aan de andere kant van het bos krijste er iets, een schel, gedachteloos geluid.

*Kom op, Adam, schiet op, toe nou...*

De duisternis voor me schoof op, verdichtte zich. Er klonk een geluid als van de wind door het loof, een sterke, aanstormende wind die door het bos kwam om een pad schoon te vegen. Ik dacht aan de lantaarn, maar mijn vingers waren eromheen verstard. Ik voelde die gouden draad draaien en trekken. Ergens aan de andere kant van de open plek ademde iets; iets groots.

Bij de rivier. Slippend tot stilstand komen, zwiepende wilgentakken en het water dat lichtsplinters afvuurde als een miljoen spiegeltjes, oogverblindend en duizelingwekkend. Ogen, goudkleurig en met franje als van een uil.

Ik ging ervandoor. Ik krabbelde uit de slaapzak die me probeerde tegen te houden en ik smeet mezelf het bos in, weg van de open plek. Bramen klauwden naar mijn benen en mijn haar, vleugelslagen explodeerden in mijn oor; ik rende regelrecht tegen een boomstam aan, zodat ik even naar adem stond te happen. Onzichtbare uithollingen klapten open onder mijn voeten en ik kon niet snel genoeg rennen, mijn benen daverden kniediep door het kreupelhout, het waren alle nachtmerries uit mijn kinderjaren tegelijk. Bungelende klimopslierten omwikkelden mijn gezicht en volgens mij schreeuwde ik het uit. Ik wist zonder enige twijfel dat ik nooit dat bos uit zou komen, dat ze mijn slaapzak zouden vinden – even zag ik, levensecht en scherp, Cassie in haar rode trui geknield op de open plek te midden van vallend blad haar gehandschoende hand uitsteken om aan de stof te voelen – en verder niets. Nooit.

Toen zag ik een splintertje nieuwe maan tussen de voortrazende wolken door en wist ik dat ik het bos uit was, op de opgraving. Het was verraderlijk terrein, het gleed en zakte weg onder mijn voeten en ik struikelde met wild zwaaiende armen, schaafde mijn scheenbeen op een stuk van de oude muur; ik wist me nog net op tijd in evenwicht te houden en rende verder. Er klonk een luid gehijg in mijn oren, maar ik had geen idee of ik dat zelf was. Als iedere rechercheur had ik voetstoots aangenomen dat ik de jager was. Het was geen moment bij me opgekomen dat ik misschien al vanaf het begin het wild was...

De landrover prijkte stralend wit te midden van de duisternis als een vriendelijke, glanzende kerk waar je je toevlucht kon zoeken. Pas bij de tweede of derde poging kreeg ik het portier open: eenmaal liet ik mijn sleutels vallen en moest ik wanhopig in het dorre blad en het droge gras grabbelen, terwijl ik verwilderd over mijn schouder keek en zeker wist dat ik ze nooit zou vinden, tot ik me herinnerde dat ik de lantaarn nog in mijn andere hand had. Uiteindelijk klom ik naar binnen, stootte mijn elleboog aan het stuur, vergrendelde alle portieren en zat daar over mijn hele lijf zwetend naar adem te happen. Ik beefde veel te erg om te kunnen rijden; ik betwijfel of ik zelfs maar de weg op had kunnen manoeuvreren zonder iets te raken. Ik vond mijn sigaretten en zag kans er een op te steken. Ik verlangde met hart en ziel naar een stevige borrel, of een grote joint. Er zaten enorme moddervegen over de knieën van mijn spijkerbroek, hoewel ik me niet herinnerde dat ik gevallen was.

Toen ik mijn handen zo stil kon houden dat ik knoppen kon indrukken, belde ik Cassie. Het moest ver na middernacht zijn, misschien een hele tijd later, maar ze nam bij de tweede keer op en klonk klaarwakker. 'Hallo, hoe gaat het?'

Eén afgrijselijk moment lang dacht ik dat mijn stem het niet deed. 'Waar ben je?'

'Ik ben een minuut of twintig geleden thuisgekomen. Ik ben met Emma en Susanna naar de film geweest, en daarna hebben we bij Trocadero gegeten en god, wat een héérlijke rode wijn hadden ze daar. Er waren drie gozers die probeerden ons te versieren, en volgens Emma waren het acteurs want zij had een van hen op tv gezien in die ziekenhuistoestand...'

Ze was aangeschoten, maar niet echt dronken. 'Cassie,' zei ik. 'Ik zit in Knocknaree. Bij de opgraving.'

Een korte, heel korte pauze. Toen zei ze rustig, met een andere stem: 'Zal ik je komen ophalen?'

'Ja. Graag.' Tot ze het zei, had ik me niet gerealiseerd dat ik haar daarom gebeld had.

'Oké. Tot zo.' Ze hing op.

Het duurde een eeuwigheid voor ze er was, zo lang dat ik me paniekerige nachtmerriescenario's begon in te beelden: ze was door een vrachtwagen platgewalst op de snelweg, ze had een klapband gekregen en was langs de kant van de weg ontvoerd door slavenhandelaars. Het lukte me mijn pistool te trekken, en ik legde het op mijn schoot – ik had nog wel genoeg verstand over om de veiligheidspal erop te laten. Ik rookte de ene sigaret na de andere; de auto vulde zich met een walm waarvan mijn ogen begonnen te tranen. Buiten ritselde en bonsde er van alles in het struikgewas, er knapten twijgjes; keer op keer draaide ik me met bonzend hart en getrokken wapen om, zeker dat ik een gezicht bij het raam had gezien, wild en lachend, maar nooit was er iets. Ik probeerde de binnenverlichting aan te doen, maar daarmee voelde ik me te opvallend, als een oermens met roofdieren die worden aangetrokken door het licht van het vuur en net buiten het schijnsel rondsluipen. Ik knipte het bijna meteen weer uit.

Eindelijk hoorde ik het gonzen van de Vespa, zag ik de lichtbundel van de koplamp over de heuvel komen. Ik stopte mijn pistool terug in de holster en opende het portier; ik wilde niet dat Cassie me daarmee zag hannesen. Ze stopte op de weg, hield de scooter met haar voet in evenwicht en riep: 'Hallo!'

'Hoi,' zei ik, terwijl ik de auto uit struikelde; mijn benen waren stijf en verkrampt, ik moet de hele tijd met beide voeten tegen de vloer van de auto hebben zitten drukken. 'Bedankt.'

'Geen probleem. Ik was toch wakker.' Ze bloosde en haar ogen stonden helder van de wind tijdens de rit, en toen ik dicht genoeg bij haar kwam, voelde ik het koude aura dat van haar afstraalde. Ze slingerde haar rugzak af en haalde haar reservehelm eruit. 'Hier.'

Binnen in de helm hoorde ik niets meer, alleen het ononderbroken zoemen van de Vespa en het bloed dat in mijn oren bonsde. De lucht stroomde donker en koel als water langs me heen; de koplampen en neonlichten gleden in trage, heldere sporen langs. Cassies ribbenkast voelde broos maar solide aan tussen mijn handen, en veranderde van vorm als ze schakelde of met een bocht meeleunde. Ik voelde me alsof de scooter dreef, hoog boven de weg, en ik wilde dat we op zo'n eindeloos lange Amerikaanse snelweg zaten, waar je voor eeuwig en eeuwig kunt doorrijden door de nacht.

Ze had in bed liggen lezen toen ik belde. De futon was uitgetrokken en opgemaakt met het patchwork dekbed en witte kussens; *Woeste hoogten* en haar enorme t-shirt lagen op een hoop aan de voet van het bed. Er lagen half georganiseerde stapels werkspul – een foto van de wurgplek op Katy's hals sprong me tegemoet en bleef als een nabeeld in de lucht hangen – op de tafel en de bank, half verborgen onder Cassies uitgaanskleren: een strakke, donkere spijkerbroek en een roodzijden bloesje met goudkleurig borduursel. Het gedrongen nachtlampje naast haar bed gaf de kamer een intieme glans.

'Wanneer heb je voor het laatst gegeten?' vroeg Cassie.

Ik had mijn boterhammen vergeten, die lagen waarschijnlijk nog ergens op de open plek. Mijn slaapzak en mijn thermosfles ook: die zou ik de volgende ochtend moeten ophalen, als ik mijn auto oppikte. Er streek een snelle vinger langs mijn nek bij de gedachte dat ik daar weer heen zou moeten, al was het bij daglicht. 'Weet ik niet meer,' zei ik.

Cassie rommelde wat in haar kast, gaf me een fles cognac en een glas. 'Neem een borrel terwijl ik wat te eten maak. Gebakken eieren met toast?'

We houden geen van beiden van cognac – de fles was ongeopend en stoffig, waarschijnlijk een prijs uit de kerstverloting of zo – maar ergens in een objectief deel van mijn gedachten wist ik redelijk zeker dat ze gelijk had: ik verkeerde in shock. 'Ja, lekker,' zei ik. Ik ging op de rand van de futon zitten – de gedachte dat ik al dat spul op de bank zou moeten weghalen leek bijna ondenkbaar gecompliceerd – en keek een tijdje naar de fles voordat ik besefte dat ik geacht werd hem open te maken.

Ik klokte een te grote slok cognac naar binnen, begon te hoesten (Cassie keek naar me, zei niets) en voelde de drank werken: gloeiende sporen van warmte door mijn aderen. Mijn tong bonsde, waarschijnlijk had ik erop gebeten. Ik schonk een tweede glas in en nipte daar voorzichtiger van. Cassie was met geroutineerde gebaren bezig in de keuken, haalde met één hand kruiden uit een kast en met de andere eieren uit de koelkast en schoof met haar heup een la dicht. Ze had muziek aan laten staan – de Cowboy Junkies op laag volume, traag en indringend. Normaal gesproken houd ik daarvan, maar vannacht bleef ik maar dingen horen die ergens verborgen in de baslijn zaten, snelle fluisteringen, geroep, de dreun van een trommelslag die er niet had moeten zijn. 'Mag die muziek uit?' vroeg ik toen ik er niet langer tegen kon. 'Alsjeblieft?'

Met een pollepel in haar hand keek ze van de koekenpan op om me te kunnen aankijken. 'Ja, natuurlijk,' zei ze even later. Ze zette de stereo uit, haalde de toast uit het rooster en liet de eieren erbovenop glijden. 'Hier.'

De geur deed me beseffen hoe hongerig ik was. Ik schoof het eten met grote happen tegelijk naar binnen en hield amper op om adem te halen; het was meergranenbrood en de eieren roken heerlijk naar kruiden en specerijen, en niets had ooit zo rijk en kostelijk gesmaakt. Cassie zat in kleermakerszit tegenover me op de futon en keek me over een geroosterde boterham heen aan. 'Meer?' zei ze, toen ik mijn bord leeg had.

'Nee,' zei ik. Te veel, te snel: mijn maag krampte gemeen samen. 'Dank je.'

'Wat is er gebeurd?' vroeg ze zachtjes. 'Heb je je iets herinnerd?'

Ik barstte in tranen uit. Ik huil zo zelden – volgens mij maar een- of tweemaal sinds mijn dertiende, en beide malen was ik zo dronken dat het niet echt telt – dat het even duurde voor ik doorhad wat er aan de hand was. Ik wreef met een hand over mijn gezicht en keek naar mijn natte vingers. 'Nee,' zei ik. 'Niets waar we iets aan hebben. Ik kan me die hele middag herinneren, dat we het bos ingingen en waar we het over hadden, en dat we iets hoorden – ik weet niet meer wat – en dat we gingen kijken wat het was… En toen raakte ik in paniek. Ik raakte in paniek, verdomme nog aan toe.' Mijn stem brak.

'Hé,' zei Cassie. Ze schoot over de futon heen en legde een hand op mijn schouder. 'Dat is al een enorme stap, lieverd. Volgende keer herinner je je de rest.'

'Nee,' zei ik. 'Nee, dat gebeurt niet.' Ik kon het niet uitleggen, ik weet nog steeds niet waarom ik daar zo zeker van was: dit was mijn troefkaart geweest, mijn enige kans, en ik had hem verspeeld. Ik legde mijn gezicht in mijn handen en snikte als een kind.

Ze sloeg haar armen niet om me heen en probeerde me niet te troosten, en daar was ik haar dankbaar voor. Ze bleef daar gewoon rustig zitten en wreef met haar duim over mijn schouder terwijl ik huilde. Niet om die drie kinderen, dat kan ik niet zeggen, maar om de onoverbrugbare afstand tussen hen en mij; om de miljoenen kilometers en de planeten die ons met duizelingwekkende snelheid scheidden. Om wat we allemaal te verliezen hadden gehad. We waren zo klein geweest, zo roekeloos overtuigd dat we samen alle duistere en gecompliceerde gevaren van de grotemensenwereld aankonden, dat we er lachend dwars doorheen zouden lopen.

'Sorry,' zei ik na een hele tijd. Ik rechtte mijn rug en veegde met de achterkant van mijn pols over mijn gezicht.

'Waarvoor?'

'Dat ik me zo idioot gedraag. Dat was niet de bedoeling.'

Cassie haalde haar schouders op. 'Dan zijn we quitte. Nu weet jij hoe ik me voel als ik van die dromen heb en je me wakker moet maken.'

'O ja?' Dat was nog niet bij me opgekomen.

'Ja.' Ze rolde zich op haar buik op de futon, tastte naar een pakje zakdoeken in het nachtkastje en gaf ze me aan. 'Snuit je neus.'

Ik wist een waterige glimlach op te brengen en snoot mijn neus. 'Bedankt, Cass.'

'Hoe gaat het?'

Ik haalde diep en huiverend adem en gaapte, plotseling en niet te onderdrukken. 'Gaat wel.'

'Val je al bijna in slaap?'

De spanning was langzaam uit mijn schouders aan het wegebben en ik was uitgeputter dan ik ooit in mijn leven was geweest, maar nog steeds schoten er kleine schaduwtjes voor mijn oogleden langs, en bij iedere zucht en kraak van het huis schrok ik me beroerd. Ik wist dat de lucht, als Cassie het licht uitdeed en ik in mijn eentje op de bank lag, vervuld zou raken van lagen naamloze dingen die rond me zouden opdringen en geluidloos praten en kwetteren. 'Volgens mij wel,' zei ik. 'Mag ik hier slapen?'

'Tuurlijk. Maar als je snurkt, ga je weer naar de bank.' Met knipperende ogen ging ze rechtop zitten en begon haar haarspeldjes uit haar haar te halen.

'Ik snurk niet,' zei ik. Ik bukte me en trok mijn schoenen en sokken uit, maar zowel de etiquette als de fysieke daad van het uitkleden leken me onoverkomelijk ingewikkeld. Met al mijn kleren aan klom ik onder het dekbed.

Cassie trok haar trui uit en gleed in bed naast me, haar krullen in een wilde bos rechtovereind. Zonder erbij na te denken sloeg ik mijn armen om haar heen en ze draaide haar rug tegen me aan.

'Welterusten, lieverd,' zei ik. 'Nogmaals bedankt.'

Ze klopte even op mijn arm en strekte die van haar uit om het lampje uit te doen. 'Slaap lekker, mallerd. Maak me maar wakker als het nodig is.'

Haar haar tegen mijn gezicht rook heerlijk groen, naar theeblaadjes. Ze nestelde haar hoofd op het kussen en slaakte een zucht. Ze voelde klein en warm aan en ik dacht vaag aan gepolijst ivoor, aan glanzende kastanjes: de pure, doordringende voldoening wanneer iets perfect in je hand past. Ik kon me niet herinneren wanneer ik voor het laatst iemand zo had vastgehouden.

'Slaap je al?' vroeg ik na een hele tijd.

'Nee,' zei Cassie.

We lagen heel stil. Ik voelde de lucht om ons heen veranderen, opbloeien en beven als de lucht boven een kokendhete weg. Mijn hart ging als een razende tekeer, of misschien bonsde haar hart tegen mijn borst, dat weet ik niet. Ik draaide haar in mijn armen om en kuste haar, en even later kuste ze me terug.

Ik weet dat ik gezegd heb dat ik altijd het anticlimactische verkies boven het onherroepelijke, en wat ik natuurlijk bedoelde was dat ik altijd een lafaard geweest ben, maar dat was een leugen: niet altijd. Er was die nacht, er was die ene keer.

# 17

Bij wijze van uitzondering werd ik als eerste wakker. Het was nog heel vroeg, de wegen waren nog stil en de hemel – Cassie woont hoog boven de daken waar niemand naar binnen kan kijken en doet dus bijna nooit de gordijnen dicht – was turquoise met heel bleek goud, perfect als een foto; ik kon maar een uur of twee geslapen hebben. Ergens barstte een vlucht zeemeeuwen in wild, hoog krijsen uit.

In het dunne, sobere licht zag de flat er verlaten en troosteloos uit: de borden en glazen van de vorige avond verspreid over de salontafel, een zuchtje tocht dat de pagina's vol aantekeningen iets optilde, mijn trui in een donkere vlek op de grond en lange, misvormende schaduwen overal. Ik voelde een steek onder mijn borstbeen, zo intens en fysiek dat ik dacht dat het dorst moest zijn. Er stond een glas water op het nachtkastje en ik rekte mijn arm uit en dronk het in één teug leeg, maar de holle pijn verdween niet.

Ik had gedacht dat Cassie misschien wakker geworden zou zijn van mijn beweging, maar ze verroerde zich niet. Ze was diep in slaap in mijn armen, haar lippen iets uiteen, een hand losjes gebogen op het kussen. Ik streek het haar van haar voorhoofd en wekte haar met een kus.

Pas rond drie uur stonden we op. De hemel was zwaar en grijs geworden en ik kreeg een rilling toen ik onder het warme dekbed uit stapte.

'Ik rammel,' zei Cassie, terwijl ze haar spijkerbroek dichtknoopte. Ze zag er prachtig uit die dag, haar haar door de war en met volle lippen, haar ogen stil en mysterieus als die van een dagdromend kind, en die nieuwe, stralende persoonlijkheid, die schel afstak tegen de grimmige namiddag, bezorgde me op de een of andere manier een ongemakkelijk gevoel. 'Ontbijtje dan maar?'

'Nee, bedankt,' zei ik. Dat is onze gebruikelijke weekendroutine als ik ben blijven slapen: een enorm Iers ontbijt en een lange strandwandeling, maar ik werd al beroerd bij de gedachte aan praten over wat er de vorige avond gebeurd was; en als we er niet over praatten, zou er ook een heel complexe stemming ontstaan. Plotseling voelde de flat claustrofobisch aan. Ik had blauwe plekken en schrammen op de raarste plekken: mijn maag, mijn elleboog, een gemeen gat in mijn dij. 'Ik kan maar beter de auto gaan ophalen.'

Cassie trok een t-shirt over haar hoofd en zei ontspannen, door de stof heen: 'Wil je een lift?' maar ik had de snelle schrikreactie in haar ogen gezien.

'Nee, ik denk dat ik de bus neem,' zei ik. Ik vond mijn schoenen onder de salontafel. 'Een eindje lopen zal me goeddoen. Ik bel je later, oké?'

'Oké,' zei ze opgewekt, maar ik wist dat er iets tussen ons gebeurd was, iets vreemds en gevaarlijks. Bij de deur hielden we elkaar even heel stevig vast.

Ik deed een soort halfslachtige poging tot wachten bij de bushalte, maar na tien minuten of een kwartier zei ik in mezelf dat het te veel werk was – twee verschillende bussen, zondagstijden, dit kon de hele dag gaan kosten. In werkelijkheid had ik geen enkel verlangen om ook maar in de buurt van Knocknaree te komen tot ik wist dat de opgraving vol rumoerige, energieke archeologen zou zijn; bij de gedachte hoe het er vandaag bij zou liggen, stil en verlaten onder de lage, grijze hemel, werd ik een beetje misselijk. Ik kocht een kop smerige koffie bij een benzinestation en ging te voet op weg naar huis. Monkstown ligt zo'n zes of zeven kilometer van Sandymount af, maar ik had geen haast: Heather zou thuis zitten met gevaarlijk ogend groen spul op haar gezicht en *Sex and the City* op tv, en ze zou me alles willen vertellen over haar speeddating veroveringen en ze zou willen weten waar ik geweest was en waarom mijn broek onder de modder zat en wat ik met de auto had gedaan. Ik had het gevoel dat iemand een genadeloze reeks dieptebommen in mijn hoofd had laten ontploffen.

Want ik wist dat ik zojuist ten minste een van de grootste vergissingen van mijn leven had begaan. Ik had wel eerder met de verkeerde mensen geslapen, maar nog nooit had ik iets gedaan wat zo verschrikkelijk stupide was. De standaardreactie nadat zoiets gebeurt is om een officiële 'relatie' te beginnen of om alle communicatie af te kappen – ik had beide in het verleden uitgeprobeerd, met uiteenlopende maten van succes – maar ik kon moeilijk ophouden met tegen mijn partner praten, en wat betreft een romantische relatie... Zelfs als het niet tegen de regels was geweest: ik zag momenteel niet eens kans om te eten of te slapen of een fles bleek te kopen. Ik viel verdachten aan en kreeg een black-out in het getuigenbankje en ik moest in het holst van de nacht van archeologische opgravingen gered worden; bij de gedachte dat ik zou moeten proberen om iemands vriend te zijn, met alle bijbehorende verantwoordelijkheden en complicaties, kreeg ik zin om me tot een bal op te rollen en te janken.

Ik was zo moe dat mijn voeten op de stoep van iemand anders leken te zijn. De wind spuwde motregen in mijn gezicht en ik dacht, met een misselijk, groeiend gevoel van rampspoed, aan alle dingen die ik nu niet meer kon doen: niet meer de hele nacht dronken blijven zitten worden met Cassie, haar vertellen over meisjes die ik had ontmoet, op haar bank overnachten. Ik kon haar nooit meer zien als Cassie, gewoon Cassie, een van de jongens maar een heel stuk aangenamer om naar te kijken; niet nu ik haar zo gezien had. Iedere zonnige, bekende plek in ons gezamenlijke landschap was een donker mijnenveld geworden, vol verraderlijke nuances en gevolgtrekkingen. Ik herinnerde me hoe ze nog maar een paar dagen geleden haar hand in mijn jaszak had gestoken om mijn aansteker eruit te halen toen we in de tuin van het kasteel zaten; ze had er niet eens haar zin voor onderbroken en ik had dat zo'n prachtig gebaar gevonden: die zekere, gedachteloze eenvoud, het feit dat ze dat zomaar deed.

Ik weet dat het ongelooflijk klinkt, aangezien iedereen, van mijn ouders tot een idioot als Quigley, het had verwacht, maar ik had dit beslist niet zien aankomen. Jezus, wat waren we arrogant: veilig in de wetenschap dat wij ons niet hoefden te houden aan de oudste regel die de mens kent. Ik zweer dat ik onschuldig als een kind ging liggen. Cassie hield haar hoofd schuin om de speldjes uit haar haar te halen en trok gekke bekken als ze bleven steken; ik stak mijn sokken in mijn schoenen, dat doe ik altijd, zodat zij er de volgende ochtend niet over zal vallen. Ik weet dat je gaat zeggen dat die naïviteit weloverwogen was, maar als je maar één ding gelooft van wat ik je zeg, dan hoop ik dat dit het is: geen van ons wist het.

In Monkstown aangekomen moest ik er niet aan denken om naar huis te gaan. Ik liep door naar Dun Laoghaire en ging op een muur aan het eind van de pier zitten kijken naar in tweed gehulde stellen die elkaar op de zondagmiddagwandeling onder aapachtig verrukte kreten tegen het lijf liepen, tot het donker werd en de wind door mijn jas begon te snijden en een patrouillerende agent me achterdochtige blikken toe begon te werpen. Om de een of andere reden speelde ik met de gedachte om Charlie te bellen, maar ik had zijn nummer niet in mijn mobiel zitten en ik wist trouwens ook niet wat ik zou willen zeggen.

Die nacht sliep ik alsof ik knock-out geslagen was. Toen ik de volgende ochtend naar het werk ging, was ik nog steeds suf en had ik enorme wallen onder mijn ogen. De projectkamer zag er vreemd uit, anders, maar met gemene kleine details waar ik niet de vinger op kon leggen, alsof ik door een spleet was gegleden en in een vreemde, vijandige werkelijkheid terecht was gekomen. Cassie had het dossier van de oude zaak breed uitgespreid op haar hoek van de tafel laten liggen. Ik ging zitten en probeerde te werken, maar ik kon me niet concentreren. Tegen de tijd dat ik het eind van een zin bereikt had, was ik het begin alweer vergeten en moest ik weer helemaal opnieuw beginnen.

Cassie kwam binnen, met rode konen van de wind en haar krullen wild als een chrysant onder een rode baret. 'Hallo, daar,' zei ze. 'Hoe gaat het?'

Ze woelde in het voorbijgaan door mijn haar, en ik kon er niets aan doen: ik vertrok mijn gezicht. Ik voelde haar hand even verstarren voordat ze verder liep.

'Prima,' zei ik.

Ze slingerde haar tas rond de rugleuning van haar stoel. Vanuit mijn ooghoek zag ik dat ze naar me keek; ik hield mijn blik strak op het bureau gericht. 'De medische gegevens van Rosalind en Jessica komen binnen op Bernadettes fax. We kunnen ze over een paar minuten komen halen, en de volgende keer moeten we het faxnummer van de projectkamer geven. En het is jouw beurt om te koken, maar ik heb alleen kip in huis, dus als Sam en jij iets anders willen…'

Haar stem klonk nonchalant, maar er klonk een vage, aarzelende vraag in door. 'Nou,' zei ik, 'ik kan vanavond niet. Ik moet ergens heen.'

'O. Oké.' Cassie trok haar baret van haar hoofd en haalde haar vingers door haar haar. 'Biertje dan, als we op tijd klaar zijn?'

'Ik kan vanavond niet,' zei ik. 'Sorry.'

'Rob,' zei ze na een tijdje, maar ik keek niet op. Even dacht ik dat ze toch door zou gaan, maar toen ging de deur open en stuiterde Sam naar binnen, helemaal opgefrist en vol energie na zijn supergezonde weekend op het platteland, met een stel banden in één hand en een stapel faxpagina's in de andere. Nooit was ik zo blij geweest om hem te zien.

'Morgen, jongens. Deze zijn voor jou, met de complimenten van Bernadette. Hoe was jullie weekend?'

'Prima,' zeiden wij in koor, en Cassie wendde zich af om haar jas op te hangen.

Ik nam de pagina's van Sam aan en probeerde ze door te lezen. Mijn concentratie leek nergens naar, en de arts van de familie Devlin had zo'n vreselijk handschrift dat hij het erom gedaan moest hebben. En ik kreeg de zenuwen van Cassie – van het ongewone geduld waarmee ze wachtte tot ik een pagina uit had, het moment van gedwongen nabijheid als ze naar me overleunde om het blad aan te pakken. Het kostte me grote inspanning en wilskracht om ook maar een paar opvallende feiten te destilleren.

Kennelijk was Margaret lichtelijk overbezorgd geweest toen Rosalind een baby was – voor iedere verkoudheid, elk hoestje stonden er diverse bezoeken genoteerd, maar in feite leek Rosalind de gezondste van het drietal te zijn: geen ernstige ziektes, geen zware verwondingen. Jessica had nadat Katy en zij geboren waren drie dagen in de couveuse gelegen, toen ze zeven was had ze haar arm gebroken door uit een klimrek op school te vallen, en ze was sinds circa haar negende te licht geweest. Ze hadden allebei waterpokken gehad. Ze hadden allebei alle vaccinaties gehad. Rosalind had afgelopen jaar een ingegroeide teennagel laten verwijderen.

'Hier staat niets wat doet denken aan misbruik of aan een indirecte vorm van Münchhausen,' zei Cassie na een hele tijd. Sam had de cassetterecorder gevonden; op de achtergrond hoorden we Andrews een lange, gekwetst klinkende tirade over het een of ander afsteken tegen een makelaar.

Als hij er niet geweest was, had ik haar waarschijnlijk genegeerd. 'Maar ook niets wat een van die mogelijkheden uitsluit,' zei ik, en ik hoorde zelf hoe scherp mijn stem klonk.

'Maar hoe kun je misbruik uitsluiten? Het enige wat we kunnen doen is zeggen dat er geen bewijs voor is. En dat is er niet. En volgens mij kunnen we hiermee Münchhausen uitsluiten. Zoals ik al eerder gezegd heb, Margaret past niet in het profiel en hiermee... het hele punt van Münchhausen is dat het moet leiden tot medische behandeling. Maar niemand heeft dit tweetal gemünchhaust.'

'Dit was dus zinloos,' zei ik. Ik duwde de dossiers weg, maar met te veel kracht; de helft van de pagina's fladderde van de rand van de tafel af op de grond. 'Nee maar, wie had dat kunnen denken. Deze hele zaak is verkloot. Meteen vanaf het begin al. We kunnen hem net zo goed meteen in de kelder gooien en doorgaan met iets wat nog een schijn van kans heeft, want hiermee verkloten we iedereens tijd.'

Andrews' telefoontje was afgelopen en de cassetterecorder siste zacht maar volhardend tot Sam hem uitzette. Cassie bukte zich opzij en begon de gevallen faxpagina's op te rapen. Een hele tijd lang zei niemand iets.

Ik vraag me af wat Sam dacht. Hij heeft er niets over gezegd, maar hij moet geweten hebben dat er iets mis was, dat kon hij niet gemist hebben: plotseling kwam er een eind aan de lange, vrolijke, studentikoze avonden à trois, en de sfeer in de projectkamer nam een absurde wending. Misschien heeft Cassie hem ooit het hele verhaal verteld, op zijn schouder uitgehuild, maar ik betwijfel het: daar was ze te trots voor. Waarschijnlijk ging ze gewoon door met hem uitnodigen voor het eten en legde ze uit dat ik moeite had met kindermoordzaken – wat tenslotte ook zo was – en dat ik 's avonds wilde ontspannen; misschien heeft ze dat zo ongedwongen en overtuigend uitgelegd dat Sam wist dat hij geen vragen moest stellen, of hij haar nu geloofde of niet.

Ik denk dat andere mensen het ook merkten. Rechercheurs hebben de neiging redelijk scherp uit hun ogen te kijken, en het feit dat de Wondertweeling niet met elkaar sprak moet voorpaginanieuws geweest zijn. Het moet binnen een etmaal het hele bureau rondgegaan zijn, vergezeld van een reeks kleurrijke verklaringen – en ergens daartussen moet, dat weet ik zeker, de waarheid gezeten hebben.

Of misschien ook niet. Ondanks alles bleef een deel van de oude verbondenheid bestaan: het gezamenlijke, dierlijke instinct om het sterfproces privé te houden. In sommige opzichten is dat het meest hartbrekend van alles: die hele tijd, door dik en dun, was die oude verbondenheid er wanneer ze nodig was. We konden martelende uren lang geen woord tegen elkaar zeggen tenzij het onvermijdelijk was, en dan met toonloze stem en afgewende blik; maar zodra O'Kelly dreigde Sweeney en O'Gorman weg te halen kwamen we tot leven. Ik werkte systematisch een lange lijst door met redenen waarom we nog steeds surveillanten nodig hadden, en Cassie verzekerde me dat de commissaris wist wat hij deed en haalde haar schouders op en hoopte maar dat de pers er niet achter zou komen

Het vergde alle energie die ik in me had. Toen de deur dichtging en we weer alleen waren (of alleen met Sam, die niet telde), verbleekte de geroutineerde sprankeling en wendde ik me uitdrukkingsloos af van haar bleke, niet-begrijpende gezichtje en draaide haar mijn schouder toe met het truttige dedain van een beledigde kat.

Want ik had echt het gevoel, hoewel ik niet zeker weet hoe mijn brein tot die conclusie kwam, dat mij op de een of andere subtiele maar onvergeeflijke manier onrecht was aangedaan. Als zij mij had gekwetst, had ik haar kunnen vergeven zonder er ook maar over te hoeven nadenken. Maar ik kon niet vergeven dat zíj gekwetst was.

De uitslagen van de bloedproeven op mijn schoenen en de druppel op de altaarsteen konden iedere dag terug zijn. Door de onderzeese waas waarin ik navigeerde was dit een van de weinige dingen die me nog helder voor de geest stonden. Vrijwel alle andere aanwijzingen waren neergestort en afgebrand; dit was het enige wat ik nog had, en daar hield ik met grimmige wanhoop aan vast. Ik wist zeker, met een zekerheid die iedere logica oversteeg, dat we niets meer nodig hadden dan een kloppend DNA-monster; dat als we dat hadden, verder alles met de zachte precisie van sneeuwvlokken op zijn plek zou vallen en dat de zaak – de beide zaken – perfect en oogverblindend voor me zou liggen.

Vagelijk was ik me ervan bewust dat we, als dat gebeurde, het DNA van Adam Ryan nodig zouden hebben ter vergelijking, en dat rechercheur Rob dan hoogstwaarschijnlijk zou verdwijnen in een wolkje rook met de nasmaak van een schandaal. Maar in die tijd leek dat niet eens zo'n slecht idee. In tegendeel: er waren momenten dat ik me daar met een soort doffe opluchting op verheugde. Het leek – aangezien ik wist dat ik niet de moed of de energie had om me uit deze afzichtelijke toestand los te weken – de enige, of althans de gemakkelijkste, uitweg.

Sophie, die aan multitasking doet, belde me vanuit de auto. 'De DNA-jongens hebben gebeld,' zei ze. 'Slecht nieuws.'

'Hé,' zei ik, terwijl ik overeind schoot en mijn stoel ronddraaide zodat ik met mijn rug naar de anderen zat. 'Wat dan?' Ik probeerde een nonchalante klank in mijn stem te leggen, maar O'Gorman hield op met fluiten en ik hoorde het ritselen van Cassie die een blad papier neerlegde.

'Die bloedmonsters zijn waardeloos – allebei, de schoenen en de druppel die Helen heeft gevonden.' Ze drukte op haar claxon. 'Jezus christus, idioot, kies dan een baan, maakt niet uit welke!... Ze hebben in het lab alles geprobeerd, maar ze waren al te zeer vergaan voor DNA. Sorry, maar ik had je gewaarschuwd.'

'Ja,' zei ik even later. 'Zo'n soort zaak is het wel. Bedankt, Sophie.'

Ik hing op en keek naar de telefoon. Aan de overkant van de tafel vroeg Cassie aarzelend: 'Wat zei ze?' maar ik gaf geen antwoord.

Die avond, onderweg van het busstation naar huis, belde ik Rosalind. Het druiste tegen mijn hardst schreeuwende instincten in om haar dit aan te doen – ik had haar dolgraag met rust willen laten tot ze zelf zover was, ik had haar haar eigen moment willen laten kiezen in plaats van haar tegen de muur te dwingen; maar zij was het enige wat me restte.

Donderdagochtend kwam ze naar het bureau, en ik ging naar beneden om haar bij de receptie op te halen, net als ik die eerste keer, al die weken geleden, had gedaan. Ergens was ik bang geweest dat ze op het laatste moment van gedachten zou veranderen en niet zou komen opdraven, en mijn hart sprong op toen ik haar zag. Ze zat in een grote stoel met haar wang peinzend op haar hand gesteund en een roze sjaal die losjes neerhing. Het was goed om iemand te zien die jong en mooi was; ik had me tot dat moment niet gerealiseerd hoe uitgeput en grauw en geprikkeld we er allemaal uit begonnen te zien. Die sjaal leek me het eerste stukje kleur dat ik in dagen gezien had.

'Rosalind,' zei ik, en ik zag haar gezicht oplichten.

'Inspecteur Ryan!'

'Ik bedacht net iets,' zei ik. 'Moet jij niet op school zitten?'

Ze wierp me een zijdelingse, samenzweerderige blik toe. 'Mijn lerares heeft een zwak plekje voor me. Ik kan wel een potje breken.' Ik wist dat ik haar zou moeten onderhouden over het kwaad van het spijbelen, of zo, maar ik kon er niets aan doen: ik lachte.

De deur ging open en Cassie kwam binnenlopen, net terwijl ze haar sigaretten in de zak van haar spijkerbroek stopte. Ze keek me heel even aan, wierp een blik op Rosalind en wrong zich langs ons de trap op.

Rosalind beet op haar lip en keek met een bezorgd gezichtje naar me op. 'Uw partner vindt het niet prettig dat ik hier ben, nietwaar?'

'Tja, dat is niet echt haar probleem,' zei ik. 'Sorry.'

'O, geeft niet.' Rosalind wist een smal glimlachje op te brengen. 'Ze is nooit echt op me gesteld geweest, is het wel?'

'Inspecteur Maddox heeft niets tegen jou.'

'Het geeft niet, inspecteur Ryan, echt niet. Ik ben eraan gewend. Een heleboel meisjes mogen mij niet. Mijn moeder zegt,' – gegeneerd boog ze haar hoofd – 'mijn moeder zegt dat ze jaloers zijn, maar dat lijkt mij sterk.'

'Mij niet,' zei ik met een glimlach. 'Maar ik denk niet dat dat opgaat voor inspecteur Maddox. Dat had niets met jou te maken, oké?'

'Hebt u ruzie gehad?' vroeg ze even later timide.

'Zo'n beetje,' zei ik. 'Het is een lang verhaal.'

Ik hield de deur voor haar open en we liepen over de kinderkopjes naar de tuin. Rosalinds voorhoofd was in bedachtzame rimpels getrokken. 'Ik wou dat ze niet zo'n hekel aan me had. Ik heb grote bewondering voor haar, weet u. Het kan niet makkelijk zijn om vrouwelijke rechercheur te zijn.'

'Het is nooit makkelijk om rechercheur te zijn, man of vrouw,' zei ik. Ik had geen zin om over Cassie te praten. 'Maar we redden ons.'

'Ja, maar voor vrouwen is het wel anders,' zei ze met iets van verwijt.

'Hoezo?' Ze was zo jong en zo oprecht; ik wist dat ze beledigd zou zijn als ik nu lachte.

'Nou, bijvoorbeeld… inspecteur Maddox moet minstens dertig zijn, nietwaar? Dan moet ze binnenkort willen trouwen en kinderen krijgen en dat soort dingen. Vrouwen kunnen zich niet permitteren om te wachten, en mannen kunnen dat wel. En waarschijnlijk is het voor een rechercheur niet makkelijk om een serieuze relatie te hebben. Dus moet ze behoorlijk onder druk staan.'

Een akelige kramp van onbehagen klauwde door mijn maag. 'Volgens mij is inspecteur Maddox niet het broedse type,' zei ik.

Rosalind keek bezorgd, en haar kleine witte tandjes beten in haar onderlip. 'U zult wel gelijk hebben,' zei ze behoedzaam. 'Maar weet u, inspecteur Ryan… soms mis je wel eens dingen als je te dicht bij iemand staat. Andere mensen zien het wel, maar jijzelf niet.'

De kramp werd erger. Ergens wilde ik graag doorvragen om erachter te komen wat zij precies in Cassie bespeurd had wat ik over het hoofd had gezien; maar de afgelopen week had me meer dan duidelijk gemaakt dat er in het leven soms dingen zijn die je beter niet kunt weten. 'Het persoonlijke leven van inspecteur Maddox is niet mijn probleem,' zei ik. 'Rosalind…'

Maar ze was weggerend, over een van die zorgvuldig wild gehouden smalle paadjes rond het gras, en riep over haar schouder: 'O, inspecteur Ryan – kijk hier eens! Is het niet prachtig?'

Haar haar danste in de zon die tussen het loof door filterde, en ondanks alles moest ik glimlachen. Ik volgde haar het pad af – we zouden voor dit gesprek sowieso enige privacy nodig hebben – en haalde haar in bij een afgelegen bankje onder de overhangende takken, omringd door struikgewas waarin vogeltjes zaten te kwetteren. 'Ja,' zei ik, 'het is hier prachtig. Wou je hier praten?'

Ze ging op het bankje zitten en keek met een gelukzalig zuchtje naar de bomen. 'Onze geheime tuin.'

Het was er idyllisch, en ik vond het vreselijk dat ik de sfeer moest verstoren. Even speelde ik met de gedachte om het hele doel van deze ontmoeting te vergeten en zomaar te blijven zitten praten over hoe het met haar ging en wat een schitterende dag het was en haar dan weer naar huis sturen; om een paar minuten lang zomaar een man te zijn die in de zon zat te praten met een mooi meisje.

'Rosalind,' zei ik, 'ik moet je iets vragen. Dit wordt heel moeilijk, en ik wou dat ik een manier wist om het makkelijker te maken, maar die weet ik niet. Als ik een andere keuze had zou ik het niet vragen. Je moet me helpen. Wil je dat proberen?'

Er schoot iets door haar blik, een flits van een heftige emotie, maar die was verdwenen voordat ik er de vinger op kon leggen. Ze klemde haar handen rond de armleuningen van de bank en zette zich schrap. 'Ik zal mijn best doen.'

'Je vader en moeder,' zei ik, met vriendelijke en gelijkmatige stem. 'Hebben die jou of je zusjes ooit kwaad gedaan?'

Rosalind hapte naar adem. Haar hand vloog naar haar mond en daarbovenuit keek ze me met verbijsterde ronde ogen aan, tot ze zich realiseerde wat ze gedaan had en haar hand weggriste om die weer snel rond de leuning te klemmen. 'Nee,' zei ze met een klein, strak stemmetje. 'Natuurlijk niet.'

'Ik weet dat je bang bent. Ik kan je beschermen. Dat beloof ik.'

'Nee.' Ze schudde haar hoofd en beet op haar lip. Ik wist dat ze bijna in tranen uitbarstte. 'Nee.'

Ik leunde naar haar over en legde mijn hand op de hare. Ze rook naar een of ander bloemig parfum met een muskustoon – veel te ouwelijk voor haar. 'Rosalind, als er iets mis is, moeten wij dat weten. Je verkeert in gevaar.'

'Dat valt wel mee.'

'Jessica verkeert ook in gevaar. Ik weet dat jij op haar let, maar dat kun je niet voorgoed in je eentje blijven doen. Laat me je alsjeblieft helpen.'

'U begrijpt het niet,' fluisterde ze. Haar hand beefde onder de mijne. 'Ik kan het niet, inspecteur Ryan. Ik kán het gewoon niet.'

Ze brak mijn hart zowat. Zo'n broos, ontembaar klein meisje; in een situatie die mensen van tweemaal haar leeftijd gebroken zou hebben, hield zij hardnekkig vol en balanceerde ze over een dun koord dat uit niets anders dan volhardendheid en trots en ontkenning was getwijnd. Meer had ze niet en wie probeerde dat koord onder haar vandaan te trekken? Ik, nota bene.

'Sorry,' zei ik, want plotseling schaamde ik me. 'Misschien komt er een moment dat je er wel over wilt praten, en als het zover is, dan ben ik er. Maar tot die tijd... ik had niet moeten proberen het uit je te trekken. Het spijt me.'

'U bent zo aardig voor me,' prevelde ze. 'Niet te geloven dat u zo aardig geweest bent.'

'Ik wou maar dat ik je kon helpen,' zei ik. 'Ik wou dat ik wist hóé.'

'Ik... ik vertrouw mensen niet gauw, inspecteur Ryan. Maar als ik iemand vertrouw, dan bent u het.'

We bleven zwijgend zitten. Rosalinds hand voelde zacht aan onder de mijne, en ze haalde hem niet weg.

Toen draaide ze langzaam haar hand om en vlocht haar vingers door de mijne. Ze glimlachte naar me, een intiem lachje met een uitdaging in de hoeken verscholen.

Ik hield mijn adem in. Als een stroomstoot voer door me heen hoe verschrikkelijk graag ik me naar haar wilde overbuigen, mijn hand rond haar achterhoofd leggen en haar kussen. Er buitelden beelden door mijn hoofd: gesteven hotellakens en haar krullen op het kussen, knopen onder mijn vingers, Cassies betrokken gezicht – en ik wilde dit meisje, dat zo anders was dan alle andere meisjes die ik ooit gekend had, ik wilde haar niet ondanks haar buien en haar geheime blauwe plekken en haar onbeholpen pogingen tot raffinement, maar juist daaróm: om dat alles. Ik zag mezelf weerspiegeld in haar ogen, piepklein en verbluft en steeds dichterbij.

Ze was achttien jaar oud en het was goed mogelijk dat zij mijn kroongetuige zou blijken te zijn; ze was kwetsbaarder dan ze ooit in haar leven nog zou zijn, en ze aanbad me. Zij mocht niet tot haar schade en schande ontdekken dat ik alles kapotmaakte wat ik aanraakte. Ik beet hard op de binnenkant van mijn wang en trok mijn hand uit de hare.

'Rosalind,' zei ik.

Er was een luik voor haar gezicht neergeklapt. 'Ik moet weg,' zei ze kil.

'Ik wil je geen kwaad doen. Dat is wel het laatste waaraan je behoefte hebt.'

'Nou, dat hebt u anders wel gedaan.' Zonder me aan te kijken slingerde ze haar tas over haar schouder. Haar mond was een strakke lijn.

'Rosalind, toe nou, wacht...' Ik wilde haar hand pakken, maar ze trok hem weg.

'Ik dacht dat u om me gáf. Maar dat is dus kennelijk niet het geval. U wilde me alleen die indruk geven omdat u wilde weten of ik iets over Káty wist. U wilde van me wat u van me krijgen kon, net als alle anderen.'

'Dat is niet waar,' begon ik, maar ze was al weg, haar hakjes klikten boos over het pad en ik wist dat het geen zin had om achter haar aan te gaan. De vogels in de struiken vlogen met een schel gefladder op toen ze voorbijliep.

Mijn hoofd tolde. Ik gaf haar een paar minuten om te betijen en belde toen haar mobieltje, maar ze nam niet op. Ik liet een onsamenhangend excuus achter op haar voicemail, hing op en zakte onderuit op de bank.

'Shit,' zei ik hardop tegen de verlaten struiken.


Het lijkt me belangrijk om te herhalen dat ik, wat ik op dat moment ook beweerd mag hebben, het grootste deel van Operatie Vestaalse maagd beslist niet in mijn normale geestestoestand verkeerde. Dat is misschien geen excuus, maar het is een feit. Toen ik bijvoorbeeld dat bos inging, deed ik dat met een gigantisch slaapgebrek en een nog veel groter voedselgebrek en met een aanzienlijke hoeveelheid spanning en wodka in mijn donder, en het lijkt me verstandig om even op te merken dat de daaropvolgende gebeurtenissen ofwel een droom waren, ofwel een eigenaardige hallucinatie. Wat het was, kan ik niet weten, en ik kan ook geen enkel antwoord verzinnen dat hoe dan ook troost biedt.

Sinds die nacht kon ik dan tenminste weer slapen – ik sliep met een toewijding die zo intens was dat ik er zenuwachtig van werd. Tegen de tijd dat ik 's avonds na het werk naar huis wankelde, was ik praktisch aan het slaapwandelen. Ik viel in bed alsof daar een supermagneet lag en lag nog in dezelfde houding, met kleren en al, als de wekker me twaalf of dertien uur later wakker brulde. Op een dag vergat ik de wekker te zetten en werd pas om twee uur de volgende middag wakker, bij het zevende telefoontje van een intussen wel heel pissige Bernadette.

De herinneringen en de bizardere neveneffecten waren ook opgehouden; die waren scherp en definitief uitgeklikt, zoals een gloeilamp doorbrandt. Je zou denken dat dat een opluchting was, en indertijd was het dat ook: wat mij betreft was alles wat met Knocknaree te maken had zwaarbeladen, en was ik heel wat beter af zonder. Ik had het gevoel dat ik dat een tijdje geleden al had moeten bedenken, en ik kon moeilijk geloven dat ik zo stom geweest was om alles wat ik wist te negeren en opgewekt dat bos weer binnen te trippelen. Nog nooit in mijn leven was ik zo razend op mezelf geweest. Pas veel later, toen het onderzoek voorbij was en het stof op de brokstukken was neergedaald, toen ik voorzichtig aan de randen van mijn herinnering voelde en met lege handen bovenkwam – toen pas begon ik te denken dat dit misschien geen bevrijding was, maar een enorme gemiste kans, een onherroepelijk en verwoestend verlies.

# 18

Vrijdagochtend waren Sam en ik als eersten in de projectkamer. Ik probeerde tegenwoordig zo vroeg mogelijk te komen, zodat ik de telefoontips kon doornemen om te zien of daar een excuus bij zat om de dag elders door te brengen. Het regende pijpenstelen; Cassie stond waarschijnlijk ergens vloekend te proberen haar Vespa aan de praat te krijgen.

'Bulletin van de dag,' zei Sam, terwijl hij met een stel banden naar me zwaaide. 'Hij was in een kletserige bui gisteravond, zes telefoontjes, dus nu maar hopen...'

We hadden Andrews' telefoon nu een week lang afgeluisterd, en de resultaten waren zo bedroevend dat O'Kelly onheilspellende vulkaangeluiden begon te maken. Overdag pleegde Andrews via zijn mobiel grote aantallen snauwerige telefoontjes met de bijsmaak van testosteron. En 's avonds bestelde hij belachelijk duur 'gourmet'-eten – 'kant-en-klaar met pretenties' noemde Sam het afkeurend. Op een avond belde hij zo'n telefoonsekslijn waarvoor 's avonds laat wel reclame gemaakt wordt op tv; kennelijk wilde hij graag klapjes krijgen, en 'Sla mijn billen rood, Celestine' was meteen een gevleugelde uitdrukking geworden.

Ik trok mijn jas uit en ging zitten. '*Play it*, Sam,' zei ik. Mijn gevoel voor humor was samen met de rest de afgelopen weken hollende achteruitgegaan. Sam keek me even aan en smeet een van de banden in onze ouderwetse cassetterecorder.

Om acht uur zeventien, volgens de computerprint, had Andrews lasagne met gerookte zalm, pesto en zongedroogde tomatensaus besteld. 'Jezus christus,' zei ik ontzet.

Sam lachte. 'Alleen het beste is goed genoeg voor deze jongen.'

Om acht uur drieëntwintig had hij zijn zwager gebeld om een afspraak te maken voor golf de komende zondagmiddag, met een paar macho-grappen erbij. Om negen uur eenenveertig had hij weer naar het restaurant gebeld om tegen degene die zijn bestelling had opgenomen te brullen dat zijn eten er nog niet was. Hij begon aangeschoten te klinken. Daarna volgde een periode van stilte. Kennelijk had de verwenste lasagne dan toch eindelijk zijn bestemming bereikt.

Om twaalf uur acht belde hij een nummer in Londen: 'Zijn ex-vrouw,' zei Sam. Tegen die tijd had hij het stadium van zelfmedelijden bereikt en wilde hij praten over wat er fout was gelopen. 'De grootste vergissing van mijn leven was dat ik jou heb laten gaan, Dolores,' zei hij met een stem vol tranen. 'Maar misschien was het ook goed zo. Je bent een prachtmens, weet je dat? Te goed voor mij. Honderd keer te goed. Misschien wel duizend keer. Ja toch, Dolores? Denk jij dat het een goede beslissing was?'

'Ik zou het niet weten, Terry,' zei Dolores vermoeid. 'Zeg jij het maar.' Ze was ergens mee bezig, tafel afruimen of misschien een vaatwasser leeghalen; op de achtergrond hoorde ik vaatwerk rinkelen. Toen Andrews voluit begon te grienen, hing ze op. Twee minuten later belde hij terug en grauwde tegen haar: 'Je hangt niet op als ik bel, vuile teef, hoor je me? Ík hang op,' en hij ramde de telefoon neer.

'Een heuse charmeur,' zei ik.

'Klote,' zei Sam. Hij zakte onderuit in zijn stoel, legde zijn hoofd in zijn nek en sloeg zijn handen voor zijn gezicht. 'O, klote. Ik heb nog maar een week over. Wat moet ik nou als het bij sushi, pizza en netkousen blijft?'

De band klikte weer aan. 'Hallo,' zei een diepe mannenstem, zwaar van de slaap.

'Wie is dit?' vroeg ik.

'Onbekend mobiel nummer,' zei Sam tussen zijn handen door. 'Kwart voor twee.'

'Smerige graflul,' zei Andrews op de band. Hij was stomdronken. Sam ging rechtop zitten.

Er was een korte pauze. Toen zei de diepe stem: 'Ik had toch gezegd dat je me niet meer moest bellen?'

'Ho-oo,' zei ik.

Sam maakte een onduidelijk geluid. Zijn hand schoot naar voren alsof hij de cassetterecorder wilde grijpen, maar hij hield zich in en trok het ding dichter naar ons toe. We bogen ons hoofd eroverheen om beter te luisteren. Sam hield zijn adem in.

'Het maakt mij geen ene ruk uit wat jij zegt.' Andrews begon met stemverheffing te praten. 'Jij hebt al meer dan genoeg gezegd. Jij hebt gezegd dat alles intussen weer op de rails zou zijn, weet je nog? En in plaats daarvan wemelt het overal van de... van de gerechtelijke bevelen...'

'Ik heb gezegd dat jij je gedeisd moet houden zodat ik de zaken kan regelen, en dat zeg ik je nu opnieuw. Ik heb alles onder controle.'

'Ja, mooi niet! Heb het lef niet om tegen me te praten alsof ik bij jou in dienst ben. Jij bent bij míj in dienst. Ik heb je betaald, verdomme nog aan toe. Duizenden en duizenden... "O, we hebben nog vijfduizend hiervoor nodig, Terry, en nog een paar mille voor die nieuwe wethouder..." Ik had het net zo goed door de plee kunnen spoelen. Als je voor mij werkte, dan vloog je er nú uit. Op je reet. Meteen.'

'Ik heb je alles bezorgd waar je voor betaald hebt. Dit is een klein oponthoud, meer niet. Het komt wel goed. Er verandert niets. Hoor je me?'

'Het komt wel goed, m'n reet! Jij bent een vals klein verradertje. Eerst mijn geld aannemen en dan ervandoor gaan. En nu zit ik met een stuk waardeloze grond en de politie die overal rondkruipt. Hoe weten ze... hoe weten ze verdomme dat dat míjn land is? Ik vertrouwde jou.'

Het bleef even stil. Sam ademde deels uit, maar toen zei de diepe stem plotseling: 'Van wat voor telefoon bel jij?'

'Dat gaat jou niks aan,' antwoordde Andrews mokkend.

'Waar gingen die vragen van de politie over?'

'O, gewoon... iets met een kind.' Andrews onderdrukte een boer. 'Dat kind dat daar vermoord is. Haar vader is die lul met dat gerechtelijk bevel... die stomme hufters denken dat ik daar iets mee te maken had.'

'Jij hangt nú op,' zei de diepe stem kil. 'En je praat niet met de politie zolang je advocaat er niet bij is. Maak je geen zorgen over dat gerechtelijk bevel. En bel me nooit meer.' Er klonk een klik toen hij ophing.

'Zó-oo,' zei ik na een tijdje. 'Dat waren beslist geen sushi, pizza en netkousen.'

'Gefeliciteerd.' Voor de rechter kon je hier niets mee, maar het was wel genoeg om aanzienlijke druk uit te oefenen op Andrews. Ik probeerde positief te reageren, maar ergens roerde mijn zelfmedelijden zich en vond ik dit wel weer tekenend: terwijl mijn onderzoek zich ontpopte als een ongeëvenaarde reeks doodlopende stegen en rampen, huppelde dat van Sam vrolijk omhoog en verder, het ene succesje na het andere. Als ik achter Andrews aan had gezeten, dan had hij waarschijnlijk twee weken lang kans gezien geen verdachtere types te bellen dan zijn bejaarde moeder. 'Nu heb je even respijt van O'Kelly.'

Sam gaf geen antwoord. Ik keek hem aan. Hij zag zo bleek dat het bijna groen leek.

'Wat?' zei ik geschrokken. 'Gaat het?'

'Geweldig,' zei hij. 'Ja.' Hij leunde voorover en zette de cassetterecorder uit. Zijn hand beefde een beetje, en ik zag een vochtige, ongezonde glans op zijn gezicht.

'Jezus,' zei ik. 'Het gaat helemaal niet.' Plotseling bedacht ik dat de opwinding van de triomf hem misschien een hartaanval of een hersenbloeding of zo bezorgd kon hebben, misschien had hij wel een of andere rare ziekte waar niemand van wist; zulke verhalen maken deel uit van de politietraditie, van rechercheurs die ondanks enorme tegenwerking achter een verdachte aan zitten en dan dood neervallen zodra de handboeien dichtklikken. 'Moet ik een dokter bellen of zo?'

'Nee,' zei hij scherp. 'Nee.'

'Wat is er dan...?'

En bijna terwijl ik het zei, viel het kwartje. Ik sta er zelf van te kijken dat dat niet eerder gebeurd was. Het timbre van de stem, het accent, die bepaalde uitspraak: die had ik allemaal al eerder gehoord, dagelijks, iedere avond; iets zachter, zonder dat scherpe randje, maar de gelijkenis was er, onmiskenbaar.

'Was dat,' vroeg ik, 'misschien toevallig jouw oom?'

Sams blik schoot van mij naar de deur, maar er was niemand. 'Ja,' zei hij even later. 'Inderdaad.' Hij haalde snel en oppervlakkig adem.

'Weet je dat zeker?'

'Ik ken die stem. Ik weet het zeker.'

Hoe betreurenswaardig het ook is, mijn eerste reactie was een enorme behoefte om te lachen. Hij had het met zoveel aplomb beweerd *(Eerlijk als goud, jongens)*, hij was zo plechtig geweest, als een of andere dienstplichtige Amerikaan die een toespraak houdt over zijn vlag in een beroerde Amerikaanse oorlogsfilm. Op dat moment had ik dat vertederend gevonden – dat soort absoluut vertrouwen is iets wat je, net als je maagdelijkheid, maar één keer kunt verliezen, en ik had nog nooit iemand ontmoet die het tot in de dertig had behouden – maar nu kreeg ik eerder de indruk dat Sam een groot deel van zijn leven puur op meevallers gelukzalig met de anderen was meegehobbeld, en het viel me zwaar om sympathie op te brengen voor het feit dat hij nu dan dus eindelijk over zijn eigen persoonlijke bananenschil was uitgegleden.

'Wat ga je nu doen?' vroeg ik.

Hij zat niets ziend in het tl-licht met zijn hoofd te schudden. Hij moet eraan gedacht hebben: we waren alleen – één gunst, één druk op de knop en de telefoontjes waren alleen over dat zondagse rondje golf gegaan, meer niet.

'Kun je me het weekend geven?' vroeg hij. 'Ik ga er maandag mee naar O'Kelly. Maar ik... niet nu. Ik kan niet logisch denken. Ik heb het weekend nodig.'

'Natuurlijk,' zei ik. 'Ga je er met je oom over praten?'

Sam keek naar me op. 'Als ik dat doe, dan krijgt hij de tijd om zich in te dekken. Dan ontdoet hij zich van bewijsmateriaal voordat het onderzoek begint.'

'Dat neem ik wel aan, ja.'

'Als ik het niet vertel – als hij erachter komt dat ik hem had kunnen waarschuwen en dat ik dat niet gedaan heb...'

'Vreselijk,' zei ik. Heel even vroeg ik me af waar Cassie uithing.

'En weet jij wat nou zo gek is?' vroeg Sam na een tijdje. 'Als je me vanochtend had gevraagd naar wie ik toe zou stappen als er zoiets was gebeurd en ik niet wist wat ik doen moest, dan had ik Red gezegd.'

Daarop kon ik geen enkel commentaar verzinnen. Ik keek naar zijn stoere, vriendelijke gezicht en plotseling voelde ik me vreemd los van hem, los van de hele toestand; het was een duizelingwekkend gevoel, alsof ik stond te kijken naar een reeks gebeurtenissen in een verlichte doos honderden meters beneden me. We bleven een hele tijd zitten tot O'Gorman binnendenderde en begon te roepen over iets met rugby, en Sam onopvallend de cassette in zijn zak stak, zijn spullen bijeenraapte en vertrok.

Die middag, toen ik buiten ging roken, kwam Cassie achter me aan.

'Heb jij een vuurtje?' vroeg ze.

Ze was afgevallen, haar jukbeenderen staken scherper uit, en ik vroeg me af of dat onopgemerkt in de loop van Operatie Vestaalse maagd was gebeurd, of – en bij die gedachte voelde ik een steek van onbehagen – de afgelopen paar dagen. Ik diepte mijn aansteker op en gaf hem aan.

Het was een kille, bewolkte middag met dor blad dat tegen de muren aanwoei; Cassie draaide haar rug naar de wind om haar sigaret aan te steken. Ze had make-up op – mascara en een vleugje van iets rozes op beide wangen – maar toch zag haar gezicht, over haar gekromde hand heen gebogen, er te bleek uit, bijna grauw. 'Wat is er aan de hand, Rob?' vroeg ze, terwijl ze haar rug rechtte.

Mijn maag zakte de diepte in. We hebben allemaal wel eens zo'n uitermate pijnlijk gesprek gevoerd, maar ik ken niet één man die denkt dat het ergens toe dient, en ik weet niet één gelegenheid waarbij het tot een positief resultaat heeft geleid. Ik had tegen beter weten in gehoopt dat Cassie een van die zeldzame vrouwen zou blijken te zijn die de zaken met rust kunnen laten. 'Niets,' zei ik.

'Waarom doe je dan zo raar tegen me?'

Ik haalde mijn schouders op. 'Ik ben kapot, de zaak is een puinzooi, de afgelopen paar weken ben ik lichtelijk doorgedraaid. Het is niets persoonlijks.'

'Kom op, Rob, dat is het wel. Je doet alsof ik melaats ben, al vanaf...'

Ik voelde mijn hele lichaam straktrekken. Cassies stem stierf weg.

'Nee, helemaal niet,' zei ik. 'Ik heb gewoon even wat ruimte nodig, oké?'

'Ik weet niet eens wat dat betekent. Ik weet alleen dat je heel raar tegen me doet, en daar kan ik niets aan doen als ik niet weet waarom.'

Vanuit mijn ooghoek zag ik de vastberaden hoek van haar kin, en ik wist dat ik hier niet onderuit kwam. 'Ik doe niet raar,' zei ik, met een monumentaal onbehaaglijk gevoel. 'Ik wil de dingen alleen niet nóg gecompliceerder maken dan ze toch al zijn. Ik ben momenteel beslist niet in staat een relatie te beginnen, en ik wil niet de indruk wekken...'

'Een relátie?' Cassies wenkbrauwen schoten omhoog; ze lachte bijna. 'Jezus, is het daar allemaal om begonnen? Nee, Ryan, ik verwacht niet dat je met me gaat trouwen en kindertjes met me krijgt. Waarom dacht jij in vredesnaam dat ik een relatie wilde? Ik wil gewoon dat het allemaal weer gewoon wordt, want dit is belachelijk.'

Ik geloofde haar niet. Het was een overtuigende voorstelling – de vragende blik, de nonchalante manier waarop ze met haar schouder tegen de muur leunde; iedereen behalve ik had een zucht van verlichting kunnen slaken, haar een onbeholpen knuffel kunnen geven en terugkeren naar een zekere mate van normaliteit. Maar ik kende Cassie even goed als ik mezelf kende. Die ietwat snellere ademhaling, die stoere houding van haar schouders, dat heel licht aarzelende toontje in haar stem: ze was als de dood, en daar kreeg ik het op mijn beurt doodsbenauwd van.

'Ja,' zei ik, 'oké.'

'Dat weet je. Toch, Rob?' Weer die kleine beving.

'In deze situatie,' zei ik, 'weet ik niet of we weer normaal kunnen gaan doen. Zaterdagnacht was een enorme vergissing, en ik wou dat het nooit gebeurd was, maar het is nu eenmaal gebeurd. En nu zitten we ermee.'

Cassie tipte haar as op de keien, maar ik had de flits van gekwetstheid in haar blik gezien, naakt en geschokt alsof ik haar geslagen had. Even later zei ze: 'Tja. Ik weet niet zeker of het een vergissing moet zijn.'

'Het had niet mogen gebeuren,' zei ik. Mijn rug was zo hard tegen de muur gedrukt dat ik de uitsteeksels in mijn vlees voelde priemen, dwars door mijn pak heen. 'Het zou ook nooit gebeurd zijn als ik niet zo over-hooplag met een boel andere dingen. Sorry, maar zo is het nu eenmaal.'

'Oké,' zei ze, behoedzaam, 'oké. Maar we hoeven er toch niet zo moeilijk over te doen? We zijn vrienden, we zijn close, en daarom is dit gebeurd. Het zou ons gewoon een beetje closer kunnen maken, en daarmee uit.'

Haar woorden waren volledig redelijk en verstandig; ik wist dat ik degene was die onvolwassen en melodramatisch klonk, en daar werd ik nog nerveuzer van. Maar die ogen van haar: die blik had ik ooit eerder gezien, boven de naald van een junkie uit, in een flat waar geen menselijk wezen zou moeten leven, en ook toen had ze overtuigend kalm geklonken. 'Ja,' zei ik, terwijl ik mijn blik afwendde. 'Misschien. Ik heb gewoon wat tijd nodig om de zaken op een rijtje te zetten. Er is nogal wat gaande.'

Cassie spreidde haar handen. 'Rob,' zei ze: dat kleine, heldere, verbaasde stemmetje, dat vergeet ik van mijn levensdagen niet. 'Rob, ík ben het maar.'

Ik hoorde haar niet. Ik zag haar amper; haar gezicht leek op dat van een onbekende, onleesbaar en riskant. Ik wilde bijna overal elders in de wereld zijn. 'Ik moet weer naar binnen,' zei ik, terwijl ik mijn sigaret wegsmeet. 'Mag ik mijn aansteker?'

Ik heb er geen verklaring voor waarom ik niet eens rekening hield met de mogelijkheid dat Cassie me de simpele, exacte waarheid had verteld over wat ze van me wilde. Tenslotte had ze bij mijn weten nog nooit tegen me gelogen, of tegen iemand anders, en ik heb geen idee waarom ik met zoveel zekerheid aannam dat ze daar nu plotseling mee begonnen was. Het kwam niet bij me op dat haar verdriet misschien het resultaat kon zijn van het verlies van haar beste vriend, en niet van onbeantwoorde passie –

want volgens mij kan ik rustig zeggen dat ik haar allerbeste vriend was geweest.

Het klinkt arrogant, alsof ik mezelf voor een onweerstaanbare casanova houd, maar volgens mij was het echt niet zo simpel. Vergeet niet dat ik Cassie nog nooit zo gezien had. Ik had haar nog nooit zien huilen, ik kon op de vingers van één hand het aantal malen tellen dat ik haar bang had gezien; nu waren haar ogen gezwollen en met grote wallen onder de onbeholpen uitdagende make-up, en ze had zo'n trek van angst en smeken wanneer ze naar me keek. Wat moest ik dan denken? Rosalinds woorden – *dertig, biologische klok, kan zich niet permitteren te wachten* – zaten me dwars als een afgebroken tand, en alles wat ik daarover gelezen had (beduimelde tijdschriften in wachtkamers, Heathers *Cosmo*, waar ik bij het ontbijt met wazige blik in bladerde) bevestigde mijn indruk: tien manieren voor vrouwen van boven de dertig om die laatste kans nog te grijpen, Vreselijke Waarschuwingen als je te lang wachtte met kinderen krijgen en voor de zekerheid een handvol artikelen over hoe je nooit met je vrienden moest slapen omdat dat onvermijdelijk leidde tot 'gevoelens' bij de vrouw, bindingsangst bij de man, vervelende en overbodige moeite links en rechts.

Ik had altijd gedacht dat Cassie mijlenver van dat soort Bouquetreeksclichés afstond, maar goed *(soms, wanneer iemand je heel na staat, zie je dingen over het hoofd)*, ik had ook gedacht dat wij de uitzondering op iedere regel waren, en kijk eens hoe dat uitgepakt had. En ik wil zelf geen cliché worden, maar vergeet niet dat Cassie niet de enige was wier leven op zijn kop stond; ik was verdwaald en verward en tot op het merg geschokt, en ik klampte me vast aan de enige richtlijnen die ik vinden kon.

En verder had ik al vroeg geleerd om aan te nemen dat er iets duisters en dodelijks schuilging in het hart van alles wat ik liefhad. Als ik dat niet kon vinden, reageerde ik verbijsterd en bang op de enige manier die ik kende: door het er zelf te planten.

Achteraf bezien lijkt het uiteraard voor de hand te liggen dat ook iemand die heel sterk is, zwakke punten heeft. En ik had Cassies zwakke punt in vliegende vaart geraakt, met de precisie van een juwelier die een steen gaat slijpen langs een breuklijn. Ze moet wel eens gedacht hebben aan haar naamgenoot, de heilige die gestraft was met de meest vindingrijke en sadistische vervloeking van haar godheid: de waarheid te vertellen en nooit geloofd te worden.

Maandagavond laat dook Sam bij mij thuis op, rond tienen. Ik was net opgestaan, had brood geroosterd als avondeten en was alweer half in slaap, en toen de zoemer klonk had ik een onredelijke, panische angst dat het Cassie zou zijn, misschien half aangeschoten, om te eisen dat we de zaken nu eens en voor al rechtzetten. Ik liet Heather opendoen. Toen ze geïrriteerd op mijn deur bonsde en 'Het is voor jou, ene Sam,' zei, was ik zo opgelucht dat het even duurde eer de verbazing opkwam. Sam was nog nooit bij mij thuis geweest; ik had niet eens geweten dat hij wist waar het was.

Ik ging naar de deur, stopte mijn overhemd in mijn broek, en luisterde hoe hij de trap op kwam stommelen. 'Hai,' zei ik, toen hij de overloop bereikt had.

'Hallo,' zei hij. Ik had hem sinds vrijdagochtend niet meer gezien. Hij had zijn grote, tweed overjas aan; hij was ongeschoren en zijn haar was vettig en viel in lange, slappe banen over zijn voorhoofd.

Ik wachtte, maar hij gaf geen verklaring voor zijn aanwezigheid, dus nam ik hem mee naar de zitkamer. Heather volgde ons naar binnen en begon te praten – Hallo ik ben Heather, leuk om kennis te maken, en waar heeft Rob jou al die tijd verborgen gehouden, hij neemt nooit vrienden mee naar huis, is dat nou niet akelig van hem, en ik zat net naar *The Simple Life* te kijken, kijk jij daar ooit naar, god wat een gekkenhuis dit jaar, enzovoort, enzovoort, enzovoort. Uiteindelijk drongen onze monosyllabische antwoorden tot haar door en zei ze op gekwetste toon: 'Nou, ik neem aan dat jullie enige privacy willen,' en toen geen van ons dat ontkende, stampte ze ervandoor, met een warme glimlach voor Sam en een iets killere voor mij.

'Sorry dat ik zomaar binnenval,' zei Sam. Hij keek om zich heen (agressieve designbank, kussens, planken vol porseleinen dieren met lange wimpers) alsof hij er niets van snapte.

'Geeft niet,' zei ik. 'Wil je iets drinken?' Ik had geen idee waar hij voor kwam. Ik wilde niet eens denken aan de mogelijkheid dat het iets met Cassie te maken had: *ze zal toch zeker niet,* dacht ik, *ze zal hem toch vast en zeker gevraagd hebben om eens met mij te gaan praten?*

'Whiskey, graag.'

Ik vond een halve fles Jameson in mijn keukenkastje. Toen ik met de glazen de kamer in liep, zat Sam in een leunstoel, nog steeds met zijn jas aan, met zijn hoofd omlaag en zijn ellebogen op zijn knieën. Heather had de tv aan laten staan, met het geluid uit, en twee identieke vrouwen met oranje gezichten waren onhoorbaar maar hysterisch aan het ruziën over het een of ander; het licht kaatste wild over zijn gezicht en gaf hem een spookachtig, verdoemd aanzien.

Ik zette de tv uit en gaf hem een glas. Hij keek er met een zekere verbazing naar en klokte de helft met één onhandige polsbeweging achterover. Ik bedacht dat hij misschien al lichtelijk aangeschoten was. Hij was niet onvast op zijn benen, hij sprak niet met dubbele tong of wat dan ook, maar zijn bewegingen en zijn stem leken anders, met een ruw randje erlangs en zwaar.

'Zo,' zei ik onnozel. 'Wat is het laatste nieuws?'

Sam nam nog een slok van zijn drank. De lamp naast hem ving hem half in, half buiten een plas licht. 'Die toestand afgelopen vrijdag?' zei hij. 'Met die cassette?'

Ik ontspande me een beetje. 'Ja?'

'Ik heb niet met mijn oom gepraat,' zei hij.

'Nee?'

'Nee. Ik heb er het hele weekend aan gedacht. Maar ik heb hem niet gebeld.' Hij schraapte zijn keel. 'Ik ben naar O'Kelly gegaan,' zei hij, en weer schraapte hij zijn keel. 'Vanmiddag. Met de cassette. Die heb ik voor hem afgespeeld, en toen heb ik hem verteld dat dat mijn oom was, aan de andere kant van de lijn.'

'Wauw,' zei ik. Eerlijk gezegd geloof ik niet dat ik verwacht had dat hij het zou doen. Ik was behoorlijk onder de indruk.

'Nee,' zei Sam. Hij keek naar het glas in zijn hand en zette het op het tafeltje neer. 'Weet je wat hij zei?'

'Wat dan?'

'Hij vroeg of ik nou helemaal was.' Hij lachte, ietwat verwilderd. 'Jezus, volgens mij heeft hij ergens wel gelijk... Hij zei dat ik de cassette moest wissen, dat ik moest ophouden met afluisteren en dat ik Andrews verder met rust moest laten. "En dat is een bevel," zei hij. Hij zei dat hij geen greintje bewijs had dat Andrews ook maar iets te maken had met de moord, en als dit nog verder ging, dat we dan binnen de kortste keren weer in uniform liepen, hij en ik allebei. Niet meteen, en niet om een reden die hier iets mee te maken had, maar op een dag, niet ver in de toekomst, zouden we wakker worden op patrouille in een of ander gehucht, waar we dan de rest van ons leven niet meer wegkomen. Hij zei: "Dit gesprek heeft nooit plaatsgevonden, want deze cassette is er nooit geweest."'

Zijn stem klonk steeds luider. Heathers slaapkamer grenst aan de zitkamer, en ik wist bijna zeker dat ze met één oor tegen de muur gedrukt zat. 'Wil hij dat je de zaak stilhoudt?' vroeg ik op gedempte toon, in de hoop dat Sam de hint zou snappen.

'Ik krijg de indruk dat dat zo'n beetje de bedoeling is,' zei hij schamper. Sarcasme ging hem niet gemakkelijk af, en hij klonk niet hard en cynisch, maar eerder verschrikkelijk jong, als een bedroefde tiener. Hij zakte onderuit in zijn stoel en harkte zijn haar uit zijn gezicht. 'Dat had ik nou echt nooit verwacht, weet je. Van alles waar ik me zorgen over maakte... hier had ik nooit aan gedacht.'

Als ik eerlijk ben, had ik Sams hele onderzoek nooit echt serieus genomen. Internationale holdings, onbetrouwbare projectontwikkelaars en geheim geschuif met percelen land: het had me altijd onmogelijk veraf en idioot en bijna lachwekkend geleken, als een soort domme kaskraker met Tom Cruise in de hoofdrol, niet iets wat ooit op enige reële manier gevolgen kon hebben. De blik op Sams gezicht trof me. Hij had niet gedronken, niets daarvan: de dubbele klap – zijn oom, O'Kelly – had hem geraakt als een stel bussen. Omdat hij Sam was, had hij die geen moment zien aankomen. Even wilde ik, ondanks alles, dat ik de juiste woorden kon vinden om hem te troosten, om hem te zeggen dat iedereen dit ooit meemaakt en dat hij het zou overleven, zoals bijna iedereen het overleeft.

'Wat moet ik nou?' vroeg hij.

'Geen idee,' antwoordde ik verbijsterd. Toegegeven, Sam en ik hadden de laatste tijd veel samengewerkt, maar dat maakte ons nog geen boezemvrienden, en hoe dan ook was ik beslist niet de aangewezen persoon om iemand van wijze raad te dienen. 'Ik wil niet ongevoelig klinken, maar waarom vraag je dat aan mij?'

'Wie anders?' zei Sam zachtjes. Toen hij naar me opkeek, zag ik dat zijn ogen bloeddoorlopen waren. 'Ik kan hier moeilijk mee naar mijn familie, is het wel? Dat zou een ramp zijn. En mijn vrienden zijn geweldig, maar ze zitten niet bij de politie, en dit zijn politiezaken. En Cassie... haar wil ik er liever niet bij betrekken. Die heeft al genoeg op haar bordje. Ze ziet er tegenwoordig verschrikkelijk gestrest uit. Jij wist er al van, en ik moet gewoon met iemand praten voordat ik mijn beslissing neem.'

Ik meende vrij zeker te weten dat ik er de afgelopen paar weken zelf ook behoorlijk gestrest uitgezien moest hebben, hoewel ik blij was met de onuitgesproken constatering dat ik dat dus beter had verborgen dan ik dacht. 'Beslissing?' zei ik. 'Het klinkt niet alsof je veel keuze hebt.'

'Ik heb Michael Kiely,' zei Sam. 'Ik kan hem de band geven.'

'Jezus. Dan ben je je baan kwijt nog voordat het artikel in de krant komt. En misschien is het zelfs wel onwettig, ik weet het niet.'

'Ja.' Hij drukte de muis van zijn handen in zijn ogen. 'Denk jij dat ik dat zou moeten doen?'

'Ik heb echt geen idee,' zei ik. Ik voelde me niet echt lekker na die whiskey op een bijna lege maag. Ik had ijsblokjes achter uit de diepvries genomen, want de rest was op, en ze smaakten oud en onfris.

'Wat zou er gebeuren als ik dat deed, weet jij dat?'

'Nou, je wordt ontslagen. Misschien doen ze aangifte.' Hij zei niets. 'Misschien moet er iets als een tribunaal komen, neem ik aan. Als ze beslissen dat je oom iets verkeerd gedaan heeft, zouden ze hem zeggen dat hij dat nooit meer mag doen, hij wordt een paar jaar op een zacht pitje gezet en dan wordt alles weer normaal.'

'Maar die snelweg dan.' Sam wreef met zijn handen over zijn gezicht. 'Ik kan niet normaal meer denken... Als ik niets zeg, dan gaat die snelweg door, over alle archeologische toestanden heen. Zonder dat daar een goede reden voor is.'

'Dat gebeurt toch wel. Als je naar de krant gaat, zegt de overheid gewoon: "Oeps, jammer, maar nu kunnen we hem niet meer verleggen," en ze gaan gewoon hun gang.'

'Denk je?'

'Eh, ja,' zei ik. 'Echt waar.'

'En Katy,' zei hij. 'Daar zitten we hier voor. Stel dat Andrews iemand heeft aangenomen om haar te vermoorden? Moeten we dat dan zomaar laten gaan?'

'Weet ik niet,' antwoordde ik. Ik vroeg me af hoe lang hij nog van plan was te blijven.

We zaten een tijdje te zwijgen. De buren hadden een dinertje of zo: ik hoorde een hoop opgewekte stemmen, Kylie op de stereo, een meisje dat koket uitriep: 'Dat heb ik je wél verteld, echt waar!' Heather bonsde op de muur; even was het stil, daarna een uitbarsting van half gedempt gelach.

'Weet je wat mijn eerste jeugdherinnering is?' vroeg Sam. Het lamplicht wierp een schaduw over zijn ogen en ik kon niet zien hoe hij keek. 'De dag dat Red lid werd van de Dáil. Ik was nog maar heel klein, een jaar of drie, vier, maar we gingen allemaal samen naar Dublin om hem te vergezellen, de hele familie. Het was een prachtige dag, zonnig. Ik had een nieuw pak aan. Ik wist niet zeker wat er aan de hand was, maar ik wist dat het iets belangrijks was. Iedereen zag er zo blij uit, en mijn vader... die gloeide van trots. Hij zette me op zijn schouders zodat ik alles goed kon zien, en hij riep: "Dat is je oom, knul!" Red stond op de treden te wuiven en te grijnzen, en ik gilde: "Die man is mijn oom!" en iedereen moest lachen, en hij knipoogde naar me... Die foto hebben we nog, die hangt in de zitkamer.'

Weer werd het stil. Ik bedacht dat Sams vader misschien minder geschokt zou zijn over de avonturen van zijn broer dan Sam verwachtte, maar ik besloot dat dit op zijn hoogst een twijfelachtige troost zou zijn.

Sam duwde zijn haar weer naar achteren. 'En dan mijn huis,' zei hij. 'Ik heb een eigen huis, dat weet je, nietwaar?'

Ik knikte. Ik had zo'n voorgevoel dat ik wist waar dit heen ging.

'Ja,' zei hij. 'Een fijn huis – vier slaapkamers, noem maar op. Ik was gewoon op zoek naar een flatje. Maar Red zei... je weet wel, voor als ik een gezin heb. Ik dacht niet dat ik iets fatsoenlijks zou kunnen betalen, maar hij... ja.' Hij schraapte zijn keel weer, een scherp, verontrustend geluid. 'Hij stelde me voor aan een gozer die daar aan het bouwen was. Hij zei dat zij oude vrienden waren, en dat die vent me een zacht prijsje zou geven.'

'Nou,' zei ik. 'Dat heeft hij dan gedaan. Daar valt intussen niet veel meer aan te doen.'

'Ik kan het verkopen, voor de prijs die ik er zelf voor betaald heb. Aan een jong stel dat nooit op een andere manier een huis zou kunnen kopen.'

'Waarom?' zei ik. Ik begon een beetje genoeg te krijgen van dit gesprek. Hij leek net een goed bedoelende maar verbaasde sint-bernard die dapper probeerde zijn plicht te doen in een sneeuwstorm die iedere stap volledig zinloos maakte. 'Zelfverbranding is een mooi gebaar, maar meestal bereik je er niet veel mee.'

'Daar heb ik nog nooit van gehoord,' zei Sam vermoeid, en hij reikte naar zijn glas. 'Maar ik snap wat je bedoelt. Je zegt dat ik me erbuiten moet houden.'

'Ik wéét niet wat je zou moeten doen,' zei ik. Er sloeg een golf van vermoeidheid en misselijkheid over me heen. God, dacht ik, wat een week. 'Waarschijnlijk ben ik wel de laatste die je zou moeten vragen. Ik zie er gewoon de zin niet van in om jezelf tot martelaar te verheffen en je huis en je baan op te geven zonder dat iemand daar beter van wordt. Jij hebt toch zeker niets verkeerd gedaan?'

Sam keek naar me op. 'Precies,' zei hij zachtjes en bitter. 'Ik heb niets verkeerd gedaan.'

Cassie was niet de enige die afviel. Het was al meer dan een week geleden sinds ik voor het laatst een behoorlijke maaltijd gegeten had, met de schijf van vijf en zo, en ik was me er vagelijk bewust van geweest dat ik bij het scheren het mes door nieuwe uithollingen in mijn kaaklijn moest manoeuvreren, maar pas toen ik die avond mijn pak uittrok, besefte ik dat het van mijn heupen afhing en rond mijn schouders slobberde. De meeste rechercheurs komen ofwel aan of vallen af tijdens een groot onderzoek – Sam en O'Gorman begonnen allebei wat solider rond hun middel te worden, van te veel te hooi en te gras gesnaaid junkfood – en ik ben zo lang dat het zelden opvalt, maar als deze zaak nog veel langer ging duren, zou ik nieuwe pakken moeten kopen of erbij lopen als Charlie Chaplin.

Dit is iets wat zelfs Cassie niet weet: het jaar waarin ik twaalf was, was ik gezet. Niet zo'n kogelrond kind dat je over straat ziet waggelen tijdens prekerige reportages over de jeugd van tegenwoordig; op de foto's zie ik er gewoon stevig uit, ietwat te zwaar misschien, lang voor mijn leeftijd en verschrikkelijk ongemakkelijk, maar ik voelde me monsterlijk en verloren: mijn eigen lichaam had me verraden. Ik was opgeschoten en uitgedijd tot ik mezelf niet meer herkende, het was een soort akelige grap die ik ieder moment van de dag met me moest meesjouwen. Het hielp ook niet dat Peter en Jamie er precies zo uitzagen als altijd: langere benen en al hun melktanden verdwenen, maar rank en licht en onoverwinnelijk als altijd.

Mijn gezette fase duurde niet lang: het eten op kostschool was, in overeenstemming met de literaire traditie, zo afschuwelijk dat zelfs een kind dat niet geschokt was, heimwee had en in rap tempo groeide, moeite gehad zou hebben om zoveel te eten dat hij ervan aankwam. En dat eerste jaar at ik amper. Eerst liet de huismeester me, soms urenlang, in mijn eentje aan tafel zitten tot ik een paar happen naar binnen had gewerkt en hij zijn gelijk bewezen had (wat dat dan ook was). Na een tijdje leerde ik eten in een plastic zakje in de zak van mijn blazer te laten verdwijnen, zodat ik het later door de wc kon spoelen. Vasten is, denk ik, een bijzonder instinctieve manier om te smeken. Ik denk dat ik vast en zeker geloofde, op een vage manier, dat Peter en Jamie me teruggegeven zouden worden als ik maar een hele tijd lang bijna niets at. En dat alles dan weer normaal zou worden. Tegen het begin van mijn tweede jaar was ik lang en mager met veel te veel ellebogen, zoals dertienjarigen eruit horen te zien.

Ik weet niet goed waarom dit, van alle mogelijkheden, mijn best bewaarde geheim moet zijn. Ik denk dat de waarheid als volgt gaat: ik heb me altijd afgevraagd of ik daarom die dag in het bos achtergelaten ben.

Omdat ik dik was, omdat ik niet hard genoeg kon hollen; omdat ik, nog maar kort zwaar en onhandig, mijn gevoel voor evenwicht verloren, niet van de kasteelmuur af durfde te springen. Soms denk ik na over de sluwe, flikkerende scheidslijn tussen gespaard blijven en afgewezen worden. Soms denk ik aan de oude goden die eisten dat hun slachtoffers onbevreesd en zonder blaam waren, en vraag ik me af of Peter en Jamie misschien weggenomen zijn door mensen of dingen die mij niet goed genoeg vonden.

# 19

Die dinsdag ging ik al vroeg met de bus naar Knocknaree om mijn auto op te halen. Als ik de keus gehad had, had ik het liefst nooit van mijn leven meer aan Knocknaree gedacht, maar ik werd er beroerd van om te forenzen in de bomvolle, naar zweet stinkende bus, en ik moest binnenkort heel serieus boodschappen gaan doen, voordat Heathers hoofd implodeerde.

Mijn auto stond nog in het parkeerhaventje, in vrijwel dezelfde toestand als waarin ik hem had achtergelaten, hoewel hij door de regen overdekt was geraakt met een laag vuil en iemand met een vinger op het linkerportier OOK LEVERBAAR IN WIT had geschreven. Ik dook tussen de portakabins door (klaarblijkelijk verlaten, afgezien van Hunt, die op kantoor luidruchtig zijn neus zat te snuiten) de opgraving op, om mijn slaapzak en mijn thermosfles te halen.

De stemming op de opgraving was omgeslagen: ditmaal waren er geen watergevechten en geen vrolijk geroep. Het team werkte in grimmig stilzwijgen, gebukt als dwangarbeiders aan de ketting en hield er een zwaar, pijnlijk snel ritme op na. In gedachten nam ik de kalender door: dit was hun laatste week. De snelwegmensen moesten maandag beginnen als het bevel werd opgeheven. Ik zag Mel ophouden met werken en met een grimas haar rug rechten, één hand aan haar rug; ze hijgde, en haar hoofd viel achterover alsof ze geen kracht had om het rechtop te houden, maar even later rolde ze met haar schouders, haalde diep adem en tilde haar pikhouweel weer op. De hemel hing grijs en zwaar boven ons hoofd, onplezierig dichtbij. Ergens ver weg stond een autoalarm hysterisch te krijsen zonder dat iemand er iets aan deed.

Het bos was donker en zwijgzaam, en gaf geen enkele informatie. Ik keek ernaar en besefte dat ik daar uit alle macht níét naar binnen wilde. Mijn slaapzak zou intussen doorweekt zijn, en waarschijnlijk onder de schimmel of mieren of wat dan ook zitten, en ik gebruikte hem sowieso nooit; het was niet de moeite waard van die eerste stap in de rijke, mossige stilte. Misschien zou een van de archeologen of een kind uit de buurt hem vinden en in beslag nemen voordat hij wegrotte.

Ik was toch al laat voor mijn werk, maar ik werd al moe bij de gedachte alleen, en intussen zouden een paar minuten geen verschil meer uitmaken. Ik vond een half comfortabele plek op een verbrokkelend muurtje, één voet in de hoogte om me schrap te zetten, en stak een sigaret op. Een stevige vent met borstelig donker haar – George McNogwat, herinnerde ik me vagelijk van de verhoren – hief zijn hoofd op en zag me. Kennelijk bracht ik hem op een idee: hij stak zijn troffel in de grond, ging op zijn hurken zitten en trok een platgedrukt pakje sigaretten uit zijn zak.

Mark knielde boven op een dijhoge zandrichel en zat met gespannen, koortsige energie in een stuk aarde te schrapen, maar nog bijna voordat de donkere man een sigaret had gepakt, had Mark hem gezien en sprong hij met vliegend haar van de richel af, naar de man toe. 'Hé, Macker! Waar ben jij nou mee bezig?'

Macker sprong met een schuldig gezicht overeind – 'Jezus!' – liet het pakje vallen en grabbelde ernaar in het zand. 'Ik rook even een sigaretje. Wat heb jij plotseling?'

'Doe dat maar tijdens je koffiepauze. Dat had ik je gezegd.'

'Wat is er in godsnaam aan de hand? Ik kan toch roken en werken tegelijk? Het kost vijf seconden om een peuk aan te steken…'

Mark ging door het lint. 'We hebben geen vijf seconden te verspillen. We hebben niet één seconde te verspillen. Denk je soms dat je nog op school zit, stompzinnig stuk vreten? Dacht jij soms dat dit een of ander spelletje is, hè?'

Zijn vuisten waren gebald en hij stond al half in een straatvechtershouding. De andere archeologen waren opgehouden met werken en stonden met open mond en hun gereedschap in de lucht toe te kijken. Ik vroeg me af of het op vechten uit zou lopen, maar Macker forceerde een lach en deed met spottend geheven handen een stap achteruit. 'Rustig maar, man,' zei hij. Hij hield de sigaret tussen duim en wijsvinger en stak hem met uitgebreide precisie in het pakje terug.

Mark bleef staan kijken tot Macker, die er de tijd voor nam, was geknield, zijn troffel had gepakt en weer zat te schrapen. Toen draaide hij zich op zijn hakken om en beende met stijve, gebogen schouders terug naar de richel. Macker krabbelde steels overeind en liep achter hem aan, terwijl hij Marks verende manier van lopen nadeed en er de galop van een chimpansee van maakte. Hij oogstte een nerveus gegrinnik van een of twee anderen. Tevreden met zichzelf hield hij zijn troffel voor zijn kruis en ramde zijn bekken in de richting van Marks achterkant. Zijn silhouet tegen de laaghangende hemel was grotesk, een schepsel uit een obsceen Grieks fries. De lucht gonsde van de elektriciteit, als een elektriciteitskabel, en van dat clowneske gedoe kreeg ik de zenuwen. Ik merkte dat ik mijn nagels in de muur aan het klauwen was. Ik had zin om hem in de boeien te slaan, hem op zijn bek te slaan, als hij maar ophield.

De andere archeologen kregen er genoeg van en schonken hem geen aandacht meer, en Macker stak zijn middelvinger op naar Marks rug en liep met deinende tred terug naar zijn plek, alsof alle ogen nog op hem gericht waren. Ik was plotseling verschrikkelijk blij dat ik nooit van mijn leven meer een tiener hoefde te zijn. Ik maakte mijn sigaret uit op een steen en stond net mijn jas dicht te knopen om weer in de auto te stappen, toen het besef me vol in mijn maag trof: de troffel.

Ik bleef een hele tijd heel erg stil staan. Ik voelde mijn hartslag, snel en oppervlakkig, onder in mijn keel. Uiteindelijk knoopte ik mijn laatste knopen dicht, zocht Sean te midden van de massa legerjacks en liep over de opgraving heen naar hem toe. Ik voelde me vreemd licht in het hoofd, alsof mijn voeten moeiteloos een halve meter boven de grond peddelden. De archeologen wierpen me korte blikken toe terwijl ik voorbijkwam: niet direct vijandig, maar volledig en bestudeerd neutraal.

Sean zat aarde weg te strijken van een stel stenen. Onder zijn zwarte wollen muts had hij een koptelefoon op, en zijn hoofd deinde zachtjes mee op het blikkerige bambambam van heavy metal. 'Sean,' zei ik. Mijn stem klonk alsof hij van ergens achter mijn oren kwam.

Hij hoorde me niet, maar toen ik een stap dichterbij kwam, viel mijn schaduw over hem heen, vaag in het grauwe licht, en keek hij op. Hij tastte in zijn zak, zette de walkman uit en trok de koptelefoon van zijn hoofd.

'Sean,' zei ik. 'Ik moet je spreken.' Mark draaide zich als gestoken om, keek, schudde woedend zijn hoofd en viel weer aan op zijn richel.

Ik nam Sean mee naar het parkeerhaventje. Hij hees zich op de motorkap van de landrover en haalde een vettige donut in huishoudfolie uit zijn zak. 'Wat is er?' vroeg hij vriendelijk.

'Weet je nog dat mijn partner en ik Mark naar het bureau vroegen om hem te ondervragen, de dag nadat Katharine Devlins lichaam was gevonden?' zei ik. Ik was zelf onder de indruk van hoe rustig mijn stem klonk, hoe ontspannen en nonchalant, alsof het om een kleinigheidje ging. Verhoor wordt een soort tweede natuur; het sijpelt je bloed in tot er maar één ding ongewijzigd blijft, hoe verdoofd of uitgeput of opgewonden je ook bent: de beleefde, professionele toon, de genadeloze mars naarmate ieder antwoord zich ontvouwt tot de ene na de andere nieuwe vraag. 'Kort nadat wij hem terugbrachten naar de opgraving, hoorden we jou klagen dat je je troffel niet kon vinden.'

'Ja,' zei hij, door een enorme mondvol heen. 'Hé, vind je het erg als ik deze even opeet? Ik verga van de honger, en Hitler krijgt een rolberoerte als ik tijdens het werk eet.'

'Prima,' zei ik. 'Heb je je eigen troffel ooit teruggevonden?'

Sean schudde zijn hoofd. 'Nee. Ik heb een nieuwe moeten kopen. Stelletje lamzakken.'

'Oké, denk goed na,' zei ik. 'Wanneer heb je je eigen troffel voor het laatst gezien?'

'In de schuur met vondsten,' zei hij zonder aarzeling. 'Toen ik die munt gevonden had. Ga je iemand, zeg maar, arresteren wegens diefstal van mijn troffel?'

'Niet direct, nee. Wat was er met die munt?'

'Ik had een munt gevonden,' legde hij hulpvaardig uit. 'Iedereen was helemaal opgewonden en zo, want hij zag er oud uit en we hadden nog maar iets van tien munten gevonden bij de hele opgraving. Ik nam hem mee naar de schuur met vondsten om hem aan dr. Hunt te laten zien – op mijn troffel, want als je die oude munten aanraakt, kunnen ze vernacheld raken door je huidvetten of iets in die trant – en dr. Hunt werd ook helemaal opgewonden en haalde allerlei boeken tevoorschijn om te kijken waar die munt vandaan kwam, en plotseling was het halfzes en gingen we naar huis, en toen heb ik mijn troffel op de tafel in de schuur laten liggen. De volgende ochtend ging ik terug om hem te halen, maar hij lag er niet meer.'

'En dat was dus donderdag,' zei ik, terwijl ik mijn hart langzaam voelde wegzinken. 'De dag dat we met Mark kwamen praten.' Het was vergezocht geweest, maar ik was verbaasd hoe teleurgesteld ik was. Ik voelde me idioot en heel erg moe; ik wilde naar huis en slapen.

Sean schudde zijn hoofd en likte de suiker van zijn smerige vingers.

'Nee, dat was eerder,' zei hij, en ik voelde mijn hartslag weer versnellen. 'Ik had het een tijdje vergeten, zeg maar, want ik had hem niet nodig – we waren bezig met houwelen die ellendige rioolgreppel uit te graven – en ik dacht dat iemand hem misschien voor me meegenomen had zonder eraan te denken om hem terug te geven. Die dag dat jullie Mark kwamen ophalen, dat was de eerste keer dat ik hem weer nodig had, maar niemand had hem gezien, o nee, niemand had hem meegenomen.'

'Is het dan een herkenbare troffel? Als iemand hem ziet, weten ze dan dat hij van jou is?'

'Jazeker. Mijn initialen staan op het handvat.' Hij nam nog een enorme hap donut. 'Die heb ik er jaren geleden in gebrand,' zei hij gedempt, 'toen het een keer hoosde van de regen zodat we urenlang binnen moesten blijven. Ik heb zo'n Zwitsers zakmes, weet u, en ik had met mijn aansteker de kurkentrekker verhit...'

'Op dat moment dacht je dat Macker hem had. Waarom?'

Hij haalde zijn schouders op. 'Weet ik niet, omdat hij dat soort stomme dingen doet. Niemand zou hem echt gappen, niet met mijn initialen erop, dus ik nam aan dat iemand hem gepakt had om mij te pesten.'

'En denk je nog steeds dat hij het was?'

'Nee. Ik besefte pas later dat dr. Hunt de schuur op slot deed toen wij weggingen, en Macker heeft geen sleutel...' Plotseling lichtten zijn ogen op. 'Hé, was dat soms het moordwapen? Shit!'

'Nee,' zei ik. 'Op wat voor dag heb je die munt gevonden, weet je dat nog?'

Sean keek teleurgesteld, maar hij dacht erover na: hij staarde in de verte en bungelde met zijn benen. 'Het lijk is op woensdag gevonden, nietwaar?' zei hij uiteindelijk. Hij had zijn donut op; hij frommelde het plastic op, gooide het in de lucht en sloeg het de struiken in. 'Oké, het was dus niet de dag daarvoor, want toen waren we bezig met die verdomde geul. De dag daarvoor. Maandag.'

Ik denk nog steeds aan dat gesprek met Sean. Er zit iets vreemd troostrijks in de herinnering, ook al heeft die haar eigen onverbiddelijke onderstroom van verdriet. Ik neem aan dat die dag, hoewel het nog steeds moeilijk is om dat te erkennen, het kantelpunt van mijn carrière was. Op een hoop beslissingen die ik in de loop van Operatie Vestaalse maagd heb genomen ben ik niet trots, maar die ochtend deed ik dan tenminste alles volgens het boekje, zo zelfverzekerd en probleemloos alsof ik nooit in mijn leven een misstap begaan had.

'Weet je dat zeker?' vroeg ik.

'Ja, volgens mij wel. Vraag dr. Hunt maar: die heeft het in het vondstenboek genoteerd. Ben ik, zeg maar, een getuige? Moet ik voor de rechtbank komen?'

'Heel goed mogelijk,' zei ik. De adrenaline had de vermoeidheid weggebrand en mijn gedachten tolden op topsnelheid en wierpen permutaties en mogelijkheden op als een caleidoscoop. 'Dat laat ik je nog weten.'

'Oké,' zei Sean verheugd. Kennelijk was dit voldoende compensatie voor de teleurstelling van het moordwapen. 'Kom ik dan ook in zo'n getuigenbeschermingsprogramma?'

'Nee,' zei ik, 'maar je moet wel iets voor me doen. Ik wil dat je weer aan het werk gaat, en dat je alle anderen vertelt dat we het hadden over een onbekende die je een paar dagen voor de moord hebt zien rondhangen. Ik vroeg jou om een meer gedetailleerde beschrijving. Zou dat lukken, denk je?' Geen bewijzen, geen back-up: ik wilde niemand de stuipen op het lijf jagen, nog niet.

'Tuurlijk,' verzekerde Sean me met een beledigde blik. 'Undercoverwerk. Prima.'

'Bedankt,' zei ik. 'Je hoort nog van me.' Hij liet zich van de motorkap glijden en stuiterde terug naar de anderen, terwijl hij door de wollen muts heen over zijn achterhoofd wreef. Hij had nog steeds suiker in zijn mondhoeken zitten.

Ik vroeg het na bij Hunt, die zijn logboek doornam en bevestigde wat Sean had verteld: hij had de munt maandag gevonden, een paar uur voordat Katy om het leven kwam. 'Schitterende vondst,' zei Hunt. 'Schitterend. Het duurde even voor we hem... eh... geïdentificeerd hadden, weet u. Geen muntenspecialist ter plekke; ik ben zelf mediëvist.'

'Wie heeft de sleutel van de schuur?' vroeg ik.

'Edward vi kleine penny, begin 1550,' zei hij. 'O... de schuur? Maar hoezo?'

'Ja, de schuur met de vondsten. Ik heb me laten vertellen dat die 's nachts op slot gaat. Klopt dat?'

'Ja, jazeker, iedere nacht. Voornamelijk keramiek natuurlijk, maar je weet maar nooit.'

'En wie heeft er een sleutel?'

'Nou, ik, uiteraard,' zei hij, terwijl hij zijn bril afzette en wazig naar me knipperde. Hij veegde zijn bril af aan zijn trui. 'En Mark en Damien –

voor de rondleidingen. Voor het geval dat. Mensen vinden het leuk om de vondsten te zien.'

'Ja,' zei ik. 'Dat zal wel.'

Ik ging terug naar het parkeerhaventje en belde Sam. Een van de bomen was een kastanje, en er lagen groene vruchten rond mijn auto. Ik pelde het stekelige omhulsel van eentje af en gooide hem in de lucht terwijl ik wachtte tot Sam opnam: zomaar een telefoontje, niets bijzonders, misschien een afspraakje voor de avond, als iemand toekeek en zich zorgen maakte; niets belangrijks.

'O'Neill,' zei Sam.

'Sam, met Rob,' zei ik, Terwijl ik de kastanje bovenhands opving. 'Ik ben in Knocknaree, bij de opgraving. Kun jij met Maddox en een stel surveillanten zo snel mogelijk hierheen komen, met een team van het bureau – vraag Sophie Miller als je kunt. Zorg dat ze een metaaldetector meenemen en iemand die weet hoe zo'n ding werkt. Ik zie je bij de ingang van de wijk.'

'Oké,' zei Sam, en hij hing op.

Het zou hem minstens een uur kosten voordat hij iedereen in Knocknaree had. Ik reed de heuvel op, uit het zicht van de archeologen, en ging op de motorkap zitten wachten. De lucht rook naar dood gras en donder. Knocknaree had zich veilig opgerold, de verste heuvels onzichtbaar onder de wolken, het bos een vage vlek over een van de glooiingen. Er was zoveel tijd verstreken dat kinderen weer buiten mochten spelen, en vaag hoorde ik gegil van pret of schrik of beide vanuit de wijk komen; dat autoalarm stond nog steeds aan, en ergens was een hond als een waanzinnige aan het blaffen, eindeloos door en door en door.

Bij ieder geluid werd ik iets meer gespannen; ik voelde het bloed in iedere uithoek van mijn lichaam bonzen. Mijn gedachten raasden nog steeds met volle vaart en zoemden door correlaties en flarden bewijsmateriaal heen, pasten aan elkaar wat ik tegen de anderen moest zeggen als die hier waren. En ergens onder al die adrenaline zat het besef dat Katy Devlins dood, als ik gelijk had, vrijwel zeker niets te maken had met wat er gebeurd was met Peter en Jamie; althans niet op een manier die je als bewijs zou kunnen aandragen.

Ik zat zo geconcentreerd na te denken dat ik bijna vergat waarop ik aan het wachten was. Toen de anderen een voor een aan kwamen rijden, zag ik hen met het verhoogde bewustzijn, de geschokte blik, van een vreem-

deling: onopvallende donkere auto's en een witte bestelwagen die snel
maar bijna onhoorbaar aankwamen, portieren die soepel opengleden;
mannen in zwarte pakken en anonieme mensen van de sporenrecherche
met hun glinsterende instrumenten, koelbloedig en gereed als chirurgen
om de huid van de locatie centimeter voor centimeter weg te pellen en de
donkerder, kolkende archeologie daaronder bloot te leggen. Het dichtslaan van portieren klonk beheerst en dodelijk precies, gedempt door de
zware lucht.

'Wat is er?' zei Sam. Hij had Sweeney en O'Gorman meegenomen, en
een roodharige man die ik vaag herkende uit de vage, bewegende beelden
van actie in de film die de projectkamer een paar weken geleden voor me
was geweest. Ik gleed van de motorkap af en ze kwamen in een kring om
me heen staan. Sophie en haar team stonden hun handschoenen al aan te
trekken, en over Sams schouder heen zag ik Cassies smalle, stille gezichtje.

'De nacht waarop Katy Devlin om het leven kwam,' zei ik, 'is er een
troffel verdwenen uit de afgesloten schuur met vondsten op de opgraving.
De troffels die ze hier gebruiken, bestaan uit een ruwweg driehoekig metalen blad met een houten handvat van circa vijftien centimeter, smaller
naar het blad toe, met een afgerond uiteinde. Deze troffel, die nog steeds
niet gevonden is, heeft de initialen s.c. in het handvat gebrand – de voor-
letters van de eigenaar, Sean Callaghan, die stelt dat hij de troffel die
maandag om halfzes in de schuur heeft laten liggen. Dit komt overeen
met Coopers beschrijving van het voorwerp waarmee Katy Devlin verkracht is. Daaruit kan blijken dat het een toevallig wapen was, en dat de
schuur onze primaire plaats delict is. Sophie, kun je daar beginnen?'

'Luminol-kit,' zei Sophie tegen een van haar volgelingen, en die
maakte zich los van de groep en klikte de achterklep van de bestelwagen
open.

'Drie mensen hadden een sleutel van de schuur,' zei ik. 'Ian Hunt,
Mark Hanly en Damien Donnelly. We mogen Sean Callaghan ook niet
uitsluiten: dat hele verhaal over die vergeten troffel kan verzonnen zijn.
Hunt en Hanly hebben een auto, dus als het een van hen was, kan hij het
lichaam in de kofferbak verborgen of vervoerd hebben. Callaghan en
Donnelly hebben voor zover ik weet geen auto, dus als zij het waren
moeten ze het lichaam redelijk in de buurt verborgen hebben, waarschijnlijk ter plekke. We zullen de hele opgraving met een vlooienkam
moeten doornemen en dan maar hopen dat er nog bewijsmateriaal over

is. We zoeken de troffel, een plastic zak met bloedvlekken erop en onze primaire en secundaire plaats delict.'

'Hebben zij sleutels van de andere schuurtjes?' vroeg Cassie.

'Vraag maar,' zei ik. De man van de sporenrecherche was terug, met de luminol-kit in één hand en een rol bruin papier in de andere. We keken elkaar aan, knikten en voegden ons naadloos samen tot een snelle, geoefende falanx, de heuvel af naar de opgraving toe.

De doorbraak in een moordonderzoek heeft wel iets van een damdoorbraak. Alles om je heen verheft zich en gaat moeiteloos en onstuitbaar over in de hoogste versnelling; iedere druppel energie die je in het onderzoek gegoten hebt, komt bij je terug, ontketend en met de seconde krachtiger, zodat je ondergaat in het aanzwellende gebrul. Ik vergat dat ik O'Gorman nooit gemogen had, ik vergat dat Knocknaree me gek maakte en dat ik het hele onderzoek al minstens tien keer bijna verknoeid had, ik vergat bijna alles wat er tussen Cassie en mij gebeurd was. Dit is, denk ik, een van die dingen waarnaar ik altijd verlangd heb bij dit werk: het feit dat je bij tijden al het andere los kunt laten, dat je je kunt verliezen in het stampende technoritme tot je niets anders meer bent dan een perfect geoliede, vitale machine.

We spreidden ons voor de veiligheid uit toen we naar de archeologen toe liepen. Ze wierpen ons snelle, bezorgde blikken toe, maar niemand ging ervandoor. Niemand hield zelfs maar op met werken.

'Mark,' zei ik. Hij zat nog steeds op zijn knieën op zijn richel aarde; hij sprong met één snelle, gevaarlijke beweging overeind en staarde me aan. 'Ik moet je vragen om met je hele team naar de kantine te gaan.'

Mark explodeerde. 'Jezus fúck! Heb je nog niet genoeg gedaan? Waar ben jij zo bang voor? Al vonden we vandaag de heilige graal, dan nog wordt het hier maandagochtend volledig platgewalst. Kun je ons die laatste paar dagen geen rust gunnen?'

Even dacht ik dat hij me zou aanvliegen, en ik voelde Sam en O'Gorman dichterbij komen. 'Rustig aan, knul,' zei O'Gorman dreigend.

'En geen ge-"knul". We hebben tot vrijdag halfzes en wat je van ons wilt kan tot die tijd wachten, want wij gaan nergens heen.'

'Mark,' zei Cassie naast me op scherpe toon. 'Dit heeft niets te maken met de snelweg. We pakken het als volgt aan: jijzelf, Damien Connelly en Sean Callaghan komen nú met ons mee. En daar valt niet over te onderhandelen. Als je niet dwarsligt, kan de rest van je team doorwerken onder toezicht van inspecteur Johnston. Duidelijk?'

Mark bleef haar nog even boos aankijken, spuugde toen in het zand en gebaarde met zijn kin naar Mel, die al aan kwam lopen. De rest van de archeologen stond met grote ogen en zwetend toe te kijken. Op gedempte toon blafte Mark een reeks instructies naar Mel, en priemde met zijn vinger naar verschillende delen van de opgraving; toen kneep hij even, onverwacht, in haar schouder en beende naar de portakabins, zijn vuisten diep in de zakken van zijn jasje gestoken. O'Gorman ging achter hem aan.

'Sean,' riep ik. 'Damien.' Sean kwam enthousiast aanlopen, stak zijn hand uit voor een high five en wierp me een begrijpende blik toe toen ik zijn gebaar negeerde. Damien was trager en hees onderweg zijn legerbroek op. Hij leek versuft, bijna alsof hij een hersenschudding had, maar omdat hij het was, gingen er niet direct alarmbellen bij me rinkelen.

'We moeten jullie spreken,' zei ik. 'Zouden jullie even in de kantine willen wachten tot we klaar zijn om jullie mee te nemen naar het bureau.'

Beide monden vielen open. Ik draaide me om en ging weg voordat ze iets konden vragen.

We installeerden het drietal in de kantine, samen met een aangeslagen dr. Hunt – die nog handenvol papieren tegen zich aan klemde – en lieten O'Gorman hen in de gaten houden. Hunt gaf toestemming om de opgraving te doorzoeken, en wel met een gretigheid waardoor hij een paar plaatsen daalde op de lijst met verdachten (Mark wilde ons huiszoekingsbevel zien, maar bond al snel in toen ik hem zei dat ik dat met alle genoegen zou verzorgen, als hij het niet erg vond om nog een paar uur te wachten), en Sophie ging met haar team op weg naar de schuur met de vondsten om bruin papier voor de ruiten te plakken. Johnston, op de opgraving, liep met zijn notitieboekje in de aanslag tussen de archeologen door, keek naar hun troffels en nam mensen apart voor een kort gesprekje.

'Dezelfde sleutel past op alle portakabins,' zei Cassie, toen ze de kantine uit kwam. 'Hunt, Mark en Damien hebben er alle drie een – Sean niet. Geen reservesleutels. Ze zeggen alle drie dat ze hun sleutel nooit verloren, uitgeleend of gemist hebben.'

'Dan beginnen we met de schuren,' zei ik, 'zodat we indien nodig daarvandaan naar buiten kunnen werken. Sam, nemen jij en Cassie de gereedschapsschuur? Sweeney en ik doen het kantoor.'

Het kantoor was piepklein en bomvol; planken die doorzakten onder de boeken en kamerplanten, bureaus boordevol papieren en mokken en stukjes aardewerk en een oeroude, levensgrote computer. Sweeney en ik werkten snel en methodisch, trokken laden open, namen boeken van de plank en zochten erachter voordat we ze weer ruwweg op hun plaats schoven. Ik verwachtte niet echt iets te vinden. Je kon hier nergens een lijk verstoppen, en ik wist zo goed als zeker dat de troffel en de plastic zak ofwel in de rivier gedumpt waren ofwel ergens op de opgraving begraven – en dan zouden we de metaaldetector en een hoop tijd en geluk nodig hebben om ze te vinden. Al mijn hoop was gevestigd op Sophie en haar team, en de geheimzinnige rituelen die ze daar in die schuur aan het uitvoeren waren. Werktuiglijk vlogen mijn handen langs de planken; ik luisterde, zo ingespannen dat het bijna verlammend werkte, naar geluiden van buiten, voetstappen, Sophies stem die me riep. Toen Sweeney een la liet vallen en zachtjes vloekte, brulde ik bijna tegen hem dat hij zijn mond moest houden.

Langzaamaan drong tot me door hoezeer ik hierop gewed had. Ik had gewoon Sophie kunnen bellen en haar vragen om de schuur te komen controleren. Als dat niets opleverde, had ik het tegen niemand hoeven zeggen. Maar nee: ik had de hele opgraving stilgelegd en zowat iedereen laten overkomen die maar in de verste verte met het onderzoek te maken had, en als dit niets bleek te zijn, wilde ik niet eens denken aan O'Kelly's commentaar.

Na wat wel een uur leek, hoorde ik buiten 'Rob!' Ik sprong van de vloer overeind zodat de papieren in het rond vlogen, maar het was Cassies stem: helder, jongensachtig, vreselijk opgewonden. Ze rende de treden op, greep de deurknop en slingerde zich het kantoor in: 'Rob, we hebben hem. De troffel. In de gereedschapsschuur, onder al die zeilen...' Ze zag rood, ze was buiten adem, en ze had kennelijk helemaal vergeten dat zij en ik elkaar amper een woord waardig keurden. Zelf vergat ik het ook even; haar stem vuurde die bekende, heldere pijl van warmte recht op mijn hart af.

'Blijf jij hier,' zei ik tegen Sweeney. 'Ga door met zoeken,' en ik ging achter haar aan. Ze holde alweer terug naar de schuur, en sprong met flitsende voeten over geulen en plassen heen.

In de gereedschapsschuur was het een rotzooi: kruiwagens her en der op hun zij en ondersteboven gekeerd, pikhouwelen en schoppen en priemen tegen de muren, enorme, wankele stapels gedeukte metalen emmers en piepschuim knielmatten en neon-gele veiligheidsvesten (op de rug van de bovenste had iemand HIER VOET AANBRENGEN geschreven, met een pijl omlaag), en alles zat onder een dikke laag opgedroogde modder. Een paar mensen stalden hier hun fiets. Cassie en Sam hadden van links naar rechts gewerkt; de linkerzijde had zo'n onmiskenbaar doorzochte uitstraling, onopvallend netjes maar geschonden.

Sam zat op zijn knieën achter in de schuur, tussen een kapotte kruiwagen en een stapel groene zeilen en hield met een gehandschoende hand de hoek van de zeilen omhoog. We liepen voorzichtig tussen het gereedschap door en wrongen ons naast hem.

De troffel was weggestopt achter de stapel zeilen, tussen de stof en de muur: hij was zo hard weggeramd dat de punt, toen die halverwege bleef steken, een scheur in het stugge materiaal had gemaakt. Er was geen licht, en zelfs met de grote deuren open was het schemerig in de schuur, maar Sam scheen met zijn lantaarn op het handvat: S.C., grote, ongelijkmatig gevormde letters met gotische schreef, diep in het geverniste hout gebrand.

Het bleef een hele tijd stil; alleen de hond en het autoalarm waren in de verte te horen, eindeloos en met identieke werktuiglijke volharding.

'Zo te zien worden die zeilen niet vaak gebruikt,' zei Sam. 'Ze lagen overal achter, onder het kapotte gereedschap en alle troep. En Cooper zei toch dat ze waarschijnlijk ergens in verpakt was, de dag voordat ze gevonden werd?'

Ik stond op en sloeg stukjes modder van mijn knieën. 'Hier, dus,' zei ik. 'Haar familie was wanhopig naar haar op zoek, en ze lag gewoon die hele tijd hier.' Ik was te snel overeind gekomen, en even wankelde de hele schuur om me heen; ik hoorde een hoog, wit gonzen in mijn oren.

'Wie heeft de camera?' vroeg Cassie. 'We moeten hier een foto van nemen voordat we hem meenemen.'

'Sophie,' zei ik. 'En haar team moet deze hele schuur doornemen.'

'En kijk,' zei Sam. Hij scheen met zijn lantaarn over de rechterkant van de schuur en bleef hangen op een grote plastic zak halfvol handschoenen, van die groene tuinhandschoenen met een rug van textiel. 'Als ik handschoenen nodig had, zou ik daar gewoon een stel uit nemen en ze dan later weer terugdoen.'

'Recherche!' gilde Sophie, ergens buiten. Haar stem klonk blikkerig, samengeperst onder de steeds lager hangende lucht. Ik schrok.

Cassie wilde overeind komen, maar wierp een blik op de troffel. 'Ik neem aan dat er iemand...'

'Ik blijf wel,' zei Sam. 'Gaan jullie maar.'

Sophie stond op de treden van de schuur met de vondsten, een blauwe lantaarn in haar hand. 'Ja,' zei ze. 'Hier is het gebeurd. Hij heeft geprobeerd schoon te maken, maar... Kom maar kijken.'

De twee junioren zaten in een hoek, de man met twee grote zwarte spuitbussen, Helen met een videocamera; haar ogen stonden groot en verbijsterd boven haar masker. De schuur was te klein voor vijf personen, en door de sinistere, klinische sfeer die de sporenrecherche meebracht, veranderde het hokje in een soort geïmproviseerde martelkamer: papier voor de ramen, een kale gloeilamp aan het plafond, gestalten met maskers voor en handschoenen aan die stonden te wachten tot ze naar voren konden komen. 'Blijf bij het bureau staan,' zei Sophie. 'Uit de buurt van de planken.' Met een klap sloeg ze de deur dicht – iedereen vertrok zijn gezicht – en drukte de tape weer over de kieren.

Luminol reageert al met de kleinste hoeveelheid bloed, dat gaat gloeien onder ultraviolet licht. Je kunt een muur met bloedspatten overschilderen, een tapijt schrobben tot het gloednieuw lijkt, jezelf jaren of tientallen jaren van de radar houden, maar met luminol herleeft de misdaad tot in het kleinste, genadeloze detail. *Hadden Kiernan en McCabe maar luminol gehad*, dacht ik. *Dan hadden ze een sproeivliegtuigje kunnen huren om het hele bos onder te stuiven.* En ik moest me bedwingen om niet in hysterisch lachen uit te barsten. Cassie en ik drukten vlak naast elkaar onze rug tegen het bureau. Sophie gebaarde naar de jonge man dat hij de spuitbus moest hanteren, knipte haar blauwe lantaarn aan en deed het plafondlicht uit. In de donkere duisternis hoorde ik ons ademen, vijf stel longen vechtend om de stoffige lucht.

Het sissen van een spuitbus en het rode oogje van de videocamera. Sophie hurkte en hield haar lantaarn vlak bij de vloer, bij de planken. 'Daar,' zei ze.

Ik hoorde Cassie haar adem inhouden. De vloer blakerde plotseling in een blauwwit, krankzinnig patroon als een grotesk abstract schilderij: bogen van spetters waar het bloed naar buiten gebarsten was, vlekkerige kringen waar het plassen gevormd had en was gaan opdrogen, enorme halen en boensporen waar iemand hijgend, wanhopig, had geprobeerd het weg te werken. Het gloeide als iets radioactiefs vanuit de spleten tussen de vloerplanken, het etste de ruwe nerven van het hout als in reliëf. Sophie bewoog haar lantaarn omhoog en spoot nogmaals: piepkleine druppeltjes over de onderkant van de metalen planken, een veeg als een wild graaiende handafdruk. In de duisternis was de schuur zelf onzichtbaar, geen slordige papieren en zakken vol scherven meer; tot we ons bevonden in een zwarte ruimte, alleen met de moord, die zich felverlicht en huilend van ellende keer op keer voor onze ogen afspeelde.

'Jezus christus,' zei ik. Op deze vloer was Katy Devlin gestorven. In deze schuur hadden we met de moordenaar zitten praten, pal boven op de plaats delict.

'Dat kan onmogelijk bleek of zo zijn,' zei Cassie. Luminol geeft een fout-positief voor zowat alles van huishoudbleek tot koper, maar we wisten allebei dat Sophie ons pas hierheen geroepen zou hebben als ze zeker van haar zaak was.

'We hebben monsters genomen,' zei Sophie kortaf. Ik hoorde de vuile blik in haar stem. 'Bloed.'

Diep in mijn hart had ik waarschijnlijk al niet eens meer in dit moment geloofd. Ik had de afgelopen paar weken heel vaak aan Kiernan gedacht: Kiernan, met zijn genoeglijke pensioen aan zee en zijn nachtmerries. Als je niet heel veel geluk hebt, kom je in de loop van je carrière ten minste één van dit soort zaken tegen, en verraderlijk genoeg had ik vanaf het begin al diep in mijn hart gedacht dat Operatie Vestaalse maagd – de laatste die ik ooit zelf gekozen zou hebben – de mijne werd. Ik moest me met enige moeite inprenten dat onze dader niet langer een anoniem archetype was, uit een collectieve nachtmerrie gekristalliseerd voor één daad en toen weer opgelost in de duisternis; hij zat in de kantine, een paar meter verderop. Hij had modderlaarzen aan en hij dronk thee onder O'Gormans achterdochtig toeziend oog.

'Dat is het,' zei Sophie. Ze kwam overeind en knipte het licht aan. Ik knipperde naar de doodgewone, neutrale vloer.

'Kijk,' zei Cassie. Ik volgde de hoek van haar kin: op een van de onderste planken lag een plastic zak met meer plastic zakken erin, van het grote, doorzichtige, zware soort waarin archeologen hun potscherven opslaan. 'Als de troffel een toevalswapen was...'

'O, nee hè,' zei Sophie. 'Nou moeten we iedere zak in die tent hier gaan testen.'

De ruiten ratelden en er klonk een plotseling, wild getrommel op het dak van de schuur: het was gaan regenen.

# 20

De hele rest van de dag bleef het hozen, het soort dichte, eindeloze regen waardoor je tot op de draad doorweekt raakt als je alleen al die paar meter naar je auto rent. Nu en dan vorkte de bliksem boven de donkere heuvels, en in de verte hoorden we het gerommel van de donder. We lieten de sporenrecherche aan het werk om de gegevens verder op te nemen, en we namen Hunt, Mark, Damien, en voor de zekerheid ook een diep gekwetste Sean ('ik dacht dat we hier sámen aan werkten!') mee naar het bureau. We vonden voor elk van hen een verhoorkamer en begonnen hun alibi's nogmaals door te nemen.

Sean was eenvoudig uit te sluiten. Hij woonde samen met drie andere jongens in een flat in Rathmines, en alle drie herinnerden zich in meer of minder detail de nacht waarin Katy was gestorven: een van de jongens was jarig geweest en ze hadden een feest gehouden, waarbij Sean tot vier uur in de ochtend als dj had gefungeerd, waarna hij had overgegeven op de laarzen van iemands vriendin en op de bank in slaap was gevallen. Minstens dertig getuigen konden bevestigen waar hij was geweest en wat voor muziek hij draaide.

De drie anderen waren minder eenvoudig. Hunts alibi was zijn vrouw, dat van Mark was Mel; Damien woonde in Rathfarnham met zijn moeder, die weduwe was. Zij was vroeg naar bed gegaan, maar wist zeker dat hij niet uit huis gegaan kon zijn zonder dat zij daar wakker van geworden was. Dat is het soort alibi waar we bij de recherche een bloedhekel aan hebben, het magere, stompzinnige soort dat een onderzoek kan breken. Ik kan je van wel tien gevallen vertellen waarbij we precies wisten wie het gedaan had, hoe en waar en wanneer, zonder dat we daar ook maar iets aan konden doen omdat de mama van de gozer zweert dat hij gezellig op de bank naar de *Late Late Show* zat te kijken.

'Mooi,' zei O'Kelly in de projectkamer nadat we Seans verklaring hadden opgenomen en hem naar huis hadden gestuurd. (Sean had me mijn verraad vergeven en gaf me ten afscheid een high five; hij wilde weten of hij zijn verhaal aan de pers kon verkopen, maar ik zei dat ik tot aan zijn dertigste verjaardag hoogstpersoonlijk iedere nacht zijn flat zou uitkammen op zoek naar drugs als hij het lef had.) 'Nu de andere twee nog. Wie wil er wedden, jongens? Wie zal het worden?' O'Kelly's humeur was aanzienlijk opgeknapt nu hij wist dat we een verdachte in een van de verhoorkamers hadden zitten, ook al wisten we nog niet in welke.

'Damien,' zei Cassie. 'Past helemaal bij de modus operandi.'

'Mark heeft toegegeven dat hij ter plekke was,' zei ik. 'En hij is de enige met iets van een motief.'

'Voor zover wij weten.' Ik wist wat ze bedoelde, althans ik dacht dat ik dat wist, maar ik had geen zin om de huurmoordenaartheorie uit te spreken, niet waar O'Kelly en Sam bij waren. 'En ik zie het hem niet doen.'

'Weet ik. Ik wel.'

Cassie rolde met haar ogen, wat ik eerlijk gezegd een soort geruststelling vond: ergens had ik verwacht dat ze ineen zou krimpen.

'O'Neill?' vroeg O'Kelly.

'Damien,' zei Sam. 'Ik heb ze allemaal een kop thee gebracht en hij is de enige die hem met zijn linkerhand aanpakte.'

Na een verbijsterde seconde barstten Cassie en ik in lachen uit. Het was een privégrapje – ik was die linkshandige theorie helemaal vergeten – maar we stonden allebei strak als een veer en we waren lichtelijk hyper, dus we konden niet meer ophouden. Sam stond grijnzend te schokschouderen, blij met onze reactie. 'Ik snap niet wat hier te lachen valt,' zei O'-Kelly bars, maar ook zijn mondhoeken trilden. 'Dat hadden jullie zelf kunnen zien. Al dat gekavel over modus operandi…' Ik lachte te hard, mijn hele gezicht werd rood en de tranen rolden uit mijn ogen. Ik beet op mijn lip om op te houden.

'O, god,' zei Cassie, en ze haalde diep adem. 'Sam, wat zouden we zonder jou moeten?'

'Nou, genoeg gelachen alweer,' zei O'Kelly. 'Jullie tweeën nemen Damien Donnelly. O'Neill, haal Sweeney erbij en probeer het nog eens met

Hanly, dan zoek ik een stel mannen om met Hunt en de alibigetuigen te gaan praten. En, Ryan, Maddox, O'Neill – we hebben een bekentenis nodig. Ga dit nu niet zitten verkloten. *Ándele*.' Met een oorverdovende krijs schoof hij zijn stoel achteruit en vertrok.

'Ándele?' zei Cassie. Zo te zien zat ze verdacht dicht bij een nieuwe aanval van de slappe lach.

'Mooi werk, jongens,' zei Sam. Hij stak naar elk van ons een hand uit; zijn greep was sterk en warm en solide. 'Succes.'

'Als Andrews een van hen heeft ingehuurd,' zei ik, toen Sam op zoek was gegaan naar Sweeney en Cassie en ik alleen in de projectkamer zaten, 'wordt dit de puinhoop van de eeuw.'

Cassie trok neutraal één wenkbrauw op. Ze dronk haar koffie op – het werd een lange dag en we hadden ons allemaal volgetankt met cafeïne.

'Hoe zullen we het aanpakken?' vroeg ik.

'Begin jij maar. Hij ziet vrouwen als bronnen van medeleven en goedkeuring; ik zal hem nu en dan een schouderklopje geven. Hij laat zich snel intimideren door mannen, dus doe rustig aan: als je hem te zeer onder druk zet, kan hij dichtslaan en weg willen. Neem er de tijd voor, en werk op zijn schuldgevoel. Volgens mij was hij vanaf het begin al niet zeker van zijn zaak, en ik wed dat hij zich er vreselijk onder voelt. Als we op zijn geweten spelen, is het een kwestie van tijd voordat hij bezwijkt.'

'Prima,' zei ik, en we trokken onze kleren recht, streken ons haar plat en liepen schouder aan schouder de gang door naar de verhoorkamer.

Dat was de laatste keer dat wij als partners samenwerkten. Ik wou dat ik jullie kon laten zien hoe een verhoor een geheel eigen schoonheid kan hebben, glanzend en wreed als een stierengevecht; hoe het ondanks het grofste onderwerp of de stompzinnigste details zijn eigen strakke, fijn afgestemde gratie behoudt, zijn eigen meeslepende ritmes; hoe goede rechercheurs elkaars gedachten lezen als levenslange balletpartners in een pas de deux. Ik heb nooit geweten, en zal nooit weten, of Cassie of ik goede rechercheurs waren, hoewel ik vermoed van niet, maar dit weet ik wel: we vormden samen een team dat heldendichten en geschiedenisboeken waard was. Dit was onze laatste, mooiste dans samen, in een piepklein verhoorkamertje met duisternis buiten en regen die zacht en genadeloos op het dak viel, en met als enig publiek de gedoemden en de doden.

Damien zat ineengedoken in zijn stoel, met stijve schouders, zijn dampende kop thee onaangeroerd op tafel. Toen ik hem zijn rechten voorlas, keek hij me aan alsof ik Urdu sprak.

De maand sinds Katy's dood was niet mild voor hem geweest. Hij had een kaki legerbroek aan en een ruimvallende grijze trui, maar ik zag dat hij afgevallen was en daardoor zag hij er slungelig en op de een of andere manier kleiner uit dan hij in werkelijkheid was. Eerder had hij eruitgezien alsof hij in een boyband thuishoorde, maar dat effect begon een beetje aan de randjes te rafelen – paarsige wallen onder zijn ogen, een verticale rimpel die zich tussen zijn wenkbrauwen begon te vormen; die jeugdige uitstraling die nog een paar jaar mee had gemoeten, was snel aan het vervagen. De verandering was zo subtiel dat ik haar op de opgraving niet opgemerkt had, maar nu viel ze me meteen op.

We begonnen met makkelijke vragen, dingen die hij kon beantwoorden zonder zich zorgen te maken. Hij kwam toch uit Rathfarnham? Studeerde aan Trinity? Net klaar met zijn tweede jaar? Hoe waren de tentamens verlopen? Damien antwoordde in enkele lettergrepen en zat de rand van zijn trui rond zijn duim te draaien. Hij wilde zichtbaar dolgraag weten waarom we al die vragen stelden, maar hij durfde niets te vragen. Cassie bracht hem op het onderwerp archeologie, en langzaam ontspande hij zich een beetje; hij liet zijn trui met rust, nam een slok thee en begon in volledige zinnen te spreken, en ze hadden een lang en gezellig gesprek over de diverse vondsten die bij de opgraving waren gedaan. Ik liet hen minstens twintig minuten doorpraten voordat ik tussenbeide kwam (toegeeflijke glimlach: 'Sorry, jongens, maar we moeten waarschijnlijk terug naar ons onderwerp, voordat we alle drie in de problemen komen...').

'Ach, kom op, Ryan, twee seconden nog,' smeekte Cassie. 'Ik heb nog nooit een ringbroche gezien. Hoe ziet die eruit?'

'Ze zeggen dat hij waarschijnlijk in het National Museum komt,' zei Damien, blozend van trots. 'Hij is zeg maar zo groot, en van brons, en met een patroon erin geëtst...' Met één vinger maakte hij vage kriebelbewegingen, waarschijnlijk om een ingewikkeld patroon aan te geven.

'Kun je hem voor me tekenen?' vroeg Cassie, en ze schoof haar notitieboekje en pen over de tafel heen naar hem toe. Gehoorzaam sloeg Damien aan het tekenen, zijn voorhoofd gefronst in concentratie.

'Zoiets,' zei hij, terwijl hij Cassie het notitieboekje teruggaf. 'Maar ik kan niet tekenen.'

'Wauw,' zei Cassie eerbiedig. 'En die heb jij gevonden? Als ik zoiets vond, zou ik waarschijnlijk uit elkaar spatten of een hartaanval krijgen of zo.'

Ik keek over haar schouder: een brede kring met iets wat op een speld leek langs de achterkant, versierd met vloeiende, evenwichtige rondlopende lijnen. 'Mooi,' zei ik. Damien was inderdaad linkshandig. Zijn handen leken nog steeds een maat te groot voor zijn lichaam, als de poten van een puppy.

'De jacht is geopend,' zei O'Kelly in de gang. 'Volgens zijn oorspronkelijke verklaring heeft hij de hele maandagavond met zijn vrouw tv-gekeken, tot hij om elf uur naar bed ging. Ze hebben documentaires gezien, iets over meerkatten en eentje over Richard iii – hij heeft ons er alles over verteld, of we dat nou wilden horen of niet. De vrouw zegt hetzelfde en de tv-gids bevestigt de programma's. En de buurman heeft een hond, zo'n klein keffertje dat de hele nacht zit te blaffen; hij zegt dat hij Hunt uit het raam heeft horen schreeuwen, zo rond één uur in de ochtend. Waarom hij niet zelf zei dat die kuthond z'n bek moest houden... Dat weet hij zeker, want het was dezelfde dag dat zij hun nieuwe terras hadden gekregen – volgens hem was de hond overstuur vanwege het werkvolk. Ik stuur Einstein naar huis voordat ik er gek van word. Nu hebben we er nog maar twee, jongens.'

'Hoe vordert Sam met Mark?' vroeg ik.

'Niet. Hanly ligt verschrikkelijk dwars en hij houdt zich aan het neukfestijnverhaal. En zijn vriendin bevestigt dat. Als ze liegen, dan houden ze dat nog wel een tijdje vol. En hij is beslist rechtshandig. En die knaap van jullie?'

'Links,' zei Cassie.

'Dan is dat dus onze favoriet. Maar dat is niet genoeg. Ik heb Cooper gesproken...' O'Kelly's gezicht vertrok in een grimas van afkeer. 'Positie van het slachtoffer, positie van de agressor, het een tegen het ander – meer mogelijkheden dan je verzinnen kunt, maar waar het op neerkomt is dat hij dénkt dat de dader linkshandig moet zijn, maar hij kan het niet met zekerheid zeggen. Net een politicus – de draaikont. Hoe doet Donnelly het?'

'Nerveus,' zei ik.

O'Kelly sloeg op de deur van de verhoorkamer. 'Mooi. Houden zo.'

We gingen terug en begonnen met Damien nerveus te maken. 'Oké, jongens,' zei ik terwijl ik mijn stoel bijtrok. 'Nu even serieus. Even over Katy Devlin.'

Damien knikte aandachtig, maar ik zag dat hij zich schrap zette. Hij nam een slok van zijn thee, hoewel die intussen koud moest zijn.

'Wanneer heb je haar voor het eerst gezien?'

'Toen we zo'n beetje driekwart de heuvel op waren? Hoger dan het huisje in ieder geval, en hoger dan de portakabins. Want ziet u, door de glooiing van...'

'Nee,' zei Cassie, 'niet op de dag dat je haar lijk vond. Daarvoor.'

'Daarvoor?' Damien knipperde met zijn ogen naar haar en nam nog een slok thee. 'Geen – eh, ik had haar nooit gezien. Althans niet voor die dag.'

'Had je haar nog nooit gezien?' Cassies toon was niet veranderd, maar ik voelde die plotselinge stilte als van een jachthond in haar. 'Weet je dat zeker? Denk goed na, Damien.'

Heftig schudde hij zijn hoofd. 'Nee, ik zweer het. Ik had haar nog nooit van mijn leven gezien.'

Even bleef het stil. Ik wierp Damien een blik toe waarvan ik hoopte dat hij milde belangstelling uitdrukte, maar mijn hoofd tolde.

Ik had niet voor Mark gestemd om dwars te liggen, zoals je zou kunnen denken, en ook niet omdat hij iets had wat me mateloos irriteerde. Goed beschouwd geloof ik dat ik, gezien de mogelijkheden, simpelweg wilde dat hij het was. Ik had Damien nooit serieus kunnen nemen – niet als man, niet als getuige en zeker niet als verdachte. Hij was zo'n hinderlijk soort watje, niets dan krullen en gestamel en kwetsbaarheid, je had hem als een paardenbloempluisje kunnen wegblazen; het was een bespottelijke gedachte dat deze hele afgelopen maand te wijten kon zijn aan iemand als hij. Mark, wat we ook van elkaar mochten vinden, was een waardiger tegenstander en doel.

Maar dit: dit was zo'n zinloze leugen. De meisjes Devlin hadden die zomer vaak genoeg bij de opgraving rondgehangen, en je kon ze niet bepaald onopvallend noemen; alle andere archeologen herinnerden zich de tweeling; Mel, die op veilige afstand van Katy's lichaam was gebleven, had haar meteen herkend. En Damien had rondleidingen gegeven; de kans was groot dat hij Katy gesproken had. Hij had zich over haar lichaam gebogen, schijnbaar om te zien of ze nog ademde (en zelfs zoveel moed, besefte ik, was niets voor hem). Hij had geen enkele reden om te ontkennen dat hij haar eerder gezien had, tenzij hij onbeholpen een valkuil omzeilde die wij nooit gegraven hadden; tenzij de gedachte dat hij op de een of andere manier met haar te maken zou hebben hem zo'n angst aanjoeg dat hij niet meer helder kon denken.

'Oké,' zei Cassie. 'En haar vader dan – Jonathan Devlin? Ben jij lid van Weg met de snelweg?' En Damien nam een grote slok koude thee en knikte nogmaals, en we laveerden snel weg van het onderwerp voordat hij de kans kreeg om te beseffen wat hij gezegd had.

Om een uur of drie gingen Cassie en Sam en ik weg om pizza te halen – Mark begon te klagen dat hij honger had, en we wilden hem en Damien tevreden houden. Geen van beiden stonden ze onder arrest; ze konden ieder moment beslissen dat ze weg wilden, en dan konden wij daar niets aan doen. We gokten, zoals we zo vaak doen, op de menselijke basisbehoefte om het gezag te behagen en om braaf te zijn; en terwijl ik behoorlijk zeker wist dat die twee deugden Damien eindeloos in de verhoorkamer zouden houden, was ik niet zo zeker van Mark.

'Hoe gaat het met Donnelly?' vroeg Sam me bij de pizzaboer. Cassie stond bij de balie, leunde eroverheen en stond te lachen met de man die onze bestelling had opgenomen.

Ik haalde mijn schouders op. 'Moeilijk te zeggen. En Mark?'

'Razend. Hij zegt dat hij zich het afgelopen halfjaar kapotgewerkt heeft voor Weg met de snelweg, dus waarom zou hij het risico nemen om de zaak te verkloten door de dochter van de voorzitter te vermoorden? Volgens hem is dit zuiver een politieke aangelegenheid…' Sam vertrok zijn gezicht. 'En Donnelly,' zei hij, zijn blik niet op mij gevestigd maar op Cassies rug. 'Als hij het is, wat zou… heeft hij een motief?'

'Tot nu toe hebben we niets gevonden,' zei ik. Ik wilde hier niet op ingaan.

'Als er iets bovenkomt…' Sam duwde zijn vuisten dieper in zijn broekzakken. 'Iets wat ik misschien zou willen weten. Bel je me dan?'

'Ja,' zei ik. Ik had de hele dag nog niet gegeten, maar voedsel was wel het laatste waaraan ik dacht; het enige wat ik wilde was terug naar Damien, en de pizza leek uren te duren. 'Natuurlijk.'

Damien wilde wel een blikje 7-Up, maar de pizza sloeg hij af. Hij had geen honger, zei hij. 'Zeker weten?' vroeg Cassie, terwijl ze probeerde met haar vinger de kaasdraden op te vangen. 'God, toen ik nog studeerde zou ik nooit gratis pizza afgeslagen hebben.'

'Jij slaat sowieso nooit eten af,' zei ik tegen haar. 'Jij bent een menselij-ke stofzuiger.' Cassie had net een enorme hap in haar mond gestoken en kon dus niet antwoorden, maar ze knikte opgewekt en stak haar duim op. 'Kom op, Damien, neem een stuk. Je moet op krachten blijven, want we zitten hier nog wel even.'

Zijn ogen vielen open. Ik wuifde naar hem met een stuk pizza, maar hij schudde zijn hoofd, dus haalde ik mijn schouders op en nam het zelf. 'Oké,' zei ik. 'Laten we het eens over Mark Hanly hebben. Wat is dat voor iemand?'

Damien knipperde met zijn ogen. 'Mark? O, eh, gaat wel. Streng, dat wel, maar hij moet ook wel. We hebben niet veel tijd.'

'Heb je hem ooit gewelddadig zien worden? Een driftbui?' Ik wiebelde met mijn vingers naar Cassie; ze gooide me een papieren servetje toe.

'Ja… nee… ik bedoel, ja, hij wordt wel eens boos, bijvoorbeeld als ie-mand zit te rotzooien, maar ik heb nog nooit gezien dat hij iemand sloeg, of zo.'

'Denk je dat hij daartoe in staat zou zijn, als hij boos genoeg werd?' Ik veegde mijn handen af en bladerde door mijn notitieboekje. Ik probeerde geen vet aan de pagina's te smeren. 'Wat ben je toch een smeerkees,' zei Cassie. Ik stak mijn middelvinger naar haar op. Damien keek onthutst en uit zijn evenwicht van de een naar de ander.

'Wat?' vroeg hij uiteindelijk onzeker.

'Denk je dat Mark gewelddadig zou kunnen worden als hij geprovo-ceerd werd?'

'Misschien wel, ja. Ik zou het niet weten.'

'En jij? Heb jij wel eens iemand geslagen?'

'Wat… nee!'

'We hadden knoflookbrood moeten halen,' zei Cassie.

'Ik ga niet in een verhoorkamer zitten met twee mensen en knoflook. Wat zou ervoor nodig zijn voordat jij iemand zou slaan, Damien?'

Zijn mond viel open.

'Je lijkt mij niet het gewelddadige type, maar iedereen heeft een breek-punt. Zou je iemand slaan als die bijvoorbeeld je moeder beledigde?'

'Ik…'

'Of voor geld? Of uit zelfverdediging? Wat zou daarvoor nodig zijn?'

'Ik weet niet…' Damien knipperde snel met zijn ogen. 'Dat weet ik niet. Ik heb nog nooit… maar ik neem aan dat iedereen, dat zal best, dat iedereen een breekpunt heeft, ik weet niet…'

Ik knikte en maakte een zorgvuldige aantekening. 'Wil je liever een ander soort?' vroeg Cassie, terwijl ze de pizza inspecteerde. 'Ik persoonlijk vind ham en ananas het lekkerst, maar hiernaast hebben ze iets macho's met peperworst.'

'Wat? Eh… nee, bedankt. Wie…?' Wij kauwden en wachtten. 'Wie zit er hiernaast? Mag ik dat, eh, vragen?'

'Tuurlijk,' zei ik. 'Mark. We hebben Sean en dr. Hunt al een tijdje geleden naar huis gestuurd, maar Mark konden we nog niet laten gaan.'

We keken hoe Damien een tint bleker wegtrok terwijl hij deze informatie en de mogelijke consequenties daarvan verwerkte. 'Waarom niet?' vroeg hij zwak.

'Daar mogen we niet op ingaan,' zei Cassie, terwijl ze haar hand uitstak naar een nieuw stuk pizza.

'Sorry.' Damiens blik ketste verward van haar hand naar haar gezicht naar het mijne.

'Wat ik je wel kan zeggen,' zei ik, terwijl ik met een korst naar hem wees, 'is dat we deze zaak bijzonder serieus nemen. Ik heb in de loop van mijn carrière al heel wat erge dingen gezien, Damien, maar dit… Kindermoord is de allerergste misdaad die er bestaat. Haar hele leven weg, de hele gemeenschap doodsbang, haar vriendinnetjes komen er nooit overheen, haar familie is er kapot van…'

'Helemaal kapot,' beaamde Cassie onduidelijk, met volle mond. Damien slikte, keek naar zijn 7-Up alsof hij hem vergeten was, en begon met het lipje te frunniken.

'Degene die dit gedaan heeft…' Ik schudde mijn hoofd. 'Ik weet niet hoe zo iemand nog met zichzelf leven kan.'

'Tomaatcontrole,' zei Cassie, en ze prikte een vinger naar haar mondhoek. 'Ik kan jou ook nergens met goed fatsoen mee naartoe nemen.'

We aten het grootste deel van de pizza op. Niet dat ik er trek in had – alleen de geur, vettig en kleverig, was al te veel voor me – maar de hele toestand werkte Damien steeds meer op zijn zenuwen. Uiteindelijk nam hij een stuk aan en zat er met een ongelukkig gezicht stukjes ananas af te pulken en op te knagen, terwijl zijn hoofd van Cassie naar mij vloog, heen en weer alsof hij een tenniswedstrijd van te dichtbij zat te volgen. Ik moest even aan Sam denken: Mark zou waarschijnlijk niet warm of koud raken van peperworst en extra kaas.

Mijn mobiel trilde in mijn zak. Ik keek op het scherm: Sophie. Ik nam het gesprek in de gang aan; achter me zei Cassie: 'Inspecteur Ryan verlaat de verhoorkamer.'

'Ha, Sophie,' zei ik.

'Hoi. Hier heb je je update: geen teken dat een van beide sloten geforceerd of met een valse sleutel geopend is. En de troffel is inderdaad het verkrachtingswapen. Zo te zien is hij afgewasssen, maar er zitten bloedsporen op het handvat. We hebben ook een behoorlijke hoeveelheid bloed op een van die zeilen. Met de handschoenen en de plastic zakken zijn we nog bezig – daar zijn we waarschijnlijk nog mee bezig als we tachtig zijn. En we hebben ook een lantaarn gevonden onder die berg zeilen. Onder de vingerafdrukken, maar die zijn allemaal klein en op de lantaarn staat Hello Kitty, dus ik wil wedden dat dat de lamp van ons slachtoffer is, net als de vingerafdrukken. Hoe gaat het daar?'

'Nog bezig met Hanly en Donnelly. Callaghan en Hunt zijn naar huis.'

'En dat zeg je me nú? Jezus, Rob. Bedankt, hoor. We hebben Hunts complete auto doorgespit. Niets – nee, natuurlijk niet. En ook geen bloed in Hanly's auto. Zowat een miljoen haren en vezels en blablabla; als hij haar in die auto gehad heeft, was hij wel zo onbezorgd dat hij daarna niet schoongemaakt heeft, dus dan kunnen we iets verwachten. Ik denk zelfs dat hij die auto nog nooit schoongemaakt heeft. Als hij op een dag geen archeologische opgravingen meer heeft, kan hij beginnen onder zijn eigen voorstoel.'

Ik sloeg de deur achter me dicht, zei tegen de camera: 'Inspecteur Ryan komt de verhoorkamer binnen,' en begon de pizzadingen weg te ruimen. 'Dat was de sporenrecherche,' zei ik tegen Cassie. 'Ze bevestigen dat ons bewijsmateriaal inderdaad precies is wat we dachten. Damien, ben jij daarmee klaar?' Voordat hij kon antwoorden, gooide ik het stuk pizza zonder ananas terug in de doos.

'Kijk, dat horen we nou graag,' zei Cassie, terwijl ze een servetje greep en snel over de tafel veegde. 'Damien, heb jij nog iets nodig voordat we aan het werk gaan?'

Damien keek haar niet-begrijpend aan en schudde zijn hoofd.

'Mooi,' zei ik. Ik schoof de pizzadoos in een hoek en trok een stoel bij. 'Laten we dan eens beginnen met je te vertellen waar we vandaag achter gekomen zijn. Waarom denk je dat we jullie vieren hierheen gehaald hebben?'

'Vanwege dat meisje,' zei hij zwakjes. 'Katy Devlin.'

'Eh, ja, inderdaad. Maar waarom denk je dat we alleen jullie vieren nodig hadden, en niet de rest van het team?'

'U zei…' Damien gebaarde met het 7-Up-blikje naar Cassie; hij klemde het in beide handen, alsof hij bang was dat ik dat ook nog weg zou halen. 'U vroeg over de sleutels. Wie er een sleutel van de schuurtjes had.'

'Bingo,' zei Cassie, en ze knikte goedkeurend. 'Goed gezien.'

'Hebben jullie, eh…?' Hij slikte. 'Hebben jullie, ehm, iets gevonden in een van die schuren?'

'Precies,' zei ik. 'We hebben zelfs in beide schuren iets gevonden, maar je zit er al heel dichtbij. We kunnen uiteraard niet op de details ingaan, maar waar het op neerkomt: we hebben bewijzen dat Katy op maandagnacht in de schuur met de vondsten is vermoord, en dat ze dinsdag in de gereedschapsschuur is bewaard. Er zijn geen sloten geforceerd. Wat zou dat betekenen, denk je?'

'Ik weet niet,' zei Damien na een tijdje.

'Het betekent dat we op zoek zijn naar iemand die de sleutel had. Dat is dus Mark, dr. Hunt, of jij. En dr. Hunt heeft een alibi.'

Damien begon zijn hand op te steken, alsof hij nog op school zat. 'Eh, ik ook. Een alibi, bedoel ik.'

Hij keek ons hoopvol aan, maar wij zaten beiden met ons hoofd te schudden. 'Sorry,' zei Cassie. 'Je moeder sliep; de uren waar wij naar kijken kan zij niet voor je instaan. En sowieso, moeders…' Ze haalde met een glimlach haar schouders op. 'Jouw moeder zal best wel eerlijk en zo zijn, maar in de regel zeggen moeders wat er maar nodig is om hun kinderen uit de problemen te helpen. En dat is een natuurlijke reactie, maar het betekent wel dat we een moeder niet op haar woord kunnen geloven als het om iets echt belangrijks gaat.'

'Mark heeft hetzelfde soort probleem,' zei ik. 'Mel zegt dat ze bij hem was, maar zij is zijn vriendin en die zijn niet veel beter dan moeders. Iets beter, maar niet veel. Dus daar zitten we.'

'En als jij ons iets te vertellen hebt, Damien,' zei Cassie zachtjes, 'dan is dít het moment.'

Stilte. Hij nam een slok van zijn 7-Up en keek ons aan, een en al transparante blauwe blik vol verbijstering, en hij schudde zijn hoofd.

'Oké,' zei ik. 'Het hoeft niet. Ik wil je iets laten zien, Damien.' Ik bladerde door het dossier, deed daar zo gewichtig mogelijk mee – Damiens angstige blik volgde mijn hand – en haalde er ten slotte een aantal foto's uit. Die legde ik een voor een voor hem neer, en ik keek er zelf goed naar voordat ik ze neerlegde; hij wachtte.

'Katy en haar zusjes, afgelopen Kerstmis,' zei ik. Een plastic boom, felgekleurde rode en groene lichtjes; Rosalind in het midden, met blauw fluweel aan en een ondeugende glimlach naar de camera, haar armen om de tweeling heen geslagen; Katy stond lachend, met rechte rug, met een wit namaakschaapsleren jasje te zwaaien en Jessica glimlachte onzeker naar een beige versie, als een spiegelbeeld in een griezelige spiegel. Onbewust glimlachte Damien terug.

'Katy bij een familiepicknick, twee maanden geleden.' De foto met het groene gras en de boterham.

'Ze ziet er gelukkig uit, vind je ook niet?' zei Cassie tegen mij. 'Ze zou net naar de balletacademie, alles ging net beginnen… Ik ben blij om te weten dat ze gelukkig was, voordat ze…'

Een van de polaroids van de plaats delict: een opname ten voeten uit, Katy opgekruld op de altaarsteen. 'Katy vlak nadat jij haar gevonden had. Weet je nog?' Damien ging in zijn stoel verzitten, merkte wat hij deed en zat stil.

Weer een foto van de plaats delict, nu een close-up: opgedroogd bloed op haar neus en mond, dat ene oog op een spleetje geopend. 'Zelfde: Katy waar haar moordenaar haar heeft gedumpt.'

Een van de post-mortemfoto's. 'Katy de volgende dag.' Damien ademde hoorbaar uit. We hadden de akeligste foto gekozen die we hadden: haar gezicht neergeklapt zodat de schedel zichtbaar werd, een hand in een handschoen met een stalen liniaal bij de fractuur boven haar oor, samengeklonterd haar en botsplinters.

'Afschuwelijk, hè?' zei Cassie, bijna in zichzelf. Haar vingers aarzelden boven de foto's, gingen naar de close-up van de plaats delict, streelden de lijn van Katy's wang. Ze keek op naar Damien.

'Ja,' fluisterde hij.

'Kijk, naar mijn mening,' zei ik, terwijl ik in mijn stoel achteroverleunde en met mijn vinger op de post-mortemfoto tikte, 'ziet dat eruit als iets wat alleen een volslagen psychopaat een klein meisje zou aandoen. Een beest zonder geweten, iemand die een kick krijgt als hij de meest kwetsbare mensen die hij maar vinden kan pijn doet. Maar ik ben maar een gewone rechercheur. Inspecteur Maddox hier, die heeft psychologie gestudeerd. Weet jij wat een forensisch psycholoog is, Damien?'

Een kort hoofdschudden. Zijn blik was nog strak op de foto's gericht, maar ik denk niet dat hij ze zag.

'Iemand die bestudeert wat voor soort persoon wat voor soort misdaad pleegt, en dan aan de politie vertelt naar wat voor type dader ze op zoek moeten. Inspecteur Maddox is onze eigen forensisch psycholoog, en zij heeft haar eigen theorie over degene die dit gedaan heeft.'

'Damien,' zei Cassie, 'ik zal je één ding vertellen. Vanaf de allereerste dag heb ik gezegd dat dit gedaan is door iemand die het niet wílde doen. Iemand die niet gewelddadig was, geen moordenaar, die er niet van hield om pijn te veroorzaken. Iemand die dit deed omdat hij niet anders kon. Hij had geen andere keuze. Dat zeg ik al vanaf de dag dat wij deze zaak kregen.'

'Dat is waar, dat zegt ze al de hele tijd,' zei ik. 'Wij zeiden allemaal dat ze normaal moest doen, maar ze heeft stug volgehouden: dit was geen psychopaat, geen seriemoordenaar, geen kinderverkrachter.' Damien schrok even op, een snelle ruk met zijn kin. 'Wat denk jij, Damien? Denk jij dat alleen een klootzak die ziek in z'n hoofd is dit kan doen, of denk je dat zoiets ook kan gebeuren met een normale vent die nooit van plan was iemand kwaad te doen?'

Hij probeerde zijn schouders op te halen, maar die waren zo gespannen dat het eruitzag als een groteske tic. Ik stond op, liep rustig om de tafel heen en ging achter hem tegen de muur staan leunen. 'Tja, daar zullen we wel nooit achter komen, tenzij hij het ons vertelt. Maar laten we voorlopig even aannemen dat inspecteur Maddox gelijk heeft. Kijk, zij heeft ervoor doorgeleerd, en ik ben bereid toe te geven dat er misschien iets in zit. Stel dat deze man niet het gewelddadige type is; hij had nooit een moord willen plegen. Het gebeurde gewoon.'

Damien had met ingehouden adem zitten luisteren. Nu ademde hij uit en hapte, stokkend, opnieuw naar lucht.

'Dat soort mensen heb ik wel vaker gezien. Weet je wat daarmee na verloop van tijd gebeurt? Die worden helemaal gestoord, Damien. Die kunnen niet meer met zichzelf leven. Dat hebben we al zo vaak gezien.'

'Het is geen fijne aanblik,' zei Cassie zachtjes. 'Wij weten wat er gebeurd is, de man weet dat wij het weten, maar hij durft niet te bekennen. Hij denkt dat de gevangenis het ergste is wat hem kan overkomen. God, wat zit die man fout. De rest van zijn leven wordt hij iedere dag wakker en beleeft hij het opnieuw, alsof het gisteren was. 's Nachts durft hij niet te gaan slapen uit angst voor de nachtmerries. Hij blijft maar denken dat het wel een keer beter zal worden, maar dat gebeurt niet.'

'En vroeg of laat,' zei ik vanuit de schaduw achter hem, 'stort hij hele-maal in, en de daaropvolgende paar jaar zit hij in een isoleercel, met een pyjama aan en tot de nok toe vol kalmerende middelen. Of hij knoopt op een dag een touw aan de trapleuning en verhangt zichzelf. Dat gebeurt vaker dan je zou denken, Damien: ze kunnen de gedachte aan een nieuwe dag gewoonweg niet verdragen.'

Dit was trouwens pure bullshit; natuurlijk was het dat. Van die meer dan tien niet-aangeklaagde moordenaars die ik je kan noemen heeft er maar één zelfmoord gepleegd, en die had sowieso al een geschiedenis van onbehandelde mentale problemen. De rest leeft min of meer zoals ze vroeger ook deden, met een baan en naar de kroeg en met de kinderen naar de dierentuin, en als ze af en toe al eens de zenuwen krijgen, dan houden ze dat voor zich. De mens kan overal aan wennen: dat weet ik be-ter dan de meesten. In de loop van de tijd slijt zelfs het ondenkbare gelei-delijk aan een nis uit in je hoofd en wordt gewoon een gebeurtenis. Maar Katy was nog maar een maand dood, en Damien had nog geen tijd gehad om daarachter te komen. Hij zat stijf rechtop in zijn stoel, zijn blik strak op zijn blikje 7-Up gevestigd en hij ademde alsof het pijn deed.

'Weet je wie het overleven, Damien?' vroeg Cassie. Ze leunde over de tafel heen en legde haar vingers op zijn arm. 'Degenen die bekennen. De-genen die hun straf uitzitten. Zeven jaar later, of wat er ook voor staat, is het voorbij; dan komen ze vrij en kunnen ze met een schone lei begin-nen. Dan hoeven ze niet iedere keer dat ze hun ogen dichtdoen het ge-zicht van hun slachtoffer meer te zien. Dan hoeven ze niet iedere seconde van iedere dag bang te zijn dat dit de dag is waarop ze gesnapt zullen wor-den. Ze hoeven zich niet bij iedere agent die ze zien beroerd te schrikken, of telkens als er aangebeld wordt. Geloof me: uiteindelijk zijn dat de men-sen die het redden.'

Hij zat zo hard in zijn blikje te knijpen dat het opfrommelde, met een scherp krakend geluid. We schrokken er alle drie van.

'Damien,' zei ik zachtjes. 'Klinkt iets hiervan je bekend in de oren?'

En eindelijk was het daar dan: dat heel kleine vleugje ontspanning in de spieren van zijn nek, de houding van zijn hoofd toen zijn ruggengraat verslapte. Bijna onmerkbaar, na wat een eeuwigheid leek, knikte hij.

'Wil jij de rest van je leven zo doorbrengen?'

Zijn hoofd bewoog hortend van links naar rechts.

Cassie gaf zijn arm nog een laatste klopje en nam toen haar hand weg: niets wat op dwang mocht lijken. 'Je wilde Katy niet doodmaken, is het wel?' vroeg ze vriendelijk, met een stem die stem zacht als sneeuw over de kamer viel. 'Het gebeurde gewoon.'

'Ja.' Hij fluisterde het, amper een ademtocht, maar ik hoorde het. Ik luisterde zo gespannen dat ik zijn hart bijna kon horen kloppen. 'Het gebeurde gewoon.'

Even leek de kamer op te frommelen alsof alle lucht werd weggezogen door een explosie die groter was dan het menselijk bevattingsvermogen aan kon. Geen van ons kon ook maar een vin verroeren. Damiens handen waren verslapt rond het blikje. Het viel met een doffe klap op tafel, schommelde even heen en weer en kwam tot stilstand. Het licht aan het plafond kleurde zijn krullen wazig brons. Toen ademde de kamer weer in, een trage, vervulde zucht.

'Damien James Donnelly,' zei ik. Ik liep niet om de tafel heen om hem aan te kunnen kijken; ik wist niet of mijn benen me wel zouden dragen. 'Ik arresteer u op verdenking dat u, op of rond zeventien augustus van dit jaar te Knocknaree in graafschap Dublin Katharine Bridget Devlin hebt vermoord; dit in strijd met de algemeen geldende wetten.'

# 21

Damien kon niet ophouden met schokken. We haalden de foto's weg en brachten hem een verse kop thee, we boden aan om een extra trui voor hem te halen of de overgebleven pizza voor hem op te warmen, maar hij schudde zonder ons aan te kijken zijn hoofd. In mijn ogen leek de hele scène volslagen onrealistisch. Ik kon mijn blik niet van Damien afwenden. Ik had mijn halve verstand afgespeurd naar herinneringen, ik was naar het bos van Knocknaree gegaan, ik had mijn carrière op het spel gezet en ik raakte mijn partner kwijt... vanwege deze jongen.

Cassie nam zijn rechten met hem door – langzaam en teder, alsof hij net een ernstig ongeluk gehad had – en ik hield op de achtergrond mijn adem in, maar hij wilde geen advocaat. 'Wat heeft dat voor zin? Ik heb het gedaan, dat wisten jullie toch al, straks weet iedereen het, een advocaat kan niets... ik ga de gevangenis in, hè? Ga ik de gevangenis in?' Zijn tanden klapperden; hij had iets veel sterkers nodig dan thee.

'Maak je daar nou maar even geen zorgen over, oké?' zei Cassie sussend. Dit klonk mij in de oren als een behoorlijk lachwekkende suggestie, gezien de omstandigheden, maar het leek Damien iets te kalmeren; hij knikte zelfs. 'Ga gewoon verder met ons te helpen, dan doen wij ons best om jou te helpen.'

'Ik was niet... zoals u al zei, ik was nooit van plan om iemand kwaad te doen, dat zweer ik bij God.' Zijn ogen waren op die van Cassie gevestigd alsof zijn leven ervan afhing dat zij hem geloofde. 'Kunt u ze dat zeggen, of kunt u dat tegen de rechter zeggen? Ik ben niet... ik ben geen psychopaat, en geen seriemoordenaar, of... zo bén ik niet. Ik wilde haar niets doen, dat zweer ik bij, bij, bij...'

'Sst. Weet ik toch.' Ze had haar hand weer op de zijne gelegd en wreef in een kalmerend ritme met haar duim over de rug van zijn pols. 'Sst, Damien, het komt allemaal goed. Het ergste is voorbij. Nu moet je alleen nog in je eigen woorden vertellen wat er gebeurd is. Kun je dat, denk je?'

Damien haalde een paar maal diep adem en knikte dapper. 'Goed zo,' zei Cassie. Het scheelde weinig of ze had hem een aai over de bol en een koekje gegeven.

'Je moet ons het hele verhaal vertellen, Damien,' zei ik, terwijl ik mijn stoel dichterbij trok. 'Stap voor stap. Waar is het begonnen?'

'Huh?' zei hij even later. Hij keek verbijsterd. 'Ik... wat?'

'Je zei dat je haar nooit kwaad had willen doen. Dus hoe is het dan allemaal zo gekomen?'

'Ik... dat weet ik niet. Dat weet ik niet meer. Kan ik niet gewoon vertellen over, zeg maar, die avond zelf?'

Cassie en ik wisselden een blik. 'Oké,' zei ik. 'Natuurlijk. Begin maar toen je maandagavond uit het werk kwam. Wat heb je toen gedaan?' Er zat daar uiteraard iets, zijn geheugen had hem heus niet toevallig even in de steek gelaten; maar als we nu te veel van hem vergden, kon hij helemaal dichtslaan of van gedachten veranderen over die advocaat.

'Oké...' Damien haalde nogmaals diep adem en ging rechterop zitten, zijn handen strak tussen zijn knieën geklemd als een schooljongen bij een mondelinge overhoring. 'Ik ging met de bus naar huis. Ik heb samen met mijn moeder gegeten, en toen hebben we een tijdje Scrabble gedaan; dat vindt mijn moeder leuk, Scrabble. Ze... ze is niet gezond, ze heeft last van haar hart. Ze is om tien uur naar bed gegaan, zoals ze altijd doet. Ik, eh, ik ging naar mijn kamer en ik wachtte tot ze sliep – ze snurkt, dus ik kon... ik probeerde nog te lezen en zo, maar dat lukte niet, ik kon me niet concentreren, ik was zo...' Hij begon weer te klappertanden.

'Sst,' zei Cassie vriendelijk. 'Het is voorbij. Je doet het goed.'

Hij haalde even stokkend adem en knikte. 'Hoe laat ben je uit huis gegaan?' vroeg ik.

'Eh, om elf uur. Ik liep terug naar de opgraving – dat is maar een paar kilometer van mijn huis, alleen doe je er met de bus uren over omdat je helemaal de stad in moet en dan weer terug. Ik nam de kleine weggetjes, zodat ik niet langs de wijk hoefde. Ik moest wel langs de boerderij, maar die hond kent me, dus toen hij overeind kwam, zei ik, "Braaf zo, Laddie," en toen hield hij zijn bek. Het was donker, maar ik had een lantaarn. Ik ging de gereedschapsschuur in en pakte een paar, een paar handschoenen, en die trok ik aan, en ik pakte een...' Hij slikte moeizaam. 'Ik pakte een grote steen. Van de grond, aan de rand van de opgraving. Toen ging ik naar de schuur met vondsten.'

'Hoe laat was dat?' vroeg ik.

'Middernacht, zo'n beetje.'

'En hoe laat kwam Katy aan?'

'Dat moest...' Hij knipperde met zijn ogen, trok zijn schouders op. 'Dat moest om een uur zijn, maar ze was te vroeg, misschien iets van kwart voor een? Ik kreeg bijna een hartaanval toen ze aanklopte.'

Hij was van haar geschrokken. Ik kon hem wel sláán. 'Dus je liet haar binnen.'

'Ja. Ze had van die chocoladekoekjes bij zich, ik neem aan dat ze die op weg naar buiten meegesnaaid had. Ze gaf me er een, maar ik kon niet... ik bedoel, ik kreeg geen hap door mijn keel. Ik stopte hem in mijn zak. Zij at haar koekje op en vertelde me een paar minuten over die balletacademie en zo. En toen zei ik... ik zei, ik zei "Kijk eens op die plank," en ze draaide zich om. En toen, eh, toen gaf ik haar een klap. Met die steen, op haar achterhoofd. Een klap.'

Er lag een hoge noot van puur ongeloof in zijn stem. Zijn pupillen waren zo wijd dat zijn ogen wel zwart leken.

'Hoe vaak?' vroeg ik.

'Ik weet niet... ik... god... Moet ik dit doen? Ik bedoel, ik heb al gezegd dat ik het gedaan heb, kunt u niet gewoon... gewoon...' Hij greep de rand van de tafel zo hard beet dat zijn nagels in het hout groeven.

'Damien,' zei Cassie zacht maar ferm, 'we moeten de details weten.'

'Oké, oké.' Hij wreef onbeholpen met zijn hand over zijn mond. 'Ik gaf haar één klap, maar waarschijnlijk niet hard genoeg, want ze struikelde zo'n beetje voorover en ze viel, maar ze was nog... ze draaide zich om en ze deed haar mond open alsof ze wilde gillen, dus toen... toen heb ik haar gegrepen. Ik was bang, ik was doodsbang, als ze zou gillen...' Hij stamelde zowat. 'Ik sloeg mijn hand voor haar mond en probeerde haar nog een klap te geven, maar ze probeerde mijn handen weg te trekken en ze krabde en schopte, en we... we lagen op de vloer, en ik kon niet eens zien wat er gebeurde want ik had alleen mijn lantaarn op tafel liggen, ik had het licht niet aangedaan – ik probeerde haar op de grond te houden maar zij wilde naar de deur toe, ze lag maar te spartelen en ze was me een partij stérk... ik had niet gedacht dat ze zo sterk zou zijn, voor zo'n...'

Zijn stem stierf weg en hij staarde naar de tafel. Hij ademde door zijn neus, snel en ondiep en hard.

'Voor zo'n klein meisje,' zei ik toonloos.

Damiens mond ging open, maar er kwam niets uit. Hij had een griezelig groenig witte kleur gekregen, en zijn sproeten leken wel boven op zijn huid te liggen.

'We kunnen wel even pauzeren,' zei Cassie. 'Maar vroeg of laat zul je ons de rest van het verhaal moeten vertellen.'

Heftig schudde hij zijn hoofd. 'Nee. Geen pauze. Ik moet alleen... het gaat al.'

'Mooi,' zei ik. 'Dan gaan we verder. Je had een hand voor haar mond geslagen, en zij verzette zich.' Cassie bewoog even, een kleine, half onderdrukte tic.

'Ja. Oké.' Damien sloeg zijn armen om zijn bovenlijf en begroef zijn handen diep in de mouwen van zijn trui. 'Ze draaide zich op haar buik en begon naar de deur te kruipen, en toen... toen gaf ik haar nog een klap. Met de steen, op de zijkant van haar hoofd. Deze kwam harder aan – adrenaline of zo – want ze viel. Ze was bewusteloos. Maar ze ademde nog wel, heel hard, een soort gekreun, dus ik wist dat ik... ik kon haar niet nog een klap geven, ik kón het gewoon niet. Ik wilde...' Hij was bijna aan het hyperventileren. 'Ik wilde haar... ik wilde haar geen pijn...'

'Dus wat deed je toen?'

'Er liggen van die, van die plastic zakken op die plank. Voor de vondsten. Dus toen heb ik er daar een van gepakt, en die... die heb ik over haar hoofd gedaan en toen heb ik hem dichtgehouden tot...'

'Tot wát?' vroeg ik.

'Tot ze niet meer ademde,' zei Damien uiteindelijk, bijna onhoorbaar.

Het bleef een hele tijd stil, alleen de wind die spookachtig door de ventilatiespleet floot en het geluid van de regen.

'En toen?'

'Toen.' Damiens hoofd knikte even, zijn ogen leken niets te zien. 'Toen heb ik haar opgetild. Ik kon haar niet in de schuur laten liggen, dan zouden jullie erachter komen, dus ik wilde haar naar de opgraving brengen. Ze was... alles zat onder het bloed, van haar hoofd, denk ik. Ik liet de plastic zak over haar hoofd zitten zodat het bloed niet overal aan zou komen. Maar toen ik op de opgraving kwam, toen zag ik – in het bos, daar zag ik licht, een soort kampvuur of zo. Er was daar iemand. Ik werd bang, ik werd zo bang dat ik amper overeind kon blijven, ik dacht dat ik haar zou laten vallen. Stel dat ze me zagen?' Smekend keerde hij ons zijn hand-palmen toe: zijn stem brak. 'Ik had geen idee wat ik met haar moest doen.' Hij had de troffel overgeslagen. 'Dus wat heb je toen gedaan?' vroeg ik. 'Ik heb haar mee teruggenomen naar de schuur. In de gereedschaps-schuur ligt een stapel zeilen, daar moeten we gevoelige delen van de op-graving mee afdekken als het gaat regenen. Maar die hebben we bijna nooit nodig. Ik wikkelde haar in een zeil, zodat – ik wilde niet... eh, in-secten...' Hij slikte. 'En toen heb ik haar helemaal onder op de stapel ge-legd. Ik had haar misschien wel gewoon in de velden kunnen achterlaten, maar dat voelde... er zitten daar vossen en... en ratten en zo, en misschien had het wel dagen geduurd voordat iemand haar daar zou vinden, en ik wilde haar... ik wilde haar niet zomaar... wéggooien... ik kon niet lo-gisch meer denken, ik dacht dat ik misschien de volgende nacht wel zou verzinnen wat ik moest doen...'

'En ben je toen naar huis gegaan?'

'Nee, eerst heb ik de schuur schoongemaakt. Het bloed. Dat zat over de hele vloer, en op de treden, en ik kreeg het steeds op mijn handschoe-nen en mijn voeten en... ik haalde een emmer water van de slang en ik probeerde het af te wassen. Je róók het... Ik moest de hele tijd ophouden omdat ik dacht dat ik ging kotsen.'

Hij keek, ik zweer het, alsof hij medeleven verwachtte. 'Dat moet wel vreselijk geweest zijn,' zei Cassie meelevend.

'Ja. God. Dat was het.' Damien keek haar dankbaar aan. 'Ik had het ge-voel dat ik daar eeuwig gezeten had, ik dacht maar steeds dat het bijna ochtend was en dat de anderen ieder moment konden aankomen en dat ik moest opschieten, en dan dacht ik weer dat dit een nachtmerrie was en dat ik wakker moest worden, en toen werd ik duizelig... ik zag niet eens meer wat ik deed, ik had de lantaarn wel maar de helft van de tijd durfde ik die niet aan te doen – ik dacht dat degene die in het bos zat het zou zien en dat hij dan zou komen kijken... dus het was stikdonker en overal zat blóéd, en telkens als ik iets hoorde dacht ik dat ik doodging, dat ik echt doodging... Er waren maar steeds van die, van die geluiden buiten, alsof er iets aan de muren van de schuur zat te krabben. Eén keer dacht ik dat ik het hoorde, een soort gesnuffel bij de rand van de deur – even dacht ik dat het misschien Laddie was, maar die zit 's nachts aan de ketting, en ik was bijna... Jezus, het was...' Hij schudde in verbijstering zijn hoofd.

'Maar uiteindelijk had je alles schoon,' zei ik.

'Ja, dat wel ja. Voor zover mogelijk. Alleen... ik kón niet meer. Ik legde de steen achter de zeilen, en zij had zo'n klein lantaarntje gehad, dus dat legde ik er ook bij. Een seconde lang, toen ik de zeilen optilde, deden de schaduwen iets raars en leek het wel of ze... of ze bewoog... o god...'

Hij begon weer groen te zien. 'Dus je hebt de steen en haar lantaarn in de schuur achtergelaten,' zei ik. Ook ditmaal had hij de troffel overgeslagen. Dat zat me minder dwars dan je zou denken: in dit stadium werd alles waar hij nu voor terugdeinsde een wapen dat we later konden gebruiken.

'Ja. En toen heb ik de handschoenen gewassen en teruggedaan in de zak. En toen heb ik de schuurtjes op slot gedaan en ben... ben gewoon naar huis gelopen.'

Rustig, zonder zich in te houden, alsof dit iets was wat hij al een hele tijd wilde doen, barstte Damien in tranen uit.

Een tijdlang huilde hij zo hard dat hij geen vragen kon beantwoorden. Cassie zat naast hem, klopte hem op zijn arm, prevelde kalmerende woordjes en gaf hem papieren zakdoeken aan. Na een tijdje ving ik over zijn hoofd heen haar blik op; ze knikte. Ik liet hen even alleen en ging O'Kelly halen.

'Dat papjochie?' zei hij, en zijn wenkbrauwen schoten de lucht in. 'Nou, krijg nou helemaal wat! Ik had nooit gedacht dat hij daar de moed toe had. Ik had op Hanly gewed. Hij is trouwens net weg; hij zei tegen O'Neill dat die erin kon zakken met zijn vragen, en hij stormde naar buiten. Goed dat Donnelly niet hetzelfde gedaan heeft. Ik begin aan het dossier voor de openbaar aanklager.'

'We moeten zijn telefoonrekeningen en zijn bankafschriften hebben,' zei ik, 'en achtergrondgesprekken met de andere archeologen, jaargenoten, schoolvrienden, iedereen die hem na stond. Hij is bijzonder terughoudend over het motief.'

'Wat maakt dat nou uit, het motief?' wilde O'Kelly weten, maar zijn ergernis klonk niet overtuigend: hij was buiten zichzelf van tevredenheid. Ik wist dat ik zelf bijzonder tevreden zou moeten zijn, maar op de een of andere manier was ik dat niet. Toen ik gedroomd had dat ik deze zaak zou oplossen, had mijn mentale beeld er heel anders uitgezien. Die scène in de verhoorkamer, die de grootste triomf van mijn hele loopbaan had moeten zijn, bezorgde me een onbevredigd gevoel: ik had het eerder moeten weten, ik had meer moeten weten.

'In dit geval,' zei ik, 'maakt dat wel wat uit.' Technisch gezien had O'-Kelly gelijk – zolang je kunt bewijzen dat jouw mannetje de moord heeft gepleegd, heb je geen verplichting om te bewijzen waarom – maar jury's, getraind door wat ze op tv zien, willen een motief en ditmaal wilde ik dat ook. 'Een brute moord als deze, door een lief joch zonder ook maar iets van een strafblad; de verdediging zal het gooien op ontoerekeningsvatbaarheid. Als we een motief vinden, dan gaat die vlieger niet op.'

O'Kelly snoof. 'Dat is zo. Ik zal de jongens aan die vraaggesprekken laten beginnen. Ga terug naar binnen en bezorg me een glasharde zaak. En, Ryan,' – onwillig, toen ik me omdraaide om weg te lopen – 'mooi werk. Van jullie allebei.'

Intussen had Cassie Damien gekalmeerd. Hij was nog wat beverig en hij bleef zijn neus maar snuiten, maar hij zat niet langer te snikken. 'Hou je het nog vol?' vroeg ze, en ze kneep even in zijn hand. 'We zijn er bijna, oké? Je doet het geweldig.' Even gleed er een zielige schaduw van een glimlach over Damiens gezicht.

'Ja,' zei hij. 'Sorry. Het gaat prima.'

'Mooi. Laat me alleen weten wanneer je even wilt stoppen.'

'Oké,' zei ik. 'We waren aangekomen bij het punt waarop je naar huis ging. Laten we het nu eens hebben over de volgende dag.'

'O – ja, de volgende dag.' Damien haalde diep, vastberaden maar trillerig adem. 'Die hele dag was een nachtmerrie. Ik was zo moe dat ik niet eens uit mijn ogen kon kijken, en telkens als er iemand de gereedschapsschuur binnenging, dacht ik dat ik zou flauwvallen of zo – en ik moest natuurlijk normaal doen, dat snapt u, ik moest lachen om de grapjes en ik moest doen alsof er niets gebeurd was, maar ik moest maar denken aan… aan haar… En toen moest ik de volgende nacht die hele toestand herhalen: wachten tot mijn moeder sliep en naar buiten sluipen en teruglopen naar de opgraving. Als dat licht er weer geweest was, in het bos, dan weet ik niet wat ik gedaan had. Maar het was er niet.'

'Dus je ging terug naar de gereedschapsschuur,' zei ik.

'Ja, ik heb handschoenen aangetrokken en ik heb haar – ik heb haar naar buiten gehaald. Ze was… ik dacht dat ze stijf zou zijn, ik dacht dat lijken stijf waren, maar ze…' Hij beet op zijn lip. 'Dat was ze niet, niet echt. Maar ze was koud… Ik kon haar amper aanraken…' Hij huiverde.

'Maar je moest wel.'

Damien knikte en snoot zijn neus weer. 'Ik nam haar mee naar de site en legde haar op de altaarsteen neer. Waar ze veilig zou zijn, geen ratten en zo. Waar iemand haar zou vinden voor ze… Ik probeerde haar zo neer te leggen dat het leek of ze sliep, of zo. Ik weet niet waarom. De steen heb ik weggegooid, en ik heb de plastic zak uitgespoeld en teruggelegd waar ik hem vandaan had, maar ik kon haar lantaarn niet meer vinden, die lag ergens achter de zeilen, en ik… ik wilde alleen maar naar huis…'

'Waarom heb je haar niet begraven?' vroeg ik. 'Op de opgraving, of in het bos?' Dat was een intelligente oplossing geweest; niet dat dat ergens mee te maken had.

Damien keek me met iets openhangende mond aan. 'Daar heb ik geen moment aan gedacht,' zei hij. 'Ik wilde gewoon zo snel mogelijk weg. En trouwens… begraven? Als een stuk afval?'

En het had een hele maand geduurd eer we dit juweeltje te pakken hadden. 'De dag daarna,' zei ik, 'zorgde je ervoor dat jij een van de mensen was die het lijk ontdekten. Waarom?'

'O. Ja. Dat.' Hij maakte een krampachtige beweging, iets als een schouderophalen. 'Ik had gehoord – kijk, ik had die handschoenen aan, dus er waren geen vingerafdrukken, maar ik had ergens gehoord dat als er een haar van mij op haar zat, of pluis van mijn trui of zo, dat jullie er dan achter kwamen dat ik het was. Dus wist ik dat ík haar moest vinden – niet dat ik daar zin in had, jezus, ik wilde haar echt niet zien, maar… de hele dag probeerde ik smoezen te verzinnen om die kant uit te gaan, maar ik was bang dat het verdacht zou lijken. Ik was… ik kon niet meer dénken. Ik wilde maar één ding: dat het voorbij was. Maar toen zei Mark dat Mel bij de altaarsteen moest gaan werken.'

Hij zuchtte, een vermoeid geluidje. 'En daarna… werd het eigenlijk alleen maar makkelijker. Ik hoefde tenminste niet meer te doen alsof er niets aan de hand was.'

Geen wonder dat hij er tijdens dat eerste gesprek zo verwezen bij gezeten had. Alleen niet verwezen genoeg om bij ons de alarmbellen te laten rinkelen. Voor een beginneling had hij het behoorlijk goed gedaan. 'En toen wij met jou kwamen praten,' zei ik, en toen hield ik op.

Cassie en ik keken elkaar niet aan, verroerden geen vin, maar het besef schoot tussen ons heen en weer als een stroomstoot van een schrikdraad. Een van de redenen waarom we Jessica's joggingpakverhaal zo serieus hadden genomen, was dat Damien dezelfde gozer praktisch op de plaats delict had gesitueerd.

'Toen wij met jou kwamen praten,' vervolgde ik na een fractie van een seconde, 'toen verzon je een grote vent in een joggingpak, om ons op een verkeerd spoor te zetten.'

'Ja.' Damien keek bezorgd van de een naar de ander. 'Dat spijt me. Ik dacht alleen...'

'Verhoor opgeschort,' zei Cassie, en ze liep weg. Met een zwaar gevoel in mijn maag en Damiens angstige 'Wacht... wat...?' in mijn oren volgde ik haar.

Vanuit een of ander gezamenlijk instinct bleven we niet op de gang staan en gingen we niet terug naar de projectkamer. We gingen naar de aangrenzende verhoorkamer, waar Sam met Mark had zitten praten. Er lag nog troep op tafel: opgefrommelde servetjes, piepschuimen bekertjes, een plens donkere vloeistof waar iemand met de vuist op tafel had geslagen of zijn stoel hard achteruit had geschoven.

'All rìght!' zei Cassie op een toon die het midden hield tussen een hijg en een lach. 'We hebben het gedaan, Rob!' Ze smeet haar notitieboekje op tafel en sloeg een arm om mijn schouders. Het was een snel, opgewekt en onnadenkend gebaar, maar ik kreeg het meteen op mijn heupen. We hadden samengewerkt met het vertrouwde begrip, elkaar zitten pesten alsof er geen vuiltje aan de lucht was, maar dat was uitsluitend voor Damien geweest, en omdat de zaak het nu eenmaal vergde; en ik vond niet dat ik dat aan Cassie hoefde uit te leggen.

'Daar ziet het wel naar uit, ja,' zei ik.

'Toen hij het dan eindelijk zei... god, ik dacht dat mijn onderkaak zowat tegen de vloer sloeg. Champagne vanavond, wanneer we maar klaar zijn, en niet zo zuinig ook.' Ze ademde diep uit, leunde achterover tegen de tafel en haalde haar handen door haar haar. 'Ga jij Rosalind maar halen.'

Ik voelde mijn schouders verstrakken. 'Waarom?' vroeg ik koeltjes.

'Omdat ze mij niet mag.'

'Ja, daar ben ik me van bewust. Maar waarom zou iemand haar gaan halen?'

Cassie hield halverwege een rekbeweging op en keek me aan. 'Rob, zij en Damien hebben exact dezelfde nepgetuigenis gegeven. Er moet ergens een verband zijn.'

'Nou,' zei ik, 'dat waren Damien en Jéssica.'

'Dacht jij dat Damien en Jessica dit samen bekokstoofd hebben? Kom nou.'

'Ik denk niet dat iemand wat dan ook bekokstoofd heeft. Wat ik wel denk, is dat Rosalind wel zo'n beetje genoeg heeft meegemaakt voor haar hele leven, en dat er geen schijn van kans is dat zij medeplichtig is aan de moord op haar zusje. En dus zie ik ook niet in waarom we haar hierheen zouden slepen om haar een nog groter trauma te bezorgen.'

Cassie ging op de tafel zitten en keek me aan. Er lag een blik in haar ogen die ik niet doorgronden kon. 'Denk jij,' vroeg ze uiteindelijk, 'dat die onnozele hals dit allemaal zelf verzonnen heeft?'

'Dat weet ik niet en dat maakt me niet uit,' zei ik. Ik hoorde een echo van O'Kelly in mijn stem, maar ik kon er niets aan doen. 'Misschien is hij ingehuurd door Andrews of een van zijn maten. Dat zou dan verklaren waarom hij dat hele motief ontwijkt: hij is bang dat ze achter hem aan komen als hij hen verraadt.'

'Ja, alleen hebben we geen enkel verband tussen hem en Andrews...'

'Nog niet.'

'En hebben we wel een verband tussen hem en Rosalind.'

'Hoor je me? Ik zei: nóg niet. O'Kelly is bezig met de bankafschriften en de telefoonrekeningen. Als die eenmaal binnen zijn, zien we waarmee we te maken hebben en dan beslissen we verder.'

'Tegen de tijd dat die gegevens binnen zijn, is Damien gekalmeerd en heeft hij een advocaat in de arm genomen, en dan heeft Rosalind op tv gezien dat er iemand gearresteerd is en is ze extra op haar hoede. We halen haar nú naar het bureau en we spelen ze tegen elkaar uit tot we erachter zijn wat hier speelt.'

Ik dacht aan Kiernans stem, of aan die van McCabe; aan de duizelingwekkende sensatie als de gewrichtsbanden van mijn geest het begaven en ik wegdreef in die zachte, oneindig verwelkomende blauwe hemel. 'Nee,' zei ik. 'Dat doen we niet. Dat meisje is kwetsbaar, Maddox. Ze is gevoelig en ze is snel overstuur en ze heeft net een zusje verloren en ze heeft geen idee waarom. En jouw antwoord is dan om haar uit te spelen tegenover de moordenaar van haar zus? Jezus, Cassie. We hebben een zekere verantwoordelijkheid ten opzichte van dat meisje.'

'Nee, Rob, die hebben we niet,' zei Cassie scherp. 'Dat is de taak van Slachtofferhulp. Wíj hebben een zekere verantwoordelijkheid tegenover Katy, en het is onze verantwoordelijkheid om te proberen de waarheid te achterhalen over wat daar in godsnaam gebeurd is, en meer niet. Al het andere is bijzaak.'

'En als Rosalind dan gedeprimeerd raakt of een zenuwinzinking krijgt omdat wij haar zo lastigvallen? Wou je dan soms beweren dat dat ook een probleem is voor Slachtofferhulp? We kunnen haar voor het leven beschadigen, begrijp je dat? Tot we iets veel beters hebben dan een onbeduidende samenloop van omstandigheden laten we dat meisje met rust.'

'Een onbeduidende samenloop van omstandigheden?' Cassie duwde haar handen met kracht in haar broekzakken. 'Rob. Als dit iemand anders was dan Rosalind Devlin, wat zou jij dan momenteel doen?'

Ik voelde een golf van woede in me opkomen, enorme razernij met iets anders erdoorheen. 'Nee, Maddox. Nee. Waag het niet. Het is eerder andersom. Jij hebt Rosalind nooit gemogen. Je bent als een idioot op zoek naar een reden om haar aan te pakken, vanaf het begin al, en nu Damien je dat zielige rafeltje van een excuus heeft gegeven, nou duik je daar op af als een uitgehongerde hond op een bot. Mijn god, dat arme kind zei dat er een boel vrouwen jaloers op haar waren, maar ik moet zeggen dat ik jou hoger ingeschat had. Kennelijk had ik dat verkeerd.'

'Jaloers op... Jezus christus, Rob, jij durft! Ik heb jou hoger ingeschat dan dat je een verdachte zou uitsluiten omdat je haar wel ziet zitten, en je bent boos op mij om een of andere bizarre reden die jij alleen kent.'

Ze was in hoog tempo driftig aan het worden, en ik zag het met een wreed genoegen aan. Mijn woede is kil, beheerst, gearticuleerd; ik kan een kortelontexplosie als die van Cassie ieder moment aan flarden blazen. 'Zou je misschien wat zachter kunnen praten,' zei ik. 'Je zet jezelf voor schut.'

'O, vind je? Nou, jij zet het hele team voor schut.' Ze ramde haar notitieboekje in haar zak, zodat de pagina's verfrommelden. 'Ik ga Rosalind Devlin halen...'

'Nee, dat ga jij niet. In godsnaam, gedraag je als een rechercheur, niet als een hysterische tiener met een vendetta.'

'Ja, dat ben ik, Rob. En jij en Damien kunnen doen wat jullie maar willen, wat mij betreft kruip je in elkaars reet en ga je dóód...'

'Nou,' zei ik, 'dat zal me leren. Professioneel, hoor.'

'Wat is er in godsnaam gaande in jouw hoofd?' gilde Cassie. Ze schopte de deur met een klap achter zich dicht, en ik hoorde de echo's diep en onheilspellend door de gang weerkaatsen.

Ik gaf haar een ruime voorsprong. Toen ging ik buiten een sigaret roken. Damien was een volwassen man en kon wel even in zijn eentje blijven. Het begon donker te worden, en het regende nog steeds apocalyptische pijpenstelen. Ik sloeg de kraag van mijn colbert omhoog en stond ongemakkelijk in het portiek te soppen. Mijn handen beefden. Cassie en ik hadden uiteraard wel eerder ruzie gehad; partners maken even heftig ruzie als minnaars. Op een keer had ik haar zo razend gekregen dat ze met haar hand op haar bureau sloeg, zodat haar pols ervan opzwol. Toen hadden we bijna twee dagen lang niet tegen elkaar gesproken. Maar zelfs dat was anders geweest; volkomen anders.

Ik gooide mijn doorweekte sigaret half opgerookt weg en ging weer naar binnen. Ergens wilde ik Damien wegsturen voor administratieve handelingen en zelf naar huis gaan. Dan kon Cassie de zaken verder afhandelen als ze terugkwam en de vogels gevlogen vond, maar ik wist dat ik me dat niet kon permitteren: ik moest erachter komen wat zijn motief was, en dat moest ik doen voordat Cassie de kans kreeg om Rosalind aan een kruisverhoor te onderwerpen.

Damien was bij zijn positieven aan het komen. Hij was bijna gek van ongerustheid, zat aan zijn nagelriemen te kluiven en vuurde de ene vraag na de andere op me af: wat ging er nu gebeuren? Hij ging naar de gevangenis, nietwaar? Voor hoe lang? Zijn moeder zou er een hartaanval van krijgen, ze had toch al een slecht hart... Was het echt gevaarlijk in de gevangenis, zoals je op tv zag? Ik hoopte voor hem dat hij nooit naar *Oz* keek.

Maar telkens wanneer ik te dicht in de buurt van iets als een motief kwam, sloeg hij dicht: dan krulde hij zich op als een egel, keek me niet meer aan en zei dat hij dat niet meer wist. De ruzie met Cassie leek mijn ritme verstoord te hebben: alles voelde onevenwichtig en irriterend aan, en hoezeer ik ook mijn best deed, ik kreeg Damien niet verder dan naar de tafel te staren en met een ongelukkig gezicht zijn hoofd te schudden.

'Oké,' zei ik. 'Laten we even een stukje achtergrond rechtzetten. Jouw vader is negen jaar geleden overleden, klopt dat?'

'Ja.' Damien keek aarzelend op. 'Bijna tien jaar, eind oktober is het tien jaar. Mag ik... als we hier klaar zijn, kan ik dan... op borgtocht vrij?'

'Dat kan alleen een rechter beslissen. Werkt je moeder?'

'Nee. Ze heeft een... dat heb ik al verteld.' Hij gebaarde vaag naar zijn borst. 'Ze is arbeidsongeschikt. En mijn vader had ons iets... o god, mijn moeder!' Hij schoot overeind. 'Die wordt helemaal gek – hoe laat is het?'

'Rustig maar. We hebben haar eerder vanmiddag gesproken, ze weet dat je ons bij ons onderzoek aan het helpen bent. Zelfs met het geld van je vader kan het niet meevallen om de eindjes aan elkaar te knopen.'

'Wat?... Eh, dat gaat wel.'

'Maar toch,' zei ik. 'Als iemand je een smak geld bood om een klus te doen, dan zou je in de verleiding komen, nietwaar?' Sam kon doodvallen, en O'Kelly ook: als oom Redmond Damien had ingehuurd, dan moest ik dat weten. Nú.

Damiens wenkbrauwen trokken naar elkaar toe en hij leek werkelijk verbaasd. 'Wat?'

'Ik kan je een paar mensen noemen die miljoenen redenen hadden om achter de Devlins aan te gaan. En kijk, Damien, dat zijn geen mensen die zelf hun vuile klusjes opknappen. Dat zijn mensen die daar hun mannetjes voor hebben.'

Ik zweeg even, om Damien de kans te geven iets te zeggen. Hij keek alleen maar versuft.

'Als je bang voor iemand bent,' zei ik, zo vriendelijk als ik kon opbrengen, 'dan kunnen we je beschermen. En als iemand je in dienst genomen heeft om dit te doen, dan ben jij niet de echte moordenaar, is het wel? Dan is hij dat.'

'Wat... ik heb geen... Wát? Dacht u dat iemand mij had betááld om... Jezus! Nee!'

Zijn mond hing open van pure, geschokte verontwaardiging. 'Maar als je het niet voor het geld deed,' informeerde ik, 'waarom dan wel?'

'Dat zeg ik toch! Dat weet ik niet! Ik wéét het niet meer!'

Een bijzonder onplezierig moment lang vroeg ik me af of hij misschien echt een deel van zijn geheugen kwijt was; en als dat zo was: waarom en waar. Maar die gedachte verwierp ik meteen. Dat verhaal horen we aan de lopende band, en ik had de blik op zijn gezicht gezien toen hij de troffel oversloeg: dat was een weloverwogen beslissing geweest. 'Weet je, Damien, ik doe mijn best om je te helpen,' zei ik, 'maar je maakt het me wel heel moeilijk door niet eerlijk tegen me te zijn.'

'Ik ben wél eerlijk! Ik voel me niet lekker...'

'Nee, Damien, jij bent niet eerlijk,' zei ik. 'En hoe denk je dat ik dat weet? Weet je nog van die foto's die ik je heb laten zien? Die ene van Katy met haar gezicht eraf? Die was genomen bij de autopsie, Damien. En bij die autopsie bleek precies wat jij dat kleine meisje aangedaan had.'

'Ik heb al verteld...'

Met een snel gebaar leunde ik over de tafel heen, tot vlak voor zijn gezicht. 'En vanochtend, Damien, hebben we de troffel gevonden. In de schuur. Voor hoe stom houd jij ons? Hier is het stuk dat je overgeslagen hebt: nadat je Katy vermoord had, heb je haar broek losgeknoopt en het handvat van die troffel naar binnen geduwd.'

Damiens handen vlogen naar zijn hoofd. 'Nee – niet…'

'En nou wou jij mij vertellen dat dat zomaar gebeurd is? Een klein meisje verkrachten met een troffel gebeurt niet zomaar, niet als daar geen heel erg goede reden voor is, en nu moet je ophouden met dat gezever en me vertellen waarom. Tenzij je niets meer bent dan een misselijk, ziek mannetje. Is dat het, Damien? Ben jij dat?'

Ik had hem te hard aangepakt. Met voorspelbare onvermijdelijkheid begon Damien – die tenslotte een lange dag achter de rug had – weer te huilen.

We zaten daar nog een hele tijd. Damien zat, met zijn gezicht in zijn handen, schor en schokkend te snikken. Ik leunde tegen de muur, vroeg me af wat ik in vredesnaam met hem aan moest en probeerde af en toe, als hij even ophield om op adem te komen, nog eens achter het motief te komen. Hij gaf geen antwoord; ik weet niet of hij me hoorde. Het was te warm in de kamer en ik kon de pizza nog ruiken, vettig en misselijkmakend. Ik kon me niet concentreren. Het enige waaraan ik kon denken was Cassie, Cassie en Rosalind: of Rosalind met haar was meegegaan; of ze het aankon; of Cassie aan de deur zou kloppen om haar tegenover Damien te zetten.

Uiteindelijk gaf ik het op. Het was halfnegen en dit had geen enkele zin; Damien had genoeg gehad, de beste rechercheur ter wereld had op dit punt niets steekhoudends meer uit hem kunnen krijgen, en ik wist dat ik dat al een hele tijd geleden had moeten zien. 'Kom op,' zei ik. 'Ga maar wat eten en dan slapen. Morgen proberen we het opnieuw.'

Hij keek naar me op. Zijn neus was rood en zijn ogen waren zo gezwollen dat ze half dicht zaten. 'Mag ik… naar huis?'

*Je bent zojuist gearresteerd voor moord, Einstein, wat denk jij nou.* Ik had de energie niet meer om sarcastisch te doen. 'Je moet vannacht hier blijven,' zei ik. 'Ik laat je door iemand ophalen.' Toen ik de handboeien pakte, keek hij ernaar alsof het een of ander middeleeuws martelwerktuig was.

De deur van de observatiekamer stond open, en in het voorbijlopen zag ik O'Kelly voor de ruit staan; met zijn handen in zijn zakken stond hij op zijn hakken te wiebelen. Mijn hart sloeg over. Cassie moest in de verhoorkamer zitten: Cassie en Rosalind. Even overwoog ik om naar binnen te gaan, maar dat idee liet ik onmiddellijk varen: ik wilde niet dat Rosalind mij op wat voor manier dan ook associeerde met dit hele debacle. Ik overhandigde Damien – nog steeds versuft en met een wit gezicht, nasnikkend als een kind – aan de agent van dienst en ging naar huis.

# 22

Om kwart over twaalf die nacht ging de telefoon in het appartement. Ik dook eropaf: Heather heeft Regels voor telefoontjes als zij al naar bed is.

'Hallo?'

'Sorry dat ik zo laat nog bel, maar ik probeer je al de hele avond te bereiken,' zei Cassie.

Ik had mijn mobiel op 'stil' gezet, maar ik had wel gezien dat er herhaalde malen gebeld was. 'Ik kan momenteel niet praten,' zei ik.

'Rob, in godsnaam, dit is belangrijk...'

'Sorry, ik moet ophangen,' zei ik. 'Ik kom morgen naar het werk, weet je, en anders kun je een briefje neerleggen.' Ik hoorde het snelle, pijnlijke stokken van haar adem, maar toch hing ik op.

'Wie was dat?' wilde Heather weten. Ze was in de deuropening van haar kamer verschenen in een nachtpon met een kraagje, en ze keek slaperig en boos.

'Voor mij,' zei ik.

'Cassie?'

Ik ging de keuken in, vond een bak met ijsblokjes en begon die in een glas te drukken. 'Ooh,' zei Heather begripvol achter me. 'Je bent dus eindelijk met haar naar bed geweest?'

Ik smeet de bak terug in de vriezer. Heather laat me met rust als ik haar dat vraag, maar dat is niet de moeite waard: ze gaat dan mokken, raar doen en houdt preken over hoe uniek gevoelig zij wel niet is, en dat alles duurt veel langer dan de oorspronkelijke irritatie geduurd zou hebben.

'Dat verdient ze niet,' zei ze. Dit verbaasde me. Heather en Cassie kunnen elkaar niet luchten of zien – ooit, in het begin, heb ik Cassie mee naar huis genomen voor het eten, en toen deed Heather de hele avond bijna onbeschoft tegen haar, en toen Cassie weg was bleef ze eindeloos bezig, onder het slaken van diepe zuchten, de kussens van de bank op te schudden. Op haar beurt liet Cassie Heathers naam nooit meer vallen – dus ik wist niet zeker waar deze plotselinge aanval van zusterlijke solidariteit vandaan kwam.

'En ik ook niet,' zei ze. Ze ging terug naar haar kamer en sloeg de deur dicht. Ik nam mijn ijs mee naar mijn kamer en schonk mezelf een straffe wodka-tonic in.

Vreemd was het niet, maar ik kon niet slapen. Toen het licht tussen de gordijnen door begon te filteren, gaf ik het op: ik zou vroeg naar het werk gaan, besloot ik, om te zien of ik iets kon vinden waaruit bleek wat Cassie tegen Rosalind had gezegd, en dan zou ik beginnen aan het dossier over Damien, om naar de openbaar aanklager te sturen. Maar het regende nog steeds pijpenstelen, het verkeer zat muurvast en uiteraard kreeg de landrover halverwege Merrion Road een klapband en moest ik naar de vluchtstrook om daar met de reserveband te gaan staan hannesen. De regen stroomde bij bakken tegelijk mijn kraag in en de bestuurders achter me drukten boos op hun claxon alsof ze daadwerkelijk ergens hadden kunnen komen als ik daar niet gestaan had. Uiteindelijk klapte ik mijn zwaailicht op het dak, en dat hielp.

Het was bijna acht uur toen ik op het werk kwam. Onvermijdelijk begon de telefoon te rinkelen zodra ik mijn jas uittrok. 'Projectkamer, Ryan,' zei ik narrig. Ik was doorweekt, ik had het koud en ik had overal genoeg van. Ik wilde naar huis en in bad met een hete grog. Ik had geen zin in wat of wie het ook was.

'Maak dat je hierheen komt,' zei O'Kelly. 'Nú.' En hij hing op.

Mijn lijf begreep het als eerste. Ik kreeg overal kippenvel, mijn borstbeen trok samen en ik kreeg haast geen adem. Ik weet niet hoe ik het wist. Het was duidelijk dat ik in de problemen zat: als O'Kelly gewoon even wil praten, steekt hij zijn hoofd om de hoek van de deur, blaft: 'Ryan, Maddox, kantoor,' en verdwijnt weer, zodat hij achter zijn bureau zit tegen de tijd dat je hem kunt volgen. Telefonische oproepen blijven gereserveerd voor als je op het matje moet komen. Het had natuurlijk van alles kunnen zijn – een geweldige tip die ik over het hoofd gezien had, Jonathan Devlin die zich beklaagde over mijn optreden, Sam die de verkeerde politicus tegen de haren in gestreken had. Maar ik wist dat het iets anders was.

O'Kelly stond in zijn kamer, met zijn rug naar het raam, zijn vuisten in zijn zakken gepropt. 'Adam Ryan, verdomme nog aan toe,' zei hij. 'En het kwam niet bij jou op dat ik dat misschien zou moeten weten?'

Ik voelde een golf van vreselijke, brandende schaamte over me heen slaan. Mijn gezicht brandde. Zo had ik me sinds mijn schooldagen niet meer gevoeld, die vreselijke, verpletterende vernedering, het holle trekken van je maag als je zonder enige twijfel weet dat je betrapt bent, dat je geen kant meer uit kunt, en dat je niets kunt doen of zeggen om het beter te maken. Ik staarde naar O'Kelly's bureau en probeerde beelden te vinden in de nerf van het namaakhout, als een schooljongen die wacht tot het rietje tevoorschijn komt. Ik had mijn stilzwijgen gezien als een soort gebaar van trotse, eenzame onafhankelijkheid, iets wat een verweerde Clint Eastwood gedaan zou hebben, en voor het eerst zag ik wat het werkelijk was: kortzichtig en onvolwassen en verraderlijk en stom, stom, stom.

'Heb jij enig idee in welke mate je dit onderzoek naar de gallemiezen geholpen kunt hebben?' informeerde O'Kelly kil. Wanneer hij boos is, wordt hij welsprekender; een van de redenen waarom ik denk dat hij slimmer is dan hij zich voordoet. 'Denk eens even kort na over wat een goede advocaat voor de verdediging hiermee zou kunnen doen – gewoon in het onwaarschijnlijke geval dat deze zaak het überhaupt nog redt naar de rechtszaal. Een belangrijke rechercheur die enig ooggetuige en enig overlevend slachtoffer is van een onopgeloste *verwante zaak* – jezus christus. Normale mensen dromen over seks, maar advocaten van de verdediging dromen over rechercheurs van jouw soort. Ze kunnen je overal van beschuldigen – van onvermogen om dit soort onderzoek zonder vooringenomenheid op te lossen, tot mogelijke verdachte in beide zaken. De pers en de complottheoretici en de anti-Garda-bende gaan helemaal door het lint. Binnen een week zal niemand in heel Ierland zich nog herinneren wie er eigenlijk voor de rechter had moeten staan.'

Ik keek hem aan. De echte dreun, die onzichtbaar was aangekomen terwijl ik nog stond te duizelen van het feit dat hij erachter was, had me versuft en sprakeloos achtergelaten. Dit klinkt misschien onvoorstelbaar, maar ik zweer dat het nooit bij me opgekomen was, niet éénmaal in die twintig jaar, dat ik misschien een van de verdachten kon zijn in de verdwijning van Peter en Jamie. Daar stond ook niets van in het dossier, niets. Het Ierland van 1984 had meer van Rousseau dan van Orwell: kinderen waren onschuldig, vers uit Gods hand. Het zou compleet tegen de natuur ingegaan zijn om te suggereren dat kinderen een moord konden plegen. Tegenwoordig weten we allemaal dat geen kind te jong is om te doden. Ik was groot voor mijn twaalf jaar, had iemand anders' bloed in mijn schoenen, en de puberteit is een ongrijpbare, onevenwichtige periode. Plotseling en haarscherp zag ik Cassies gezicht, de dag dat ze terugkwam van het gesprek met Kiernan: hoe uit de stand van haar mondhoeken bleek dat ze iets voor zich hield. Ik moest gaan zitten.

'Iedereen die jij ooit achter de tralies hebt gebracht, zal een nieuwe rechtszaak eisen op basis van het feit dat jij bewezen hebt belangrijk bewijsmateriaal achter te houden. Gefeliciteerd, Ryan: je hebt zojuist iedere zaak verkloot die je ooit in handen gehad hebt.'

'Dan ben ik dus van het onderzoek af,' zei ik uiteindelijk, stompzinnig. Mijn lippen voelden verdoofd aan. Ik had een plotseling, hallucinerend beeld van tientallen journalisten die bij de deur van mijn flatgebouw stonden te keffen en te krijsen, microfoons in mijn gezicht duwden en me Adam noemden en de bloederige details wilden weten. Heather zou ervan genieten: genoeg melodrama en martelaarschap voor maanden. Jezus.

'Néé, je bent níét van het onderzoek af,' snauwde O'Kelly. 'Je bent niet van het onderzoek af, enkel en alleen omdat ik geen slimmerik van een verslaggever wil die nieuwsgierig wordt waarom jij de zak gekregen hebt. Van nu af aan geldt er maar één woord: schadebeperking. Je spreekt geen enkele getuige, je raakt geen enkel stuk bewijsmateriaal aan, je zit aan je bureau en je probeert de zaken niet nog erger te maken dan ze al zijn. We doen alles wat in onze macht ligt om te voorkomen dat dit uitlekt. En zodra Donnelly's zaak voorbij is, als het ooit zover komt, word jij geschorst voor intern onderzoek.'

Het enige wat ik kon verzinnen was dat 'schadebeperking' in feite twee aaneengevoegde woorden waren. 'Commissaris, het spijt me verschrikkelijk,' zei ik, want dat leek me beter om te zeggen. Ik had geen idee wat schorsing inhield. Ik had een vluchtig beeld van een tv-politieman die zijn badge en zijn wapen op het bureau van zijn baas neerklapte, een close-up die langzaam overgaat in de aftiteling terwijl zijn carrière in rook opgaat.

'Daar koop je anders bitter weinig voor,' zei O'Kelly op vlakke toon. 'Zoek de tips van de hotline uit en stop ze in het dossier. Zodra er ook maar iets over de oude zaak gaat, lees je het niet eens uit maar geef je het meteen aan Maddox of O'Neill.' Hij ging achter zijn bureau zitten, pakte zijn telefoon en begon een nummer te toetsen. Ik stond daar nog even naar hem te kijken tot ik besefte dat ik geacht werd weg te gaan.

Langzaam liep ik terug naar de projectkamer – ik weet niet eens waarom, want ik was beslist niet van plan om iets te gaan doen met die telefoontips, waarschijnlijk stond ik gewoon op de automatische piloot. Cassie zat voor de video met haar ellebogen op haar knieën te kijken naar de band waarop ik Damien verhoor. Haar schouders hingen af alsof ze uitgeput was, en de afstandsbediening bungelde slap in haar hand.

Iets diep binnen in me sprong geschrokken op. Tot dat moment was het niet eens bij me opgekomen om me af te vragen hoe O'Kelly het wist. En toen pas, toen ik op de drempel van de projectkamer naar haar stond te kijken, drong het besef door: er was maar één manier waarop hij het had kunnen horen.

Ik wist maar al te goed dat ik de laatste tijd behoorlijk rot tegen Cassie gedaan had – hoewel ik daar dan zelf op zou zeggen dat het een complexe situatie was, en dat ik mijn redenen had. Maar niets wat ik haar had aangedaan, niets wat ik ooit zou kúnnen doen, rechtvaardigde dit soort wraak. De mogelijkheid van zo'n verraad was nooit bij me opgekomen. O, de woede van een versmade vrouw. Ik dacht dat mijn benen het zouden begeven.

Misschien maakte ik onwillekeurig een geluid of een beweging, ik weet het niet, maar Cassie draaide zich snel om in haar stoel en keek me aan. Even later drukte ze op 'stop' en legde de afstandsbediening neer. 'Wat zei O'Kelly?'

Ze wist het; ze wist het al, en mijn laatste sprankje twijfel zonk weg in iets puntigs en zwaars dat mijn solar plexus omlaag probeerde te sleuren. 'Zodra dit onderzoek voorbij is, word ik geschorst,' zei ik vlak. Mijn stem klonk als die van iemand anders.

Cassie sperde vol afgrijzen haar ogen open. 'O, shit,' zei ze. 'O, shit, Rob... Maar je ligt er niet uit? Hij heeft je... hij heeft je niet ontslagen of zo?'

'Nee, ik lig er niet uit,' zei ik. 'Ondanks jouw inspanningen.' De eerste schok begon weg te ebben, en er sloeg een kille, vreselijke woede als een elektrische stroom door me heen. Ik voelde mijn hele lichaam ervan trillen.

'Dat is niet eerlijk,' zei Cassie, en ik hoorde haar stem iets beven. 'Ik heb geprobeerd je te waarschuwen. Ik heb je gisteravond ik weet niet hoe vaak gebeld...'

'Een beetje laat om je zorgen te maken, nietwaar? Dat had je eerder moeten bedenken.'

Cassies hele gezicht trok wit weg, tot haar lippen aan toe, en haar ogen werden enorm. Ik had zin om die verbijsterde, niet-begrijpende blik van haar gezicht te ranselen. 'Eerder dan wát?'

'Voordat je mijn privéleven voor O'Kelly blootlegde. Voel je je nu beter, Maddox? Was het kapotmaken van mijn loopbaan voldoende compensatie voor het feit dat ik je deze week niet met zijden handschoentjes heb aangepakt? Of had je nog meer plannen?'

Na een tijdje zei ze, bijna onhoorbaar: 'Denk jij dat ik dat verteld heb?'

Ik moest bijna lachen. 'Ja, inderdaad ja. Er waren maar vijf mensen ter wereld die hiervan wisten, en op de een of andere manier betwijfel ik of mijn ouders of een vriend van vijftien jaar geleden uitgerekend nú de telefoon hebben gepakt om mijn baas te bellen van "O, trouwens, wist u dat Ryan vroeger Adam heette?" Hoe stom denk jij dat ik ben, Cassie? Ik wéét dat jij het hem verteld hebt.'

Ze had haar blik niet van de mijne afgewend, maar in de hare was iets veranderd, en ik besefte dat zij precies even woedend was als ik. Met één snelle beweging griste ze een band van de tafel en smeet me die naar het hoofd: een harde, bovenhandse worp met haar hele lichaam erachter. In een reflex bukte ik me, en de band klapte tegen de muur waar mijn hoofd was geweest, draaide weg en viel in een hoek.

'Kijk naar die band,' zei Cassie.

'Interesseert me niet.'

'Jij kijkt nú naar die band of ik zweer bij God dat jouw smoel morgenochtend op de voorkant van iedere krant in het land staat.'

Het was niet het dreigement zelf, maar meer het feit dat ze het überhaupt deed, dat ze uitspeelde wat haar troefkaart moest zijn. Dat maakte iets in me wakker: een hard soort nieuwsgierigheid vermengd met een vaag, vreselijk voorgevoel. Ik raapte de band op, stak hem in de recorder en drukte op 'play.' Met haar handen strak om haar middel geslagen bleef Cassie roerloos naar me kijken. Ik draaide een stoel om en ging met mijn rug naar haar toe voor het scherm zitten.

Het was de wazige, zwart-witte band van Cassies gesprek met Rosalind, de avond tevoren. Volgens de tijdsvermelding was het acht uur zevenentwintig; in de kamer ernaast was ik rond die tijd zo'n beetje opgehouden met Damien. Rosalind zat in haar eentje in de verhoorkamer; met behulp van een zakspiegeltje deed ze nieuwe lippenstift op. Er klonken geluiden op de achtergrond, en het duurde even voor ik me realiseerde dat die bekend klonken: schor, hulpeloos gesnik en mijn eigen stem die daar zonder veel hoop bovenuit zei: 'Damien, je móét me uitleggen waarom je dit gedaan hebt.' Cassie had de intercom aangezet om het geluid uit mijn verhoorkamer op te pikken. Rosalind hief haar hoofd; met een uitdrukkingsloos gezicht keek ze naar de ondoorzichtige ruit.

De deur ging open en Cassie kwam binnen, en Rosalind deed de dop terug op haar lippenstift en stopte hem terug in haar tas. Damien zat nog steeds te huilen. 'Shit,' zei Cassie, met een blik op de intercom. 'Sorry, dat was niet de bedoeling.' Ze zette hem uit, en Rosalind schonk haar een strak, ontevreden glimlachje.

'Inspecteur Maddox, verhoor Rosalind Frances Devlin,' zei Cassie tegen de camera. 'Ga zitten.'

Rosalind verroerde geen vin. 'Ik vrees dat ik liever niet met u praat,' zei ze op een ijzige, afwijzende toon die ik haar nog nooit had horen gebruiken. 'Ik wil inspecteur Ryan graag spreken.'

'Sorry, gaat niet,' zei Cassie opgewekt, terwijl ze voor zichzelf een stoel uittrok. 'Die is al bezig met een verhoor – zoals je ongetwijfeld gehoord hebt,' voegde ze daar met een berouwvol glimlachje aan toe.

'Dan kom ik wel terug als hij weer beschikbaar is.' Rosalind stak haar tas onder haar arm en ging op weg naar de deur.

'Heel even, mevrouw Devlin,' zei Cassie, en haar stem had een nieuwe, harde klank. Met een zucht draaide Rosalind zich om, haar wenkbrauwen vol dedain opgetrokken. 'Is er een bepaalde reden waarom u plotseling zo onwillig bent om vragen te beantwoorden over de moord op uw zusje?'

Ik zag Rosalinds blik even naar de camera schieten, heel even maar, maar dat kleine, kille glimlachje bleef onveranderd aanwezig. 'Volgens mij, inspecteur, weet u diep in uw hart best dat ik meer dan bereid ben om het onderzoek te helpen waar ik maar kan. Ik heb alleen geen zin om met ú te praten, en ik vermoed dat u wel weet waarom.'

'Stel dat ik dat niet wist?'

'O, inspecteur, vanaf het begin was al duidelijk dat mijn zusje u geen snars kan schelen. Het enige wat u interesseert is flirten met inspecteur Ryan. Is het niet tegen de regels om met je partner te slapen?'

Een nieuwe golf van woede sloeg door me heen, zo heftig dat ik er ademloos van was. 'Jezus christus! Dus dáár gaat het allemaal om? Alleen omdat jij dacht dat ik tegen haar had gezegd...' Rosalind had er maar een slag naar geslagen, ik had daar nooit een woord over gezegd, niet tegen haar en niet tegen wie dan ook; en dat Cassie zonder ook maar even na te vragen dacht dat ik dit soort wraak zou nemen...

'Bek dicht,' zei ze kil, achter me. Ik klemde mijn handen ineen en staarde naar de tv. Ik was zo boos dat ik bijna niets zag.

Op het scherm had Cassie niet verblikt of verbloosd. Ze zat met haar stoel op twee poten geamuseerd haar hoofd te schudden. 'Sorry, mevrouw Devlin, maar zo gemakkelijk laat ik me niet afleiden. Inspecteur Ryan en ik denken allebei hetzelfde over de dood van uw zus: we willen allebei haar moordenaar vinden. Hoe komt het dat u daar plotseling niet meer over wilt praten?'

Rosalind lachte. 'Denkt u daar hetzelfde over? Nou, dat denk ik niet, inspecteur. Hij heeft een heel bijzondere band met dit onderzoek, niet-waar?'

Zelfs op dat vage beeld zag ik Cassie even, heel snel, met haar ogen knipperen, en de blik van ongebreidelde triomf op Rosalinds gezicht toen ze besefte dat ze eindelijk een voltreffer had gescoord. 'Ach,' zei ze liefjes. 'Wou u zeggen dat u dat niet wist?'

Ze wachtte maar een fractie van een seconde, net lang genoeg om het effect te versterken, maar voor mij leek het eindeloos; want ik wist, met een afgrijselijk, draaikolkend gevoel van onvermijdelijkheid, wat ze ging zeggen. Zo moeten stuntmannen zich voelen als de parachute niet open-gaat, of jockeys als ze in volle galop uit het zadel vallen: die onhoorbare, vreemd rustige splinter van tijd, vlak voordat je tegen de grond te pletter slaat, als je gedachten helemaal schoon gewist zijn, afgezien van die ene simpele zekerheid: dit is het dan. Hier komt het.

'Hij is die jongen wiens vrienden een eeuwigheid geleden uit Knock-naree verdwenen zijn,' zei Rosalind tegen Cassie. Haar stem klonk hoog en zangerig en bijna ongeïnteresseerd; afgezien van een heel klein, tevre-den spoortje van plezier was er niets aan af te horen, helemaal niets. 'Adam Ryan. Hij vertelt u kennelijk toch niet alles, is het wel?' Nog maar een paar minuten geleden had ik gedacht dat ik me onmogelijk erger kon voelen en het nog overleven.

Op het scherm smakte Cassie de stoel met vier poten op de grond en wreef over haar oor. Ze zat op haar lip te bijten om een glimlach te onder-drukken, maar ik bracht het niet meer op om me af te vragen waar ze mee bezig was. 'Heeft hij dat gezegd?'

'Ja. We zijn nogal close geworden, ziet u.'

'En heeft hij soms ook verteld dat hij een broer had die op zijn zestiende is overleden? Dat hij in een kindertehuis is opgegroeid? Dat zijn vader alcoholist was?'

Rosalind keek haar niet-begrijpend aan. De glimlach was van haar gezicht verdwenen en haar ogen waren smal en schoten vuur. 'Hoezo?' vroeg ze.

'Ik vraag het maar even. Soms komt hij daarmee aanzetten. Dat hangt ervan af. Rosalind,' zei ze, met iets tussen gêne en plezier in haar stem, 'ik weet niet hoe ik dit zeggen moet, maar wanneer rechercheurs proberen een vertrouwensband op te bouwen met een getuige, dan zeggen ze soms dingen die niet helemaal waar zijn. Dingen waarvan ze denken dat de getuige zich daar zo thuis bij zal voelen dat hij zelf ook informatie gaat geven. Begrijp je dat?'

Rosalind bleef roerloos naar haar staan kijken.

'Luister,' zei Cassie vriendelijk. 'Ik weet toevallig dat inspecteur Ryan nooit een broer heeft gehad, dat zijn vader een aardige vent is die geen druppel drinkt, en dat hij opgegroeid is in Wiltshire – vandaar dat accent van hem – mijlenver bij Knocknaree vandaan. En ook niet in een kindertehuis. Maar wat hij je ook verteld heeft, ik weet dat hij het je alleen maar gemakkelijker wilde maken om te helpen Katy's moordenaar te vinden. Je mag niet boos op hem zijn, oké?'

Met een slag ging de deur open – Cassie sprong zowat de lucht in; Rosalind verroerde zich niet, wendde haar blik niet van Cassie's gezicht af – en O'Kelly, door het perspectief van de camera weergegeven als een bolle vlek, maar meteen herkenbaar vanwege het over zijn kale plek gekamde haar, stak zijn hoofd om de hoek van de deur. 'Maddox,' zei hij. 'Even op de gang.'

O'Kelly, terwijl ik met Damien de gang opliep: in de observatiekamer, op zijn hakken heen en weer wiebelend, ongeduldig door het glas starend. Ik kon het niet langer aanzien. Ik frunnikte met de afstandsbediening, drukte op 'stop' en staarde niets ziend naar het trillende blauwe vierkantje.

'Cassie,' zei ik na een hele tijd.

'Hij vroeg me of dat waar was,' zei ze, zo neutraal alsof ze een rapport voorlas. 'Ik zei van niet, en dat als het al zo was, jij dat natuurlijk nooit aan haar verteld zou hebben.'

'Heb ik ook niet,' zei ik. Het leek belangrijk dat ze dat wist. 'Heb ik niet. Ik zei dat twee vrienden van me verdwenen waren toen ik nog klein was – zodat ze zou beseffen dat ik begreep wat ze doormaakte. Ik had nooit gedacht dat ze over Peter en Jamie zou weten en dat ze twee en twee bij elkaar zou optellen. Dat is gewoon niet bij me opgekomen.' Cassie liet me uitspreken. 'Hij zei dat ik jou in bescherming nam,' zei ze, toen ik klaar was. 'En hij zei dat hij ons al een hele tijd geleden uit elkaar had moeten halen. Hij zei dat hij jouw vingerafdrukken ging vergelijken met die van de oude zaak – zelfs als hij daarvoor een technicus uit bed moest bellen, en al duurde het de hele nacht. Als die afdrukken klopten, zei hij, dan mochten we beiden van geluk spreken als we onze baan niet kwijtraakten. Hij zei dat ik Rosalind naar huis moest sturen. Ik heb haar aan Sweeney overgedragen en toen ben ik jou gaan bellen.'

Ergens in mijn achterhoofd hoorde ik iets kleins en onherroepelijks klikken. In mijn herinnering was het een hartverscheurende, weergalmende dreun, maar in feite was het juist zo vreselijk doordat het zo klein was. Een hele tijd bleven we zwijgend zitten. De wind geselde regenspetters tegen het raam. Eén keer hoorde ik Cassie diep ademhalen, en ik dacht dat ze misschien huilde. Maar toen ik keek, zag ik geen tranen op haar gezicht; het was bleek en stil en heel, heel erg verdrietig.

# 23

Zo zaten we nog toen Sam binnenkwam. 'Wat is het laatste nieuws?' vroeg hij, terwijl hij de regen uit zijn haar wreef en het licht aandeed.

Cassie ging verzitten en hief haar hoofd op. 'Jij en ik moeten nog eens gaan proberen om achter Damiens motief te komen. Hij wordt zo hierheen gebracht.'

'Mooi,' zei Sam. 'Eens kijken of een nieuw gezicht hem wakker schudt.' Maar hij had ons beiden met één snelle blik opgenomen en ik vroeg me af hoeveel hij kon raden; voor het eerst vroeg ik me af hoeveel hij al die tijd al geweten had zonder er ooit over te praten.

Hij trok een stoel bij en ging naast Cassie zitten, en ze begonnen te bespreken hoe ze Damien zouden aanpakken. Ze hadden nog nooit samen iemand verhoord, en hun stemmen klonken aarzelend, goed bedoeld, beleefd en eindigend op een hogere toon vol vraagtekens: denk jij dat we… en stel nou dat we… Cassie deed weer een andere band in de videorecorder en speelde stukjes van het verhoor van de vorige avond af. De fax maakte een reeks idiote tekenfilmgeluiden en spuwde Damiens mobiele telefoonrekening uit, en met een markeerstift in de hand bogen ze zich er prevelend overheen.

Toen ze eindelijk weg waren – Sam knikte even over zijn schouder naar me – bleef ik in de verlaten projectkamer zitten wachten tot ik vrijwel zeker wist dat ze met hun verhoor begonnen waren, en daarna ging ik naar ze op zoek. Ze zaten in de grote verhoorkamer. Ik schoot steels de observatiekamer binnen, met rode oren alsof ik een pornozaak binnenging. Ik wist dat ik dit zeer beslist niet wilde zien, maar ik wist dat ik ook niet weg kon blijven.

Ze hadden de kamer zo gezellig gemaakt als maar enigszins mogelijk was; jassen en tassen en sjaals over de stoelen verspreid, de tafel bezaaid met koffie en suikerzakjes, en mobiele telefoons, en een karaf water, en een bord met kleverige koffiebroodjes van het café vlak bij de kasteeltuinen. Damien, haveloos in diezelfde enorme trui en legerbroek – zo te zien had hij erin geslapen – zat met zijn armen om zich heen geslagen met grote ogen om zich heen te kijken. Na de wezensvreemde chaos van een gevangeniscel moest dit hem wel voorkomen als een soort haven, veilig en warm en bijna huiselijk. Onder bepaalde hoeken zag je dons, een zielig soort halfwas stoppels, op zijn kin. Cassie en Sam zaten aan tafel te kletsen, te zeuren over het weer. Ze boden Damien melk aan. Ik hoorde voetstappen op de gang en verstrakte – als het O'Kelly was, zou hij me eruit schoppen, terug naar de telefoontips, want dit had niets meer met mij te maken – maar de stappen gingen voorbij zonder vaart te minderen. Ik leunde met mijn voorhoofd tegen de ruit en sloot mijn ogen.

Ze begonnen met de veilige details. Cassies stem en die van Sam klonken behendig door elkaar heen verweven, rustgevend als een slaapliedje: hoe ben je het huis uit gekomen zonder je moeder wakker te maken? Ja? Dat deed ik vroeger ook altijd, toen ik nog op school zat... Had je dat wel eens vaker gedaan? God, wat een beroerde koffie, wil je soms liever een cola of zo? Ze waren goed samen, Cassie en Sam, echt goed, en Damien begon zich te ontspannen. Eén keer lachte hij zelfs, een zielig ademtochtje.

'Jij bent lid van Weg met de snelweg, nietwaar?' vroeg Cassie na een tijdje, even ontspannen als voorheen; niemand behalve ik had dat schijntje van spanning in haar stem kunnen horen dat betekende dat het nu serieus begon te worden. Ik opende mijn ogen en rechtte mijn rug. 'Wanneer ben je voor het eerst met hen in aanraking gekomen?'

'Dit voorjaar,' zei Damien argeloos, 'ergens in maart of zo. Er hing een briefje op het prikbord op de faculteit, iets over een protestactie. Ik wist dat ik deze zomer in Knocknaree zou komen te werken, dus ik voelde me... tja, ik voelde een zekere verbondenheid of zo. Dus toen ben ik erheen gegaan.'

'Was dat misschien die protestbijeenkomst op twintig maart?' vroeg Sam. Hij zat door een stapel papieren te bladeren en wreef zich over het achterhoofd. Hij speelde de betrouwbare straatagent, vriendelijk en niet al te snugger.

'Ja, volgens mij wel. Het was buiten bij het parlementsgebouw, als dat wat helpt.' Damien leek intussen bijna griezelig op zijn gemak. Hij leunde over de tafel heen en speelde met zijn koffiekop, spraakzaam en enthousiast alsof hij op sollicitatiegesprek was. Dit had ik wel eerder gezien, vooral bij mensen met een eerste vergrijp: ze zien ons nog niet als de vijand, en zodra de schok van de arrestatie weggeëbd is, voelen ze zich licht in het hoofd en behulpzaam, gewoon van pure opluchting dat de spanning er eindelijk af is.

'En op dat moment heb je je bij de campagne aangesloten?'

'Ja. Knocknaree is echt een belangrijke plek, er wonen al mensen sinds...'

'Heeft Mark ons allemaal al verteld,' grijnsde Cassie. 'Zoals je je kunt voorstellen. Heb je Rosalind Devlin toen ontmoet, of kende je haar al?'

Een korte, verwarde pauze. 'Wat?' zei Damien.

'Zij zat die dag bij de intekentafel. Was dat de eerste keer dat je haar zag?'

Weer een stilte. 'Ik weet niet wie u bedoelt,' zei Damien uiteindelijk.

'Kom op, Damien,' zei Cassie, en ze leunde voorover om hem aan te kunnen kijken, maar hij staarde naar zijn koffiekop. 'Je doet het tot nu toe zo goed, waarom hou je er nu plotseling mee op?'

'Je telefoonrekening staat helemaal vol met belletjes en sms-jes naar Rosalind,' zei Sam, en hij trok een stapel papier vol markeerstrepen uit de stapel en legde die voor Damien neer. Die keek er wezenloos naar.

'Waarom mogen wij niet weten dat jullie bevriend waren?' vroeg Cassie. 'Daar is toch niets verkeerd aan?'

'Ik wil niet dat zij hierbij betrokken raakt,' zei Damien. Zijn schouders begonnen te verstrakken.

'We proberen helemaal niemand waar dan ook bij te betrekken,' zei Cassie vriendelijk. 'We proberen er alleen achter te komen wat er gebeurd is.'

'Dat heb ik al verteld.'

'Weet ik, weet ik. Maar heb even geduld, ja? We moeten alleen de details nog helder krijgen. Heb je Rosalind toen voor het eerst ontmoet, bij die protestbijeenkomst?'

Damien strekte zijn hand uit en raakte met één vinger de telefoonrekeningen aan. 'Ja,' zei hij. 'Toen ik me aanmeldde. Toen raakten we aan de praat.'

'En dat beviel zo goed dat jullie contact gehouden hebben?'

'Ja, zoiets.'

Daarna gooiden ze het over een andere boeg. Wanneer ben je in Knocknaree begonnen? Waarom heb je juist die opgraving gekozen? Ja, dat leek mij ook zo interessant... Langzaamaan ontspande Damien zich weer. Het regende nog steeds, dichte gordijnen van regen die langs de ramen schoven. Cassie ging nieuwe koffie halen en kwam terug met een blik vol lachend schuldbesef en een pak koekjes dat ze uit de kantine gejat had. Ze hadden geen haast, nu Damien eenmaal bekend had. Het enige wat hij nog kon doen was om een advocaat vragen, en een advocaat zou hem adviseren precies te vertellen wat ze graag wilden weten; een medeplichtige betekende gedeelde schuld, verwarring; allemaal dingen waar een advocaat dol op is. Cassie en Sam hadden de hele dag, de hele week, zo lang als nodig was.

'Hoe lang duurde het voordat je voor het eerst uitging met Rosalind?' vroeg Cassie na een tijdje.

Damien had de hoek van de pagina met telefoonnummers in plooitjes zitten vouwen, maar bij deze vraag keek hij verbaasd en argwanend op. 'Wat?... We hebben... eh, nee. We zijn gewoon vrienden.'

'Damien,' zei Sam vol verwijt, en hij tikte op de stapel papier. 'Kijk nou zelf eens. Je belt haar drie, vier keer per dag, je stuurt haar rissen smsjes, soms praat je urenlang in het holst van de nacht...'

'God, dat weet ik nog wel,' zei Cassie mijmerend. 'Die telefoonrekeningen als je verliefd bent...'

'Je andere vriénden bel je nog geen kwart daarvan. Rosalind is vijfennegentig procent van je telefoonrekening, man. En dat is helemaal niet erg. Het is een mooi meisje, en jij bent een knappe vent, dus waarom zouden jullie géén verkering hebben?'

'Wacht eens even,' zei Cassie, en ze veerde overeind. 'Heeft Rosalind hier soms mee te maken? Wil je daarom niet over haar praten?'

'Nee!' schreeuwde Damien bijna. 'Laat haar met rust!'

Cassie en Sam keken hem met opgetrokken wenkbrauwen aan.

'Sorry,' prevelde hij even later, en hij liet zich onderuitzakken. Hij zag vuurrood. 'Ik wou alleen... kijk, zij heeft hier helemaal niets mee te maken. Kunnen jullie haar er niet buiten laten?'

'Maar waarom dan die geheimzinnigheid, Damien?' vroeg Sam. 'Als ze er niets mee te maken heeft?'

Hij haalde zijn schouders op. 'Gewoon. Omdat we tegen niemand gezegd hadden dat we verkering hadden.'

'Waarom niet?'

'Gewoon. Rosalinds vader zou door het lint gegaan zijn.'

'Mocht hij jou niet?' vroeg Cassie, met net genoeg verbazing in haar stem om vleiend te klinken.

'Nee, dat was het niet. Ze mag gewoon geen vriendjes hebben.' Damien keek zenuwachtig van de een naar de ander. 'Kunt u... eh... wilt u het hem niet vertellen? Alstublieft?'

'Hoe boos zou hij dan precies geworden zijn?' vroeg Cassie zachtjes.

Damien zat stukjes van zijn piepschuimen bekertje te pellen. 'Ik wilde haar geen problemen bezorgen.' Maar die blos was er nog, en hij ademde snel. Daar zat meer achter.

'We hebben een getuige,' zei Sam, 'die ons verteld heeft dat Jonathan Devlin Rosalind de afgelopen tijd minstens eenmaal geslagen heeft. Weet jij of dat waar is?'

Hij knipperde snel met zijn ogen, haalde zijn schouders op. 'Hoe moet ik dat nou weten?'

Cassie wierp Sam een snelle blik toe en deed een stapje terug. 'Hoe spraken jullie af zonder dat haar vader erachter kwam?' vroeg ze op vertrouwelijke toon.

'Eerst spraken we in het weekend in de stad af, en dan gingen we koffiedrinken of zo. Rosalind zei tegen haar ouders dat ze naar Karen ging, haar vriendin van school. Dus dat vonden ze prima. Later, eh... later spraken we wel eens 's avonds af. Op de opgraving. Dan ging ik daar zitten wachten tot haar ouders sliepen, zodat ze het huis uit kon. We gingen op de altaarsteen zitten, of soms in de schuur met vondsten als het regende, en dan zaten we uren te praten.'

Het was gemakkelijk voorstelbaar, gemakkelijk en verleidelijk zoet: een deken om hun schouders en een plattelandshemel vol sterren, en het maanlicht waardoor het ruwe landschap van de opgraving werd veranderd in een teer, spookachtig beeld. Ongetwijfeld hadden de geheimzinnigheid en de complicaties de romance alleen maar aangewakkerd. Het had de onweerstaanbare oerverlokking van de mythe: de wrede vader, de schone maagd gevangen in haar toren, omringd door doorns en roepend om hulp. Ze hadden hun eigen, gestolen, nachtelijke wereld geschapen en in Damiens ogen moest dat een beeldschone wereld geweest zijn.

'En soms kwam ze ook naar de opgraving, met Jessica, en dan gaf ik hun de rondleiding. Dan konden we niet echt praten, voor het geval dat iemand ons zag – maar dan zagen we elkaar tenminste... En één keer, in mei...' – hij glimlachte even naar zijn handen, een verlegen, geheim glimlachje – 'ziet u, ik had een parttimebaantje in een lunchroom, waar ik broodjes maakte. Daar had ik dus zoveel van gespaard dat we een heel weekend weg konden. We zijn met de trein naar Donegal gegaan en we hebben in een klein pensionnetje gelogeerd. Daar hadden we ons ingeschreven alsof we getrouwd waren. Rosalind zei thuis dat ze het weekend naar Karen ging om te leren voor haar examen.'

'En wat is er toen misgegaan?' vroeg Cassie, en weer hoorde ik die gespannen klank van haar stem. 'Was Katy erachter gekomen?'

Damien keek verbaasd op. 'Wat? Nee. Jezus, nee. We waren heel voorzichtig.'

'Wat dan? Viel ze Rosalind lastig? Kleine zusjes kunnen bijzonder hinderlijk zijn.'

'Nee...'

'Was Rosalind soms jaloers op alle aandacht die Katy kreeg? Was dat het?'

'Nee! Zo is Rosalind helemaal niet – ze was juist blij voor Katy! En ik zou nooit iemand vermóórden alleen om... ik ben niet – ik ben niet gék!'

'En gewelddadig ben je ook niet,' zei Sam, terwijl hij een nieuwe stapel papieren voor Damiens neus neerklapte. 'Dit zijn mensen die we naar jou gevraagd hebben. Je leraren weten nog dat je uit de buurt van vechtpartijen bleef, dat je er nooit een zelf begon. Klopt dat?'

'Ja...'

'Deed je het dan soms toch gewoon voor de kick?' onderbrak Cassie. 'Wilde je eens weten hoe het voelt om iemand te doden?'

'Néé! Waar zijn jullie...'

Sam liep verbazend snel om de tafel heen en bukte zich naar Damien toe. 'De jongens van de opgraving zeggen dat George McMahon het jullie moeilijk maakte, zoals hij het iedereen altijd moeilijk maakt, maar dat jij een van de weinigen was die nooit zijn geduld verloor. Dus waardoor ben jij zo boos geworden dat je een klein meisje kon vermoorden dat jou nooit een haar gekrenkt had?'

Damien dook met een ongelukkig gezicht ineen in zijn trui, zijn kin tegen zijn borst gedrukt, en schudde zijn hoofd. Ze waren te snel geweest, te hard: ze raakten hem kwijt.

'Hé. Kijk mij eens aan.' Sam knipte met zijn vingers vlak voor Damiens gezicht. 'Zie ik er soms uit als jouw moeder?'

'Wat? Nee...' Maar de vraag was wel zo onverwacht geweest dat hij van zijn stuk gebracht was; zijn verwilderde, ongelukkige blik was omhooggekomen.

'Goed gezien. Dat komt doordat ik jouw moeder niet ben, en dit is geen kleinigheidje waar je je uit kunt redden door te gaan zitten mokken. Dit is heel erg ernstig. Je hebt een onschuldig klein meisje midden in de nacht uit haar huis gelokt, je hebt haar schedel ingeslagen, je hebt haar verstikt en je hebt zitten kijken terwijl ze doodging, je hebt een troffel in haar gestopt,' – Damiens gezicht vertrok krampachtig – 'en dan wil je ons nu vertellen dat je dat allemaal zonder enige reden gedaan hebt? Wou je dat soms ook tegen de rechter zeggen? Wat voor soort straf denk je dat je dan krijgt?'

'Jullie snáppen het niet!' riep Damien wanhopig. Zijn stem brak als die van een dertienjarige.

'Dat weet ik, maar dat wíl ik juist. Help me dan, Damien.' Cassie leunde voorover en pakte zijn beide handen in de hare, zodat hij haar wel moest aankijken.

'U begrijpt het niet! Een onschuldig klein meisje? Iedereen denkt maar dat ze dat was, Katy, een soort heilige, iedereen dacht altijd maar dat ze zo perfect was... maar zo wás het helemaal niet! Alleen omdat ze nog een kind was, betekent dat nog niet dat ze... u zou me niet geloven als ik u sommige dingen vertelde die ze deed, u zou me niet eens geloven.'

'Ik wel,' zei Cassie zacht en dringend. 'Wat je me ook gaat zeggen, Damien, ik heb in mijn werk wel erger gezien. Ik geloof je. Probeer het maar.'

Damiens gezicht was rood, met bloeddoorlopen ogen, en zijn handen trilden in die van Cassie. 'Ze zorgde dat haar vader boos werd op Rosalind en Jessica. Maar dan dus echt de hele tijd – ze waren continu bang. Ze verzon gewoon dingen en die vertelde ze hem dan – bijvoorbeeld dat Rosalind rot tegen haar gedaan had, of dat Jessica aan haar spullen had gezeten – maar dat was helemaal niet waar, ze verzon het gewoon, en hij geloofde haar áltijd. Op een keer probeerde Rosalind hem te vertellen dat het niet waar was, ze wilde Jessica beschermen, maar hij... hij...'

'Wat deed hij toen?'

'Hij sloeg ze!' huilde Damien. Zijn hoofd schoot omhoog en zijn ogen, roodomrand en vurig, keken strak in die van Cassie. 'Hij sloeg ze helemaal in elkaar! Hij heeft Rosalinds schedel ingeslagen met een poker, en hij heeft Jessica tegen een muur gesmeten zodat ze haar arm brak, en hij, Jezus, hij dééd het met hen, en Katy, die stond erbij te lachen!' Hij rukte zijn handen los en veegde razend met de achterkant van zijn pols de tranen weg. Hij hapte naar adem.

'Bedoel jij dat Jonathan Devlin geslachtsgemeenschap had met zijn dochters?' vroeg Cassie rustig. Ze had ogen als schoteltjes.

'Ja. Ja. Met allemaal. Katy...' Damiens gezicht vertrok. 'Katy vond dat lékker. Hoe ziek is dat? Hoe kan iemand...? Daarom was zij de favoriet. En aan Rosalind had hij een hekel omdat zij... zij niet...' Hij beet in de rug van zijn hand en huilde.

Ik besefte dat ik zo lang mijn adem had staan inhouden dat ik licht in het hoofd was. En ik besefte dat ik misschien zou moeten overgeven. Ik leunde tegen het koele glas en concentreerde me op mijn ademhaling: rustig en gelijkmatig. Sam greep een papieren zakdoek en gaf die aan Damien.

Tenzij ik nog stommer was dan ik al had bewezen te zijn, geloofde Damien zelf ieder woord van zijn verhaal. Waarom ook niet? We lezen wel erger in de krant: verkrachte peuters, kinderen die doodhongeren in de kelder, ledematen van baby's afgerukt. Naarmate hun privémythologie een steeds groter deel van zijn gedachten in beslag nam, kon er nog wel een boosaardige zus bij die Assepoester in het stof duwde.

En hoewel dit beslist niet gemakkelijk toe te geven is: ik wilde het ook graag geloven. Eventjes deed ik dat ook bijna. Het paste zo naadloos in de rest van het verhaal; het verklaarde en vergoelijkte zoveel, bijna alles. Maar in tegenstelling tot Damien had ik de medische dossiers gezien, het post-mortemrapport. Jessica had die arm gebroken toen ze in aanwezigheid van vijftig getuigen uit een klimrek viel, en Rosalind had nooit een schedelfractuur gehad; Katy was als maagd overleden. Er kroop iets als koud zweet over mijn schouders.

Damien snoot zijn neus. 'Het kan voor Rosalind niet makkelijk geweest zijn om jou dit allemaal te vertellen,' zei Cassie zachtjes. 'Dat was behoorlijk dapper van haar. Had ze ooit geprobeerd het aan iemand anders te vertellen?'

Hij schudde zijn hoofd. 'Hij zei altijd dat hij haar zou vermoorden als ze er ooit iets van zei. Ik was de eerste die ze in die mate vertrouwde dat ze het kwijt kon.' Er lag iets als verwondering in zijn stem, verwondering en trots, en onder de tranen en het snot en de rode kleur lichtte zijn gezicht op met een vage straling vol ontzag. Even zag hij eruit als een jonge ridder die op zoek gaat naar de heilige graal.

'En wanneer heeft ze dit allemaal verteld?' vroeg Sam.

'In stukje en beetjes. Zoals u al zei, het viel haar zwaar. Ze begon er pas in mei over...' Damien bloosde nog dieper rood. 'We zaten, eh, we zaten te zoenen. Toen we in dat pensionnetje logeerden. En toen wilde ik haar... haar borst aanraken. Rosalind werd boos, en duwde mijn hand weg en zei dat zij niet zo'n soort meisje was, en ik was eerlijk gezegd nogal verbaasd – ik had niet gedacht dat dat nou zoicts belangrijks was. We gingen al een maand met elkaar – niet dat dat me natuurlijk het recht geeft om... maar... Maar goed, ik was gewoon verbaasd, maar toen begon Rosalind zich zorgen te maken dat ik boos op haar was. Dus... dus vertelde ze me wat haar vader met haar gedaan had. Om uit te leggen waarom ze zo over de rooie was gegaan.'

'En wat zei jij toen?' vroeg Cassie.

'Dat ze uit huis moest! Ik wilde dat we samen een flat zouden huren, we waren wel aan het geld gekomen – ik had deze opgraving in het vooruitzicht en Rosalind had als model kunnen gaan werken, ze was gespot door iemand van een groot modellenbureau en die zei maar steeds dat zij topmodel kon worden, alleen mocht het niet van haar vader... Ik wilde niet dat ze ooit nog terug zou gaan naar dat huis. Maar Rosalind wilde niet. Ze zei dat ze Jessica niet in de steek kon laten. Kun je je voorstellen wat dat over haar zegt? Ze ging terug naar die ellende, alleen om haar zusje te beschermen. Ik heb nog nooit iemand gezien die zo dapper was.'

Als hij net een paar jaar ouder was geweest, dan had hij bij dit verhaal meteen aan de lijn gehangen met de politie, met de Kindertelefoon of wat dan ook. Maar hij was pas negentien; volwassenen waren nog bemoeizieke vreemdelingen die niets begrepen en die niets mochten horen, omdat ze dan de hele zaak zouden overnemen en alles verpesten. Het was waarschijnlijk niet eens bij hem opgekomen om hulp in te roepen.

'Ze zei zelfs...' Damien wendde zijn blik af. Zijn ogen schoten weer vol tranen. Wraakgierig bedacht ik dat hij flink in de problemen zou komen als hij in de gevangenis ook maar te hooi en te gras bleef janken. 'Ze zei dat ze misschien nooit, eh, nooit de liefde zou kunnen bedrijven met mij. Vanwege de ellendige associaties. Ze wist niet of ze ooit nog iemand op die manier kon vertrouwen. Dus zei ze, als ik het met haar wilde uitmaken en een gewone vriendin zoeken – dat zei ze echt, een gewóne vriendin – dan zou ze dat begrijpen. Het enige wat ze vroeg was, als ik wegging, dat ik dan meteen zou gaan, voordat ze te veel om me begon te geven...'

'Maar dat wilde jij niet,' zei Cassie zachtjes.

'Natuurlijk niet,' zei Damien simpelweg. 'Ik houd van haar.' Er lag iets in zijn gezicht, een roekeloze en alles verterende zuiverheid waarom ik hem, geloof het of niet, benijdde.

Sam gaf hem nog een zakdoek aan. 'Er is maar één ding dat ik niet begrijp,' zei hij op een ontspannen en rustgevende bastoon. 'Je wilde Rosalind beschermen – dat kan ik begrijpen, dat zou iedere man willen. Maar waarom moest Katy het veld ruimen? Waarom niet Jonathan? Die zou ík gekozen hebben.'

'Dat zei ik ook,' zei Damien, en toen stokte hij, zijn mond nog open, alsof hij iets heel ergs gezegd had. Cassie en Sam keken hem neutraal aan en wachtten.

'Eh,' zei hij even later. 'Op een avond had Rosalind buikpijn, en eindelijk kreeg ik het uit haar – ze wilde het niet zeggen, maar hij... hij had haar in haar maag gestompt. Wel vier keer. Alleen omdat Katy hem verteld had dat ze van Rosalind geen andere zender mocht opzetten, waar iets over ballet was – en dat was niet eens waar, ze zou het zo gedaan hebben als Katy het gevraagd had... En toen... toen werd het me gewoon te veel. Ik dacht er iedere nacht aan, wat zij allemaal door moest maken. Ik kon er niet van slapen – ik mocht dat gewoon niet door laten gaan!'

Hij haalde diep adem en kreeg zijn stem weer onder controle. Cassie en Sam knikten begrijpend.

'Ik zei, eh, ik zei: "Ik vermoord hem." En Rosalind... die kon niet geloven dat ik dat echt voor haar zou doen. En inderdaad, ergens was het... geen grap, natuurlijk, maar ook niet echt serieus. Ik had van mijn levensdagen nog niet aan zoiets gedacht. Maar toen ik zag hoe blij ze was dat ik het ook maar zei – niemand had ooit geprobeerd haar te beschermen... Ze was bijna in tranen, en dit is niet iemand die makkelijk huilt, ze is echt heel sterk.'

'Dat neem ik meteen aan,' zei Cassie. 'Dus waarom ben je dan niet achter Jonathan Devlin aan gegaan, toen je eenmaal aan het idee gewend was?'

'Kijk, als die doodging,' – Damien leunde voorover en gebaarde gespannen – 'dan zou hun moeder niet voor hen kunnen zorgen, vanwege het geld en omdat ze bovendien niet helemaal lekker is in haar bovenkamer? Dan zouden ze naar een tehuis moeten, en dan werden ze van elkaar gescheiden, dan zou Rosalind niet meer voor Jessica kunnen zorgen – en Jessica kan niet zonder haar, het gaat zo slecht met haar dat ze nergens toe in staat is, Rosalind moet haar huiswerk voor haar maken en noem maar op. En Katy – nou, Katy zou precies hetzelfde gedaan hebben met iemand anders. Als Katy er niet geweest was, dan was er niets aan de hand geweest! Hun vader deed die dingen alleen maar als Katy hem ertoe aanzette. Rosalind zei, en ze voelde zich er zo schuldig over – jezus, wat had díé een schuldgevoel – dat ze soms maar wilde dat Katy nooit geboren was.'

'En zo kwam jij op het idee,' zei Cassie gelaten. Aan de stand van haar mond kon ik zien dat ze amper uit haar woorden kwam, zo boos was ze. 'Toen stelde jij voor om Katy dan maar te doden.'

'Het was mijn idee,' zei Damien snel. 'Rosalind had er niets mee te maken. Ze wist niet eens... in het begin vond ze het niet goed. Ze wilde niet dat ik zo'n risico nam voor haar. Ze had het jarenlang overleefd, zei ze, en ze zou het nog wel een jaar of zes overleven, tot Jessica groot genoeg was om uit huis te gaan. Maar ik kon haar daar niet achterlaten! Die keer dat hij haar schedel brak, lag ze twee maanden in het ziekenhuis. Ze had wel dóód kunnen zijn.'

Plotseling was ik ook razend, maar niet op Rosalind: op Damien, die zo'n volslagen rund was, zo'n goedgelovige lamzak dat hij als een of andere stomme tekenfilmfiguur gehoorzaam precies op de juiste plek was gaan staan zodat het aambeeld op zijn kop kon vallen. Ik ben me natuurlijk volledig bewust van zowel de ironie als de taaie psychologische verklaringen voor deze reactie, maar op dat moment kon ik maar aan één ding denken: die verhoorkamer binnenstormen en Damien met zijn smoel in de medische dossiers drukken: *zie je dit, sukkel? Zie jij hier ergens een schedelfractuur? Is het ooit bij je opgekomen om te informeren naar een litteken, voordat je daarvoor een kind afslachtte?*

'Dus jij stond erop,' zei Cassie. 'En uiteindelijk heb je Rosalind op de een of andere manier omgepraat.'

Ditmaal merkte Damien de sarcastische toon op. 'Dat was vanwege Jessica! Wat er met haarzelf gebeurde, vond ze niet erg, maar Jessica – Rosalind was bang dat ze een zenuwinzinking zou krijgen of zo. Ze dacht dat Jessica niet nog eens zes jaar aankon!'

'Maar het grootste deel van die tijd zou Katy er sowieso niet geweest zijn,' zei Sam. 'Want Katy ging naar de balletacademie in Londen. Ze zou intussen al weg geweest zijn. Wist je dat niet?'

'Néé!' huilde Damien bijna. 'Dat zéí ik, ik vroeg – u begrijpt het niet... Zij wilde helemaal geen danseres worden. Ze vond het gewoon fijn als iedereen haar bewonderde. Op die academie, waar ze niets bijzonders geweest zou zijn, had ze er tegen de kerst de brui aan gegeven en dan was ze weer naar huis gekomen!'

Van alles wat ze haar met zijn tweeën aangedaan hadden, vond ik dit het schokkendst. Het was de duivelse expertise, de ijzige precisie waarmee het enige wat Katy Devlin in haar hart had gekoesterd, tot mikpunt was gemaakt, geannexeerd en gedenigreerd. Ik dacht aan Simones diepe, kalme stem in de echoënde dansschool: sérieuse. In mijn hele loopbaan had ik de aanwezigheid van het kwade niet zo scherp gevoeld als op dat moment: sterk en ranzig zoet in de lucht. Mijn nekharen gingen ervan overeind staan.

'Dus het was zelfverdediging,' zei Cassie, na een stilte waarin Damien nerveus heen en weer schoof en Sam en zij niet naar hem keken.

Daar sprong Damien op af. 'Ja. Precies. Ik bedoel, we zouden er geen moment aan gedacht hebben als er een andere manier was geweest.'

'Dat begrijp ik. En weet je, Damien, zoiets komt wel vaker voor: een vrouw die doordraait en moord pleegt op de echtgenoot die haar mishandelt, dat soort dingen. Dat snapt een jury ook.'

'Ja?' Met grote, hoopvolle ogen keek hij haar aan.

'Tuurlijk. Als ze eenmaal horen wat Rosalind allemaal meegemaakt heeft... Ik zou me maar niet te veel zorgen om haar maken, oké?'

'Ik wil haar alleen geen problemen bezorgen.'

'Dan moet je ons júíst alle details vertellen, oké?'

Damien zuchtte, een korte, vermoeide zucht met iets van opluchting erin. 'Oké.'

'Mooi zo,' zei Cassie. 'Dan gaan we dus maar door. Wanneer hebben jullie dit besloten?'

'Ergens in juli. Midden juli.'

'En wanneer hebben jullie de datum gekozen?'

'Pas een paar dagen voor het gebeurde. Ik had tegen Rosalind gezegd dat ze voor een alibi moest zorgen. Want we wisten dat jullie naar de familie zouden gaan kijken. Ze had ergens gelezen dat de familie altijd de hoofdverdachten waren. Dus die ene nacht – volgens mij was het een vrijdag – hadden we afgesproken en zei ze tegen me dat ze geregeld had dat zij en Jessica de maandag daarop bij hun nichtjes gingen slapen, en dat ze tot een uur of twee zouden liggen te kletsen. Dat was dus de ideale nacht. Ik moest alleen zorgen dat het voor tweeën gedaan was; de... de politie zou kunnen zien...'

Zijn stem beefde. 'En wat zei jij toen?' vroeg Cassie.

'Ik... ik raakte nogal in paniek. Ik had nooit gedacht dat we het echt gingen doen. Het was gewoon iets om over te praten. Een soort... kent u Sean Callaghan, Sean van de opgraving? Die zat in een band, alleen zijn die ermee opgehouden, en hij heeft het altijd over "O, als we weer met de band bij elkaar zijn, als we onze doorbraak hebben…" En hij weet dat dat nooit zal gebeuren, maar hij voelt zich gewoon beter door erover te praten.'

'In die band hebben we allemaal gezeten,' zei Cassie met een glimlach. Damien knikte. 'Zoiets was het. Maar toen Rosalind volgende week maandag zei, toen had ik plotseling zoiets van… het leek gewoon een volslagen krankzinnig plan, weet u. Ik zei tegen Rosalind dat we misschien naar de politie moesten gaan of zo. Maar toen ging ze helemaal over de rooie. De hele tijd zei ze: "Ik vertrouwde jou, ik had echt vertrouwen in jou…"'

'Ze vertrouwde je,' zei Cassie. 'Maar niet genoeg om de liefde met je te bedrijven?'

'Nee,' zei Damien na een tijdje zachtjes. 'Nee, want ziet u, dat had ze wél. Toen we voor het eerst besloten hadden, over Katy… toen veranderde alles voor Rosalind, het feit dat ze wist dat ik dat voor haar zou doen. We… ze had de hoop opgegeven dat ze dit ooit zou kunnen, maar… ze wilde het proberen. Ik werkte intussen bij de opgraving, dus ik kon een goed hotel betalen – ze verdiende iets moois, vond ik. De eerste keer, toen… toen kon ze niet. Maar de week daarop zijn we teruggegaan, en…'

Hij beet op zijn lippen. Hij probeerde niet weer in tranen uit te barsten.

'En daarna,' zei Cassie, 'kon je natuurlijk niet meer echt van gedachten veranderen.'

'Ziet u, dat was het. Die nacht, toen ik zei dat we misschien naar de politie moesten, zei Rosalind… ze dacht dat ik het alleen maar gezegd had om haar in bed te krijgen. Ze is zo broos, ze is zo verschrikkelijk gekwetst – ik mocht haar niet de indruk geven dat ik haar alleen maar gebruikte. Kunt u zich voorstellen wat dat voor effect op haar gehad zou hebben?'

Weer een stilte. Damien veegde hard met zijn hand over zijn ogen en kreeg zichzelf weer in bedwang.

'Dus je besloot om ermee door te gaan,' zei Cassie neutraal. Hij knikte, een pijnlijke, puberale hoofdknik. 'Hoe heb je Katy naar de opgraving gelokt?'

'Rosalind zei dat een vriend van haar op de opgraving een dinges gevonden had…' Hij gebaarde vaag. 'Een hanger. Een oude hanger met een miniatuurtje van een danseres erin. Rosalind zei tegen Katy dat het iets heel ouds was, en iets met magie of zo, en daarom had ze al haar geld gespaard en het van die vriend – mij – gekocht als cadeautje dat haar geluk zou brengen op de balletacademie. Alleen moest Katy hem wel zelf gaan

halen, want die vriend vond haar geweldig, en hij wilde haar handtekening voor als ze later beroemd zou zijn, en ze moest 's nachts gaan, want
hij mocht geen vondsten verkopen, dus het moest een geheim blijven.'

Ik dacht aan Cassie, die als kind bij de deur van een tuinschuurtje stond
te aarzelen: Wil jij kikkers zien? Kinderen redeneren anders, had ze gezegd. Katy was net zo met open ogen het gevaar tegemoet gelopen als
Cassie had gedaan: omdat je de kans op magie niet mis mocht lopen.

'Kijk, zie je wat ik bedoel?' zei Damien, met iets smekends in zijn toon.
'Ze geloófde gewoon dat mensen in de rij stonden voor haar handtekening.'

'Nou,' zei Sam, 'daar had ze dan ook alle reden toe. Heel veel mensen
hadden haar handtekening gevraagd na die geldinzameling.' Damien
knipperde met zijn ogen naar hem.

'Dus wat gebeurde er toen ze bij de schuur was aangekomen?' vroeg
Cassie.

Met een onbehaaglijk gezicht trok hij zijn schouders op. 'Gewoon,
wat ik al verteld heb. Ik zei haar dat het hangertje in die doos op de plank
achter haar zat, en toen ze zich omdraaide om hem te pakken, toen raapte
ik de steen op en... het was zelfverdediging, net wat u zei, of ik bedoel ik
moest Rosalind verdedigen, ik weet niet hoe dat heet...'

'En dat met die troffel?' vroeg Sam moeizaam. 'Was dat ook zelfverdediging?'

Hij keek Sam aan als een konijn in de schijnwerpers. 'De... ja. Ik eh...
ik kon haar niet... ehm.' Hij slikte moeizaam. 'Ik kón het niet. Ze was...
ze zag er zo... ik droom er nog over. Ik kon het niet. En toen zag ik die
troffel op het bureau, dus toen dacht ik...'

'Moest je haar verkrachten? Het geeft niet,' zei Cassie vriendelijk bij de
blik van paniek op Damiens gezicht. 'We begrijpen hoe dit heeft kunnen
gebeuren. Je brengt Rosalind niet in de problemen.'

Damien keek onzeker, maar ze bleef hem aankijken. 'Zo'n beetje, ja,'
zei hij na een tijdje. 'Rosalind zei... ze was gewoon overstuur, ze zei dat
het niet eerlijk was dat Katy nooit zou weten wat Jessica doorstaan had,
dus uiteindelijk zei ik dat ik... sorry, volgens mij moet ik...' Hij maakte
een geluid tussen hoesten en kokhalzen in.

'Diep ademhalen,' zei Cassie. 'Het gaat prima. Je moet gewoon even
wat drinken.' Ze haalde de versnipperde beker weg, vond een nieuwe en
vulde die met water. Ze kneep even in zijn schouder terwijl hij ervan
dronk, de beker in beide handen, en diep ademhaalde.

'Goed zo,' zei ze, toen hij weer wat kleur in zijn gezicht had. 'Het gaat geweldig. Dus je moest Katy verkrachten, maar in plaats daarvan heb je die troffel gebruikt toen ze al dood was?'

'Ik durfde niet,' zei Damien in de beker, zacht maar met ingehouden woede. 'Zij had zelf veel ergere dingen gedaan, maar ik bracht het niet op.'

'Is dat de reden waarom,' – Sam bladerde met één vinger door de telefoonrekeningen – 'waarom na Katy's dood de telefoontjes tussen jou en Rosalind afgelopen waren? Twee telefoontjes op dinsdag, de dag na de moord; één woensdagochtend vroeg, nog een de dinsdag daarop, en vervolgens niets meer. Was Rosalind boos dat je je belofte verbroken had?'

'Ik weet niet eens hoe ze daarachter gekomen is. Ik durfde het haar niet te vertellen. We hadden gezegd dat we elkaar een paar weken niet zouden spreken, zodat de politie – jullie dus – geen verband zou zien tussen haar en mij, maar een week later stuurde ze me een sms om te zeggen dat we misschien maar helemaal geen contact meer moesten hebben omdat ik kennelijk niet genoeg om haar gaf. Ik heb haar gebeld om te vragen wat er aan de hand was – en ja, natuurlijk was ze boos!' Hij sloeg aan het ratelen, met steeds hogere stem. 'En kijk, we komen er wel uit, maar jezus, ze heeft alle recht om boos op me te zijn. Katy is pas op woensdag gevonden omdat ik in paniek raakte, dat kon haar alibi volledig verpest hebben, en ik had haar niet... ik had haar niet... Ze vertrouwde zo volledig op me, ze had niemand anders, en dat ene ding dat ik moest doen, dat lukte me niet omdat ik gewoon een slapjanus ben.'

Cassie gaf geen antwoord. Ze zat met haar rug naar me toe en ik zag de broze botjes boven aan haar ruggengraat en ik voelde het verdriet als een zwaar gewicht aan mijn polsen en keel trekken. Ik kon niet meer luisteren. Dat juweeltje dat Katy danste voor de aandacht had alle woede uit me geslagen; ik voelde me hol. Ik wilde nog maar één ding: slapen, en dan mocht iemand me wakker maken als deze hele dag voorbij was en de regen dit allemaal weggewassen had.

'Zal ik u iets zeggen?' zei Damien, vlak voordat ik vertrok. 'We wilden trouwen. Zodra Jessica, zeg maar, voldoende hersteld was zodat Rosalind haar met een gerust hart kon achterlaten. Ik neem aan dat dat er nu niet meer in zit, zeker?'

Ze waren de hele dag met hem bezig. Ik wist min of meer wat ze aan het doen waren: ze hadden de grote lijnen van het verhaal en nu namen ze het nogmaals door, om tijden en data en details in te vullen en ieder kleinste gaatje, iedere kleinste inconsistentie te controleren. Een bekentenis is nog maar het begin; daarna moet je ervoor zorgen dat het een waterdicht verhaal wordt, moet je alvast gissen wat de verdediging en de jury gaan zeggen en ervoor zorgen dat je alles op schrift krijgt zolang je verdachte nog in een spraakzame bui verkeert en voordat hij de kans heeft gehad om met alternatieve verklaringen te komen. Sam is nogal mierenneukerig; ik wist zeker dat ze er iets moois van zouden maken.

Sweeney en O'Gorman liepen de projectkamer in en uit: Rosalinds mobiele gesprekken, meer achtergrondgesprekken over haar en Damien. Ik stuurde ze naar de verhoorkamer. O'Kelly stak zijn hoofd naar binnen en keek me boos aan, en ik deed alsof ik verdiept was in de telefoontips. Halverwege de middag kwam Quigley binnen om te vertellen wat hij van de zaak vond. Nog afgezien van het feit dat ik geen enkel verlangen had om met wie dan ook te praten, laat staan met hem, was dit een heel slecht teken: Quigley heeft één talent, en dat is een onfeilbare neus voor zwakheden en, afgezien van verspreide pogingen om in het gevlij te komen had hij Cassie en mij meestal met rust gelaten en zich geconcentreerd op het pesten van nieuwkomers en mensen met een burn-out en diegenen wier carrière plotseling de verkeerde kant opging. Hij trok zijn stoel te dicht bij de mijne en maakte duistere toespelingen in de trant van dat we de dader al weken geleden hadden moeten pakken, liet doorschemeren dat hij wel even zou uitleggen hoe we dat hadden kunnen doen als we het hem maar met voldoende respect gevraagd hadden, wees droevig op het feit dat ik Sam natuurlijk nooit mijn plaats had mogen laten innemen bij het verhoor, en stelde toen sluw voor dat de zus er misschien bij betrokken was geweest. Ik leek niet meer te weten hoe ik ook weer van hem af moest komen, en daardoor nam mijn gevoel alleen maar toe dat dit niet alleen irritant was, maar ook een heel veeg teken. Hij was net een enorme, zelfgenoegzame albatros die rond mijn bureau waggelde, zinloos kwaakte en over al mijn papieren heen scheet.

Eindelijk, net als pestkoppen op school, leek hij te beseffen dat ik te ongelukkig was om enig plezier te kunnen opleveren, dus ging hij, met een beledigde blik op dat platte smoel van hem, maar weer bezig met wat hij geacht werd te doen. Ik hield op met iedere pretentie dat ik de telefoontips aan het archiveren was, en liep naar het raam, waar ik de komende paar uur naar de regen bleef staan kijken en naar de vage, vertrouwde geluiden van het team achter me luisteren: Bernadette die lachte, rinkelende telefoons, met stemverheffing ruziënde mannen, plotseling gedempt door een dichtslaande deur.

Het was tien voor halfacht toen ik Cassie en Sam eindelijk de gang door hoorde lopen. Hun stemmen klonken te mat en te sporadisch om iets te kunnen opvangen, maar ik herkende de klanken. Grappig, zoals je bij een veranderd perspectief andere dingen opmerkt: ik had nooit beseft hoe diep Sams stem was tot ik hem met Damien in de verhoorkamer hoorde.

'Ik wil naar huis,' zei Cassie toen ze de projectkamer binnenkwamen. Ze liet zich in een stoel vallen en legde haar voorhoofd in haar handen.

'Bijna voorbij,' zei Sam. Het was niet duidelijk of hij de dag of het onderzoek bedoelde. Hij liep om de tafel heen naar zijn stoel; onderweg legde hij, tot mijn volslagen verbazing, even zijn hand heel lichtjes op Cassies hoofd.

'Hoe ging het?' vroeg ik, en ik hoorde de onnatuurlijke klank van mijn stem.

Cassie verroerde zich niet. 'Geweldig,' zei Sam. Met een grimas wreef hij in zijn ogen. 'Volgens mij zijn we er wel uit, althans wat Donnelly betreft.'

De telefoon ging, en ik nam op: Bernadette, om te zeggen dat we in de projectkamer moesten blijven omdat O'Kelly ons wilde spreken. Sam knikte en ging zwaar zitten, zijn voeten ver uiteen als een boer die thuiskomt na een lange dag; Cassie tilde met moeite haar hoofd op en tastte in haar achterzak naar haar opgerolde notitieboekje.

Volgens aloud gebruik liet O'Kelly ons een tijd wachten. Niemand zei iets. Cassie zat in haar notitieboekje te tekenen: een doornige, ietwat griezelig aandoende boom. Sam hing onderuitgezakt aan tafel en staarde niets ziend naar het volgekalkte whiteboard; ik leunde tegen het raamkozijn en keek naar de donkere, formele tuin in de diepte, waar plotselinge windvlagen door de struiken ritselden. Het leek wel of we daar op aanwijzing van een regisseur stonden, alsof onze posities op de een of andere vage, obscure manier enige betekenis hadden. Het gegons en geflikker van de tl-balken had me bijna in een soort trance gebracht, en ik begon het gevoel te krijgen dat we in een existentialistisch toneelstuk zaten, waar de tikkende klok voorgoed op acht uur achtendertig bleef staan en we nooit van onze vooraf bestemde plekken zouden komen. Toen O'Kelly eindelijk binnen kwam daveren, was dat bijna een schok.

'We beginnen bij het begin,' zei hij grimmig, en hij trok een stoel bij en smeet een stapel papieren op tafel. 'O'Neill. Praat me even bij: wat doe jij aan die hele Andrews-toestand?'

'Laten vallen,' zei Sam zachtjes. Hij zag er doodmoe uit. Niet dat hij wallen onder zijn ogen had of zo – wie hem niet kende, zou denken dat er niets aan de hand was, maar zijn gezonde plattelandsblos was verdwenen en hij zag er op de een of andere manier verschrikkelijk jong en kwetsbaar uit.

'Uitstekend. Maddox, jij krijgt vijf dagen vrij.'

Cassie keek even op. 'Ja, commissaris.' Ik keek even, verdekt, of Sam verbaasd keek of misschien al wist wat er aan de hand was, maar zijn gezicht verried niets.

'En Ryan, jij hebt tot nader order bureaudienst. Ik weet niet hoe jullie drie kunstwerken kans gezien hebben Damien Donnelly op te pakken, maar dank God maar op je blote knietjes dat dat zo is, anders stond het er nog slechter voor met jullie dan nu al het geval is. Is dat duidelijk?'

Geen van ons had de energie om te antwoorden. Ik maakte me los van het raamkozijn en ging zitten, zo ver mogelijk bij de anderen vandaan.

O'Kelly wierp ons een vuile blik toe en besloot ons stilzwijgen op te vatten als instemming. 'Mooi. Hoe ver zijn we met Donnelly?'

'Volgens mij behoorlijk ver,' zei Sam, toen duidelijk werd dat niemand anders iets ging zeggen. 'Volledige bekentenis, waaronder details die niet vrijgegeven waren, en heel wat forensisch bewijs. Zijn enige kans om hier nog onderuit te komen lijkt me ontoerekeningsvatbaarheid – en zover komt het, als hij een goede advocaat krijgt. Momenteel voelt hij zich zo beroerd dat hij schuldig wil pleiten, maar dat gaat er na een paar dagen in de bak wel af.'

'Die toestanden met die ontoerekeningsvatbaarheid zouden verboden moeten zijn,' zei O'Kelly bitter. 'Een of andere halvegare die het getuigenbankje in loopt en zegt: "Hij kon er niets aan doen, edelachtbare, hij kon het niet helpen dat hij dat lieve kleine meisje heeft doodgemaakt..." Wat een bullshit. Hij is niet ontoerekeningsvatbaarder dan ik. Haal er eentje van ons om hem te onderzoeken en dat te verklaren.' Sam knikte en maakte een aantekening.

O'Kelly bladerde door zijn papieren en wuifde een rapport in onze richting. 'Maar nu. Wat is dat allemaal met die zus?'

De sfeer in de kamer verstrakte. 'Rosalind Devlin,' zei Cassie, terwijl ze haar hoofd hief. 'Zij en Damien hadden wat met elkaar. Te horen aan wat hij zegt, was de moord haar idee. Zij heeft hem ertoe aangezet.'

'Ja, dat zal wel. Waarom?'

'Volgens Damien,' zei Cassie op vlakke toon, 'had Rosalind hem verteld dat Jonathan Devlin alle drie zijn dochters misbruikte, en dat hij Rosalind en Jessica mishandelde. Katy, die zijn favoriet was, moedigde hem aan en zette hem vaak aan tot mishandeling van de anderen. Rosalind zei dat de mishandelingen zouden ophouden als Katy er niet meer was.'

'Is daar enig bewijs voor?'

'Integendeel. Volgens Damien heeft Rosalind hem verteld dat Devlin haar schedel en Jessica's arm had gebroken, maar daarover staat niets in de medische dossiers – niets wat op enige vorm van misbruik of mishandeling wijst. En Katy, die jarenlang regelmatig geslachtsgemeenschap met haar vader gehad zou hebben, is overleden als *virgo intacta*.'

'Waarom verdoe je je tijd dan met dit soort bullshit?' O'Kelly gaf een klap op het rappport. 'We hebben onze man, Maddox. Ga naar huis en laat de rest uitzoeken door de juristen.'

'Omdat het Rosalinds bullshit is, niet die van Damien,' zei Cassie, en voor het eerst klonk er iets van een vonk in haar stem door. 'Iemand heeft Katy jarenlang ziek gemaakt; en dat was niet Damien. De eerste keer dat ze naar de balletacademie zou gaan, lang voordat Damien van haar bestaan wist, heeft iemand haar zo ziek gemaakt dat ze haar plaats moest afstaan. Iemand heeft het idee in Damiens hoofd geplant dat hij een meisje moest vermoorden dat hij amper kende – en u zei zelf ook: deze man is niet geestesziek: hij hoorde geen stemmetjes die zeiden dat hij het moest doen. Rosalind is de enige die daarvoor in aanmerking komt.'

'Wat is haar motief?'

'Ze baalde van het feit dat Katy al die aandacht en bewondering kreeg. Daar zou ik een smak geld om verwedden. Volgens mij is Rosalind jaren geleden, zodra ze besefte dat Katy echt talent had voor ballet, begonnen haar te vergiftigen. Dat is afschuwelijk gemakkelijk: bleek, laxeermiddelen, gewoon tafelzout – in het gemiddelde huishouden vind je minstens tien dingen waarmee je een klein kind een mysterieuze maagkwaal kunt bezorgen, als je haar maar kunt overtuigen dat ze het spul moet innemen. Misschien zeg je dat het een geheim middel is, dat ze daar nog beter van wordt; en als ze nog maar acht of negen is en dit is haar grote zus, dan gelooft ze dat waarschijnlijk... Maar toen Katy die tweede kans kreeg om naar de balletacademie te gaan, toen was ze plotseling niet meer zo overtuigd. Tegen die tijd was ze twaalf, oud genoeg om vragen te stellen bij wat haar gezegd werd. Ze weigerde het spul langer in te nemen. Dat –

met daarbovenop het krantenartikel en de geldinzameling en het feit dat Katy de bekendste persoon in Knocknaree aan het worden was – was de laatste druppel; ze had het gewaagd om tegen Rosalind in te gaan, en dat mocht Rosalind niet toestaan. Toen ze Damien leerde kennen, zag ze haar kans schoon. Die arme hufter is een geboren watje; niet al te snugger en hij doet alles om iemand blij te maken. De paar maanden daarna zette ze alles in: seks, zielige verhalen, vleierij, schuldgevoelens, alles wat ze maar kon, om hem over te halen om Katy te vermoorden. En uiteindelijk, afgelopen maand, had ze hem zo suf en tegelijkertijd zo hyper dat hij het gevoel kreeg dat hij geen andere keuze meer had. Eerlijk gezegd was hij tegen die tijd inderdaad niet meer helemaal toerekeningsvatbaar.'

'Als je dat maar nooit buiten deze vier muren zegt,' zei O'Kelly scherp en werktuiglijk. Cassie bewoog even, iets als een schouderophalen, en wijdde zich weer aan haar tekening.

Het werd stil in de kamer. Het verhaal was op zich al afgrijselijk, oud als Kaïn en Abel maar met geheel eigen, gloednieuwe scherpe randjes en ik kan onmogelijk een naam geven aan de mengeling van emoties waarmee ik Cassie had aangehoord. Ik had niet naar haar gekeken, maar naar onze broze silhouetten in het raam, maar haar stem kon ik niet vermijden. Ze heeft een prachtige stem, Cassie, laag en flexibel als een houtblaasinstrument, maar de woorden die ze sprak leken sissend tegen de muren op te kruipen om daar kleverige donkere schaduwsporen over de verlichting heen te spinnen en zich te nestelen in verwarde webben hoog in de hoeken.

'Heb je daar bewijs voor?' vroeg O'Kelly uiteindelijk. 'Of ga je gewoon op Donnelly's woord af?'

'Geen harde bewijzen, nee,' zei Cassie. 'We kunnen de band tussen Damien en Rosalind bewijzen – we hebben al die telefoontjes op hun mobiel – en ze hebben ons beiden dezelfde valse aanwijzing gegeven over een niet-bestaande gozer in een joggingpak, en dat betekent dat ze indirect medeplichtig is, maar er is geen bewijs dat ze vooraf ook maar wíst van de moord.'

'Natuurlijk niet,' zei hij vlak. 'Waarom vraag ik dat eigenlijk nog. Zijn jullie het hier alle drie over eens? Of is dit Maddox' persoonlijke kruistocht?'

'Ik ben het met inspecteur Maddox eens,' zei Sam meteen op ferme toon. 'Ik heb Donnelly de hele dag verhoord, en volgens mij vertelt hij de waarheid.'

O'Kelly slaakte een zucht en rukte zijn kin mijn kant uit. Kennelijk vond hij dat Cassie en Sam moeilijk zaten te doen; waarschijnlijk wilde hij gewoon Damiens administratieve toestanden afronden en de zaak voor gesloten verklaren; maar hoezeer hij zijn best ook doet, in zijn hart is hij geen despoot en een unanieme mening van zijn team zou hij niet onder het kleed vegen. Ik had met hem te doen: waarschijnlijk was ik wel de laatste aan wie hij om steun wilde vragen.

Uiteindelijk – ik bracht het niet op om het hardop te zeggen – knikte ik. 'Fantastisch,' zei O'Kelly vermoeid. 'Echt fantastisch. Oké. Donnelly's verhaal is amper genoeg voor een aanklacht, laat staan voor een veroordeling. We hebben een bekentenis nodig. Hoe oud is ze?'

'Achttien,' zei ik. Ik had al zo lang niet gesproken dat mijn stem naar buiten kwam als een geschrokken, schor gekraak. Ik schraapte mijn keel. 'Achttien.'

'Wie het kleine niet eert... Dan hoeven we dus tenminste de ouders er niet bij te halen als we haar ondervragen. Goed: O'Neill en Maddox, haal haar op, pak haar zo hard mogelijk aan, jaag haar de stuipen op het lijf tot ze bezwijkt.'

'Dat werkt niet,' zei Cassie, en ze tekende nog een tak aan haar boom. 'Psychopaten weten niet wat angst is. Je zou haar een pistool op het hoofd moeten zetten om haar bang genoeg te krijgen.'

'Psychopaten?' zei ik na een moment van verbijstering.

'Jezus, Maddox,' zei O'Kelly geïrriteerd. 'Niet zo Hollywoodachtig, graag. Ze heeft die zus niet ópgegeten.'

Cassie keek op van haar tekening. 'Ik had het niet over bioscooppsychopaten. Zij valt binnen de klinische definitie. Geen geweten, geen empathie, pathologisch leugenaar, manipulatief, charmant, intuïtief, aandachtzoekend, gemakkelijk verveeld, narcistisch, wordt supervals als ze gedwarsboomd wordt... ik zal best een stel criteria vergeten, maar klinkt dat zo'n beetje als Rosalind?'

'Voorlopig hebben we daar wel voldoende aan,' zei Sam droog. 'Wacht even: dus zelfs als ze voor de rechter komt, gaat zij vrijuit vanwege ontoerekeningsvatbaarheid?' O'Kelly mompelde vol afkeer iets wat ongetwijfeld te maken had met de psychologie in het algemeen en met Cassie in het bijzonder.

'Ze is volkomen normaal,' zei Cassie. 'Dat zal iedere psychiater bevestigen. Het is geen mentale stoornis.'

'Hoe lang weet je dit al?' vroeg ik haar.

Haar blik schoot mijn kant uit. 'Ik vroeg het me die eerste keer dat we haar zagen meteen al af. Maar het leek niet relevant voor de zaak: de moordenaar was beslist geen psychopaat, en zij had een perfect alibi. Ik wilde het je wel zeggen, maar denk jij nou echt dat je me geloofd zou hebben?'

*Je had me moeten vertrouwen*, had ik bijna gezegd. Ik zag Sam perplex en ongerust van de een naar de ander kijken.

'Maar goed,' zei Cassie, terwijl ze zich weer aan het tekenen zette, 'het heeft geen zin om te proberen haar zo bang te krijgen dat ze zal bekennen. Psychopaten doen niet echt aan angst, voornamelijk aan agressie, verveling of genot.'

'Oké,' zei Sam, 'dat is dan duidelijk. En die andere zus – Jessica, geloof ik? Zou die ergens van weten?'

'Goed mogelijk,' zei ik. 'Die twee zijn heel close.' Een van Cassies mondhoeken schoot wrang omhoog bij mijn woordkeuze.

'Ach, jezus,' zei O'Kelly. 'Maar zij is pas twaalf, als ik me goed herinner? Dat betekent de ouders.'

'Nou,' zei Cassie, zonder op te kijken, 'ik denk ook niet dat praten met Jessica iets oplost. Zij staat volkomen onder Rosalinds invloed. Wat Rosalind ook met haar gedaan heeft, ze is zo murw dat ze amper meer zelfstandig kan denken. Als we iets vinden om Rosalind in staat van beschuldiging te stellen, ja, dan krijgen we misschien vroeg of laat iets uit Jessica. Maar zolang Rosalind in dat huis woont, is ze te bang om iets verkeerds te zeggen, en daarom zal ze liever haar mond houden.'

O'Kelly verloor zijn geduld. Hij houdt er niet van als hij dingen niet snapt, en de geladen, heen en weer schietende spanningen in de kamer moeten hem al evenzeer de zenuwen bezorgd hebben als de zaak zelf. 'Mooi, Maddox. Reuze bedankt. Dus wat stel jij voor? Kom op, laat nu eens iets bruikbaars horen, in plaats van daar maar te zitten en andermans ideeën aan flarden te schieten.'

Cassie hield op met tekenen en legde zorgvuldig haar pen in evenwicht op één vinger. 'Oké,' zei ze. 'Psychopaten krijgen een kick van macht over anderen – manipuleren, verdriet doen. Volgens mij moeten we daarop inspelen. Haar alle macht geven die ze maar verlangen kan, en dan kijken of ze zich laat gaan.'

'Waar heb je het over?'

'Gisteravond,' zei Cassie langzaam, 'heeft Rosalind me ervan beschuldigd dat ik had geslapen met inspecteur Ryan.'

Meteen draaide Sams hoofd mijn kant uit. Ik hield mijn blik op O'Kelly gericht. 'Oh, dat had ik niet vergeten hoor, echt niet,' zei hij zwaar. 'En het is te hopen dat het niet waar is. Jullie tweeën zitten al diep genoeg in de stront.'

'Nee,' zei Cassie op vermoeide toon, 'het is niet waar. Ze probeerde me af te leiden en ze hoopte dat ze een gevoelige plek zou raken. Dat gebeurde niet, maar dat weet zij niet zeker, misschien heb ik me gewoon heel goed beheerst.'

'En dus?' informeerde O'Kelly.

'En dus,' zei Cassie, 'kan ik met haar gaan praten, bekennen dat inspecteur Ryan en ik al heel lang een affaire hebben, haar smeken dat niet door te vertellen – misschien zeggen dat we vermoeden dat zij iets te maken heeft met Katy's dood en aanbieden haar te vertellen hoeveel wij weten in ruil voor haar stilzwijgen, iets in die trant.'

O'Kelly snoof laatdunkend. 'En dan denk jij dat ze gewoon alles ophoest?'

Ze haalde haar schouders op. 'Ik zie niet in waarom niet. Ja, de meeste mensen geven niet graag toe dat ze iets vreselijks gedaan hebben, ook niet als ze daar geen problemen mee krijgen, maar dat is omdat ze zich er zelf niet goed bij voelen, en omdat ze niet willen dat andere mensen slecht over hen denken. Voor dit meisje zijn andere mensen niet echt, niet meer dan personages in een videogame, en goed en fout zijn woorden, meer niet. Ze voelt geen schuld, ze heeft geen berouw of wat dan ook dat ze Katy door Damien heeft laten vermoorden. Ik denk dat ze buitengewoon ingenomen is met zichzelf. Dit is tot nu toe haar grootste prestatie, en ze heeft er nog tegen niemand over kunnen opscheppen. Als ze zeker weet dat ze de bovenhand heeft, en ze weet zeker dat ik geen microfoontje bij me draag – en zou ik een microfoon dragen als ik ging toegeven dat ik met mijn partner sliep? – dan zal ze denk ik dolblij zijn met die kans. De gedachte een politierechercheur exact te vertellen wat ze gedaan heeft, weten dat ik daar niets aan kan doen, weten dat ik me daar doodongelukkig bij moet voelen... Dat wordt een van de heerlijkste momenten van haar leven. Ze zal geen weerstand kunnen bieden aan de verleiding.'

'Ze kan zeggen wat ze maar wil,' zei O'Kelly. 'Zonder dat ze op haar rechten is gewezen, is niets ervan bruikbaar.'

'Dan wijs ik haar op haar rechten.'

'En dan denk jij nog dat ze blijft praten? Ik dacht dat je net zei dat dit meisje niet gek is.'

'Ik wéét het niet,' zei Cassie. Heel even klonk ze uitgeput en openlijk pissig, en dat maakte haar heel jong, als een tiener die haar frustratie niet kan verhullen over die idiote wereld van de volwassenen. 'Ik denk alleen dat het onze beste kans is. Als we een formeel verhoor organiseren, dan zal ze op haar hoede zijn, dan zit ze daar gewoon en ontkent alles, en dan is onze kans verkeken: dan gaat ze naar huis in de wetenschap dat we haar niets ten laste kunnen leggen. Op deze manier hebben we tenminste een kans dat ze zal denken dat ik haar niets kan maken, en dan neemt ze misschien het risico dat ze gaat praten.'

O'Kelly zat, monotoon en gek makend, met een duimnagel over de nephouten nerven van de tafel te krassen; hij zat er zichtbaar over na te denken. 'Als we het doen, draag jij een microfoon. Ik wil niet het risico lopen van jouw woord tegen het hare.'

'Ik zou het ook niet anders willen,' zei Cassie koeltjes.

'Cassie,' zei Sam bijna teder, en hij leunde over de tafel heen, 'weet je zeker dat je dit kunt?' Ik voelde een plotselinge vlaag van woede, niet minder pijnlijk doordat hij nergens op sloeg: ík had dat moeten vragen, niet hij.

'Dat lukt wel,' zei Cassie met een scheef glimlachje. 'Hé, ik heb maanden undercover gewerkt, en niemand heeft me ooit ontdekt. Een Oscar waardig, dunkt me.'

Het leek me niet dat Sam dat bedoeld had. Alleen al na dat verhaal over die gozer tijdens haar studie was ze zowat catatonisch geweest, en ik zag diezelfde afstandelijke blik met veel te wijde pupillen weer in haar ogen verschijnen, ik hoorde de te neutrale klank van haar stem. Ik dacht aan die eerste keer, hoe ze daar stond met die gestrande Vespa: wat had ik haar toen graag onder mijn jas willen slepen, haar tegen alles willen beschermen, desnoods tegen de regen.

'Ik kan het ook doen,' zei ik, te luid. 'Rosalind vindt mij aardig.'

'Nee,' beet O'Kelly me toe. 'Dat kun jij niet.'

Cassie wreef met duim en wijsvinger over haar ogen, kneep in de brug van haar neus alsof daar een beginnende hoofdpijn zat. 'Niet beledigend bedoeld,' zei ze, 'maar Rosalind Devlin vindt jou geen haar aardiger dan mij. Tot zo'n emotie is ze niet in staat. Ze vindt je bruikbaar. Ze weet dat ze jou om haar pink gewikkeld heeft – of had, wat dan ook – en ze weet zeker dat als er één politieman is die zal geloven dat zij onterecht beschuldigd wordt, dat jij dat dan bent, en dat je voor haar in de bres zult springen. Geloof me, er is geen schijn van kans dat ze dat zal weggooien door tegenover jou te bekennen. Maar ik dien sowieso geen enkel doel; ze heeft niets te verliezen door met mij te praten. Ze weet dat ik haar niet mag, maar dat betekent juist dat ze een extra kick krijgt omdat ik aan haar genade overgeleverd ben.'

'Oké,' zei O'Kelly, en hij duwde zijn papieren op een tafel en schoof zijn stoel achteruit. 'Dan doen we het zo. Maddox, ik hoop bij God dat je weet wat je doet. Morgenochtend vroeg voorzien wij jou van een microfoontje en dan kun je gezellig met Rosalind Devlin gaan praten. Ik zal ervoor zorgen dat ze je iets met spraakactivering geven, dan kun je tenminste niet vergeten om op de opnameknop te drukken.'

'Nee,' zei Cassie. 'Geen recorder. Ik wil een zender, die uitzendt naar een bestelbus op minder dan tweehonderd meter afstand.'

'Om een achttienjarige te verhoren?' vroeg O'Kelly laatdunkend. 'Doe even normaal, Maddox. We hebben het hier niet over Al-Qaida.'

'Om onder vier ogen te praten met een psychopaat die zojuist haar zusje heeft vermoord.'

'Ze heeft zelf geen gewelddadig verleden,' zei ik. Ik had het niet bits bedoeld, maar Cassies blik streek even over me heen, volslagen uitdrukkingsloos, alsof ik niet bestond.

'Een zender en een bestelwagen,' herhaalde ze.

Die avond ging ik pas om drie uur 's nachts naar huis: ik wist zeker dat Heather tegen die tijd moest slapen. Voor die tijd was ik naar Bray gereden, naar het strand, en was daar in de auto blijven zitten. Het was eindelijk opgehouden met regenen en er hing een dichte mist; het was vloed, ik hoorde het water klotsen en ruisen, maar ik ving slechts heel af en toe een glimp op van de golven tussen de wervelingen van uitwissend grijs. Het vrolijke paviljoentje dreef het bestaan in en uit als een soort spookverschijning. Ergens liet een misthoorn eindeloos herhaald een en dezelfde melancholieke noot horen, en mensen die langs de kade naar huis liepen doemden stukje bij beetje op vanuit het niets, silhouetten die als duistere boodschappers door de lucht zweefden.

Die nacht dacht ik aan een hoop dingen. Ik dacht aan Cassie in Lyon, een meisje nog maar, met een schort voor bezig koffie te serveren aan zonnige terrastafeltjes en in het Frans grappen makend met de klanten. Ik dacht aan mijn ouders, die zich klaarmaakten om te gaan dansen: de zorgvuldige lijnen van mijn vaders kam in zijn Brylcreem-haar, de exotische geur van mijn moeders parfum en haar gebloemde jurk die de deur uit wervelde. Ik dacht aan Jonathan en Cathal en Shane, met hun lange armen en benen en hun brutaliteit en het harde lachen bij hun onschuldiger spelletjes; aan Sam aan een lange houten tafel te midden van zeven rumoerige broertjes en zusjes, en aan Damien, die in een of andere stille universiteitsbibliotheek een sollicitatieformulier zat in te vullen voor een baan bij Knocknaree. Ik dacht aan Marks onbevreesde ogen – *Het enige waarin ik geloof ligt hier op die opgraving* – en aan revolutionairen met rafelige maar dappere vlaggen, aan vluchtelingen die met het snelle nachttij meezwommen; aan iedereen die het leven zo licht opvat, of de inzet zo zwaar, dat hij met vaste tred en open ogen datgene tegemoet loopt wat zijn leven zal nemen of veranderen, en wiens hoge, kille criteria ver boven ons begrip uitstijgen. Ik probeerde me een hele tijd lang te herinneren dat ik wilde bloemen had meegebracht voor mijn moeder.

# 24

O'Kelly is altijd een soort raadsel voor me gebleven. Hij mocht Cassie niet, hij zag absoluut niets in haar theorie en vond haar voornamelijk een verschrikkelijke dwarsligger, maar Het Team heeft een diepe, bijna totemistische betekenis voor hem, en als hij eenmaal besloten heeft achter een van de leden te zullen staan, dan doet hij dat ook tot het bittere einde. Hij gaf Cassie haar zendertje en haar bestelbus, al vond hij dat zelf een complete verspilling van tijd en geld. Toen ik de volgende ochtend op het werk kwam – heel vroeg, want we wilden Rosalind te pakken krijgen voordat ze naar school ging – zat Cassie in de projectkamer en werd het microfoontje aangebracht.

'En die trui uit, graag,' zei de technicus van de surveillance rustig. Het was een kleine man met een neutraal gezicht en snelle, professionele handen. Gehoorzaam trok Cassie haar trui over haar hoofd, als een kind bij de dokter. Daaronder had ze iets aan wat eruitzag als een jongenshemd. Ze had de stoere make-up weggelaten die ze de afgelopen paar dagen had gedragen, en ze had donkere wallen onder haar ogen. Ik vroeg me af of ze überhaupt geslapen had; ik dacht aan haar, op de vensterbank met haar t-shirt over haar knieën getrokken, de rode stip van een sigaret opbloeiend en vervagend als ze een trek nam terwijl ze keek hoe de dageraad de tuinen in de diepte begon te kleuren. Sam stond met zijn rug naar ons toe bij het raam; O'Kelly was bezig bij het whiteboard, veegde lijnen uit en trok ze opnieuw. 'En nu even het snoertje onder het t-shirt door, graag,' zei de technicus.

'Er liggen telefoontips voor je,' zei O'Kelly tegen mij.

'Ik wil mee,' zei ik. Sam trok even met zijn schouders; Cassie, haar hoofd over de microfoon gebogen, keek niet op.

'Als het vriest in de hel en de kamelen naar huis komen schaatsen,' zei O'Kelly.

Ik was zo moe dat ik alles door een fijne, kolkende witte mist heen zag. 'Ik wil mee,' herhaalde ik. Ditmaal werd ik door iedereen genegeerd.

De technicus klemde de batterijen aan Cassies spijkerbroek, maakte een heel klein sneetje in de nek van haar onderhemd en stopte de microfoon erin. Hij liet haar haar trui weer aantrekken – Sam en O'Kelly draaiden zich weer om – en zei dat ze iets moest zeggen. Toen ze niet-begrijpend naar hem keek, zei O'Kelly ongeduldig: 'Maddox, vertel maar wat je dit weekend gaat doen,' maar in plaats daarvan zei ze een gedichtje op. Het was een ouderwets rijmpje, van het soort dat je op school uit je hoofd moet leren. Heel veel later, toen ik in een stoffige boekwinkel in een bundeltje stond te bladeren, kwam ik de volgende regels tegen:

*Wie hoor ik op mijn graf?*
*Gy minnaers gaet'er af.*
*Wat koomt gy rouwe draegen*
*En mijne dood beklaegen?*
*Ay staekt uw droef gesteen:*
*Schept moedt, en weest te vreên,*
*En wenscht my niet op aerde*
*By u te zijn in waerde.*
*De wereldt die is doch*
*Vol valscheidt en bedrogh*

Haar stem was diep en gelijkmatig, uitdrukkingsloos. De luidsprekers holden het geluid nog verder uit, legden er een fluisterende echo onder en op de achtergrond ruiste iets als wind door de boomkruinen in de verte. Ik dacht aan die spookverhalen waar de stemmen van de doden tot hun geliefden komen uit knetterende radio's of via de telefoonlijn, over een verloren gegane golflengte haaks op de wetten der natuur en de onontgonnen ruimtes van het heelal. De technicus ging voorzichtig zitten draaien aan mysterieuze knopjes en hendeltjes.

'Dankjewel, Maddox, dat was heel ontroerend,' zei O'Kelly toen de technicus klaar was. 'Goed: hier is de wijk.' Hij gaf met de rug van zijn hand een klap op Sams kaart. 'Wij zitten in de bestelbus, geparkeerd op

Knocknaree Crescent, eerste links vanaf de poort. Maddox, jij gaat op dat motorfietsding van jou, je parkeert bij Devlin voor en je vraagt het meisje om een eindje met je te gaan lopen. Je gaat de achterpoort van de wijk uit en je slaat rechts af, weg van de opgraving, en dan nogmaals rechts langs de zijmuur, zodat je op de hoofdweg komt, en opnieuw rechts af zodat je richting poort gaat. Als je van die route afwijkt, dan zeg je dat – voor de microfoon. Geef zo vaak mogelijk je locatie op. Als je denkt dat ze je doorheeft of als je nergens komt, dan hou je ermee op en ga je weg. Als je ergens in de loop van het gesprek hulp nodig hebt, dan zeg je dat, dan komen wij eraan. Als ze een wapen heeft, dan zeg je voor ons wat het is – "Leg neer dat mes," of wat dan ook. Je hebt geen ooggetuigen, dus trek je wapen alleen als je echt geen keuze hebt.'

'Ik neem mijn pistool niet mee,' zei Cassie. Ze maakte haar holster los, gaf het aan Sam en hield haar armen uit. 'Fouilleer me.'

'Waarop?' vroeg Sam verbaasd, terwijl hij neerkeek op het pistool in zijn handen.

'Wapens.' Haar blik gleed ongericht over zijn schouder. 'Als ze iets zegt, dan zal ze beweren dat ik haar onder schot hield. Controleer ook mijn scooter voordat ik op pad ga.'

Tot op vandaag heb ik geen idee hoe ik kans gezien heb in die bestelwagen te komen. Misschien omdat ik, ondanks mijn problemen, toch Cassies partner was, een relatie waarvoor bijna iedere rechercheur een diep, ingebakken respect heeft. Misschien omdat ik O'Kelly bombardeerde met de eerste techniek die iedere peuter leert hanteren: als je het maar vaak genoeg vraagt terwijl iemand probeert iets anders te doen, dan zal hij vroeg of laat ja zeggen, gewoon om ervanaf te zijn. Ik was te wanhopig om stil te staan bij hoe vernederend dat was. Misschien besefte hij dat ik, als hij geweigerd had, in mijn eentje met de landrover achter hen aan gereden was.

De bestelwagen was zo'n geblindeerd, sinister ogend gevaarte dat je regelmatig in reportages op tv ziet, met de naam en het logo van een fictief tegelzettersbedrijf op de zijkant. Vanbinnen zag het er nog veel griezeliger uit: dikke zwarte kabels die overal rondkronkelden en apparatuur die knipperend en sissend zijn werk deed, een veel te klein peertje aan het plafond, en een geluidsisolatie waardoor het geheel de verontrustende aanblik van een isoleercel kreeg. Sweeney reed en Sam, O'Kelly, de technicus en ik zaten zwijgend achterin, heen en weer geslingerd op ongerieflijke lage bankjes. O'Kelly had een thermoskan met koffie meegebracht, en een stel kleverige zoete broodjes, die hij zonder zichtbaar genoegen met enorme, methodische happen verorberde. Sam schraapte aan een denkbeeldige vlek op de knie van zijn broek. Ik liet mijn knokkels kraken tot ik besefte hoe irriterend dat klonk, en toen probeerde ik niet te denken aan mijn intense verlangen naar een sigaret. De technicus deed de kruiswoordpuzzel uit de *Irish Times*.

We parkeerden langs Knocknaree Crescent en O'Kelly belde Cassies mobiel. Ze bevond zich binnen bereik van de apparatuur; haar stem door de luidsprekers klonk koel en beheerst. 'Maddox.'

'Waar zit jij?' wilde O'Kelly weten.

'Ik kom net aanrijden. Ik wilde niet rondhangen tot jullie er waren.'

'Wij zijn er. Ga je gang.'

Een korte stilte; toen zei Cassie: 'Ja, commissaris,' en hing op. Ik hoorde de Vespa weer gonzend starten, en daarna het gekke stereo-effect toen ze even later op maar een paar meter van ons voorbijreed. De technicus vouwde zijn krant op en bracht ergens een minuscule wijziging in aan; O'Kelly, tegenover me, trok een plastic zak met zelfgeschept snoepgoed uit zijn zak en zakte onderuit op zijn bank.

Voetstappen die door de microfoon galmden, het vage, discrete dingdong van de voordeurbel. O'Kelly wuifde met de zak snoep naar ons; toen niemand iets wilde, haalde hij zijn schouders op en viste er zelf een grote toffee uit.

De klik van de deur die openging. 'Inspecteur Maddox,' zei Rosalind, en ze klonk niet blij. 'Ik vrees dat we het momenteel nogal druk hebben.'

'Weet ik,' zei Cassie. 'En het spijt me dat ik je moet lastigvallen. Maar kan ik... zou ik jou misschien heel even kunnen spreken?'

'U hebt gisteravond de hele avond met me kunnen spreken. In plaats daarvan hebt u me beledigd en mijn hele avond verpest. Ik heb eerlijk gezegd geen zin om nog meer tijd aan u te verspillen.'

'Dat spijt me. Ik had geen... dat had ik niet moeten doen. Maar dit gaat niet over de zaak. Ik... ik moet je alleen iets vragen.'

Stilte, en ik stelde me voor hoe Rosalind de deur openhield en met speculerende blik naar Cassie stond te kijken; Cassies gezicht omhooggekeerd en strak, haar handen diep in de zakken van haar suède jack. Op de achtergrond riep iemand – Margaret – iets, en Rosalind beet over haar schouder: 'Voor mij, moeder,' en daarop sloeg de deur dicht.

'Nou?' vroeg Rosalind.

'Kunnen we...' Enig geritsel: Cassie die nerveus stond te wriemelen. 'Kunnen we misschien een eindje gaan lopen of zo? Dit is nogal privé.'

Dat moet Rosalinds belangstelling geprikkeld hebben, maar haar stem veranderde niet. 'Eerlijk gezegd stond ik net op het punt om weg te gaan.'

'Vijf minuutjes maar. We kunnen om de muur heen lopen, of zo... Alsjeblieft, Rosalind... het is belangrijk.'

Uiteindelijk zei ze met een zucht: 'Vooruit dan maar, een paar minuten heb ik wel.'

'Bedankt,' zei Cassie. 'Dat stel ik zeer op prijs,' en we hoorden hen het pad weer aflopen, de snelle, vastberaden tikjes van Rosalinds hakken.

Het was een vriendelijke ochtend, een milde ochtend; de zon brandde de laatste resten van de mist van gisteravond weg, maar er hadden nog flarden over het gras gelegen en door de hoge, koele lucht gezweefd toen we in de bestelwagen stapten. De luidsprekers versterkten het getjilp van merels, het kraken en dichtslaan van het hek, en Cassie en Rosalinds voeten die door het natte gras langs de rand van het bos zoefden. Ik dacht eraan hoe prachtig ze eruit moesten zien voor een vroege passant: Cassie verwaaid en nonchalant, Rosalind fladderend wit en rank als iets uit een gedicht; twee meisjes op de septemberochtend, glanzende hoofden onder het verkleurende blad en konijnen die wegholden bij hun nadering.

'Mag ik je iets vragen?' begon Cassie.

'Nou, volgens mij was het daar toch om begonnen?' antwoordde Rosalind met een subtiele suggestie in haar stem dat Cassie haar kostbare tijd aan het verdoen was.

'Ja. Sorry.' Cassie haalde diep adem. 'Oké. Ik vroeg me af: hoe wist jij van...'

'Ja?' moedigde Rosalind haar beleefd aan.

'Van mij en inspecteur Ryan.' Stilte. 'Dat wij... iets met elkaar hadden.'

'O, dat!' lachte Rosalind, een tinkelend geluidje, zonder enige emotie, haast geen triomf zelfs. 'O, inspecteur Maddox. Wat denkt u zelf?'

'Ik dacht dat je ernaar geraden had. Of zo. Dat we het misschien niet zo goed voor ons gehouden hadden als we zelf dachten. Maar het leek zo... het bleef maar door m'n hoofd malen.'

'Tja, een béétje doorzichtig deed u wel, nietwaar?' Ondeugend, berispend. 'Maar nee, geloof het of niet, inspecteur Maddox, ik heb niet echt lang nagedacht over u en uw liefdesleven.'

Weer een stilte. O'Kelly zat toffee tussen zijn tanden vandaan te peuteren. 'Hoe dan?' vroeg Cassie uiteindelijk, met een angstige klank in haar stem.

'Dat heeft inspecteur Ryan me natuurlijk verteld,' zei Rosalind liefjes.

Ik voelde de blikken van Sam en O'Kelly mijn kant uitschieten, en moest op de binnenkant van mijn wang bijten om het niet te ontkennen. Dit is niet makkelijk toe geven, maar tot dat moment had ik een soort laatste, zinloos sprankje hoop gekoesterd dat dit misschien allemaal één groot misverstand zou blijken. Een jongen die alles zei wat hij maar dacht dat je horen wilde, een meisje dat vals geworden was door trauma en verdriet en mijn afwijzing daar nog eens bovenop; we hadden het op wel honderd manieren verkeerd kunnen interpreteren. Pas op dat moment, bij het gemak van die goedkope leugen, begreep ik dat Rosalind – de Rosalind die ik gekend had, het gewonde, boeiende, onvoorspelbare meisje met wie ik in Central Hotel had gelachen en met wie ik hand in hand op een bankje had gezeten – helemaal nooit bestaan had. Alles wat ze me ooit had laten zien, was berekend op effect, met de geconcentreerde aandacht waarmee een kleedster het kostuum van een acteur uitkiest. Onder de duizenden glanzende sluiers was dit iets simpels en dodelijks als een roestige spijker.

'Dat is waanzin!' Cassies stem brak. 'Hij zou verdomme nóóit...'

'Waag het niet om tegen mij te vloeken,' beet Rosalind haar toe.

'Sorry,' zei Cassie even later onderdanig. 'Ik was alleen... dat verwachtte ik niet. Ik had nooit gedacht dat hij het tegen wie dan ook zou zeggen. Nooit.'

'Nou, dat is toch gebeurd. U moet voorzichtiger zijn met wie u vertrouwt. Was dat alles?'

'Nee. Ik moet u om een gunst vragen.' Beweging: Cassie, die een hand door haar haar haalde, of over haar gezicht. 'Het is tegen de regels om... om met je partner te verbroederen. Als onze baas erachter komt, dan kunnen we allebei ontslagen worden, of worden we een aantal rangen teruggezet. En die baan... deze baan is voor ons allebei heel belangrijk. We hebben ons gek gewerkt om bij dit team te komen. Het zou ons hart breken als we eruit vlogen.'

'Dat had u dan eerder moeten bedenken, nietwaar?'

'Weet ik,' zei Cassie. 'Weet ik. Maar is er enige kans dat jij... dat je er gewoon niets over zegt? Dat je erover zwijgt?'

'Jullie affaire in de doofpot stoppen. Is dat wat u bedoelt?'

'Ik... ja. Zoiets, ja.'

'Ik zie niet in waarom u denkt dat ik u een dienst zou willen bewijzen,' zei Rosalind koeltjes. 'U bent, telkens wanneer we elkaar zagen, verschrikkelijk bot tegen me geweest – tot nu toe, maar nu wilt u iets van me. Daar houd ik niet van.'

'Sorry als ik bot gedaan heb,' zei Cassie. Haar stem klonk gespannen, te hoog en te snel. 'Dat meen ik echt. Ik denk dat ik me... ik weet niet, bedreigd voelde of zo. Maar dat had ik niet op jou mogen botvieren. Mijn excuses.'

'U was me inderdaad wel excuses schuldig, maar daar gaat het nu niet om. Ik vind het niet erg dat u míj zo behandeld hebt, maar als u dat met mij kunt doen, dan doet u dat vast en zeker ook met andere mensen, neem ik aan? Ik weet niet of ik iemand moet beschermen die zich zo onprofessioneel gedraagt. Ik zal er een tijdje over moeten nadenken of het niet eerder mijn plicht is om uw superieuren te vertellen hoe u werkelijk bent.'

'Wat een vals kreng,' zei Sam zachtjes, zonder op te kijken.

'Dat mens moet een schop voor haar kont hebben,' prevelde O'Kelly. Onwillekeurig was zijn belangstelling nu toch gewekt. 'Als ik vroeger zo brutaal was geweest tegen iemand die tweemaal zo oud was...'

'Luister,' zei Cassie wanhopig. 'Het gaat niet alleen om mij. Wat dacht je dan van inspecteur Ryan? Die is toch zeker nooit bot tegen je geweest? Hij is weg van je.'

Rosalind lachte bescheiden. 'O, werkelijk?'

'Ja,' zei Cassie. 'Ja, dat is hij.'

Ze deed alsof ze erover nadacht. 'Tja... ik neem aan als u achter hem aan zit, dan was de hele affaire niet echt zijn schuld. Misschien is het dan niet eerlijk om hem ervoor te laten boeten.'

'Zo was het eerlijk gezegd wel.' Ik hoorde de vernedering, kaal en ongecamoufleerd, in Cassies stem. 'Ik was de... ik nam steeds het initiatief.'

'En hoe lang is dit allemaal al aan de gang?'

'Vijf jaar,' zei Cassie. 'Met tussenpozen.' Vijf jaar geleden kenden Cassie en ik elkaar nog niet eens, werkten we niet in hetzelfde deel van het land, en ik besefte plotseling dat dit voor O'Kelly was, om te bewijzen dat ze loog, mocht hij enige laatste argwaan over ons koesteren. Voor het eerst besefte ik pas goed wat voor subtiel, dubbel geslepen spel ze speelde.

'Ik zou natuurlijk wel moeten weten dat het voorbij was,' zei Rosalind, 'voordat ik maar kan gaan nadenken of ik u beiden wil sparen.'

'Het is al voorbij. Ik zweer het. Hij... hij heeft het een paar weken geleden uitgemaakt. Voorgoed, ditmaal.'

'O, waarom?'

'Daar wil ik het niet over hebben.'

'Tja, die keuze is niet echt aan u.'

Cassie haalde diep adem.'Ik weet niet waarom,' zei ze. 'En dat is de waarheid. Ik heb mijn best gedaan om het te vragen, maar hij zegt alleen dat het allemaal heel gecompliceerd is, dat hij in de war is, dat hij momenteel niet in staat is tot een relatie – ik weet niet of er iemand anders is of... We spreken niet meer met elkaar. Hij kijkt me niet eens meer aan. Ik ben ten einde raad.' Haar stem beefde hoorbaar.

'Moet je nou toch eens luisteren,' zei O'Kelly, niet echt bewonderend. 'Maddox is haar roeping misgelopen. Die had bij het toneel gemoeten.'

Maar ze deed niet alsof, en dat rook Rosalind. 'Tja,' zei ze, en ik hoorde een zelfingenomen grijnsje in haar stem. 'Ik kan niet zeggen dat ik daar verbaasd over ben. Hij praat niet echt over u als over een minnares.'

'Wat zegt hij dan over mij?' vroeg Cassie even later, hulpeloos. Ze fladderde met haar ongewapende plekken om klappen uit te lokken, ze liet Rosalind haar opzettelijk pijn doen, ze liet zich murw beuken, ze pelde voorzichtig de ene laag pijn na de andere weg om die haar op haar gemak voor te schotelen. Ik voelde me misselijk worden.

Rosalind bleef even zwijgen, liet haar wachten. 'Hij zegt dat u verschrikkelijk afhankelijk bent,' zei ze uiteindelijk. Haar stem klonk hoog en lief en helder, onveranderd. '"Wanhopig" was het woord dat hij gebruikte. Daarom vond ik u ook zo hinderlijk: omdat u jaloers was vanwege zijn gevoelens voor mij. Hij heeft zijn best gedaan om er aardig over te doen – volgens mij had hij medelijden met u – maar hij begon uw gedrag behoorlijk beu te worden.'

'Wat een waanzin,' blies ik razend, niet meer in staat me nog in te houden. 'Ik heb nóóit...'

'Hou je bek,' zei Sam, op hetzelfde moment dat O'Kelly snauwde: 'Wat kan dat iemand schelen?'

'Rustig, graag,' klonk de beleefde stem van de technicus.

'Ik heb hem voor u gewaarschuwd,' zei Rosalind peinzend. 'Dus hij heeft mijn advies uiteindelijk toch opgevolgd?'

'Ja,' zei Cassie zacht en beverig. 'Dat zal dan wel.'

'O, god.' Een geamuseerde toon. 'U bent echt verliefd op hem, nietwaar?'

Niets.

'Nietwaar?'

'Dat weet ik niet.' Cassies stem klonk dik en pijnlijk, maar pas toen ze vochtig haar neus snoot, begreep ik dat ze huilde. Ik had haar nog nooit zien huilen. 'Ik had er nooit bij stilgestaan tot... ik dacht gewoon... ik had nog nooit zoiets gehad met iemand. En nu kan ik niet normaal meer nadenken, ik kan geen...'

'O, inspecteur Maddox,' zuchtte Rosalind. 'Als u niet eerlijk kunt zijn tegenover mij, wees dan ten minste eerlijk tegenover uzelf.'

'Ik wéét het niet.' Cassie kreeg de woorden amper naar buiten. 'Misschien ben ik...' Haar keel sloeg dicht.

De bestelwagen voelde aan alsof hij mijlenver onder het aardoppervlak begraven lag, als in een nachtmerrie, met muren die duizelingwekkend naar binnen doorbogen. De abstracte stemmen verleenden de afgrijselijke sfeer nog iets extra lugubers, alsof we zaten te luisteren naar twee dolende geesten die verstrikt zaten in een eeuwig, onveranderlijk wilsgevecht. De portierhendel was onzichtbaar in de schaduw, en ik ving O'Kelly's harde, waarschuwende blik op. 'Je wilde zelf mee, Ryan,' zei hij.

Ik kreeg geen lucht meer. 'Ik moet erheen.'

'En wat dan? Het gaat allemaal volgens plan, wat dat dan ook heten moge. Ga zitten.'

Een kleine, angstige ademhaling door de luidsprekers. 'Nee,' zei ik. 'Luister dan.'

'Ze doet haar werk,' zei Sam. Zijn gezicht was onleesbaar in het smerige gele licht. 'Ga zitten.'

De technicus hief een vinger op. 'U moet uzelf wel een beetje in de hand houden,' zei Rosalind vol afkeer. 'Het valt echt niet mee om een zinnig gesprek te voeren met iemand die zo hysterisch doet.'

'Sorry.' Cassie snoot nogmaals haar neus en slikte moeizaam. 'Luister – alsjeblieft. Het is voorbij, het lag niet aan inspecteur Ryan en hij zou alles doen voor jou. Hij vertrouwt je kennelijk genoeg om het te vertellen. Kun je het daar niet gewoon bij laten? Erover zwijgen? Alsjeblieft?'

'Tja.' Daar moest Rosalind over nadenken. 'Inspecteur Ryan en ik zijn een tijdje heel intiem geweest. Maar de laatste keer dat ik hem zag, was hij ook tegen mij verschrikkelijk bot. En hij heeft tegen me gelogen over die twee vrienden van hem. Ik hou niet van leugenaars. Nee, inspecteur Maddox. Ik vrees dat ik echt niet vind dat ik wie dan ook enige gunsten verschuldigd ben.'

'Oké,' zei Cassie. 'Oké, oké. En stel dat ik iets in ruil kan doen?'

Een lachje. 'Ik kan niets verzinnen wat ik mogelijkerwijze van u zou willen.'

'Nou, dat is er anders wel. Geef me nog vijf minuten, oké? We kunnen zo langs de muur lopen, tot aan de grote weg. Ik kan iets voor jou betekenen. Ik zweer het.'

Rosalind zuchtte. 'Nou, totdat we bij mij in de straat zijn, dan. Maar weet u, inspecteur Maddox, er zijn mensen met ethische opvattingen. Als ik besluit dat ik het aan mezelf verplicht ben om dit aan uw superieuren te vertellen, dan kunt u me niet omkopen om dat stil te houden.'

'Geen omkoping. Meer... hulp.'

'Van ú?' Weer dat lachje; de koele trillers die ik zo charmant had gevonden. Ik merkte dat ik mijn nagels in mijn handpalmen zat te drukken.

'Gisteren,' zei Cassie, 'hebben we Damien Donnelly gearresteerd op verdenking van de moord op Katy.'

Een heel korte pauze. Sam leunde met zijn ellebogen op zijn knieën voorover. Toen: 'Tja. Het werd ook wel tijd dat u eens iets minder aan uw liefdesleven dacht en iets meer aandacht besteedde aan de moord op mijn zusje. Wie is Damien Donnelly?'

'Hij zegt dat hij tot een paar weken geleden jouw vriendje was.'

'Nou, dat is dan niet waar. Als hij mijn vriendje was, dan zou ik wel van hem gehoord hebben, denkt u ook niet?'

'Er zijn bewijzen,' zei Cassie zorgvuldig, 'van een hele hoop telefoontjes tussen zijn mobiele telefoon en die van jou.'

Rosalinds stem verkilde. 'Als het u begonnen is om een gunst van mij, inspecteur, dan is dit niet de beste manier om daarvoor te zorgen: mij voor leugenaar uit te maken.'

'Ik maak jou nergens voor uit,' zei Cassie, en even dacht ik dat haar stem het weer zou begeven. 'Ik zeg alleen dat ik weet dat dit jóúw persoonlijke zaken zijn, en dat je geen reden hebt om die aan mij toe te vertrouwen...'

'Dat is goed gezien.'

'Maar ik probeer uit te leggen hoe ik jou kan helpen. Want zie je, Damien vertrouwt mij. Hij heeft gepraat.'

Na een tijdje snoof Rosalind laatdunkend. 'Daar zou ik maar niet al te veel achter zoeken. Damien praat tegen iedereen die maar luistert. Dat maakt u nog niet bijzonder.'

Sam knikte, een korte ruk van zijn hoofd: stap één.

'Weet ik, weet ik. Maar kijk, hij heeft me verteld waarom hij dit gedaan heeft. Hij zegt dat hij het voor jou gedaan heeft. Omdat jij het hem gevraagd had.'

Een hele tijd lang niets.

'Daarom heb ik je die keer ook gevraagd om naar het bureau te komen,' zei Cassie. 'Ik wilde je daarover ondervragen.'

'O, toe nou toch, inspecteur Maddox.' Rosalinds stem had een scherp randje gekregen, een heel klein beetje maar, en ik wist niet of dat een goed of een slecht teken was. 'Doe nou niet alsof ik achterlijk ben. Als u enig bewijs tegen mij had, dan was ik allang gearresteerd, dan stond ik hier niet te luisteren terwijl u staat te janken over inspecteur Ryan.'

'Nee,' zei Cassie. 'Daar gaat het nu juist om. De anderen weten het nog niet, wat Damien allemaal gezegd heeft. Zodra ze daarachter zijn, ja, dan komen ze je arresteren.'

'Is dat een dreigement? Want dat lijkt me niet zo'n goed idee.'

'Néé. Ik probeer alleen... Oké. Kijk.' Cassie haalde diep adem. 'We hebben niet echt een motief nodig om iemand te veroordelen voor moord. Hij heeft bekend; dat hebben we op video staan en meer hebben we niet nodig om hem achter de tralies te krijgen. Niemand hoeft te weten waarom hij het gedaan heeft. En, zoals ik al zei, hij vertrouwt me. Als ik hem zeg dat hij het motief vóór zich moet houden, dan gelooft hij me. Je weet hoe hij is.'

'Stukken beter dan u, kan ik wel zeggen. God. Damien.' Misschien is dit een zoveelste blijk van mijn stommiteit, maar ik zag nog steeds kans om te schrikken van de toon in Rosalinds stem, iets wat veel verder ging dan minachting: afwijzing, volkomen en onpersoonlijke afwijzing. 'Ik maak me geen echte zorgen om hem. Hij heeft een moord gepleegd, god nog aan toe. Denkt u nou echt dat iemand hem eerder zal geloven dan míj?'

'Ik geloofde hem,' zei Cassie.

'Ja, ach. Dat zegt dan niet veel over uw professionele vaardigheden, is het wel? Damien is amper in staat zijn eigen veters te strikken, maar hij komt wel aanzetten met een of ander verhaal en u gelooft hem op zijn woord? Dacht u nou echt dat zo iemand in staat zou zijn om te vertellen hoe het echt gegaan is? Al wílde hij, hij zou het niet kunnen. Damien kan alleen símpele dingen aan, inspecteur. En dit was geen simpel verhaal.'

'De basisfeiten kloppen anders,' zei Cassie scherp. 'En de details wil ik niet weten. Als ik dit verhaal voor me moet houden, dan moet ik zo min mogelijk horen.'

Even bleef het stil, terwijl Rosalind de diverse mogelijkheden over-woog. Toen klonk weer dat lachje. 'O ja? Maar u wordt toch geacht een soort detective te zijn? Moet u dan geen belangstelling hebben voor wat er écht gebeurd is?'

'Ik weet genoeg. Wat jij me nog kunt vertellen, voegt daar niets aan toe.'

'O, dat weet ik,' zei Rosalind opgeruimd. 'Daar kunt u niets mee. Maar als het u in een ongemakkelijke positie brengt om de waarheid te horen, dan is dat uw eigen schuld, nietwaar? Dan had u zichzelf maar niet in zo'n situatie moeten manoeuvreren. Ik geloof niet dat u van mij kunt verwachten dat ik me coulant betoon tegenover uw oneerlijkheid.'

'Ik ben... net wat je zegt, ik ben rechercheur,' zei Cassie met stemver-heffing. 'Ik kan niet zomaar luisteren naar bewijzen over een misdaad en dan...'

Rosalind praatte op dezelfde toon verder. 'Tja, dat zal toch moeten, nietwaar? Katy was altijd zo'n schatje. Maar toen ze eenmaal al die aan-dacht begon te krijgen vanwege dat dansen, toen werd ze verschrikkelijk over het paard getild. Dat mens Simone had een vreselijke invloed op haar. Het deed me veel verdriet. Iemand moest haar op haar plek zetten. Voor haar eigen bestwil. Dus heb ik...'

'Als je zo doorgaat,' snauwde Cassie, te luid, 'dan moet ik je op je rech-ten wijzen. Anders...'

'Geen dreigementen, inspecteur. Ik waarschuw niet meer.'

Een hartslag. Sam zat voor zich uit te kijken, één knokkel tegen zijn voortanden gedrukt.

'Dus besloot ik,' hervatte Rosalind, 'dat het beste was om Katy duide-lijk te maken dat ze echt niet zo bijzonder was. En intelligent was ze al he-lemaal niet. Toen ik haar iets gaf om...'

'Je hoeft niets te zeggen, tenzij je dat wilt,' onderbrak Cassie haar, met hevig trillende stem, 'maar alles wat je zegt wordt genoteerd en kan tegen je gebruikt worden.'

Daar dacht Rosalind een hele tijd over na. Ik hoorde hun voetstappen over het dorre blad. Bij iedere stap schraapte Cassies trui licht tegen de microfoon. Ergens koerde een houtduif, innig en tevreden. Sam zat naar mij te kijken, en in de schemering van de bestelbus meende ik een ver-oordeling in zijn blik te bespeuren. Ik dacht aan zijn oom en staarde terug.

'Ze is haar kwijt,' zei O'Kelly. Hij rekte zich uit, rolde zijn zware schouders naar achteren en kraakte met zijn nek. 'Omdat ze haar op haar rechten gewezen heeft. In mijn tijd had je die shit nog niet: je gaf ze een paar dreunen, ze vertelden wat je wilde weten, en dat vond een rechter meer dan genoeg. Nou, we kunnen dan tenminste weer aan het werk.'

'Wacht even,' zei Sam. 'Ze heeft haar zo weer terug.'

'Luister,' zei Cassie uiteindelijk, na een diepe zucht, 'over dat verhaal tegen onze baas...'

'Wacht eens even,' zei Rosalind kil. 'We zijn nog niet klaar.'

'Ja, dat zijn we wel,' zei Cassie, maar haar stem beefde verraderlijk. 'Wat Katy betreft zijn wij hier klaar. Ik ga hier niet staan luisteren naar...'

'Ik houd er niet van als mensen me proberen te intimideren, inspecteur. Ik zeg wat ik wil. En u luistert. Als u me nogmaals onderbreekt, is dit gesprek afgelopen. Als u het tegenover iemand anders herhaalt, maak ik duidelijk wat voor type u precies bent, en inspecteur Ryan zal dat bevestigen. Dan gelooft niemand nog een woord van wat u zegt, en dan bent u dat kostelijke baantje van u kwijt. Is dat duidelijk?'

Stilte. Mijn maag kolkte nog, traag en afgrijselijk; ik slikte moeizaam. 'Wat een arrogantie,' zei Sam zachtjes. 'Wat een arrogant kutwijf.'

'Niet zo kritisch,' zei O'Kelly. 'Dit is Maddox' beste kans.'

'Ja,' zei Cassie zachtjes. 'Dat is duidelijk.'

'Mooi zo.' Ik hoorde het tevreden, preutse glimlachje in Rosalinds stem. Haar hakken tikten op asfalt; ze waren de grote weg opgelopen, in de richting van de ingang naar de wijk. 'Dus zoals ik al zei, ik vond dat iemand moest zorgen dat Katy niet al te zeer van zichzelf overtuigd raakte. Natuurlijk was dat eigenlijk de taak geweest van mijn vader en moeder; als die het gedaan hadden, had ik niets hoeven doen. Maar die vonden het alweer te veel moeite. Volgens mij is dat eigenlijk een vorm van misbruik, vindt u ook niet – dat soort verwaarlozing?'

Ze wachtte tot Cassie met strakke stem zei: 'Dat weet ik niet.'

'Ja, dat is het. Ik was er overstuur van. Dus zei ik tegen Katy dat ze echt moest ophouden met dat ballet, omdat het zo'n slechte uitwerking op haar had, maar luisteren ho maar. Ze moest leren dat ze geen goddelijk recht had om steeds maar in het middelpunt van de aandacht te staan. Niet alles in de hele wereld draaide om haar. Dus zorgde ik er nu en dan voor dat ze niet kon dansen. En weet u hoe?'

Cassie ademde snel. 'Nee, dat wil ik niet weten.'

'Ik maakte haar ziek, inspecteur Maddox,' zei Rosalind. 'God, bedoelt u dat u daar nog niet eens achter was?'

'We hebben het ons wel afgevraagd. We dachten dat jullie moeder misschien...'

'Mijn móéder?' Weer die toon van iets ergers dan minachting. 'Toe nou toch. Mijn moeder zou al binnen een week betrapt zijn, zelfs door jullie. Ik goot afwasmiddel door haar sinaasappelsap, of bleek, of waar ik die dag maar zin in had, en dan zei ik tegen Katy dat het een geheim middel was om beter te gaan dansen. Dat kind was zo stom dat ze dat voor zoete koek slikte. Ik vond het wel interessant om te kijken of iemand daar ooit achter zou komen, maar nee hoor. Onvoorstelbaar toch zeker?'

'Jezus,' prevelde Cassie, bijna onhoorbaar.

'Goed zo, Cassie,' fluisterde Sam. 'Dat is zwaar letsel. Goed zo.'

'Ze gaat door,' zei ik. Mijn stem klonk vreemd, bibberig. 'Ze gaat door tot ze haar voor moord heeft.'

'Luister,' zei Cassie, en ik hoorde haar slikken. 'We zijn intussen al bijna terug, en je zei dat je maar tot bij jullie in de straat had... ik moet weten wat je van plan bent te gaan doen aan...'

'Dat hoort u als ik het vertel. En we gaan pas terug als ik dat besluit. Maar ik denk eigenlijk dat we maar een eindje om moeten lopen, dan kan ik mijn verhaal afmaken.'

'Dat hele eind terug rond de muur?'

'U wilde mij spreken, inspecteur,' zei Rosalind vermanend. 'U zult moeten leren de consequenties van uw handelingen te aanvaarden.'

'Shit,' mompelde Sam. Ze liepen van ons weg.

'Ze heeft geen back-up nodig, O'Neill,' zei O'Kelly. 'Dat mens is een kreng, maar ze heeft geen uzi bij zich.'

'Maar goed. Katy wílde niet leren.' Die scherpe, gevaarlijke toon sloop weer Rosalinds stem binnen. 'Eindelijk was ze er dan achter waarom ze steeds zo ziek werd – god, dat duurde járen – en toen ging ze helemaal door het lint. Ze zei dat ze nooit meer iets zou opdrinken dat ze van mij gekregen had, blablabla, en ze dreigde zelfs dat ze het tegen onze ouders zou zeggen – niet dat die haar ooit geloofd zouden hebben, want ze deed altijd hysterisch over kleinigheden, maar toch... Ziet u nou wat ik bedoel? Katy was een verwend mormel. Ze moest altijd, altijd maar weer, haar zin doordrijven. En als dat niet lukte, dan holde ze naar papa en mama om te klikken.'

'Ze wilde gewoon dansen,' zei Cassie zachtjes.

'En ik zei haar dat dat niet kon,' snauwde Rosalind. 'Als ze gewoon gehoorzaamd had, dan was dit allemaal niet nodig geweest. Maar nee, ze probeerde me te bedreigen. En ik wist dat dat zou gebeuren als ze naar die balletschool ging, al die artikelen en inzamelingen, het was walgelijk – ze dacht dat ze kon doen wat ze maar wilde. Ze zei tegen me, en ik citeer letterlijk, ik sta het niet te verzinnen; ze stond daar met haar handen in haar zij, gód wat een kleine prima donna, en ze zei: "Dat had je niet moeten doen. Doe dat nooit weer." Wie dacht ze wel dat ze was? Ze was volledig doorgedraaid, haar gedrag tegenover mij raakte kant noch wal en ik kon het onmogelijk langer tolereren.'

Sam had zijn handen tot vuisten gebald en ik zat mijn adem in te houden. Ik was overdekt met een laag stinkend, koud zweet. Ik kon me Rosalind niet langer voor ogen halen; het tedere visioen van een meisje in het wit was als door een kernbom aan stukken geblazen. Dit was iets onvoorstelbaars, iets hols als de vergeelde cocon van een insect in het droge gras, meegeblazen op een kille, buitenaardse wind en een fijn, etsend stof dat alles aan flarden scheurde wat het tegenkwam.

'Ik ben wel mensen tegengekomen die me zeiden wat ik doen moest,' zei Cassie. Haar stem klonk gespannen, ademloos. Ook al was zij de enige van ons die geweten had wat haar te wachten stond, van dit verhaal moest zij eveneens even op adem komen. 'Maar iemand anders doodmaken?'

'Nou, als je goed luistert, zul je merken dat ik Damien nooit gezegd heb dat hij Katy iets aan moest doen.' Ik hoorde Rosalinds zelfingenomen glimlachje. 'Ik kan er toch zeker ook niets aan doen dat mannen altijd maar dingen voor me willen doen? Vraag maar: hij heeft iedere stap van het plan verzonnen. En mijn god, het duurde allemaal eeuwig, het zou nog sneller geweest zijn om een aap te trainen.' O'Kelly gnuifde. 'Toen het dan éindelijk doordrong, keek hij uit zijn ogen alsof hij zojuist de zwaartekracht had ontdekt, alsof hij een genie was of zo. Maar daarna bleef hij eindeloos zitten weifelen, het ging maar door – god, nog een paar weken en ik had het opgegeven en was opnieuw begonnen voordat ik gek werd.'

'Uiteindelijk heeft hij gedaan wat jij wilde,' zei Cassie. 'Dus waarom heb je het dan uitgemaakt? Die stakker is er helemaal kapot van.'

'Om dezelfde reden waarom inspecteur Ryan het uitgemaakt heeft met jou. Ik verveelde me zo verschrikkelijk dat ik wel gillen kon. En nee, hij heeft niet gedaan wat ik wilde. Hij heeft de zaak hopeloos verknald.' Rosalinds stem steeg, kil en woedend. 'Hij raakte in paniek, hij heeft haar lijk verborgen – hij had alles kunnen verpesten. Hij had mij in ernstige problemen kunnen brengen. Echt, hij is ongelooflijk. Ik heb zelfs de moeite genomen een verhaal voor hem te verzinnen om tegen jullie te vertellen, om hem van zijn spoor af te leiden, maar zelfs dat kreeg hij niet voor elkaar.'

'Dat met die man in het joggingpak?' zei Cassie, en ik hoorde haar stem straktrekken aan de randen: het zou niet lang meer duren. 'Nee, dat heeft hij verteld. Hij was alleen niet erg overtuigend. We dachten dat hij een hele toestand maakte over niets.'

'Zie je nou wel? Hij moest seks met haar hebben, haar met een steen op haar kop rammen en haar dan ergens op de opgraving of in het bos achterlaten. Dát wilde ik. Jezus nog aan toe, je zou haast denken dat dat zelfs voor Damien niet te moeilijk kon zijn, maar nee. Niets daarvan is hem gelukt. God, hij boft nog dat ik het alleen maar uitgemaakt heb. Nadat hij de zaak zo verkloot had, had ik jullie op zijn spoor moeten zetten. Zijn verdiende loon.'

En dat was het dan: meer hadden we niet nodig. Mijn adem ontsnapte me met een vreemd, pijnlijk geluid. Sam zakte onderuit tegen de zijwand van de bestelwagen en haalde zijn handen door zijn haar; O'Kelly floot even, laag en gedempt.

'Rosalind Frances Devlin,' zei Cassie, 'ik arresteer u op verdenking dat u op of rond zeventien augustus van dit jaar de moord hebt gepleegd op Katharine Bridget Devlin, dit in strijd met de algemeen geldende wetten.'

'Blijf van me af,' snauwde Rosalind. We hoorden een worsteling, knappende takken, en toen het snelle, valse geluid van een blazende kat, en iets tussen een klap en een dreun in, en Cassie die geschrokken inademde.

'Wat krijgen we...' zei O'Kelly.

'Naar buiten,' zei Sam, 'eropaf.' Maar ik zat al naar de portierhendel te tasten.

We renden slippend de hoek om, de weg af naar de ingang van de wijk. Ik heb langere benen, en ik nam gemakkelijk een voorsprong op Sam en O'Kelly. Alles leek in slow motion langs me heen te stromen, klappende tuinhekjes en felgekleurde voordeuren, een peuter op een driewieler die ons met open mond aanstaarde en een oude man met bretels die opkeek van zijn rozen; de felle ochtendzon die traag als honing omlaag droop, pijnlijk fel na die schemering, en de dreun van iemand die de bestelwagenklep dichtsloeg echode eindeloos door. Rosalind had een scherpe tak kunnen pakken, een steen, een gebroken fles; er zijn zoveel moordwapens denkbaar. Ik voelde mijn voeten niet op het plaveisel. Ik zwaaide om een hekpaal heen en rende de hoofdweg op. Er veegden blaadjes langs mijn gezicht terwijl ik het paadje langs de bovenste muur op holde, lang, nat gras, voetstappen in modderige vlekken. Ik had het gevoel dat ik aan het oplossen was, de herfstbries stroomde koel en zoet tussen mijn ribben door en mijn aderen in, en ik veranderde van aarde in lucht.

Ze stonden op de hoek van de wijk, waar de weilanden aan dat laatste stuk bos grenzen, en mijn benen werden slap van opluchting toen ik zag dat ze allebei overeind waren. Cassie had Rosalind bij haar polsen – even herinnerde ik me de kracht van haar handen, die dag in de verhoorkamer – maar Rosalind vocht, geconcentreerd en vals, niet om weg te komen maar om Cassie aan te vallen. Ze trapte naar haar schenen en probeerde haar te krabben, en ik zag haar plotselinge hoofdbeweging toen ze in Cassies gezicht spuwde. Ik schreeuwde iets, maar ik geloof niet dat een van beiden me hoorde.

Achter me daverden voetstappen en als een streep kwam Sweeney voorbij, rennend als een rugby'er en met de handboeien al in de aanslag. Hij greep Rosalind bij haar schouder, draaide haar ruw om en ramde haar tegen de muur. Cassie had haar onopgemaakt en met haar haar in een knot getroffen, en voor het eerst zag ik in naakt, allegorisch reliëf hoe lelijk ze was, zonder die lagen make-up en de kunstig neervallende pijpenkrullen: hangwangen, een smal, gretig mondje vertrokken tot een hatelijke grijns, ogen glazig en hol als die van een pop. Ze had haar schooluniform aan, een vormeloze donkerblauwe rok en een donkerblauwe blazer met een wapen op de borstzak, en om de een of andere reden kwam deze vermomming me het ergst van alles voor.

Cassie wankelde naar achteren, greep een boomstam en vond haar evenwicht terug. Toen ze zich naar mij omdraaide, zag ik haar ogen het eerst: enorm, en zwart, en blind. Toen zag ik het bloed, een krankzinnig web over één kant van haar gezicht. Ze wankelde een beetje onder de vage schaduwen van het loof, en er viel een heldere druppel op het gras aan haar voeten.

Ik stond maar een paar meter van haar af, maar er was iets wat me tegenhield. Versuft en losgeslagen, haar gezicht met dat felle brandmerk, zag ze eruit als een woeste priesteres die net weer bij bewustzijn kwam na een rite die onvoorstelbaar schel en genadeloos was: nog half elders, nog half een ander, mocht ze niet aangeraakt worden tot zijzelf het teken gaf. Mijn nekharen gingen overeind staan.

'Cassie,' zei ik, en ik stak mijn armen naar haar uit. Mijn borstkas voelde alsof hij open zou breken. 'O, Cassie.'

Haar handen kwamen tastend omhoog en ik zweer dat even haar hele lichaam in mijn richting bewoog. En toen wist ze het weer. Haar handen zakten en haar hoofd ging omhoog, haar blik doelloos over de wijde, blauwe hemel dwalend.

Sam duwde mij opzij en kwam dreunend, onbeholpen, naast haar tot stilstand. 'O, god, Cassie...' Hij was buiten adem. 'Wat heeft ze met je gedaan? Kom hier.'

Hij trok de punt van zijn overhemd naar buiten en bette zachtjes haar wang, terwijl hij met zijn andere hand haar achterhoofd stilhield. 'Au, fúck,' zei Sweeney met opeengeklemde kaken toen Rosalind op zijn tenen trapte.

'Me gekrabd,' zei Cassie. Ze had een doodgriezelige stem, hoog en onwerkelijk. 'Ze heeft me aangeraakt, Sam, dat ding heeft me aangeraakt. Jezus, ze heeft op me gespuugd... haal dat van me af. Haal het weg.'

'Sst,' zei Sam. 'Ssst, het is voorbij. Je hebt het fantastisch gedaan. Stil maar.' Hij sloeg zijn armen om haar heen en trok haar tegen zich aan, en haar hoofd leunde tegen zijn schouder. Even keek Sam me recht aan, en toen wendde hij zijn blik af, naar zijn hand die haar verwarde krullen streelde.

'Wat is hier in godsnaam aan de hand?' wilde O'Kelly, achter me, vol walging weten.

Toen Cassies gezicht eenmaal schoon was, bleek het niet zo erg als het aanvankelijk geleken had. Rosalinds nagels hadden drie brede, donkere lijnen over haar jukbeen getrokken, maar ondanks al het bloed waren de wonden niet diep. De technicus, die eerste hulp kon verlenen, zei dat het niet gehecht hoefde te worden en dat het maar goed was dat Rosalind het oog gemist had. Hij bood aan om pleisters op de sneden te doen, maar Cassie zei nee, pas als we op het werk waren en ze de wonden had ontsmet. Ze huiverde van top tot teen; volgens de technicus verkeerde ze waarschijnlijk in shock. O'Kelly, die nog steeds verbijsterd en lichtelijk geërgerd leek over de avonturen van de dag, bood haar een toffee aan. 'Suiker,' zei hij ter verklaring.

Cassie was niet in staat om te rijden, dus liet ze haar Vespa staan en reed voor in de bestelwagen terug naar kantoor. Sam zat achter het stuur. Rosalind zat achterin, met de rest van ons. Ze was gekalmeerd toen Sweeney haar de handboeien eenmaal omgedaan had, en ze zat woedend stijf rechtop zonder een woord te zeggen. Bij iedere ademhaling rook ik haar overheersende parfum en iets anders, iets overrijps, een waarschijnlijk ingebeelde lucht van bederf. Aan haar ogen kon ik zien dat haar brein op volle toeren draaide, maar haar gezicht stond volslagen uitdrukkingsloos: geen angst, geen wrok, geen woede – niets.

Tegen de tijd dat we terug waren, was O'Kelly aanzienlijk opgemonterd en toen ik achter hem en Cassie aan de observatiekamer in liep, ondernam hij niets om me weg te sturen. 'Dat meisje doet me denken aan een knaap die ik op school kende,' zei hij peizend, terwijl we wachtten tot Sam Rosalind op haar rechten had gewezen en haar naar de verhoorkamer had gebracht. 'Die naaide je zonder verblikken of verblozen aan alle kanten, en dan wist hij iedereen ervan te overtuigen dat het je eigen schuld was. Er lopen me wat gekken rond!'

Cassie leunde tegen de muur, spuugde op een bebloed zakdoekje en veegde nogmaals over haar wang. 'Ze is niet gek,' zei ze. Haar handen trilden nog.

'Figuurlijk gesproken, Maddox,' zei O'Kelly. 'Je moet iemand laten kijken naar die krijgswond van je.'

'Gaat prima.'

'Evenzogoed mooi werk. Je had gelijk.' Hij klopte haar onwennig op de schouder. 'Die hele toestand dat ze haar zusje ziek maakte voor haar eigen bestwil; denk jij dat ze dat zelf gelooft?'

'Nee,' zei Cassie. Ze vouwde de zakdoek anders op om een schoon stukje te vinden. '"Geloven" komt in haar vocabulaire niet voor. Dingen zijn niet waar of onwaar; ze passen in haar plan of niet. Iets anders heeft geen betekenis voor haar. Je kunt haar aan de leugendetector koppelen en ze komt er met vlag en wimpel doorheen.'

'Ze had de politiek in gemoeten. Aha: het begint.' O'Kelly knikte naar het glas: Sam liet Rosalind de verhoorkamer in. 'En nu maar eens kijken hoe ze zich hieruit redt. Dit kan lachen worden.'

Rosalind keek de kamer rond en zuchtte. 'Ik wil graag dat u mijn ouders belt,' zei ze tegen Sam. 'Zeg dat ze een advocaat inschakelen en dan hierheen komen.' Ze trok een pennetje en een notitieboekje uit haar zak, schreef iets op een blaadje, scheurde het uit en gaf het aan Sam alsof ze te maken had met een conciërge. 'Dat is hun nummer. Dank u wel.'

'Je mag je ouders spreken zodra we hier klaar zijn,' zei Sam. 'Als je een advocaat wilt…'

'Ik denk dat ik mijn ouders graag eerder wil zien.' Rosalind streek de achterkant van haar rok glad en ging zitten, met een kleine grimas van afschuw over de plastic stoel. 'Minderjarigen hebben toch recht op een ouder of verzorger bij het verhoor?'

Even verstarde iedereen, behalve Rosalind, die bescheiden haar ene been over het andere sloeg en naar Sam glimlachte. Ze genoot van het effect van haar woorden.

'Verhoor opgeschort,' zei Sam kortaf. Hij griste het dossier van tafel en liep naar de deur.

'Jezus christus nog aan toe,' zei O'Kelly. 'Ryan, je wou toch hoop ik niet zeggen…'

'Ze kan natuurlijk liegen,' zei Cassie. Ze stond strak door het glas te kijken; haar hand was rond de zakdoek tot een vuist gebald.

Mijn hart, dat even opgehouden was, ging met dubbele snelheid aan het kloppen. 'Natuurlijk liegt ze. Kijk nou zelf, dat kind kan toch onmogelijk…'

'Ja, ja. Enig idee hoeveel mannen er in de bak beland zijn vanwege dat soort opmerkingen?'

Sam klapte de deur van de observatiekamer zo hard open dat hij tegen de muur ketste. 'Hoe oud is dat mens?' vroeg hij aan mij.

'Achttien,' zei ik. Mijn hoofd tolde; ik wist dat ik gelijk had, maar ik wist niet meer hoe ik aan die wetenschap was gekomen. 'Ze heeft me zelf verteld…'

'God nog aan toe! En dat geloofde jij!?' Ik had Sam nog nooit driftig zien worden, en het was indrukwekkender dan ik verwacht had. 'Als je dat mens om halfdrie vraagt hoe laat het is, dan zegt ze nog dat het drie uur is, gewoon om je van je stuk te brengen. En jij hebt dat niet eens nagekeken?'

'Moet je horen wie het zegt,' grauwde O'Kelly. 'Dat hadden jullie alle drie na kunnen kijken, en daar hebben jullie eindeloos de tijd voor gehad. Maar nee…'

Sam hoorde hem niet eens. Hij keek me witheet van woede aan. 'We hebben jou op je woord geloofd omdat jij geacht wordt rechercheur te zijn. Je smijt je eigen partner voor de leeuwen en je neemt niet eens de moeite…'

'Ik héb gekeken!' schreeuwde ik. 'Ik heb het nagekeken!' Maar terwijl ik het zei, wist ik het, met een misselijkmakende dreun. Een zonnige middag, een hele tijd geleden; ik had door het dossier zitten bladeren met de telefoon tussen mijn oor en mijn schouder geklemd terwijl O'Gorman in mijn andere oor ratelde, om te proberen Rosalind aan de lijn te krijgen om te zien of zij een geschikte volwassene was om aanwezig te zijn bij mijn gesprek met Jessica — zo'n moment waarop je alles tegelijk moet doen. *(En ik moet het geweten hebben,* dacht ik. *Ik moet toen al geweten hebben dat ze niet te vertrouwen was, waarom zou ik anders de moeite genomen hebben om zo'n kleinigheid na te gaan?)* Ik had de pagina met persoonsgegevens over de familie gevonden en was naar Rosalinds geboortedatum gegaan, had er de jaren afgetrokken.

Sam had zich van me afgewend en stond haastig in het dossier te bladeren. Ik zag het moment waarop zijn schouders zakten. 'November,' zei hij heel zachtjes. 'Ze is jarig op 2 november. Dan wordt ze achttien.'

'Gefeliciteerd,' zei O'Kelly na een tijdje. 'Alle drie. Mooi werk.'

Cassie ademde hoorbaar uit. 'Niet toelaatbaar,' zei ze. 'Geen woord.' Ze liet zich langs de muur omlaag zakken, alsof haar knieën het plotseling begeven hadden, en sloot haar ogen.

Uit de luidsprekers kwam een hoog, zwak, aanhoudend geluid. In de verhoorkamer was Rosalind zich gaan vervelen: ze zat te neuriën.

# 25

Die avond begonnen we de projectkamer uit te ruimen, Sam en Cassie en ik. We werkten methodisch en zwijgend: we haalden foto's van de muur, we wisten de veelkleurige warboel van het whiteboard, we sorteerden dossiers en rapporten en borgen ze op in kartonnen dozen met blauwe stempels. De avond daarvoor was er brand gesticht in een flat bij Parnell Street, waarbij een Nigeriaanse asielzoekster en haar zes maanden oude baby om het leven waren gekomen; Costello en zijn partner hadden de kamer nodig.

O'Kelly en Sweeney zaten een eind verderop Rosalind te verhoren, met Jonathan op de achtergrond om haar te beschermen. Ik had waarschijnlijk verwacht dat Jonathan met rokend pistool binnen zou komen en meteen zou proberen iemand verrot te schoppen, maar zoals nu bleek was hij het probleem niet geweest. Toen O'Kelly buiten de verhoorkamer vertelde wat Rosalind bekend had, draaide Margaret zich als gestoken om, met wijd open mond. Ze haalde diep adem en krijste: 'Nee!' Schor en wild klonk ze, en haar stem echode langs de muren van de gang. 'Nee, nee, nee! Ze was bij haar nichtjes. Hoe kunt u haar dit aandoen? Hoe kunt u... hoe... o, god, ze had me al gewaarschuwd – ze zei al dat u dit zou doen! Jij,' – en ze priemde een dikke, beverige vinger mijn richting uit en ik deinsde terug eer ik me beheersen kon – 'jij, jij hebt haar wel tien keer op een dag gebeld om te vragen of ze mee uit wilde, en het is nog maar een kind, je zou je moeten schamen... en zij...' – Cassie – 'zij had meteen al een pesthekel aan Rosalind. Rosalind heeft altijd al gezegd dat zij zou proberen haar de schuld in de schoenen te schuiven voor...

Wat willen jullie nou eigenlijk? Willen jullie haar soms dood hebben? Zijn jullie dan tevreden? O god, mijn arme kindje... Waarom zit iedereen toch altijd over haar te liegen? Waarom?' Ze klauwde met haar handen in haar haar en barstte uit in een lelijk, hartstochtelijk gesnik.

Jonathan was boven aan de trap stil blijven staan en hield zich aan de trapleuning vast terwijl O'Kelly probeerde Margaret te kalmeren. Hij wierp ons over zijn schouder een reeks vuile blikken toe. Hij had zijn werkkleren aan, een pak met stropdas. Om de een of andere reden herinner ik me dat heel goed, dat pak. Het was donkerblauw en vlekkeloos schoon, met een vage glans waar het te vaak geperst was, en op de een of andere manier vond ik dat bijna onuitsprekelijk droevig.

Rosalind was gearresteerd wegens moord en agressie jegens een ambtenaar in functie. Ze had haar mond maar één keer opengedaan sinds haar ouders arriveerden, om met trillende lippen te beweren dat Cassie haar in haar maag gestompt had en dat ze zich alleen maar verdedigd had. We zouden voor beide aanklachten een dossier naar het openbaar ministerie sturen, maar we wisten allemaal dat het bewijsmateriaal voor moord op zijn hoogst magertjes was. We hadden niet eens de joggingpakschaduw meer als bewijs dat Rosalind medeplichtig was: mijn gesprek met Jessica had niet plaatsgevonden in aanwezigheid van een geschikte volwassene, en ik kon onmogelijk bewijzen dat het ooit plaatsgevonden had. We hadden Damiens woord en een reeks mobieletelefoongegevens, en meer niet.

Het begon al laat te worden, een uur of acht, en het was erg stil in het gebouw, alleen ons heen-en-weergeloop en een zachte regen die bij vlagen op de ramen van de projectkamer spetterde. Ik haalde de post-mortemfoto's van de muur en de familiekiekjes van de familie Devlin, de grimassende joggingpakverdachten en de korrelige uitvergrotingen van Peter en Jamie, peuterde de lijm van de achterkant en borg ze weer weg. Cassie controleerde iedere doos, plaatste er een deksel op en schreef met piepende zwarte viltstift op het etiket wat erin zat. Sam liep met een vuilniszak rond en verzamelde koffiebekers, leegde prullenbakken en veegde kruimels van tafel. Op de voorkant van zijn overhemd zaten opgedroogde bloedvegen.

Zijn kaart van Knocknaree begon aan de randen om te krullen, en een van de hoeken scheurde los toen ik hem van het bord haalde. Iemand had er water op gespat, en hier en daar was de inkt uitgelopen, zodat Cassies karikatuur van een projectontwikkelaar er plotseling uitzag alsof hij een hersenbloeding had gehad. 'Moeten we dit in het dossier bewaren?' vroeg ik aan Sam, 'of...?'

Ik stak hem de kaart toe, en we keken ernaar: piepkleine knoestige stammetjes en rook uit de schoorstenen van de huisjes, broos en nostalgisch als een sprookje. 'Beter van niet, denk ik,' zei Sam na een tijdje. Hij nam de kaart van me aan, rolde hem op en paste hem in de vuilniszak.

'Ik mis nog een deksel,' zei Cassie. Over de krassen op haar wang waren donkere, schokkende korsten ontstaan. 'Liggen er daar nog?'

'Er lag er een onder de tafel,' zei Sam. 'Hier...' Hij wierp Cassie de laatste deksel toe, en zij legde hem op de doos en rechtte haar rug.

We stonden elkaar in het tl-licht te midden van de stapels dozen aan te kijken. *Mijn beurt om te koken...* Even had ik het bijna gezegd, en ik weet dat dezelfde gedachte door het hoofd van Sam en Cassie schoot, stom en onmogelijk maar daarom niet minder doordringend.

'Nou,' zei Cassie met een diepe zucht. Ze keek in de lege kamer om zich heen en veegde haar handen af aan de zijkant van haar spijkerbroek. 'Nou, dat is het dan, lijkt me.'

Ik ben me er overigens terdege van bewust dat dit verhaal mij niet bepaald in een flatteus daglicht stelt. Binnen een indrukwekkend korte tijd na de eerste ontmoeting had Rosalind mij gedrild als een hond: ik holde de trap op en af om koffie voor haar te halen, ik knikte braaf als ze mijn partner afkraakte, ik dacht me als een verliefde puber in dat zij en ik eenzelfde hart en ziel hadden. Maar voordat je besluit om me al te grondig te verachten, wil ik toch even hierop wijzen: ze had jou evengoed te pakken. Jij had evenveel kans als ik. Ik heb je alles verteld wat ik gezien heb, zoals ik het indertijd zag. En als dat op zich bedrieglijk was, bedenk dan dat ik je ook dat gezegd heb: ik heb je meteen in het begin al gewaarschuwd dat ik lieg.

Ik kan maar moeilijk omschrijven hoezeer ik van mezelf walgde toen ik besefte dat Rosalind me beduveld had. Cassie zou waarschijnlijk gezegd hebben dat mijn goedgelovigheid natuurlijk was, dat alle andere leugenaars en criminelen die ik ontmoet had maar amateurs waren, terwijl Rosalind écht was, voor leugens in de wieg gelegd, en dat zijzelf voornamelijk immuun was geweest omdat zij al eerder voor diezelfde techniek was gevallen; maar Cassie was er niet. Een paar dagen na het afsluiten van de zaak had O'Kelly me gemeld dat ik totdat de veroordelingen een feit waren, vanuit het hoofdkantoor van de recherche zou werken, in Harcourt Street – 'weg van alles wat je kunt verkloten,' zoals hij het zei, en ik kon daar weinig tegen inbrengen. Officieel zat ik nog bij Moordzaken, dus niemand wist precies wat ik op die algemene afdeling moest doen. Ik kreeg een bureau, en van tijd tot tijd stuurde O'Kelly me een stapel papierwerk, maar het grootste deel van de tijd was ik vrij om naar believen door de gangen te dwalen, te luisteren naar flarden van gesprekken en nieuwsgierige blikken uit de weg te gaan, onstoffelijk en ongewenst als een geest.

Slapeloze nachten lang lag ik bloederige, gedetailleerde, onwaarschijnlijke straffen voor Rosalind te verzinnen. Ik wilde haar niet gewoon dood, maar van het aardoppervlak gevaagd – tot een onherkenbare pulp gemalen, aan flarden gescheurd in een versnipperaar, verbrand tot een handvol giftige as. Ik had dit vermogen voor sadisme nooit achter mezelf gezocht en ik schrok nog erger van mezelf toen ik me realiseerde dat ik elk van die straffen met genoegen eigenhandig ten uitvoer gebracht zou hebben. Ieder gesprek dat ik ooit met haar gevoerd had, spoelde eindeloos door mijn hoofd en met genadeloze helderheid zag ik hoe bedreven ze me gemanipuleerd had: hoe trefzeker ze haar vinger op alle zwakke plekken gelegd had, van mijn ijdelheden tot mijn verdriet tot mijn diepste, verborgen angsten, en die uit me getrokken had om haar zin te krijgen.

Dit was uiteindelijk het allerergste: dat Rosalind dus kennelijk geen microchip achter mijn oor had aangebracht of me tot onderwerping had gedwongen door me vol verdovende middelen te stoppen. Ik had zélf iedere belofte verbroken en had iedere boot met eigen hand vast laten lopen. Ze had gewoon, als een echte vakvrouw, gebruikt wat op haar weg kwam. Bijna met één blik had ze Cassie en mij tot op het bot doorzien en Cassie verworpen als onbruikbaar; maar in mij had ze iets gezien, een bijna onzichtbare maar fundamentele eigenschap waardoor ik de moeite van het handhaven waard was.

Ik heb niet getuigd bij Damiens rechtszaak. Te riskant, zei de openbaar aanklager: er was te veel kans dat Rosalind Damien had verteld over mijn 'persoonlijke achtergrond' zoals hij het noemde. De aanklager was ene Mathews, en hij draagt opvallende dassen en wordt vaak 'dynamisch' genoemd, en ik word verschrikkelijk moe van hem. Rosalind had het onderwerp niet opnieuw ter sprake gebracht – kennelijk was Cassie wel zo overtuigend geweest dat Rosalind besloten had het erbij te laten en over te stappen op andere, nog meer belovende wapens – en ik betwijfel of zij Damien iets bruikbaars verteld had. Maar ik had geen zin om daarop in te gaan.

Ik ging wel naar Cassies getuigenis kijken. Ik ging achter in de zaal zitten. Die was, bij uitzondering, bomvol. De zaak was al voorpaginanieuws en werd op de radio besproken voordat hij goed en wel begonnen was. Cassie had een keurig duifgrijs pakje aan en haar krullen waren glad tegen haar hoofd gekamd. Ik had haar al een paar maanden niet gezien. Ze zag er magerder uit, rustiger; die kwikzilveren beweeglijkheid waaraan ik bij haar altijd moet denken, was verdwenen; haar nieuwe verstilling hamerde me in hoe ze eruitzag – de tere, uitgesproken bogen boven haar oogleden, de brede, strakke krommingen van haar mond – alsof ik haar nog nooit gezien had. Ze was ouder geworden, niet langer dat ondeugende, atletische meisje met de Vespa met panne, maar in mijn ogen niet minder mooi: wat voor schoonheid Cassie ook bezit, is nooit een kwestie geweest van kwetsbare kleurvlakken en textuur, maar zit dieper, in de gladde contouren van haar botten. Ik keek naar haar in het getuigenbankje, met dat onbekende pakje aan, en ik dacht aan de zachte haartjes achter in haar nek, warm en naar zon ruikend, en het kwam me voor als iets onmogelijks, het grootste en droevigste wonder van mijn hele leven: ooit had ik dat haar aangeraakt.

Ze was goed; Cassie heeft het altijd goed gedaan in de rechtszaal. De jury vertrouwt haar en luistert naar haar, en dat ligt minder voor de hand dan je zou denken, vooral bij een lange rechtszaak. Met rustige, heldere stem gaf ze antwoord op Mathews' vragen, haar handen in haar schoot gevouwen. Bij het kruishoor deed ze wat ze kon voor Damien: ja, hij had geagiteerd en verward geleken; ja, hij leek indertijd echt te geloven dat de moord nodig was geweest om Rosalind en Jessica Devlin te beschermen; ja, volgens haar had hij onder Rosalind Devlins invloed gestaan en had hij de misdaad op haar aandringen gepleegd. Damien zat ineengedoken in zijn stoel en keek haar aan als een klein kind dat een horrorfilm bekijkt, zijn ogen glazig en enorm en niet-begrijpend. Hij had geprobeerd zelfmoord te plegen, met het aloude gevangenislaken, toen hij hoorde dat Rosalind tegen hem zou getuigen.

'Toen Damien zijn misdaad bekende,' vroeg de advocaat voor de verdediging, 'zei hij toen ook waarom hij deze begaan had?'

Cassie schudde haar hoofd. 'Niet diezelfde dag, nee. Mijn partner en ik hebben hem een aantal malen gevraagd naar zijn motief, maar hij gaf ofwel geen antwoord of zei dat hij het niet meer wist.'

'Hoewel hij al bekend had, en terwijl het motief zelf hem geen schade meer had kunnen berokkenen. Waarom denkt u dat dat was?'

'Protest: leidt tot speculatie...'

Mijn partner. Bij dat woord had Cassie even met haar ogen geknipperd, had ze haar schouders iets bewogen, en daaraan wist ik dat ze me hier achterin had zien zitten; maar ze keek niet naar me, zelfs niet toen de juristen eindelijk met haar klaar waren en ze het getuigenbankje uitstapte en de zaal uit liep. Toen dacht ik aan Kiernan; hoe het voor hem geweest moet zijn toen McCabe na dertig jaar partnerschap die hartaanval had gekregen en was overleden. Meer dan ik iemand ooit wat dan ook benijd had, benijdde ik Kiernan dat unieke en onbereikbare verdriet.

De volgende getuige was Rosalind. Op haar tenen trippelde ze naar de getuigenbank, te midden van een plotselinge uitbraak van gefluister en journalistiek gekrabbel, en schonk Mathews een timide rozenknopglimlach vanonder haar mascara. Ik ging weg. De volgende dag las ik het in de kranten: hoe ze in snikken uitgebarsten was toen ze over Katy praatte, hoe ze trillend verteld had dat Damien had gedreigd haar zusjes te vermoorden als ze het uitmaakte met hem; hoe ze, toen zijn advocaat dieper begon te spitten, had gegild: 'Hoe durft u! Ik was dol op mijn zusje!' om vervolgens flauw te vallen, zodat de rechter de zaak voor die middag moest schorsen.

Ze had zelf geen rechtszaak gehad – de beslissing van haar ouders, denk ik. Als het aan haar had gelegen, kan ik me niet voorstellen dat ze zomaar afstand gedaan zou hebben van zoveel aandacht. Mathews had haar zaak bepleit. Beschuldigingen van samenzwering zijn bijzonder moeilijk te bewijzen; er was niets tastbaars tegen Rosalind, haar bekentenis was ontoelaatbaar en ze had haar uiteraard meteen ingetrokken (Cassie, zo legde ze uit, had haar doodsbang gemaakt door hals afsnijdende gebaren te maken); en bovendien, vanwege haar leeftijd zou ze geen zware straf gekregen hebben, ook niet als ze alsnog schuldig was bevonden. Verder beweerde ze bij tijd en wijle dat zij en ik met elkaar naar bed geweest waren, wat O'Kelly zowat een hartverzakking bezorgde, en mij nog veel meer, en de algehele verwarring tot een niveau verhief dat niet ver van verlamming aflag.

Mathews speelde het op zeker en concentreerde zich op Damien. In ruil voor haar getuigenis tegen hem had hij Rosalind een voorwaardelijke straf van drie jaar geboden omdat ze levens in gevaar had gebracht en zich bij haar arrestatie had verzet. Ik had via via vernomen dat ze intussen al een handvol huwelijksaanzoeken had gekregen, en dat de kranten en enkele uitgevers vochten om haar verhaal.

Op weg naar buiten zag ik Jonathan Devlin bij de rechtbank tegen de muur geleund staan roken. Hij hield de sigaret dicht tegen zijn borst, keek omhoog naar de zeemeeuwen die boven de rivier cirkelden. Ik pakte mijn sigaretten uit mijn jaszak en ging bij hem staan.

Hij keek me aan en wendde zijn blik af.

'Hoe gaat het?' vroeg ik.

Hij haalde met een zwaar gebaar zijn schouders op. 'Zo'n beetje als te verwachten valt. Jessica heeft geprobeerd zelfmoord te plegen. Is naar bed gegaan en heeft met mijn scheermes haar polsen doorgesneden.'

'Wat vreselijk,' zei ik. 'Gaat het met haar?'

Eén mondhoek bewoog even in een humorloze glimlach. 'Jawel. Gelukkig heeft ze het verkeerd gedaan, dwars gesneden in plaats van in de lengte, of zo.'

Ik stak mijn sigaret aan, met mijn hand rond de vlam – er stond een stevige bries en er begonnen paarse wolken te verschijnen. 'Mag ik u iets vragen?' vroeg ik. 'Volkomen inofficieel?'

Hij keek me aan: een donkere, hopeloze blik met iets als minachting erin. 'Waarom niet?'

'U wist het, nietwaar?' zei ik. 'U wist het vanaf het begin al.'

Een hele tijd bleef hij zwijgen, zo lang dat ik dacht dat hij de vraag zou negeren. Na een hele tijd slaakte hij een zucht en antwoordde: 'Niet echt wéten. Ze kon het zelf niet gedaan hebben, ze zat bij haar nichtjes, en ik wist niets over die knul Damien. Maar ik heb het me wel afgevraagd. Ik ken Rosalind al haar hele leven. Ik heb het me afgevraagd.'

'En u hebt er niets aan gedaan.' Ik had het zonder enige uitdrukking willen zeggen, maar er moet iets van beschuldiging in mijn stem doorgeklonken hebben. Hij had ons op die eerste dag al kunnen vertellen hoe Rosalind in elkaar stak; hij had het jaren geleden al tegen iemand kunnen zeggen, toen Katy voor het eerst regelmatig ziek werd. Hoewel ik wist dat het waarschijnlijk uiteindelijk niets uitgemaakt zou hebben, kon ik niet anders dan denken aan alle slachtoffers van stilzwijgen, alle puinhopen achteraf.

Jonathan smeet zijn peuk weg en draaide zich naar me om, zijn handen diep in de zakken van zijn jas geschoven. 'Wat had ik dan moeten doen, vindt u?' wilde hij met zachte, bittere stem weten. 'Ook zij is een dochter van me. Ik was al een kind kwijt. Margaret wil niets in haar nadeel horen. Jaren geleden wilde ik Rosalind naar een psycholoog sturen, vanwege die eindeloze leugens van haar, maar Margaret werd hysterisch en zei dat ze me dan zou verlaten en dat ze de meisjes meenam. En ik wist niets zeker. Ik had werkelijk niets kunnen zeggen. Ik hield haar in de gaten en hoopte dat het een projectontwikkelaar was. Wat zou ú gedaan hebben?'

'Weet ik niet,' zei ik eerlijk. 'Waarschijnlijk hetzelfde als u.' Hij bleef me aankijken. Hij ademde snel, met iets opengesperde neusgaten. Ik wendde me af en nam een trek van mijn sigaret; na een tijdje hoorde ik hem diep ademhalen en weer tegen de muur leunen.

'Nu heb ik een vraag voor u,' zei hij. 'Had Rosalind gelijk, was u die jongen wiens vrienden verdwenen zijn?'

De vraag kwam niet als een verrassing. Hij had het recht om alle opnames van gesprekken met Rosalind te zien, en ergens had ik waarschijnlijk verwacht dat hij het vroeg of laat zou vragen. Ik wist dat ik het moest ontkennen – het officiële verhaal was dat ik, geheel rechtmatig maar wel wat onaardig, dat hele verdwijningsverhaal had verzonnen om Rosalinds vertrouwen te winnen – maar de moed ontbrak me, en ik zag er het nut niet van in. 'Ja,' zei ik. 'Adam Ryan.'

Jonathan draaide zijn hoofd om en bleef me een hele tijd aankijken. Ik vroeg me af wat voor vage herinneringen hij bij mijn gezicht aan het zoeken was.

'Daar hadden wij niets mee te maken,' zei hij, en ik was verbaasd over de ondertoon in zijn stem – vriendelijk, bijna medelijdend. 'Dat moet je weten. Helemaal niets.'

'Weet ik,' zei ik na een tijdje. 'Het spijt me dat ik achter jullie aan ging.'

Hij knikte een paar maal, langzaam. 'Waarschijnlijk zou ik in jouw plaats hetzelfde gedaan hebben. En ik was ook niet bepaald een doetje. Jullie hebben gezien wat wij met Sandra deden, nietwaar? Jullie waren erbij.'

'Ja,' zei ik. 'Maar ze gaat geen aangifte doen.'

Hij bewoog zijn hoofd alsof die gedachte hem dwarszat. De rivier was donker en zag er traag vloeibaar uit, met een vettige, ongezonde glans. Er dreef iets in het water, een dode vis misschien, of een opengebarsten vuilniszak, en de meeuwen cirkelden er krijsend omheen.

'Wat ga je nu doen?' vroeg ik, niet al te snugger.

Jonathan schudde zijn hoofd en staarde naar de betrokken hemel. Hij zag er uitgeput uit – niet het soort uitputting dat te herstellen valt met een nacht goed slapen of een vakantie; iets wat tot op het merg ging en onuitwisbaar was, iets wat in de opgezette groeven rond zijn ogen en mond woonde. 'Verhuizen. Er zijn bakstenen door de ramen gegooid en iemand heeft met een spuitbus PEEDOFIEL op de auto geschreven – hij kon niet spellen, wie het dan ook was, maar de boodschap is er niet minder duidelijk om. Ik hou het nog wel vol tot die toestand met de snelweg is geregeld, maar daarna…'

Beschuldigingen van kindermisbruik, hoe ongefundeerd ze ook lijken, moeten altijd uitgezocht worden. Het onderzoek naar Damiens beschuldigingen tegen Jonathan hadden geen bewijzen opgeleverd, maar wel een massa aanwijzingen van het tegendeel en Zedenmisdrijven was zo discreet geweest als maar mogelijk was, maar de buren komen er altijd achter, dankzij een of ander mysterieus systeem van rooksignalen, en er zijn altijd wel mensen die geloven dat er geen rook is zonder vuur.

'Ik stuur Rosalind naar een psycholoog, zoals de rechter voorstelde. Ik heb wat gelezen, en volgens de boeken maakt het geen verschil voor haar soort mensen: die zijn zoals ze zijn en er is geen genezing mogelijk, maar ik moet het toch proberen. En ik zal haar zo lang mogelijk thuis houden, waar ik kan zien wat ze aan het doen is en kan proberen te voorkomen dat ze die trucs op iemand anders loslaat. In oktober gaat ze studeren, Muziekwetenschappen aan Trinity, maar ik heb haar gezegd dat ik geen kamerhuur ga betalen – ze blijft maar mooi thuis wonen, of ze neemt een baan. Margaret is er nog steeds van overtuigd dat ze niets gedaan heeft en dat jullie haar erin geluisd hebben, maar ze is allang blij om haar nog een tijdje thuis te houden. Volgens haar is Rosalind een gevoelig kind.' Met een bars geluid schraapte hij zijn keel, alsof de woorden een nare smaak hadden achtergelaten. 'En Jess stuur ik naar mijn zus in Athlone zodra de littekens op haar polsen wat geheeld zijn. Daar zit ze veilig.'

Zijn mond vertrok in die bittere halve glimlach. 'Veilig. Voor haar eigen zus.' Even dacht ik eraan hoe dat huishouden er de afgelopen achttien jaar uitgezien moest hebben, hoe het er nu was. Mijn maag wilde omhoogkomen.

'Zal ik je eens iets zeggen?' zei Jonathan plotseling en moeizaam. 'Margaret en ik hadden pas een paar maanden verkering toen ze merkte dat ze zwanger was. We schrokken ons allebei helemaal beroerd. Ik heb het er één keer over gehad, dat ze misschien kon denken aan… de boot naar Engeland. Maar… ja, ze is natuurlijk zo kerks. Ze vond het al erg genoeg dat ze zwanger was geraakt, dus… Het is een goed mens, ik heb geen spijt dat ik met haar getrouwd ben. Maar als ik geweten had wat… wat het… hoe Rosalind zou worden, dan had ik haar, God vergeve me, eigenhandig die boot op gezeuld.'

*Had je dat maar gedaan,* wilde ik bijna zeggen, maar dat zou wreed geweest zijn. 'Wat vreselijk voor je,' zei ik nogmaals, nutteloos.

Hij keek me even aan; haalde toen diep adem en trok zijn jas dichter om zijn schouders. 'Ik ga maar weer eens naar binnen, kijken of Rosalind al klaar is.'

'Dat zal wel een tijdje duren.'

'Ja, dat zal wel,' zei hij toonloos, en hij liep langzaam de trap op, het gerechtsgebouw in. Zijn overjas fladderde achter hem aan en hij liep iets krom tegen de wind.

De jury bevond Damien schuldig. Gezien de bewijzen konden ze moeilijk anders. Er waren diverse ingewikkelde, veelzijdige juridische strijden geweest over toelaatbaarheid; psychiaters hadden debatten vol jargon gevoerd over de werking van Damiens ziel. (Dit hoorde ik allemaal via via, in losse gespreksflarden of in eindeloze telefoongesprekken van Quigley, die het kennelijk tot zijn levensdoel had gemaakt om erachter te komen waarom ik plotseling administratief werk zat te doen in Harcourt Street.) Zijn advocaat gooide het over twee boegen tegelijk – hij was tijdelijk ontoerekeningsvatbaar geweest, en zelfs als dat niet zo was, dan nog geloofde hij dat hij Rosalind beschermde tegen vreselijk letsel – en vaak creëer je daarmee wel zoveel verwarring dat er sprake is van gerede twijfel; maar wij hadden een volledige bekentenis en, misschien nog belangrijker, we hadden autopsiefoto's van een dood kind. Damien werd schuldig bevonden aan moord en kreeg levenslang, wat in de praktijk neerkomt op ergens tussen de tien en de vijftien jaar.

Ik betwijfel of hijzelf de meervoudige ironie kon waarderen, maar die troffel had waarschijnlijk zijn leven gered, en had hem in ieder geval een aantal onsmakelijke gevangeniservaringen bespaard. Vanwege de seksuele agressie werd de daad beschouwd als zedenmisdrijf en kwam hij terecht in een zwaarbewaakte instelling, met pedofielen en verkrachters en andere gevangenen die meestal niet goed liggen bij de algemene populatie. Dit was waarschijnlijk niet onverdeeld gunstig, maar het vergrootte in ieder geval wel zijn kansen om levend en wel en zonder overdraagbare ziektes de gevangenis uit te komen.

Na de uitspraak werd hij bij het gerechtshof buiten opgewacht door een kleine lynchploeg, hoogstens tien of twaalf mensen. Ik zag het nieuws in een sjofel kroegje aan de kade, en onder de vaste klanten steeg een laag, gevaarlijk geroezemoes van instemming op toen Damien op het scherm door een stel onaangedane agenten in uniform al struikelend tussen de menigte door weggeleid werd en de bestelwagen wegreed in een hagelbui van opgeheven vuisten en schor geroep en hier en daar een stuk baksteen. 'Ze zouden de doodstraf weer moeten instellen,' mompelde iemand in een hoek. Ik was me ervan bewust dat ik medelijden zou moeten hebben met Damien, dat hij verloren was vanaf het moment dat hij naar die intekentafel liep en dat ik nota bene enig mededogen zou moeten opbrengen, maar ik kon het niet; ik kon het echt niet.

Ik breng het niet op om nog in detail te vertellen wat 'schorsing hangende het onderzoek' bleek te betekenen; de gespannen, eindeloze hoorzittingen, de diverse strenge gezagsdragers in scherp geperste pakken en uniform, de onbeholpen, vernederende verklaringen en zelfrechtvaardigingen, het misselijkmakende Alice-in-Wonderlandgevoel dat je vastzit aan de verkeerde kant van het verhoor. Tot mijn verbazing bleek O'Kelly mijn sterkste verdediger te zijn; hij hield lange, gepassioneerde betogen over mijn staat van dienst en mijn verhoortechniek en allerlei dingen die hij nog nooit eerder genoemd had. Hoewel ik wist dat dit waarschijnlijk niet te danken was aan een onvermoede affectie maar aan zelfbescherming – mijn wangedrag was niet direct gunstig voor hem, en hij moest een rechtvaardiging vinden voor het feit dat hij een eenling als mij zo lang in zijn team had gehandhaafd – was ik pathetisch dankbaar, bijna tot tranen toe geroerd: hij leek mijn enige overgebleven bondgenoot te zijn. Ik heb zelfs een keer geprobeerd hem te bedanken, toen ik hem na een zitting in de gang tegenkwam, maar al na een paar woorden wierp hij me een blik van zo'n pure walging toe dat ik begon te stamelen en ervandoor ging.

Uiteindelijk werd door de bevoegde instanties besloten dat ik niet ontslagen hoefde te worden en dat ik zelfs niet – dat zou veel erger geweest zijn – terug hoefde naar de uniformdienst. Ook dat is niet toe te schrijven aan enig gevoel dat ik een tweede kans verdiende; waarschijnlijk was het gewoon omdat mijn ontslag de aandacht van een of andere journalist getrokken zou hebben en tot allerhande onwelkome vragen en gevolgen geleid zou hebben. Wel schopten ze me uiteraard bij Moordzaken weg. Zelfs in mijn wildst optimistische momenten had ik niet gedroomd dat ik daar zou kunnen blijven. Ze stuurden me terug naar bureaudienst, met een suggestie (schitterend uitgevoerd in een tere, staalharde context) dat ik niet hoefde te verwachten dat ik daar op korte termijn – of zelfs ooit –

weer weg zou komen. Soms vraagt Quigley, met een geraffineerder gevoel voor wreedheid dan ik hem aangerekend had, om mij als assistentie bij tiplijnen of buurtonderzoek.

Het hele proces was uiteraard bij lange na niet zo simpel als ik het nu voorstel. Het duurde maanden; maanden waarin ik in een ellendige, nachtmerrieachtige versuffing thuis zat te wachten, terwijl mijn spaargeld geleidelijk verdween en mijn moeder timide aan kwam zetten met haar macaronischotel zodat ik tenminste wat zou eten en Heather me bij de kraag vatte om me te onderhouden over de karakterfout die ten grondslag lag aan al mijn problemen (kennelijk moest ik leren meer rekening te houden met de gevoelens van anderen, met name met de hare) en me het telefoonnummer van haar therapeut gaf.

Tegen de tijd dat ik weer aan het werk mocht, was Cassie weg. Ze was vertrokken op de dag van Damiens veroordeling. Via diverse bronnen hoorde ik dat haar een promotie was aangeboden als ze zou blijven; dat ze daarentegen juist was opgestapt omdat ze anders ontslag gekregen had; dat iemand haar in het centrum in een kroeg hand in hand had zien zitten met Sam; dat ze weer was gaan studeren: archeologie. De moraal van de meeste verhalen was dat vrouwen nooit echt thuis hadden gehoord bij Moordzaken.

Cassie was, zoals later bleek, helemaal niet weg. Ze was overgeplaatst naar Huiselijk Geweld en had vrije tijd bedongen om haar studie af te maken – vandaar het universiteitsverhaal, neem ik aan. Geen wonder dat de geruchten in het rond vlogen: Huiselijk Geweld is waarschijnlijk de zwaarste baan, omdat daar de ergste elementen van Moordzaken en Zedenmisdrijven bijeenkomen zonder de voordelen van die beide afdelingen, en de gedachte dat ze een van de eliteafdelingen verlaten zou hebben voor zoiets was voor de meeste mensen onbegrijpelijk. Ze moest doorgedraaid zijn, zei de tamtam.

Persoonlijk geloof ik niet dat Cassies overplaatsing iets te maken had met doordraaien; en hoewel ik zeker weet dat dit gemakkelijk klinkt en bijzonder goed in mijn eigen straatje past, betwijfel ik of het iets te maken had met mijzelf, althans niet zoals je zou kunnen denken. Als het enige probleem was dat we niet meer in dezelfde kamer konden verkeren, had zij een nieuwe partner kunnen zoeken en haar poot stijf kunnen houden. Dan was ze iedere dag iets magerder en iets defensiever op het werk verschenen tot we een nieuwe manier hadden gevonden om bij elkaar in de buurt te zijn, of totdat ik overplaatsing aanvroeg. Zij was altijd de koppigste van ons tweeën. Ik denk dat haar overplaatsing te maken had met het feit dat ze tegen O'Kelly had gelogen en dat ze tegen Rosalind Devlin had gelogen; en omdat ik haar, toen ze me de waarheid vertelde, een leugenaar had genoemd.

Ergens was ik wel teleurgesteld dat dat verhaal over de studie archeologie niet waar bleek te zijn. Het was een gemakkelijk voorstelbaar beeld dat ik me graag voor ogen haalde: Cassie op een groene heuvel, gehuld in legerbroek en gewapend met een pikhouweel, haar haar uit haar gezicht gewaaid en bruin, modderig en lachend.

Een tijdlang hield ik de kranten zo'n beetje in de gaten, maar er kwam geen schandaal over de snelweg bij Knocknaree naar boven. De naam van oom Redmond dook onder aan de lijst op in een overzicht van hoeveel de belastingbetaler meebetaalde aan de campagnes van de diverse politici, maar daar bleef het bij. Het feit dat Sam nog bij Moordzaken zat, wekte bij mij de indruk dat hij uiteindelijk gedaan had wat O'Kelly hem gezegd had – hoewel het natuurlijk mogelijk is dat hij wél met zijn cassette naar Michael Kiely is gestapt, en dat geen krant het artikel wilde aanraken.

En ook heeft Sam zijn huis niet verkocht. Ik hoorde dat hij het voor een symbolisch bedrag aan een jonge weduwe had verhuurd wier echtgenoot was bezweken aan een hersenbloeding, zodat zij achterbleef met een peuter en een moeizaam verlopende zwangerschap, en zonder levensverzekering. Als freelance celliste kon ze niet eens aanspraak maken op een werkeloosheidsuitkering. Ze had een huurachterstand, haar huisbaas had haar op straat gezet en ze had een tijdlang met haar kind in een pension gebivakkeerd dat door een liefdadigheidsinstelling werd gerund. Ik heb geen idee hoe Sam haar gevonden had – ik had gedacht dat je terug zou moeten naar een vorige eeuw om zo'n combinatie van pittoreske, nobele armoede en ellende te vinden; waarschijnlijk had hij zoals gebruikelijk veel onderzoek verricht. Hij was zelf verhuisd naar een huurflatje in Blanchardstown of een vergelijkbare voorstedelijke hel. De voornaamste theorieën ten aanzien van hem waren dat hij zich binnenkort tot priester zou laten wijden, en dat hij een dodelijke ziekte had.

Sophie en ik gingen een paar keer uit – tenslotte was ik haar diverse etentjes en borrels schuldig. Ik vond het gezellig, en ze stelde geen moeilijke vragen, wat ik als een goed teken beschouwde. Maar na een paar afspraakjes en voordat de relatie echt zo ver gevorderd was dat ze die naam verdiende, maakte Sophie het uit. Ze liet me op zakelijke toon weten dat ze oud genoeg was om het verschil te kennen tussen intrigerend en verknipt. 'Je moet een jongere vrouw zoeken,' adviseerde ze me. 'Die kunnen niet altijd het verschil zien.'

Onvermijdelijk keerden mijn gedachten, ergens tijdens die eindeloze maanden in mijn kamer (het ene spelletje eenpersoonspoker na het andere, schier dodelijke doses Radiohead en Leonard Cohen) terug naar Knocknaree. Ik had uiteraard gezworen geen gedachte meer aan die plek te wijden, maar nieuwsgierigheid is een menselijke eigenschap en je kunt alleen maar hopen dat de kennis niet te duur betaald wordt.

Denk je dus mijn verbazing in toen bleek dat daar niets te vinden was. Alles voor mijn eerste dag op kostschool was kennelijk uit mijn geheugen weggesneden, met chirurgische precisie en ditmaal voorgoed. Peter, Jamie, de motorrijders en Sandra, het bos, alle flarden herinnering die ik met zoveel moeite had verzameld in de loop van Operatie Vestaalse maagd waren verdwenen. Ik wist nog hoe het in een grijs verleden gevoeld had om me die scènes te herinneren, maar nu hadden ze het veraffe, tweedehandsgevoel van oude films die ik ooit had gezien of verhalen die ik ooit had gehoord. Ik zag ze als van grote afstand – drie bruinverbrande kinderen in sjofele shortjes die vanuit een boom op Willy Little's hoofd zaten te spugen en dan giechelend wegholden – en ik wist met kille zekerheid dat ook die ontwortelde beelden mettertijd zouden opdrogen tot niets, en dan weg zouden waaien. Ze leken niet langer bij mij te horen, en ik kon het donkere, onverzoenlijke gevoel niet afschudden dat dat kwam doordat ik mijn recht erop voorgoed verspeeld had.

Er resteerde één beeld. Een zomermiddag, Peter en ik uitgestrekt op het gras in zijn voortuin. We hadden, maar zonder veel enthousiasme, geprobeerd een periscoop te maken met behulp van instructies uit een oud handboek, maar we moesten een kartonnen buis hebben van een rol keukenpapier, en daar konden we onze moeders niet om vragen omdat we niet met hen praatten. We hadden in plaats daarvan een opgerolde krant gebruikt, maar die bleef steeds maar dubbel klappen, dus het enige wat we door onze periscoop zagen was de achterkant van de sportpagina.

We waren in een rotbui. Het was de eerste week van de vakantie en de zon scheen, dus het had een geweldige dag moeten zijn, we hadden de boomhut moeten opknappen of in het ijskoude water van de rivier moeten zwemmen of wat dan ook. Op weg naar huis na de laatste schooldag, de vrijdag daarvoor, had Jamie tegen haar schoenen gezegd: 'Over drie maanden ga ik naar kostschool.'

'Hou je kop,' had Peter gezegd, en hij had haar een duw gegeven, maar niet hard. 'Helemaal niet. Ze draait wel bij.' Maar het had de glans aan onze vakantie ontnomen, als een enorme, zwarte rookwolk die over alles heen hing. We konden niet naar binnen want onze ouders waren allemaal boos op ons omdat we niet meer praatten, en we konden niet naar het bos of iets leuks doen omdat alles wat we verzonnen stom aanvoelde, en we konden niet eens naar Jamie om te vragen of ze buiten kwam, want dan had ze alleen maar van nee geschud met de opmerking 'Dat heeft toch geen zin,' en dat had het alleen maar erger gemaakt. Dus lagen we ons in de tuin te vervelen. We waren geprikkeld en we ergerden ons aan elkaar en aan de periscoop die het niet deed, en aan de hele wereld omdat het een rotwereld was. Peter trok grassprieten uit, beet er de eindjes af en spuugde die in de lucht in een onophoudelijk, werktuiglijk ritme. Ik lag op mijn buik met één oog dichtgeknepen te loeren naar de mieren die af en aan holden, en mijn haar zweette van de zon. *Deze zomer telt niet,* dacht ik. *Dit is een rotzomer.*

Jamies deur knalde open en ze schoot naar buiten alsof ze afgevuurd was. Haar moeder riep haar met een schuldbewuste glimlach in haar stem na, en de deur sloeg met een klap dicht en die afschuwelijke jack russell van de Carmichaels begon met zijn keffende inteelthysterie. Peter en ik veerden overeind. Jamie kwam slippend tot stilstand bij haar tuinhek, keek om zich heen waar wij waren, en toen we haar riepen holde ze het pad af, sprong over Peters tuinmuur en liet zich plat op het gras vallen met een arm om onze nek heen, zodat we samen met haar in het gras ploften. We gilden alle drie door elkaar heen en het duurde even voor ik doorhad wat Jamie riep: 'Ik hoef niet weg! Ik hoef niet weg! Ik mag blijven!'

De zomer kwam tot leven. Hij barstte in een oogwenk van grijs uit in felblauw en goud; de lucht weerklonk van de krekels en de grasmaaiers, wervelde van takken en bijen en paardenbloempluisjes, was zacht en zoet als slagroom, en van over de muur riep het bos ons met de luidste van alle onhoorbare stemmen, het schudde al zijn mooiste schatten op om ons welkom te heten. De zomer strooide een fontein van klimopranken uit, raakte ons vlak onder ons borstbeen en begon te lokken; de zomer, in ere hersteld en zich voor ons ontkrullend, wel een miljoen jaar lang.

We ontwarden onze ledematen en gingen hijgend, nog haast niet in staat om het te geloven, overeind zitten.

'Echt?' vroeg ik. 'Voor altijd?'

'Ja. Ze zei: "Dat zien we dan wel weer, ik zal er nog eens over denken en we vinden er wel iets op," maar dat betekent natuurlijk dat het goed komt maar dat ze dat gewoon nog niet wil zeggen. Ik ga nérgens heen!' Jamie had geen woorden meer, dus gaf ze mij een duw. Ik greep haar arm, worstelde me boven op haar en draaide het vel van haar onderarm twee verschillende kanten op. Ik had een enorme grijns op mijn gezicht, en ik was zo blij dat ik dacht dat die er nooit meer af zou gaan.

Peter stond overeind. 'Dat moeten we vieren. Picknick in het kasteel. Allemaal naar huis om spul op te halen en dan zien we elkaar daar.'

Ik holde als een raket door het huis heen, de keuken in. Mijn moeder was boven aan het stofzuigen – 'Mam! Jamie hoeft niet weg, mag ik iets pakken om te picknicken?' terwijl ik drie zakjes chips greep en een half pak koekjes en die onder mijn T-shirt schoof. En toen de deur weer uit, met een zwaai naar het verblufte gezicht van mijn moeder op de overloop, en met een sprong over de muur heen.

Colablikjes die sissend overborrelden, en wij boven op de kasteelmuur om te toosten. 'We hebben gewónnen!' brulde Peter de takken en de glinsterende lichtbanen in, met zijn hoofd in zijn nek en zijn vuisten in de lucht. 'Het is gelukt!'

'Ik blijf hier voor eeuwig!' gilde Jamie, en ze danste over de muur als een schepsel van lucht, 'Voor eeuwig en eeuwig!' En ik gilde zomaar wat, een wild en woordeloos gejoel, en het bos ving onze stemmen op en smeet ze naar buiten in enorme, uitdijende kringen, verweefde ze in de draaikolk van loof en het geglim en gebubbel van de rivier en het ritselende gespreksweb van konijnen en torren en roodborstjes en alle andere inwoners van ons domein.

Van mijn hele schat aan herinneringen was dit de enige die niet in rook opging en tussen mijn vingers door glipte. Deze bleef – en blijft – scherp en warm en van mij, één enkele blinkende munt in mijn hand. Als het bos me slechts één moment wilde laten, was dit waarschijnlijk een vriendelijke keuze.

In een van die genadeloze naschriften die dit soort zaken soms hebben, belde Simone Cameron me niet lang nadat ik weer aan het werk was gegaan. Mijn mobiele nummer stond op het kaartje dat ik haar gegeven had, en zij kon niet weten dat ik verklaringen van joyriders met elkaar zat te vergelijken in Harcourt Street en dat ik niets meer te maken had met de zaak-Katy Devlin. 'Inspecteur Ryan,' zei ze, 'we hebben iets gevonden waarvan ik denk dat u het moet zien.'

Het was Katy's dagboek, het dagboek waarvan Rosalind had gezegd dat ze er genoeg van gekregen had en dat ze het had weggegooid. De schoonmaakster van de balletschool had in een ongebruikelijke aanval van grondigheid het dagboek vastgeplakt gevonden aan de achterkant van een ingelijste poster van Anna Pavlova die aan de studiomuur hing. Toen ze de naam op de omslag zag staan had ze, sprakeloos van opwinding, Simone gebeld. Ik had Simone Sams nummer moeten geven, maar in plaats daarvan liet ik de joyriders' verklaringen voor wat ze waren en reed naar Stillorgan.

Het was elf uur in de ochtend en Simone was de enige aanwezige. De studio baadde in het zonlicht en de foto's van Katy waren van het prikbord gehaald, maar één zuchtje van die specifieke vakgeur – hars, schoon, hardwerkend zweet, boenwas – bracht het allemaal terug: de skateboarders beneden op straat, in het donker, de gedempte hollende voetstappen en het gebabbel op de gang, Cassies stem naast me, de gespannen, rondzingende urgentie die we mee naar binnen gebracht hadden.

De poster lag ondersteboven op de grond. Aan de achterkant van de lijst waren stoffige papieren geplakt als een soort geïmproviseerde envelop, en daarop lag het dagboek. Het was gewoon een schrift, met lijntjes en een omslag in zo'n vage oranje recyclingtint. 'Paula, die dit gevonden heeft, moest door naar haar volgende werk,' zei Simone, 'maar ik heb haar telefoonnummer als u dat wilt.'

Ik pakte het schrift. 'Hebt u het gelezen?' vroeg ik.

Simone knikte. 'Een stukje. Genoeg.' Ze had een nauw aansluitende zwarte broek aan en een zachte zwarte trui, en op de een of andere manier zag ze er daarin exotischer uit, niet gewoner, dan in die cirkelrok en het balletpakje. Haar ongewone ogen hadden diezelfde stilgelegde blik die ze hadden gehad toen we haar over Katy vertelden.

Ik ging op een van de plastic stoelen zitten. KATY DEVLIN HELEMAAL PRIVÉ DUS AFBLIJVEN JA JIJ OOK!!! stond er op het kaft, maar toch sloeg ik het open. Het was zowat voor driekwart vol geschreven in een rond en zorgvuldig handschrift dat net enige individualistische trekjes begon te ontwikkelen: lange staarten aan de IJ en de G, een hoge, krullerige hoofdletter s. Simone ging tegenover me zitten en keek terwijl ik las, een hand over de andere heen gelegd in haar schoot.

Het dagboek bestreek bijna acht maanden. Aanvankelijk had ze er regelmatig in geschreven, een halve pagina per dag zowat, maar na een paar maanden werden de stukjes sporadischer: tweemaal per week, eenmaal. Een groot deel ging over ballet. 'Simone zegt dat mijn arabeske nu beter is, maar ik mag niet vergeten dat hij uit het hele lichaam komt, niet alleen uit de benen, vooral links moet het één doorlopende lijn zijn.' 'We leren een nieuw stuk voor nieuwjaar, met muziek van *Giselle* en ik heb fouettés. Simone zegt dat dit Giselles manier is om haar vriend te vertellen dat hij haar hart gebroken heeft en hoe erg ze hem zal missen dit is haar enige kans dus dat moet de reden zijn voor alles wat ik doe. Een deel ervan gaat zo' – een paar regels moeizame, mysterieuze krabbels als muziekschrift in code. De dag dat ze werd aangenomen op de balletacademie was een wilde, volkomen opgewonden rij hoofdletters en uitroeptekens en stickers in de vorm van hartjes: 'IK GA ERHEEN IK GA ERHEEN IK GA ER ECHT HEUS ECHT WAAR HEEN!!!!!!!'

Er waren passages over wat ze met haar vriendinnetjes deed: 'We mochten bij Christina logeren en we kregen rare pizza met olijven en we speelden doet-ie het of doet-ie het niet Beth is op Matthew. Ik ben op niemand de meeste dansers trouwen pas als ze niet meer kunnen werken dus als ik vijfendertig ben of veertig ofzo. We hebben make-up opgedaan en Marianne zag er heel mooi uit maar Christina had te veel oogschaduw opgedaan en ze leek net haar moeder!!' De eerste keer dat ze zonder grote mensen erbij de stad in mocht: 'We gingen met de bus en toen zijn we naar Miss Selfridge gegaan. Marianne en ik hebben hetzelfde T-shirt gekocht maar de hare is roze met paarse letters en die van mij is lichtblauw met rood. Jess kon niet dus heb ik een haarspeld met een bloem voor haar gekocht. Toen zijn we naar McDonald's gegaan en Christina stak haar vinger in mijn barbcuesaus dus toen heb ik daarvan op haar ijs gedaan en we moesten zo vreselijk lachen dat de bewaker zei dat hij ons eruit zou schoppen als we niet ophielden. Beth vroeg wilt u soms wat barbcue-ijs?'

Ze had Louises spitzenschoentjes aangepast, ze haatte alle soorten kool en was de klas uit gestuurd omdat ze Beth aan de andere kant van het middenpad een sms had gestuurd. Een blij kind, zou je zeggen, giechelig en vastberaden en met te veel haast voor komma's en punten: niets bijzonders, afgezien van haar danstalent, en daarmee tevreden. Maar daartussenin rees de doodsangst van de bladzijden af als benzinedamp, stinkend en bedwelmend. 'Jess vindt het erg dat ik naar de balletacademie ga ze moest huilen. Rosalind zei als ik ga dan pleegd Jessica zelfmoord + dan is het mijn schuld omdat ik niet altijd zo egowistisch moet zijn. Ik weet niet wat ik doen moet als ik het aan papa en mama vraag dan laten ze me misschien niet gaan. Ik wil niet dat Jess doodgaat.'

'Simone zei dat ik niet meer ziek mag worden dus ik zei tegen Rosalind dat ik haar drankje niet wilde. Rosalind zegt ik moet of anders kan ik niet meer dansen. Ik was heel erg bang omdat ze zo boos was maar ik was ook boos en ik zei nee ik geloof haar niet en volgens mij wordt ik er alleen maar ziek van. Ze zegt dat ik er nog spijt van zal krijgen en Jess mag niet meer met me praten.'

'Christina was boos op me want dinsdag kwam ze bij mij spelen en toen zei Rosalind dat ik zei dat ik niet meer met haar wilde spelen als ik naar de balletacademie ga en Christina gelooft niet dat ik dat niet gezegt heb. Nu willen Christina en Beth niet meer met me praten maar Marianne wel. Ik haat Rosalind IK HAAT HAAR IK HAAT HAAR.'

'Gisteren lag dit dagboek onder mijn bed zoals altijd maar ik kon het niet vinden. Ik zei niets maar toen ging mama met Rosalind en Jess naar tante Vera en toen heb ik overal gezocht in Rosalinds kamer en het zat in haar schoenendoos in haar kast. Ik durfde het niet weg te nemen want nu weet ze het en dan word ze echt boos maar dat kan me niet schelen. Ik ga het bij Simone verstoppen dan kan ik erin schrijven als ik in mijn eentje aan het oefenen ben.'

Drie dagen voor haar dood had ze voor het laatst in haar dagboek geschreven. 'Rosalind heeft spijt dat ze zo rot gedaan heeft dat ik wegga ze was alleen bezorgt over Jess en overstuur dat ik zo ver weg ga en zij zal me ook missen. Om het goed te maken gaat ze me een kadootje geven dat me geluk zal brengen bij het dansen.'

Haar stemmetje klonk helder door de ronde balpenletters heen, wervelde met de stofdeeltjes mee in het zonlicht. Katy, een jaar dood: botten op het grijze, geometrische kerkhof van Knocknaree. Ik had niet veel aan haar gedacht sinds het einde van de rechtszaak. Zelfs tijdens het onderzoek had ze eerlijk gezegd een minder belangrijke plaats in mijn gedachten ingenomen dan je zou verwachten. Het slachtoffer is de enige persoon die je nooit echt leert kennen; ze was niet meer geweest dan een reeks doorzichtige, elkaar tegensprekende beelden weerkaatst in andermans woorden, zelf niet belangrijk afgezien van haar dood en het dringende vuurwerkspoor van gevolgen dat daardoor achtergelaten wordt. Eén moment op de opgraving van Knocknaree had alles uitgevaagd wat zij ooit geweest was. Ik dacht aan haar op haar buik op deze blankhouten vloer hier, de broze vleugels van haar schouderbladen bewegend tijdens het schrijven, muziek die rond haar opwervelde.

'Zou het iets uitgemaakt hebben als we dit eerder hadden gevonden?' vroeg Simone. Ik schrok van haar stem, mijn hart begon te bonzen. Ik was bijna vergeten dat ik niet alleen was.

'Waarschijnlijk niet,' zei ik. Ik had geen idee of dat waar was, maar dat moest ze horen. 'Er staat hier niets in wat Rosalind rechtstreeks aan een misdaad koppelt. Er wordt gezegd dat Katy van haar iets moest opdrinken, maar dat had ze probleemloos kunnen verklaren – een vitaminedrankje, bijvoorbeeld, of Lucozade. En dat geldt ook voor dat cadeautje: op zich bewijst het niets.'

'Maar als we dit gevonden hadden voordat ze doodging,' zei Simone stilletjes, 'dan…' en natuurlijk kon ik daar niets op zeggen, helemaal niets.

Ik stopte het dagboek en het papieren envelopje in een zak voor bewijsmateriaal en stuurde alles naar Sam op Dublin Castle. Ze zouden in een doos in de kelder belanden, ergens in de buurt van mijn oude kleren; de zaak was gesloten, hij kon er niets meer mee, tenzij, of totdat, Rosalind hetzelfde deed met iemand anders. Ik had het dagboek graag naar Cassie gestuurd, als een soort woordeloze en nutteloze verontschuldiging, maar ook haar zaak was het niet meer, en sowieso kon ik niet langer weten of ze zou begrijpen hoe ik het bedoelde.

Een paar maanden later hoorde ik dat Cassie en Sam verloofd waren: Bernadette stuurde een e-mail rond om te vragen om een bijdrage aan een cadeau. Die avond zei ik tegen Heather dat iemands kind rodehond had, sloot me in mijn kamer op en bleef tot vier uur die ochtend langzaam maar doelbewust wodka drinken. Toen belde ik Cassies mobiel.

Toen die driemaal overgegaan was, zei ze met slaperige stem: 'Maddox.'

'Cassie,' zei ik. 'Cassie, je gaat toch niet echt met die saaie suflul trouwen? Nee toch?'

Ik hoorde haar ademhalen om antwoord te geven. Maar na een tijdje ademde ze uit.

'Sorry,' zei ik. 'Voor alles. Het spijt me zo verschrikkelijk. Ik hou van je, Cass. Alsjeblieft.'

Weer wachtte ik. Na een hele tijd hoorde ik iets vallen. Toen zei Sam, ergens op de achtergrond: 'Wie was dat?'

'Verkeerd nummer,' zei Cassie, verder weg nu. 'Een of andere dronken gozer.'

'Waarom duurde het dan zo lang?' Er klonk een grijns in zijn stem door: hij pestte haar. Geritsel van lakens.

'Hij zei dat hij van me hield, dus wilde ik zien wie het was,' zei Cassie.

'Maar hij bleek op zoek te zijn naar Britney.'

'Zijn we dat niet allemaal,' zei Sam; en toen: 'Au!' en Cassie die giechelde. 'Je hebt me in mijn neus gebeten.'

'Eigen schuld,' zei Cassie. Meer zacht gelach, geritsel, een kus; een lange, tevreden zucht. Zacht en gelukkig zei Sam: 'Meiske.' En toen niets meer dan hun ademhaling die geleidelijk aan in tandem begon te klinken en vertraagde tot ze weer sliepen.

Ik bleef een hele tijd zitten kijken naar de hemel die buiten mijn raam begon te verkleuren, en ik besefte dat mijn naam niet op Cassies mobieltje was verschenen. Ik voelde de wodka mijn bloed uit sijpelen, de hoofdpijn kwam opzetten. Sam snurkte heel zachtjes. Ik heb nooit geweten, niet toen en niet nu, of Cassie dacht dat ze opgehangen had, of dat ze me wilde kwetsen, of dat ze me een laatste geschenk gunde, nog één nacht luisteren naar haar ademhaling.

De snelweg werd uiteraard aangelegd op de oorspronkelijk geplande locatie. Weg met de snelweg wist de zaken indrukwekkend lang tegen te houden – gerechtelijke bevelen, moties, volgens mij hadden ze het probleemloos tot aan het Europese Hooggerechtshof gebracht – en een sjofele bende demonstranten in uniseks die zich Knocknafree noemde (onder wie, zou ik willen wedden, Mark) sloeg haar tenten op de opgraving op om te voorkomen dat de bulldozers hun gang gingen. Dat hield de zaken nog een paar weken op, terwijl de overheid een gerechtelijk bevel tegen hen aanvroeg. Ze hadden geen schijn van kans. Ik wou dat ik Jonathan Devlin had kunnen vragen of hij na alles wat er in het verleden was gebeurd nou echt geloofde dat de publieke opinie ditmaal verschil zou uitmaken. En of hij dat de hele tijd al geweten had maar toch vond dat hij het proberen moest. In beide gevallen benijdde ik hem.

De dag dat ik in de krant zag dat met de aanleg was begonnen, ging ik erheen. Ik werd geacht een buurtonderzoek te doen in Terenure, op zoek naar iemand die een gestolen auto had gezien die was gebruikt bij een overval, maar niemand zou me missen als ik er een uurtje tussenuit ging. Ik weet niet waarom ik erheen ging. Het was geen dramatische laatste poging om de zaken een plek te geven of zo; ik had gewoon een verlate impuls om Knocknaree nog één keer te zien.

Het was een puinhoop. Dat had ik wel verwacht, maar niet op zo'n enorme schaal. Ik hoorde het gedachteloze brullen van de machines al lang voordat ik de heuveltop bereikte. De hele opgraving was onherkenbaar, er zwermden mannen met felgekleurde veiligheidskleding als mieren rond en ze brulden schorre, onverstaanbare commando's boven het lawaai uit; enorme, smerige bulldozers smeten grote hompen aarde opzij en neusden met trage, obsceen delicate gebaren rond de opgegraven muurrestanten.

Ik parkeerde langs de kant van de weg en stapte uit. Er stond een troosteloos groepje demonstranten in het parkeerhaventje (dat was tot nu toe ongeschonden; de kastanjeboom liet weer zijn vruchten vallen) te zwaaien met handgeschreven protestborden − RED ONS ERFGOED, DE GESCHIEDENIS IS NIET TE KOOP − voor het geval de pers weer zou opdraven. De rauwe, omgewoelde aarde leek tot in een eindeloze verte door te lopen, groter dan de opgraving ooit geweest was, en het duurde even voordat ik besefte waarom: ook het laatste stukje bos was nu verdwenen. Bleke, versplinterde stammen, blootliggende wortels die verward naar de hemel staken. Er stond nog een handjevol overeind, en daar werd met kettingzagen aan geknaagd.

De herinnering trof me in mijn solar plexus: tegen de kasteelmuur opkrabbelen, de zakjes met chips krakend onder mijn T-shirt en het geluid van de rivier die ergens in de diepte langs kabbelde; Peters gymschoen die net boven me houvast zocht, Jamies blonde vlag die hoog boven de dansende boomblaadjes deinde. Mijn hele lichaam herinnerde het zich, het vertrouwde schrapen van steen tegen mijn hand, het strekken van mijn dijbeenspieren als ik me omhooghees, de werveling van groen en explosief zonlicht tegemoet. Ik was zo gewend geraakt aan de gedachte van het bos als onoverwinnelijke en steelse vijand, de schaduw over iedere geheime hoek van mijn denken; ik was volledig vergeten dat het een groot deel van mijn leven een probleemloze speeltuin en onze favoriete schuilplek was geweest. Totdat ik zag dat het neergemaaid werd, was niet bij me opgekomen dat het ook nog eens mooi was geweest.

Aan de rand van de opgraving, niet ver van de weg, had een van de arbeiders een platgedrukt pakje sigaretten vanonder zijn oranje vest tevoorschijn gepeuterd. Hij stond op al zijn zakken te kloppen op zoek naar een aansteker. Ik vond de mijne en liep op hem af.

'Bedankt, maat,' zei hij door de sigaret heen, terwijl hij zijn hand rond de vlam kromde. Hij was ergens in de vijftig, klein en mager, met een gezicht als een terriër: vriendelijk, neutraal, met borstelige wenkbrauwen en een dikke snor.

'Hoe gaat het?' vroeg ik.

Hij haalde zijn schouders op, inhaleerde en gaf me de aansteker terug. 'Ach ja. Ik heb wel erger gezien. Ellendige grote stenen overal, dat is het enige.'

'Misschien van het kasteel. Dit was vroeger een archeologische opgraving.'

'Praat me er niet van,' zei hij met een hoofdknik naar de demonstranten.

Ik glimlachte. 'Nog iets interessants gevonden?'

Meteen schoten zijn ogen terug naar mijn gezicht, en ik zag dat hij me snel, vorsend opnam: demonstrant, archeoloog, spion van de overheid? 'Wat, bijvoorbeeld?'

'Geen idee; stukjes oudheid, misschien. Dierenbotten. Menselijke botten.'

Zijn wenkbrauwen vlogen naar elkaar. 'Politie?'

'Nee,' zei ik. De lucht rook nat en zwaar, rijk van de omgespitte aarde en de dreigende regen. 'Twee vrienden van me zijn hier vermist geraakt, in de jaren tachtig.'

Hij knikte bedachtzaam, niet verbaasd. 'Ja, dat weet ik nog,' zei hij. 'Twee jonge kinderen. Was jij dat jochie dat erbij was?'

'Ja,' zei ik. 'Dat ben ik.'

Hij nam een lange trek van zijn sigaret en tuurde met milde belangstelling naar me op. 'Heel erg voor je.'

'Het is een hele tijd geleden,' zei ik.

Hij knikte. 'Voor zover ik weet hebben we geen botten gevonden. Van konijnen en vossen misschien, maar niets groters. Dan hadden we de politie gebeld.'

'Weet ik,' zei ik. 'Maar ik dacht, ik vraag het maar even.'

Daar dacht hij een tijdje over na, terwijl hij voor zich uit keek. 'Een van de jongens heeft eerder vandaag dit gevonden,' zei hij. Hij doorzocht al zijn zakken, van onder naar boven, tot hij iets onder zijn vest vandaan haalde. 'Wat zou dat zijn, denk jij?'

Hij liet het ding in mijn hand vallen. Het had de vorm van een blad, plat en smal en zowat zo lang als mijn duim, gemaakt van een of ander glad metaal met een matzwarte laag ouderdom eroverheen. Eén eind vertoonde punten; dit was een hele tijd geleden ergens afgebroken. Hij had geprobeerd het schoon te vegen, maar er zaten nog steeds kleine, harde stukjes aarde aan. 'Geen idee,' zei ik. 'Misschien een pijlpunt, of een stuk van een hanger.'

'Het zat bij de theepauze in de modder onder zijn laarzen,' zei de man. 'Hij gaf het aan mij om aan het zoontje van mijn dochter te geven; dat jochie is helemaal gek van archeologie.'

Het voorwerp voelde koel aan in mijn hand, zwaarder dan je zou denken. Smalle groeven, half uitgesleten, vormden aan één kant een patroon. Ik hield het in het licht: een mens, bestaande uit enkele strepen, met het brede, vertakte gewei van een hert.

'Hou maar, als je wilt,' zei de man. 'De jongen heeft het nooit gezien dus hij zal het ook niet missen.'

Ik sloot mijn hand over het voorwerp heen. De randen beten in mijn handpalm. Ik voelde mijn hartslag ertegenaan beuken. Waarschijnlijk hoorde het in een museum thuis. Mark zou er weg van zijn. 'Nee,' zei ik. 'Dank u, maar nee. Geef maar aan uw kleinzoon.'

Met hevig werkende wenkbrauwen trok hij zijn schouders op. Ik liet het ding weer in zijn hand terug glijden. 'Maar bedankt dat ik het even mocht zien,' zei ik.

'Geen probleem,' zei de man, terwijl hij het weer in zijn zak borg. 'Succes.'

'Jullie ook,' zei ik. Het begon weer te regenen, een fijne, mistige motregen. Hij gooide zijn peuk in een spoor en ging weer aan het werk. Onder het lopen zette hij zijn kraag overeind.

Ik stak zelf een sigaret op en keek naar het werk. Het metalen voorwerp had smalle rode vlekken op mijn handpalm achtergelaten. Twee kinderen, een jaar of acht, negen, lagen op hun buik op de muur rond de wijk; de arbeiders wuifden met hun armen en brulden boven het rumoer van de machines uit tot de kinderen verdwenen, maar even later waren ze weer terug. De demonstranten haalden paraplu's tevoorschijn en deelden boterhammen uit. Ik bleef een hele tijd staan kijken, tot mijn mobiel aanhoudend begon te trillen in mijn zak en het nog veel harder begon te hozen. Toen maakte ik mijn sigaret uit, knoopte mijn jas dicht en liep terug naar de auto.

## NAWOORD VAN DE AUTEUR

Ik heb me een aantal vrijheden veroorloofd met de werkwijze van de Garda Síochána, de Ierse politie. Om het meest voor de hand liggende voorbeeld te nemen: er is in Ierland geen afdeling Moordzaken – in 1997 zijn diverse afdelingen samengevoegd om samen het Nationaal Bureau voor Misdaadonderzoek te vormen. Dit assisteert plaatselijke politiekorpsen bij het onderzoek naar zware misdaden, waaronder moord – maar voor het verhaal had ik Moordzaken nodig. Ik ben David Walsh bijzondere dank verschuldigd voor zijn hulp bij een zeer breed scala aan vragen over politieprocedures. Eventuele onjuiste beschrijvingen zijn uitsluitend aan mijn eigen onwetendheid te wijten.

# WOORD VAN DANK

Ik ben enorme dank verschuldigd aan Ciara Considine, wier feilloze instincten en enthousiasme dit boek op ontelbaar vele manieren van begin tot eind vooruitgeholpen hebben. Darley Anderson, superagent en gentleman, die me vaker dan al mijn vrienden en kennissen verstomd heeft doen staan; zijn verbijsterende team, met name Emma White, Lucie Whitehouse en Zoë King; Sue Fletcher en Kendra Harpster, redacteuren *extraordinaires*, voor hun vertrouwen in dit boek en omdat ze precies wisten hoe ze het beter konden maken; Helena Burling, wier generositeit me de veilige haven bood om dit boek te schrijven; Oonagh 'Rietpluim' Montague, Ann-Marie Hardiman, Mary Kelly en Fidelma Keogh omdat ze mijn hand vasthielden als ik dat het hardst nodig had en omdat ze me hielpen min of meer bij mijn verstand te blijven; mijn broer, Alex French, die regelmatig mijn computer repareerde en David Ryan, die afstand deed van niet-intellectuele eigendomsrechten; dr. Fearghas O' Cochláin voor de medische stukjes; Ron en de Anonieme Engel, die dankzij een of andere grijze magie altijd weer het juiste moment wisten; Cheryl Steckel, Steven Foster en Deirdre Nolan omdat ze alles gelezen hebben en me moed inspraken; de PurpleHeart Theatre-ploeg voor hun niet-aflatende steun; en tot slot, maar zeker niet het minst, Anthony Breatnach, wiens geduld, steun, hulp en vertrouwen met geen pen te beschrijven zijn.